O DIÁRIO DE BRIDGET JONES

Helen Fielding

O DIÁRIO DE BRIDGET JONES

TRADUÇÃO DE

Beatriz Horta

8ª TIRAGEM

EDITORA RECORD

RIO DE JANEIRO • SÃO PAULO

1999

CIP-Brasil. Catalogação-na-fonte
Sindicato Nacional dos Editores de Livros, RJ.

Fielding, Helen
1ª ed.   O diário de Bridget Jones / Helen Fielding; tradução
de Beatriz Horta – 8ª tiragem – Rio de Janeiro: Record,
1999.

Tradução de: Bridget Jones's diary
ISBN 85-01-05321-X

1. Ficção inglesa. I. Corrêa, Beatriz Horta. II. Título.

98-1526   CDD – 823
                             CDU – 820-3

Título original inglês
BRIDGET JONES'S DIARY

Copyright © 1996 by Helen Fielding

Capa e projeto gráfico: Glenda Rubinstein

Direitos exclusivos de publicação em língua portuguesa para o Brasil
adquiridos pela
DISTRIBUIDORA RECORD DE SERVIÇOS DE IMPRENSA S.A.
Rua Argentina 171 – Rio de Janeiro, RJ – 20921-380 – Tel.: 585-2000
que se reserva a propriedade literária desta tradução

Impresso no Brasil

ISBN 85-01-05321-X

PEDIDOS PELO REEMBOLSO POSTAL
Caixa Postal 23.052
Rio de Janeiro, RJ – 20922-970

Para minha mãe, Nellie – por não ser igual à de Bridget.

AGRADECIMENTOS

Um agradecimento especial a Charlie Leadbeater por ter sugerido a coluna no *Independent*. Obrigada também a Gillon Aitken, Richard Coles, Scarlett Curtis, à família Fielding, Piers, Paula e Sam Fletcher, Emma Freud, Georgia Garrett, Sharon Maguire, Jon Turner e Daniel Woods pelas idéias e o apoio e principalmente, como sempre, a Richard Curtis.

SUMÁRIO

RESOLUÇÕES DE ANO-NOVO

→NÃO VOU

Tomar mais de 14 unidades alcoólicas por semana.

Fumar.

Desperdiçar dinheiro com: máquinas de fazer macarrão, sorvete ou qualquer outro utensílio culinário que jamais usarei; livros de autores, ilegíveis, que só servem para impressionar na estante; *lingerie* exótica, inútil já que não tenho namorado.

Ficar pela casa em atitudes indecorosas, mas sim lembrar que tem gente olhando.

Gastar mais do que ganho.

Perder o controle dos papéis se empilhando na bandeja de entrada.

Ficar interessada por nenhum dos seguintes tipos: alcoólatras, *workaholics*, homens com horror a compromisso, os que têm mulheres ou namoradas, misóginos, megalomaníacos, chauvinistas, babacas emocionais ou interesseiros, pervertidos.

Ficar aborrecida por causa de mamãe, Una Alconbury ou Perpétua.

Ficar irritada por causa de homem, mas sim ser sensata e fria como gelo.

Endoidar por causa de homem, mas sim ter relações baseadas numa avaliação madura da personalidade.

Falar mal de ninguém pelas costas, mas sim ter uma postura positiva em relação a todo mundo.

Ficar obcecada por Daniel Cleaver, já que é patético ter uma queda pelo chefe, tipo Miss Moneypenny ou coisa parecida.

Ficar deprimida por não ter namorado, mas sim desenvolver equilíbrio interior e autoridade, e a certeza de que sou uma mulher densa e completa, mesmo *sem* namorado, como a melhor forma de conseguir um.

→ EU VOU

Parar de fumar.

Tomar, no máximo, 14 unidades alcoólicas por semana.

Reduzir a circunferência das coxas em 7 cm (ou seja, 3,5 cm de cada lado) fazendo uma dieta anticelulite.

Tirar tudo o que é irrelevante do apartamento.

Dar para os pobres todas as roupas que não uso há mais de dois anos.

Investir na profissão e achar um emprego novo com potencial.

Economizar, abrindo uma poupança. Talvez também um fundo de aposentadoria.

Ser mais segura.

Ser mais firme.

Aproveitar melhor o tempo.

Não sair toda noite, mas sim ficar em casa lendo livros e ouvindo música clássica.

Destinar parte do salário para obras de caridade.

Ser mais gentil e ajudar mais os outros.

Comer mais legumes.

Sair da cama assim que acordar.

Ir à academia três vezes por semana não só para comprar sanduíche.

Organizar fotos em álbuns.

Fazer **uma seleção** de fitas que dão "clima" para ficar à mão com as melhores músicas românticas/para dançar/excitantes/feministas etc., em vez de me transformar em uma espécie de DJ bêbada com todas as fitas espalhadas pelo chão.

Criar uma relação sólida com um adulto responsável.

Aprender a programar o videocassete.

JANEiRO →

um péssimo começo

DOMINGO, 1º DE JANEIRO

58,5 kg (mas pós-Natal), 14 unidades alcoólicas (na verdade somando dois dias, já que quatro horas da festa foram antes da meia-noite), 22 cigarros, 5.424 calorias.

Comida ingerida hoje:

2 pacotes de queijo emental em fatias

14 batatinhas frias.

2 *bloody marys* (conta como comida, já que contém molho inglês e tomates)

1/3 de pão *ciabatta* com queijo *brie*

folhas de coentro – meio pacote.

12 barras de chocolate com leite (é melhor acabar logo com tudo que é doce de Natal e começar amanhã a dieta para valer)

13 palitinhos de queijo com abacaxi

Uma porção do peru ao *curry* de Una Alconbury, com ervilhas e bananas

Uma porção de Torta Surpresa de frambroesa de Una Alconbury feita com biscoitos champanhe, amoras em conserva, 30 litros de *chantilly*, decorada com cerejas e angélica.

Meio-dia. Londres: meu apartamento. Argh. A última coisa que me sinto física, emocional e mentalmente capaz de fazer agora é pegar o carro e ir até a casa de Una e Geoffrey Alconbury, que oferecem um bufê de Ano-Novo com peru ao *curry*, em Grafton Underwood. Geoffrey e Una Alconbury são os melhores amigos de meus pais e, como tio Geoffrey não cansa de lembrar, me conhecem desde que eu vivia correndo pelada pelo jardim. Minha mãe ligou às 8h30 da manhã no feriado bancário de agosto passado e me obrigou a jurar que iria. Fez uma série de rodeios até chegar aonde queria.

— Ah, oi, querida. Estou ligando só para saber o que você quer ganhar de Natal.

— *Natal?*

— Prefere uma surpresa, querida?

— Não! — berrei. — Desculpe. Quer dizer...

— Achei que você ia gostar de um jogo de rodinhas para sua mala de viagem.

— Mas eu não tenho mala.

— Então posso dar uma *que já venha com rodinhas*. Sabe, como as que as aeromoças usam.

— Já tenho uma bolsa de viagem.

— Ah, querida, você não pode ficar usando aquela coisa de lona verde horrorosa. Fica parecendo uma Mary Poppins em dificuldades financeiras. Uma mala compacta, com alça dobrável. Você não imagina quanta coisa cabe nela. Prefere azul-marinho com vermelho ou vermelho com azul-marinho?

— Mãe. São oito e meia da manhã. É verão. Está quente. Não quero uma mala de aeromoça.

— Julie Enderby tem uma. E disse que não usa outra coisa.

— Quem é Julie Enderby?

— Você conhece a *Julie*, querida! A filha de Mavis Enderby. Julie! Aquela que conseguiu aquele superemprego na Arthur Andersen...

— Mãe...

– Ela sempre viaja com essa mala.

– Eu não quero uma mala com rodinhas.

– Tive uma idéia. Jamie, papai e eu podemos nos juntar e dar para você uma mala boa, grande e nova, *e* um jogo de rodinhas. O que acha?

Exausta, afastei o fone do ouvido, me perguntando por que todo aquele empenho missionário em dar uma mala de presente de Natal. Quando coloquei o fone no ouvido de novo, minha mãe estava dizendo:

– ... aliás, tem uma que já vem com um compartimento com vidros para colocar sua espuma de banho e tal. Outra coisa que pensei em dar para você foi um carrinho de compras.

– Tem alguma coisa que *você* queria de Natal? – perguntei desesperada, ofuscada pela forte claridade do feriado bancário.

– Não, não – respondeu ela, sem prestar atenção. – Tenho tudo o que preciso. Mas, querida – sibilou ela de repente –, este ano você vai ao bufê de peru ao *curry* de Ano-Novo na casa de Geoffrey e Una, não?

– Ah, bom, eu... – fiquei completamente apavorada. O que podia inventar que ia fazer? – ... acho que vou ter de trabalhar no Ano-Novo.

– Não tem problema. Você pode ir de carro, depois do trabalho. Ah, já contei? Malcolm e Elaine Darcy vão, e Mark vai com eles. Lembra de Mark, querida? Ele agora é considerado um dos melhores advogados da praça. Muito dinheiro. Divorciado. Vai começar lá pelas oito.

Ah, meu Deus. Que o tal Mark não seja mais um doido por ópera com roupas estranhas e cabelo ouriçadinho repartido de lado.

– Mãe, eu já disse. Não preciso me grudar num...

– Vamos e venhamos, querida. Una e Geoffrey oferecem o Bufê de Ano-Novo desde o tempo em que você ficava correndo nua pelo jardim! Claro que você vai. E assim tem a chance de usar sua mala nova.

23h45. Argh. O primeiro dia do Ano-Novo foi um dia de horror. Não posso acreditar que estou mais uma vez começando o ano numa cama de solteiro, na casa de meus pais. É humilhante demais, na minha idade. Imagino se eles depois vão sentir o cheiro se eu fumar na janela. Fiquei o dia inteiro metida em casa, esperando melhorar da ressaca, acabei desistindo e cheguei bem tarde no bufê do peru ao *curry*. Quando apertei a campainha da casa dos Alconbury — com som em estilo carrilhão-de-relógio-da-prefeitura — continuava me sentindo uma alienígena: enjôo, cabeça pesada, boca amarga. Além do mais, estava com ódio de dirigir, depois de entrar sem querer na rodovia M6, em vez de pegar a M1, e precisar ir quase até Birmingham para achar um retorno. Fiquei tão irritada que enfiei o pé no acelerador para descontar minha raiva, o que é um perigo. Esperei, resignada, enquanto o vulto de Una Alconbury se aproximava — estranhamente deformado através do vidro ondulado da porta — num conjuntinho fúcsia.

— Bridget! Já estávamos achando que você tinha se perdido! Feliz Ano-Novo! Íamos começar sem você.

Ela conseguiu de uma só vez me dar um beijo, tirar meu casaco, dependurá-lo no cabide, limpar o batom que ficou no meu rosto e fazer com que me sentisse completamente culpada, enquanto eu procurava me recuperar encostando numa estante.

— Desculpe, eu me perdi.

— Se perdeu? Meu Deus! Como você conseguiu? Entre!

Fui atrás dela, passando por portas de vidro fosco até chegar à sala de estar, onde Una informou bem alto:

— Gente, ela se perdeu!

— Bridget! Feliz Ano-Novo! — disse Geoffrey Alconbury, que usava um suéter amarelo com estampas de losango. Ele deu um passo atlético, como se fosse um palhaço, depois me abraçou como se fosse me esmagar. Quem não soubesse que era apenas um abraço, podia até chamar a polícia.

– Arre – disse ele, com o rosto vermelho e puxando as calças pela cintura. – Que saída da estrada você pegou?

– A 19, mas tinha um desvio...

– Saída 19! Una, ela saiu na 19! Você viajou mais uma hora, antes de pegar a estrada certa. Venha, vou fazer um drinque para você. Aliás, como vai de amores?

Ai, Deus. Por que as pessoas casadas não conseguem entender que essa não é mais uma pergunta delicada a se fazer? Nós não chegaríamos para *eles* perguntando: "Como vai seu casamento? Continuam transando?"

Todo mundo sabe que arrumar namorado depois dos 30 não é a mesma maravilha que era aos 22 e que, em vez de dizer "Superbem, obrigada", o mais provável é que a resposta seja: "Olha, na noite passada meu amante casado apareceu de suspensórios e casaco justinho de *cashmere*, me confessou que era *gay*/tarado sexual/viciado em drogas/tinha horror a compromissos e me espancou com um vibrador."

Como não consigo mentir, acabei resmungando meio envergonhada para Geoffrey: "Estou ótima", e ele interrompeu: "Ah, quer dizer que você *ainda* não conseguiu arrumar um namorado!"

– Bridget! O que você vai fazer da vida? – perguntou Una. – Vocês, moças trabalhadoras! Não entendo! Não pode continuar adiando isso para sempre, sabe. Tique-taque, tique-taque, tique-taque.

– É verdade. Como pode uma mulher chegar à sua idade sem casar? – grasnou Brian Enderby (casado com Mavis e presidente do Rotary Clube em Kettering), balançando seu cálice de xerez. Felizmente meu pai veio me socorrer.

– Que bom ver você, Bridget – disse ele, segurando meu braço. – Sua mãe colocou todos os destacamentos policiais de Northamptonshire de prontidão para vasculhar cada milímetro da região à procura dos restos de seu corpo. Venha mostrar que está viva para eu também poder relaxar. Que tal a mala de rodinhas?

– É um exagero, grande demais. Que tal o cortador de pêlos de orelha?

– Ah, ótimo, assim... *cortante*.

Correu tudo bem, acho. Seria meio chato se eu não tivesse ido, mas quanto a Mark Darcy... argh. Antes do bufê, minha mãe passou semanas me ligando só para dizer: "Claro que você lembra dos *Darcy*, querida. Eles nos visitaram quando morávamos em Buckingham e você e Mark brincaram na piscininha de plástico!" Ou então: "Ah, já contei que Malcolm e Elaine vão levar Mark na casa de Una para o bufê de peru ao *curry* de Ano-Novo? Acho que ele acaba de chegar dos Estados Unidos. Divorciado. Está procurando uma casa em Holland Park. Parece que sofreu um bocado na mão da ex-mulher. Japonesa. Raça muito cruel."

Numa outra vez, sem mais nem menos, ela disse: "Lembra de Mark Darcy, querida? O filho de Malcolm e Elaine? Ele hoje é um dos advogados mais cotados. Divorciado. Elaine contou que ele só faz trabalhar e está muito sozinho. Acho que vai ao bufê de peru ao *curry* de Ano-Novo da Una."

Não sei por que ela não foi direto ao assunto, dizendo: "Querida, agarre Mark Darcy no bufê de peru ao *curry*, está bem? Ele é *muito* rico."

– Venha conhecer Mark – disse Una Alconbury com uma vozinha cantante, antes que eu conseguisse beber qualquer coisa. Ser jogada para cima de um homem sem querer é um tipo de humilhação. Muito pior é ser literalmente carregada até ele por Una Alconbury, quando se está tentando recuperar de uma ressaca terrível, numa sala cheia de amigos dos pais.

Mark (bela altura), o rico divorciado-da-esposa-cruel,

estava de costas para a sala, examinando livros nas estantes dos Alconbury: a maioria coleções de lombada de couro sobre o Terceiro *Reich*, que Geoffrey compra da Reader's Digest por mala direta. Achei um tanto ridículo se chamar Sr. Darcy e ficar sozinho com cara de esnobe numa festa. É como se chamar Heathcliff e insistir em passar a noite inteira no jardim gritando "Cathy" e batendo com a cabeça numa árvore.

– Mark! – chamou Una, como se fosse uma das fadas de Papai Noel. – Quero que você conheça uma pessoa maravilhosa.

Ele se virou e o que de costas parecia um simples suéter azul-marinho era um suéter com gola em V com losangos em vários tons de amarelo e azul – como costumam usar os comentaristas esportivos mais antigos. Como diz meu amigo Tom, as pessoas poderiam gastar muito menos tempo e dinheiro no mundo dos encontros se prestassem atenção aos detalhes. Uma meia branca aqui, um par de suspensórios vermelhos ali, um mocassim cinza acolá, uma suástica são suficientes para informar que não vale a pena anotar um telefone e gastar dinheiro com almoços em restaurantes caros porque aquela história nunca vai dar certo.

– Mark, esta é Bridget, filha de Colin e Pam – disse Una, enrubescendo, toda agitada. – Bridget trabalha no ramo editorial, não é, Bridget?

– É verdade – respondi não sei por quê, como se estivesse participando de um programa de rádio ao vivo pelo telefone e prestes a perguntar a Una se podia "mandar um alô" para meus amigos Jude, Sharon e Tom, meu irmão Jamie, o pessoal da editora, mamãe, papai e todos os presentes no bufê de peru ao *curry*.

– Bem, vou deixar vocês jovens a sós – disse Una. – Arre! Acho que vocês não agüentam mais a gente, esses velhos bobocas.

— De jeito nenhum — disse Mark Darcy sem jeito, tentando dar um sorriso, enquanto Una, depois de revirar os olhos, colocando a mão no peito e dando uma risadinha cacarejante, nos deixou imersos em um silêncio mortal.

— Err, ahn. Está lendo algum, ahn... Tem lido algum livro interessante? — disse ele.

Ah, pelo amor de Deus

Tentei freneticamente me lembrar da última vez que. eu tinha lido um livro recomendável. O problema de se trabalhar com livros é que ler nas horas vagas é meio parecido com ser gari e à noite passear no lixão. Estava no meio de *Homens são de Marte, muheres são de Vênus*, que Jude me emprestou, mas eu não tinha muita certeza se Mark Darcy aceitaria ser considerado um marciano, apesar de claramente estranho. Aí me lembrei de um livro perfeito.

— *Backlash*, de Susan Faludi — respondi, orgulhosa. Boa! Na verdade, não tinha exatamente lido o livro, mas era como se tivesse, já que Sharon falou tanto nele. De todo jeito, opção totalmente segura já que sem chances do mocinho certinho de casaco de losangos ter lido um tratado feminista de 500 páginas.

— Ah, é mesmo? — disse ele. — Li logo que saiu. Você não acha que a autora exagerou nos argumentos em defesa da mulher?

— Bem, quer dizer, acho que nem *tanto*... — respondi em pânico, tentanto achar um jeito de mudar de assunto. — Você passou o Ano-Novo com seus pais?

— Passei — disse ele ansioso. — Você também?

— Passei. Não. Fui a uma festa em Londres ontem à noite. Estou meio de ressaca, aliás. — Falei mais um pouco de amenidades, meio nervosa, para que Una e mamãe não achassem que eu era um tal fracasso com homens que não conseguia conversar nem com Mark Darcy. — Mas eu acho que não se pode tecnicamente esperar que as resoluções de Ano-Novo comecem no primeiro dia do ano, não? Em primeiro lugar, porque esse dia é uma continuação do *réveillon*, os fumantes já estão fumando e é impossível querer que parem de repente à meia-noite com tanta nicotina no sangue. Da mesma forma, não é uma boa idéia começar uma dieta no primeiro dia no ano, já que você não pode fazer um controle do que come e precisa comer livremente, sempre que necessário, para diminuir a ressaca. Acho que seria bem mais sensato se as pessoas começassem a colocar em prática suas resoluções no dia 2 de janeiro.

— Talvez fosse bom você comer alguma coisa — disse ele, e de repente foi em direção ao bufê, me deixando plantada sozinha ao lado da estante, enquanto todo mundo me olhava, pensando: "É por isso que Bridget não casa. Ela afasta os homens."

O pior era que Una Alconbury e mamãe não iam deixar a coisa assim. Fizeram com que eu circulasse com bandejas de minipepinos em conserva e taças de *sherry* numa tentativa desesperada para que eu tropeçasse em Mark Darcy. Acabaram ficando tão frustradas que, quando parei a um metro e meio dele com a bandeja de minipepinos, Una atravessou a sala rápido como uma águia e disse:

— Mark, antes de ir você precisa anotar o telefone de Bridget. Assim vocês podem se falar em Londres.

Foi impossível não ficar vermelha. Podia sentir o calor subindo pelo pescoço. Agora Mark ia pensar que eu tinha pedido para ela fazer isso.

— Tenho certeza de que a vida de Bridget em Londres já é bem agitada, Sra. Alconbury — disse ele. Hum. Eu não queria que pegasse meu telefone ou tomasse qualquer iniciativa do tipo, mas ele não precisava deixar tão claro para todo mundo que não queria. Quando baixei os olhos, vi que ele usava meias brancas com estampas de abelhinhas amarelas.

— Posso lhe oferecer um pepino? — perguntei, com a intenção de mostrar que eu tinha um bom motivo para aparecer, mais relacionado a pepinos em conserva do que a números de telefone.

— Não, obrigado — disse ele, me olhando meio assustado.

— Tem certeza? Então uma azeitona recheada? — insisti.

— Cebolinhas douradas? — insisti mais. — Cubos de beterraba?

— Obrigado — agradeceu ele, desesperado, pegando uma azeitona.

— Bom proveito — falei, vitoriosa.

Lá pelo final da reunião, vi que ele foi agarrado por sua mãe e Una, que o trouxeram até onde eu estava e ficaram atrás dele, enquanto Mark perguntava, duro:

— Vai voltar de carro para Londres? Vou ficar aqui, mas posso fazer com que meu carro leve você.

— Ué, o carro anda sozinho? — perguntei.

Ele ficou meio desconcertado.

— Arre, boba, Mark tem um carro com motorista da empresa onde trabalha — disse Una.

— Obrigada, é muito gentil — falei. — Mas volto de trem de manhã.

2h da manhã. Ah, por que sou tão pouco atraente? Por quê? Até um homem que usa meias com estampas de abelhinhas me acha horrível. Detesto Ano-Novo. Detesto todo mundo. Exceto Daniel Cleaver. Não importa, tenho uma enorme barra de chocolate ao leite Cadbury que sobrou do Natal, além de uma garrafinha de gim-tônica. Vou consumi-los e fumar um cigarro.

TERÇA-FEIRA, 3 DE JANEIRO

58,9 kg (caminho célere rumo à obesidade.
Por quê? Por quê?), 6 unidades alcoólicas
(excelente), 23 cigarros (m. b.), 2.472 calorias.

9h. Argh. Não posso nem pensar em ir para o trabalho. A única coisa que me faz aceitar a idéia é pensar em ver Daniel de novo, mas até isso é pouco indicado já que estou gorda, com uma espinha no queixo e meu único desejo é sentar no sofá, comer chocolate e ver os especiais de Natal na tevê. Parece errado e injusto que primeiro você seja obrigado a aceitar o Natal, com todos os seus estressantes desafios emocionais e financeiros, e depois de repente ele acabe exatamente quando você estava começando a entrar na onda. Eu estava começando a gostar dos serviços públicos não funcionarem e de não ter nada demais em ficar na cama o quanto quisesse, comendo tudo o que bem entendesse e bebendo sempre que tivesse oportunidade, mesmo de manhã. E subitamente somos todos obrigados a seguir uma autodisciplina como se fôssemos galgos jovens e esguios.

10h. Argh. Perpétua, um pouco mais velha e por isso pensando que tem o direito de tomar conta de mim, estava irritada e mandona, falando sem parar até a exaustão sobre a mais recente mansão de meio milhão de libras que está pensando em comprar com seu namorado Hugo, rico e superesnobe:

— Ai, a casa *é* de frente para o norte mas fizeram uma coisa muito esperta com a luz.

Dei uma olhada triste para ela, com seu traseiro enorme apertado numa saia vermelha e um colete estranho de listras amarrado por cima. Que maravilha nascer com a segurança que vem do fato de ser milionária. Perpétua podia ficar do tamanho de um Renault Espace e não dar a mínima. Quantas horas, meses, anos eu já passei preocupada com a balança enquanto Perpétua procurava alegremente abajures com pés de porcelana em forma de gato na sofisticada Fulham Road? Mas ela está se privando de uma das melhores formas de felicidade. As pesquisas provam que a felicidade não depende de amor, segurança ou poder, mas de buscar metas atingíveis: e o que é uma dieta se não isso?

Na volta para casa em frustração pós-Natal comprei na liquidação um pacote de enfeites de chocolate para árvore de Natal e uma garrafa de 3,69 libras de vinho espumante da Noruega, Paquistão ou qualquer coisa assim. A seguir, com a sala iluminada só pela árvore de Natal, bebi à beça e comi dois pasteizinhos de carne, o resto do bolo de Natal e umas fatias de queijo Stilton, enquanto assistia a *Eastenders*, fingindo que era um especial de Natal.

Mas agora estou com vergonha, me achando um nojo. Quase consigo sentir a gordura explodindo do meu corpo. Não tem problema. Às vezes é preciso mergulhar numa profunda intoxicação alimentar para depois ressurgir das cinzas como uma fênix, transformada numa linda e maravilhosa Michelle Pfeiffer. Amanhã começa nova dieta espartana e tratamento de beleza.

Humm. Esse Daniel Cleaver. Adoro seu jeito meio depravado, embora ele seja um cara muito bem-sucedido e inteligente. Hoje ele contou uma coisa hilária na editora: a mãe dele deu de presente de Natal para a tia um porta-papel negro para cozinha e a tia achou que era uma escultura de um pênis. Foi superengraçado. Depois ele perguntou, com um jeito sedutor, se eu tinha ganhado alguma coisa interessante de Natal. Acho que amanhã vou usar minha saia preta.

QUARTA-FEIRA, 4 DE JANEIRO

59,4 kg (situação de emergência agora como se a gordura estivesse armazenada desde o Natal e fosse sendo liberada aos poucos), 5 unidades alcoólicas (melhor), 20 cigarros, 700 calorias (m. b.).

16h. Trabalho. Situação de emergência. Jude acaba de ligar aos prantos do celular e depois de um tempo conseguiu dizer, com uma voz chorosa, que não tinha ido a uma reunião da diretoria (ela é Chefe de Projetos Futuros na Brightlings) porque estava prestes a chorar e agora estava no banheiro feminino com os olhos borrados como Alice Cooper e sem bolsa de maquiagem. O namorado dela, Richard o Vil (sujeito acomodado com horror a compromisso), com quem ela vai e volta há 18 meses, tinha terminado tudo porque ela perguntou se podiam passar as férias juntos. Bem típico dele, mas é claro que Jude estava achando que era culpa dela.

— Sou uma dependente. Pedi muito mais do que o necessário só para satisfazer minha carência. Ah, se pelo menos eu pudesse fazer os ponteiros do relógio andarem para trás.

Liguei em seguida para Sharon e marcamos uma reunião de emergência para as seis e meia no Café Rouge. Espero que consiga sair sem que a droga da Perpétua reclame.

23h. Noite agitada. Sharon veio logo com uma tese: o que está acontecendo com Richard é um caso típico de "babaquice emocional", fato que vem se alastrando como fogo entre os homens com mais de 30 anos. Ela garante que, à medida que as mulheres vão passando dos 20 para os 30 anos, o equilíbrio de poder muda de repente. Até as mulheres mais seguras perdem as estribeiras, lutando contra os primeiros sinais de angústia existencial: medo de morrer sozinha e ser encontrada três semanas depois semidevorada por um pastor alemão. Idéias estereotipadas a respeito de solteironas, abismos e migalhas sexuais conspiram para fazer com que você se sinta idiota, mesmo que passe um bom tempo pensando nas atrizes Joanna Lumley e Susan Sarandon.

— Homens como Richard — concluiu Sharon, furiosa — usam qualquer coisa para fugir da raia, do compromisso, para não enfrentar a maturidade, a honra e a progressão natural das coisas entre um homem e uma mulher.

Nesse ponto, Jude e eu estávamos nos escondendo nos casacos e fazendo discretamente "pssiu, pssiu" para ela falar mais baixo. Afinal, não tem nada menos atraente para um homem do que feminismo irado.

— Como ele pode dizer que você estava levando muito a sério a relação só porque perguntou se podiam passar as férias juntos? — gritou Sharon. — Que história é essa?

Pensando vagamente em Daniel Cleaver, argumentei que nem todos os homens são como Richard. Foi aí que Sharon começou a desfiar uma longa lista de babaquices emocionais entre nossos amigos: uma amiga que namora há 13 anos mas o namorado não quer nem falar em morar junto; outra que saiu com um homem quatro vezes e ele terminou a relação porque estava ficando muito séria; mais outra que foi perseguida por um cara durante três meses com propostas de casamento apaixonadas, para três semanas depois de ela ter aceitado ele cair fora e usar a mesma fórmula com a melhor amiga dela.

— Nós, mulheres, somos vulneráveis apenas porque integramos uma geração pioneira que tem a ousadia de não fazer concessões em amor e depender de nossos próprios recursos financeiros. Daqui a vinte anos, os homens não vão nem pensar babaquice emocional porque nós vamos *rir na cara deles* – berrou Sharon.

Nessa altura, Alex Walker, que trabalha na mesma empresa que Sharon, entrou acompanhado de uma loura sensacional cerca de oito vezes mais atraente do que ele Alex se aproximou da mesa para nos cumprimentar.

– É sua nova namorada? – perguntou Sharon.

– Bem, quer dizer... Ela acha que é, mas não estamos saindo, só dormindo juntos. Eu deveria acabar com essa história mas, bem... – disse ele, orgulhoso.

– Ah, mas isso é uma sacanagem, seu covarde, seu bundinha. Muito bem. Eu vou falar com essa moça – disse Sharon, levantando-se da mesa. Jude e eu a seguramos enquanto Alex, com uma cara apavorada, se afastava de fininho para continuar sua babaquice emocional.

Nós três acabamos inventando uma estratégia para Jude. Ela precisa parar de pensar em termos de *Mulheres que amam demais* e passar a pensar em termos de *Homens são de Marte, mulheres são de Vênus*. Jude vai encarar o comportamento de Richard não como um sinal de que ela é dependente e ama demais, mas vê-lo mais como um elástico marciano que precisa ser bem esticado para bater de volta.

– Certo, mas isso significa que eu devo ligar para ele ou não? – perguntou Jude.

– Não – disse Sharon, exatamente na mesma hora em que eu dizia "Sim".

Depois que Jude foi embora – ela levanta às 5h45 para fazer ginástica, encontra com a moça que faz suas compras particulares e só então vai para o trabalho, que começa às 8h30 (loucura) – Sharon e eu ficamos cheias de remorso e raiva de nós mesmas por não termos dito para Jude se livrar de Richard o Vil simplesmente porque ele é vil. Mas aí Sharon se lembrou que na última vez em que fizemos isso os dois voltaram a namorar e Jude contou tudo o que tínhamos falado num acesso de confissão reconciliatória e agora é extremamente desagradável todas as vezes em que o encontramos e ele acha que nós duas somos as Rainhas Escrotas – o que, segundo Jude, é um erro porque, embora tenhamos descoberto nossas Escrotas Interiores, ainda não as libertamos.

QUINTA-FEIRA, 5 DE JANEIRO

58,5 kg (grande progresso – um quilo queimado espontaneamente graças à expectativa de uma provável oportunidade de praticar sexo), 6 unidades alcoólicas (muito bom, já que teve festa), 12 cigarros (continuo no bom caminho), 1.258 calorias (o amor não me deixou beliscar).

11h. Trabalho. Ai, meu Deus. Daniel Cleaver acaba de me mandar uma mensagem. Eu estava tentando fazer meu currículo sem que Perpétua notasse (estou querendo melhorar na profissão) quando vi no alto da tela um aviso piscando: Chegaram Novas Mensagens. Deseja ler agora? Encantada por qualquer coisa que, bem, não diga respeito ao trabalho, cliquei rápido em cima do Sim e quase caí dura quando vi que a mensagem era assinada Cleave. Imediatamente achei que ele tinha conseguido entrar no computador e ver que eu não estava trabalhando. Mas aí li a mensagem:

Mensagem para Jones
Parece que você esqueceu de vestir a saia. Creio que está bem claro em seu contrato de trabalho que a empresa espera que, durante o expediente, seus funcionários estejam vestidos corretamente.
Cleave

Ah! Claro que era uma brincadeira sedutora. Pensei um pouco enquanto fingia examinar um chatíssimo manuscrito de um maluco. Nunca tinha me correspondido com Daniel Cleaver pelo computador, mas esse sistema tem uma coisa ótima: você pode ser completamente atrevida e informal até com o chefe. E também pode ficar horas ensaiando. Eis o que respondi.

Mensagem para Cleave
Senhor, estou surpresa com sua mensagem. Embora minha saia possa ser considerada meio curta (nas nossas reuniões editoriais a economia está sempre em pauta), considero péssima sua avaliação de que estou sem saia e penso na possibilidade de consultar o sindicato.
Jones

Aguardei a resposta com grande ansiedade. Chegaram Novas Mensagens começou a piscar. Cliquei em cima do Sim:

A pessoa que levou sem querer o original de A MOTOCICLETA DE KAFKA da minha mesa queira, POR FAVOR, fazer a gentileza de devolver imediatamente.
Diane.

Argh. Depois dessa, desliguei o computador.

Meio-dia. Ai, Deus. Daniel não respondeu. Deve estar uma fera. Talvez ele estivesse falando sério sobre a saia. Ai, Deus. Ai, Deus. Fiquei entusiasmada com a chance de ser tão informal via computador e exagerei com o chefe.

12h10. Talvez ele ainda não tenha recebido a mensagem. Se ao menos eu pudesse recuperá-la. Acho que vou dar uma volta, ver se consigo entrar na sala dele e apagar a mensagem da tela.

12h15. Ah. Tudo explicado. Ele está em reunião com Simon do Marketing. Olhou para mim quando passei. Rá. Rá-rá-rá. Chegaram Novas Mensagens:

Mensagem para Jones
Se o fato de passar pela porta da minha sala era uma tentativa de demonstrar que está de saia, só posso dizer que foi totalmente inútil. Não existe saia. Será que a saia faltou por motivo de doença?
Cleave

Chegaram Novas Mensagens piscou outra vez, imediatamente após.

Mensagem para Jones
Se a ausência da saia é realmente devido à doença, por favor, verifique quantas vezes isso ocorreu nos últimos doze meses. O caráter espasmódico da presença da saia sugere absenteísmo.
Cleave

Resposta imediata:

Mensagem para Cleave
A saia não demonstra estar doente nem ausente. Surpresa com a atitude fortemente preconceituosa da chefia em matéria de comprimento da saia. Interesse obsessivo faz supor que a chefia está mais doente do que a saia.
Jones

Hum. Acho melhor tirar esta última frase, que tem uma leve acusação de assédio sexual enquanto estou adorando ser assediada sexualmente por Daniel Cleaver.

Aaargh. Perpétua acaba de entrar e ficou atrás de mim, lendo o que eu estava escrevendo. Tentei apertar a tecla de Fechar Texto rapidamente mas, por engano, coloquei o currículo na tela outra vez.

– Quando você terminar de ler me avise, por favor – disse Perpétua com um sorriso afetado. – Não gostaria que você fosse *mal aproveitada* na empresa.

Voltei para minha mensagem assim que ela pegou no telefone: "Para ser sincera, Sr. Birkett, o que adianta colocar três pessoas em quatro quartos, quando é óbvio que o terceiro quarto será do tamanho de um armário?" Eis o que estou mandando agora:

Mensagem para Cleave
A saia não demonstra estar doente ou auzente. Surpresa com a atitude fortemente preconceituosa da chefia em matéria de comprimento. Concidero a possibilidade de recorrer ao tribunal de trabalho, comunicar o fato a tablóides sensacionalistas etc.
Jones

Ai, meu Deus. A resposta que recebi:

Mensagem para Jones
Ausente, Jones, e não auzente. Considero e não concidero. Por favor, tente pelo menos escrever com alguma correção. Isso não significa absolutamente que a linguagem seja algo imutável e fixo e não sempre em mutação, sendo uma ferramenta variada de comunicação (segundo Hoenigswald), talvez seja útil checar antes no corretor ortográfico
Cleave

Estava completamente arrasada quando Daniel passou com Simon do Marketing, deu um olhar bem *sexy* para minha saia e levantou a sobrancelha. Adoro o maravilhoso sistema de mensagem por computador. Mas tenho de prestar atenção à ortografia. Afinal de contas, tenho diploma de inglês.

SEXTA-FEIRA, 6 DE JANEIRO

17h45. Não poderia estar mais alegre. As mensagens com referência à presença ou não da saia continuaram a tarde inteira. Não consigo acreditar que o respeitável chefe tenha trabalhado um minuto que seja. Situação esquisita em relação à Perpétua (subchefe), ficou de mau humor desde que soube que eu estava trocando mensagens. Situação esquisita com Perpétua (subchefe), já que ela sabia que eu estava trocando mensagens e ficou muito zangada, mas a verdade é que o fato de eu estar trocando mensagens com o chefe supremo me causou sentimentos de lealdade conflitantes – campo de batalha obviamente desequilibrado onde qualquer um com um pingo de bom senso diria que o chefe supremo deveria segurar a onda. Última mensagem lida:

Mensagem para Jones
No fim de semana, gostaria de mandar um buquê de flores para a saia adoentada. Favor fornecer contato o mais rápido possível pois, por razões óbvias, não posso confiar na grafia de "Jones" para procurar na lista.
Cleave

Siiim! Siiim! Daniel Cleaver quer meu telefone. Sou maravilhosa. Sou uma irresistível Deusa do Sexo. Oba!

DOMINGO, 8 DE JANEIRO

58 kg (bom à beça, mas e daí?), 2 unidades alcoólicas (excelente), 7 cigarros, 3.100 calorias (ruim).

14h. Ai, Deus, por que sou tão pouco atraente? Não posso acreditar que me convenci que não faria nada o fim de semana inteiro para trabalhar quando na verdade estava em estado de alerta para o encontro-com-Daniel. Horrível, perdi dois dias olhando para o telefone como uma psicopata e comendo coisas. Por que ele não ligou? Por quê? O que há de errado comigo? Por que pediu meu telefone se não ia ligar e, se fosse, certamente seria no fim de semana? Preciso me centrar. Vou pedir a Jude um bom livro de auto-ajuda, de preferência baseado em alguma religião oriental.

20h. Alerta: o telefone toca, mas é Tom perguntando se há alguma novidade telefônica. Tom, que começou a se definir de brincadeira como bicha-velha, tem sido um excelente apoio na crise deflagrada por Daniel. Tom tem uma teoria de que homossexuais e mulheres solteiras quando chegam aos 30 anos criam uma ligação natural porque ambos já se acostumaram a desapontar os pais e a serem tratados como malucos pela sociedade. Ele me consolou enquanto eu falava sem parar do meu problema de ser pouco atraente – problema, como eu lhe disse, deflagrado em primeiro lugar pelo droga do Mark Darcy e depois pelo droga do Daniel diante do que ele perguntou, embora não fosse de grande ajuda:

— Mark Darcy? Não é aquele famoso advogado, o cara dos direitos humanos?

Humm. Bom, de qualquer maneira. O que dizer do meu direito humano de não ter de viver com um assustador complexo de feiúra?

23h. Muito tarde para Daniel ligar. Mto chateada e traumatizada.

SEGUNDA, 9 DE JANEIRO

58 kg, 4 unidades alcoólicas, 29 cigarros, 770 calorias (m.b. mas a que preço?).

Dia de pesadelo na editora. Esperei Daniel chegar a manhã inteira: nada. Lá pelas 11h30 estava seriamente preocupada. Será que eu devia avisar as pessoas?

Então de repente Perpétua berrou no telefone:

— Daniel? Foi a uma reunião em Croydon. Volta amanhã. — Bateu o telefone e disse: — Ah, essas garotas chatas que ligam para ele sem parar.

Em pânico, agarrei o maço de Silk Cut. Que garotas? Como? De algum modo consegui trabalhar, ir para casa, e num momento de insanidade deixei um recado na secretária eletrônica de Daniel dizendo (não, não acredito que fiz isso):

— Oi, aqui é Jones. Estava querendo saber como vai você e se gostaria de se encontrar comigo para a reunião pela saúde das saias, como disse.

No instante em que desliguei percebi que era uma situação de emergência e telefonei para Tom, que calmamente disse para eu não me preocupar, ele resolveria o problema: bastava ligar várias vezes para a secretária eletrônica até descobrir o código para ouvir os recados e assim poderia apagar o meu. Depois de algum tempo achou que tinha conseguido, mas infelizmente Daniel acabou atendendo o telefone. Em vez de dizer "Desculpe, foi engano", Tom desligou. Assim, Daniel ficou não só com o meu recado maluco, mas ainda vai pensar que eu liguei 14 vezes esta tarde e, quando consegui que ele atendesse, bati o telefone.

TERÇA-FEIRA, 10 DE JANEIRO

57,6 kg, 2 unidades alcoólicas, 0 cigarro, 998 calorias (excelente, m.b., uma perfeita santa).

Entrei no escritório meio escondida, constrangida por causa do recado na secretária. Tinha resolvido manter total distância de Daniel mas aí ele apareceu absurdamente *sexy*, e começou a graça com todo mundo de modo que fiquei em frangalhos.

De repente, Chegaram Novas Mensagens piscou no alto da tela do computador.

Mensagem para Jones
Obrigado por me ligar.
Cleave

Quase morri. Meu telefonema sugeria que nos encontrássemos. Quem responde com "obrigado" e fica por isso mesmo é porque... mas, depois de pensar um pouco, escrevi:

Mensagem para Cleave
Por favor, cale a boca. Estou muito ocupada resolvendo um assunto importante.
Jones

E depois de mais alguns minutos ele respondeu.

Mensagem para Jones
Desculpe interromper, Jones, a pressão deve ser infernal. Câmbio e desligo.
P.S.: Gostei dos seus peitos nessa blusa.
Cleave

... E pronto. Mensagens frenéticas continuaram a semana inteira, terminando com ele sugerindo que nos encontrássemos no domingo à noite e eu, incrédula, eufórica, aceitando. Às vezes, dou uma olhada em volta quando estamos todos escrevendo no computador e fico pensando se alguém está trabalhando mesmo.

(É besteira minha ou domingo à noite é um dia estranho para um primeiro encontro? Tão errado quanto sábado de manhã ou segunda-feira às 2 da tarde).

DOMINGO, 15 DE JANEIRO

57 kg (excelente), 0 unidade alcoólica, 29 cigarros (mto mto ruim, principalmente em 2 horas), 3.879 calorias (horrível), 942 pensamentos negativos (média por minuto), 127 minutos contando pensamentos negativos (aprox.).

18h. Completamente exausta depois de passar o dia todo me preparando para o encontro. Ser mulher é pior do que ser lavrador – tem tanta coisa para cuidar na plantação e na colheita: depilar pernas com cera, raspar axilas, tirar sobrancelhas, passar pedra-pomes nos pés, esfoliar e hidratar a pele, tirar os cravos, pintar a raiz dos cabelos, completar o desenho das pestanas, lixar as unhas, massagear a celulite, exercitar os músculos da barriga. A coisa é tão complexa que basta você esquecer durante uns dias e lá se vai a plantação. Às vezes penso como eu ficaria se deixasse tudo por conta da natureza – barba comprida, bigode de pontas viradas, sombrancelhas grossas, rosto igual a um cemitério, cheio de células mortas, espinhas na pele, unhas longas como as de Mortícia Adams, cega como um morcego sem minhas lentes de contato, o corpo flácido balançando. Argh, argh. É de espantar que as garotas sejam inseguras?

19h. Não posso acreditar. Quando ia para o banheiro dar os últimos retoques na plantação, vi que a luzinha da secretária eletrônica estava piscando: Daniel.

– Olha, Jones, mil desculpas. Acho que não vai dar para nos encontrarmos hoje à noite. Tenho de fazer uma apresentação de campanha às 10 da manhã e ler uma pilha de 45 laudas de texto.

Não acredito. Levei um bolo. Desperdício total de um dia inteiro de esforço e energia corporal hidroelétrica. Mas não se deve viver na dependência dos homens e sim ser uma mulher de fibra.

21h. É preciso considerar que ele tem um cargo muito importante. Talvez não quisesse estragar um primeiro encontro com nervosismo por causa do trabalho.

23h. Argh. Bem que ele podia ter ligado de novo. Vai ver que saiu com alguém mais magra do que eu.

5h da manhã. O que eu tenho de errado? Estou completamente sozinha. Detesto Daniel Cleaver. Não vou ter mais nada com ele. Vou me pesar.

SEGUNDA-FEIRA, 16 DE JANEIRO

58 kg (saídos de onde? por quê? por quê?),
0 unidade alcoólica, 20 cigarros, 1.500 calorias,
0 pensamento positivo.

10h30. Trabalho. Daniel continua trancado numa reunião. Vai ver que *era* uma desculpa sincera.

13h. Vi Daniel saindo para almoçar. Não me mandou mensagem nem nada. Mto deprimida. Vou fazer compras.

23h50. Acabei de jantar com Tom no quinto andar da Harvey Nichols. Ele está obcecado por um pretenso cineasta *free-lancer* chamado Jerome. Reclamei de Daniel, que passou a tarde inteira em reunião e só às 16h30 conseguiu me dizer "Olá, Jones, como vai a saia?". Tom disse para não ficar paranóica, dar tempo ao tempo, mas eu sabia que ele não estava prestando atenção e só queria falar de Jerome pois está louco de tesão por ele.

TERÇA-FEIRA, 24 DE JANEIRO

Um dia maravilhoso. Às 17h30, como uma dádiva dos deuses, Daniel surgiu, sentou na beirada da minha mesa, de costas para Perpétua, pegou a agenda e murmurou:
— Você tem algum compromisso para sexta?
Siiim! Siiim!

SEXTA-FEIRA, 27 DE JANEIRO

*58,5 kg (mas cheia de comida genovesa),
8 unidades alcoólicas, 400 cigarros
(como se fossem), 875 calorias.*

Hum. Tive um encontro divino num aconchegante restaurante genovês perto do apartamento de Daniel.

– Ahn... então tá. Vou pegar um táxi – falei sem jeito, quando saímos do restaurante. Aí ele afastou delicamente uma mecha de cabelo da minha testa, segurou meu rosto e me beijou, com urgência, desesperadamente. Apertou meu corpo e sussurrou com uma voz rouca:

– Acho que você não vai precisar desse táxi, Jones.

Assim que entramos no apartamento dele nos enroscamos como dois bichos: sapatos e casacos formavam uma trilha, espalhados pela sala.

– Acho que a saia não está se sentindo bem – murmurou ele. – É melhor ela deitar no chão. – Quando começou a abrir o zíper da saia ele sussurrou: – Isso é só uma brincadeirinha, certo? Acho que a gente não deve se envolver. – Dito isso, continuou abrindo o zíper. Se não fosse por Sharon com sua tese da babaquice emocional e por eu ter bebido mais de meia garrafa de vinho, acho que teria caído nos braços dele. Mas consegui me levantar, puxando a saia para cima.

– Isso é um absurdo – falei, com a língua meio enrolada. – Como você pode ser tão falsamente sedutor, covarde e destrambelhado? Não estou interessada em babaquice emocional. Tchau.

Foi ótimo. Valia a pena ver a cara dele. Mas agora que estou em casa, fiquei deprimida. Posso ter feito a coisa certa, mas tenho certeza de que minha recompensa vai ser acabar sozinha, meio devorada por um pastor alemão.

FEVEREIRO →

O massacre do Dia dos Namorados

QUARTA-FEIRA, 1º DE FEVEREIRO

57 kg, 9 unidades alcoólicas, 28 cigarros (mas vou parar logo na Quaresma, então posso muito bem fumar desesperadamente), 3.826 calorias.

Passei o fim de semana lutando para ficar *blasée* depois da derrota com Daniel. Fiquei repetindo as palavras "amor-próprio" e "argh" sem parar até ficar tonta, tentando reprimir: "Mas eu gosto tanto dele." Fumei horrores. Parece que existe um tipo de fumante tão viciado que fica querendo um cigarro até quando já está fumando. Sou eu. Foi bom ligar para Sharon e ficar ironizando o fato de eu ser Dona Calcinhas de Ferro mas quando liguei para Tom ele percebeu logo como eu estava e falou: "Ah, minha queridinha," o que me fez ficar quieta para não cair no choro com pena de mim mesma.

— É só esperar — avisou Tom. — Ele agora vai ficar implorando para sair com você. Implorando.

— Não vai, não — respondi desolada. — Eu estraguei tudo.

No domingo fui a um grande almoço cheio de calorias na casa dos meus pais. Mamãe estava toda de laranja berrante e falando como nunca, tinha acabado de passar uma semana em Albufeira, Portugal, com Una Alconbury e Audrey, a mulher de Nigel Coles.

Mamãe foi à missa e de repente teve uma iluminação, como se fosse São Paulo-a-caminho-de-Damasco: o padre era *gay*.

— É pura preguiça, querida — foi a conclusão dela a respeito de toda a problemática homossexual. — Eles simplesmente não querem se dar ao trabalho de manter relações com o sexo oposto. Veja o seu amigo Tom. Se tivesse alguma coisa na cabeça, ele sairia com você do jeito certo, em vez de ficar com essa história ridícula de "somos amigos".

— Mãe, Tom sabe que é homossexual desde os dez anos de idade — garanti.

— Ah, querida! Francamente! Você sabe como as pessoas chegam a essas conclusões idiotas. Sempre dá para convencê-las do contrário.

— Você quer dizer que se eu for bem convincente você é capaz de largar papai e começar um caso com a tia Audrey?

— Bom, assim você está exagerando, querida.

— É mesmo — concordou papai. — A tia Audrey parece um bujão.

— Ah, por favor, Colin — disse mamãe, de um jeito agressivo, o que achei esquisito, já que não costuma ser assim com papai.

Antes de eu ir embora, estranhamente, meu pai insistiu em fazer um exame completo no meu carro, embora eu lhe garantisse que tudo estava funcionando. O único problema foi que não consegui lembrar como é que abria o capô.

— Você notou alguma coisa estranha em sua mãe? — perguntou ele meio sem jeito, enquanto empunhava a vareta do óleo, limpando-a num pano e enfiando de novo no motor, de um jeito que os freudianos achariam preocupante. Eu não sou freudiana.

— Estranha? Quer dizer, fora o fato de estar de laranja berrante? — perguntei.

– Sim, bom, fora as, ahn, *qualidades* de sempre.

– Ela parecia particularmente irritada com os *gays*.

– Ah, o problema não é esse, hoje de manhã ela não gostou do novo hábito do padre, só isso. Para ser sincero, a roupa tinha *mesmo* frufrus demais. O padre acabou de chegar de Roma com o abade de Dumfries. Estava de rosa dos pés à cabeça. Mas não era a isso que estava me referindo: perguntei se recentemente você notou alguma coisa *diferente* em sua mãe.

Tentei lembrar.

– Sinceramente, acho que não, exceto uma espécie de agitação e segurança.

– Humm – resmungou ele. – É melhor você pegar a estrada antes que anoiteça. Mande um beijo para a Jude. Ela vai bem?

Papai fechou o capô de um jeito decidido, tipo agora vamos, com tanta força que achei que podia ter quebrado a mão.

Pensei que na segunda-feira estaria tudo resolvido em relação a Daniel mas ele não foi trabalhar. Também não foi ontem. Trabalhar passou a ser como ir a uma festa para ver se se sai de lá com alguém e descobrir que a pessoa não foi. Me preocupo com ambição, chances na carreira e seriedade moral, já que tudo parece estar reduzido a uma festa de escoteiros. Consegui arrancar de Perpétua a informação de que Daniel tinha ido a Nova York. A essa altura ele deve estar saindo com uma americana magrinha e certinha chamada Winona, que é desinibida, anda armada e é tudo o que eu não sou.

Como se não bastasse, à noite tenho de ir ao jantar dos Bem-Casados na casa de Magda e Jeremy. Esse tipo de festa sempre faz o meu ego ficar do tamanho de um caracol, embora eu goste de ser convidada. Adoro Magda e Jeremy. Às vezes vou à casa deles e fico embevecida com os lençóis novinhos e os potes cheios de tipos diferentes de macarrão, fazendo de conta que eles são meus pais. Mas quando eles chamam os casais amigos me sinto como se tivesse me transformado numa solteirona.

23h45. Ai, Deus. Os convidados do jantar eram eu, quatro casais e o irmão de Jeremy (nem pensar, suspensórios e rosto vermelhos. Chama as garotas de *fofinhas*).

— E então? — berrou Cosmo, servindo um drinque para mim. — Como vai sua vida amorosa?

Ai, não. Por que eles fazem isso? Por quê? Vai ver que os jovens casais só se relacionam com outros jovens casais e não têm mais assunto com solteiros. Vai ver que, no fundo, eles querem nos inferiorizar e nos fazer nos sentir como seres humanos fracassados. Ou talvez estejam num tal estado de excitação que imaginam que "tem muita coisa rolando no mundo lá fora" e querem grandes emoções ouvindo os detalhes escabrosos da nossa vida sexual.

— É mesmo, por que você ainda não casou, Bridget? — perguntou Woney, com um sorriso irônico e um toque de preocupação, enquanto passava a mão na barriga de grávida (Woney é o apelido que Fiona tinha quando criança; ela é casada com Cosmo, amigo de Jeremy).

"Porque eu não quero ficar como você, sua gorda chata, vaca leiteira", era o que eu devia ter dito, ou "Porque se eu tivesse de fazer o jantar para Cosmo, depois ir para a cama com ele, mesmo que fosse uma vez só, quanto mais toda noite, eu preferia cortar a cabeça e depois comê-la", ou "Porque, na verdade, Woney, por baixo da roupa, meu corpo é coberto de escamas". Mas não disse isso porque, por incrível que pareça, eu não queria magoá-la. Então dei um sorriso sem graça e alguém chamado Alex disse com uma voz fininha:

— Sabe como é, depois que você chega numa certa idade...

— Exatamente. Todos os sujeitos legais já foram agarrados – disse Cosmo, batendo no barrigão e rindo tanto que suas bochechas balançaram.

O lugar que Magda escolheu para mim na mesa fez com que eu parecesse um sanduíche incestuoso: entre Cosmo e o chatíssimo irmão de Jeremy.

– Olha, minha cara, você tem que se apressar e dar um jeito nisso – disse Cosmo, enquanto engolia meia garrafa de um Pauillac 82. – O tempo não pára.

A essa altura, eu também já tinha tomado meia garrafa do Pauillac 82.

– Hoje as estatísticas dizem que um em cada três casamentos termina em divórcio, ou um em cada dois? – perguntei, enrolando um pouco as palavras, tentando ser sarcástica.

– Falando sério, minha cara – disse ele, ignorando minha pergunta. – O escritório está cheio de solteiras com mais de trinta anos. Mulheres lindas. Mas não conseguem arrumar um cara.

– Na verdade, não é um problema que eu tenha – falei, acenando com meu cigarro.

– Aaah. Conta mais – disse Woney.

– Quem é ele? – perguntou Cosmo.

– Tem dado umas trepadinhas, minha cara? – perguntou Jeremy. Todos os olhos se viraram para mim. Bocas abertas, salivando.

– Não é da conta de vocês – disse eu, com arrogância.

– Então não existe homem nenhum! – grasnou Cosmo.

– Ah, nossa, são onze da noite – constatou Woney. – A *baby-sitter*! – e todos se levantaram e começaram a se aprontar para ir embora.

– Olha, desculpe essa história, meu bem. Você está legal? – falou Magda baixinho, sabendo como eu estava me sentindo.

– Quer uma carona? – perguntou o irmão de Jeremy, dando um arroto.

– Na verdade, eu vou a uma boate – disse eu, correndo para a rua – Obrigada pelo jantar! – Aí, peguei um táxi e caí em prantos.

Meia-noite. Argh, argh. Acabei de falar com Sharon.

– Você devia ter dito: "Não me casei porque sou um tipo de gente especial, seus idiotas, velhos precoces, caretas chatos." – disse Sharon irada. – "E porque há outras formas de viver a vida: uma em cada quatro pessoas mora sozinha, a maioria dos membros da Família Real é solteira e, segundo uma pesquisa, ficou provado que os homens do país são *completamente incasáveis*, e o resultado é que existe uma geração inteira de garotas solteiras como eu, com renda e casa própria, que se divertem à beça e não precisam lavar as meias de ninguém. Nós ficaríamos muito felizes se pessoas como vocês não fizessem a gente se sentir idiota só porque têm inveja da vida que levamos."

– Tipo de gente especial! – gritei, feliz. – Vivam os especiais!

DOMINGO, 5 DE FEVEREIRO

Ainda sem qualquer notícia de Daniel. Não posso nem pensar no domingo se esvaindo, enquanto o mundo inteiro a não ser eu está na cama com alguém rindo e fazendo sexo. O pior é que falta pouco mais de uma semana para eu passar pela humilhação do Dia dos Namorados. Claro que não vou receber nenhum cartão. Pensei em paquerar insistentemente alguém que pudesse me mandar um, mas afastei a idéia por achá-la imoral. Melhor enfrentar a realidade de frente.

Humm. Boa idéia. Acho que vou visitar meus pais outra vez, já que estou preocupada com papai. Depois me sentirei como um anjo da guarda ou uma santa.

14h. O único tapete antiderrapante que ainda restava sob meus pés foi puxado. Minha generosa sugestão de visita surpresa foi recebida com um jeito estranho de papai ao telefone.

— Errr... Vir aqui, não sei, querida. Pode aguardar um instante?

Fiquei perdida. Em parte, a arrogância da juventude (eu disse "juventude") é a certeza de que os pais vão parar qualquer coisa que estejam fazendo e abrir os braços para me receber na hora em que eu resolver aparecer. Meu pai voltou ao telefone.

— Olha, Bridget, sua mãe e eu estamos com alguns problemas. Podemos ligar depois, durante a semana?

Problemas? Que problemas? Tentei fazer papai me explicar mas não consegui. O que está acontecendo? Será que o mundo inteiro está condenado a traumas emocionais? Coitado do papai. Será que agora, para completar, serei a pobre vítima de um lar desfeito?

SEGUNDA, 6 DE FEVEREIRO

56,2 kg (mistério: meu peso sumiu), 1 unidade alcoólica (m. b.), 9 cigarros (m. b.), 1.800 calorias (b.).

Daniel volta hoje para o escritório. Vou ficar centrada e distante e me lembrar que sou uma mulher de fibra e não preciso de homem para me completar, principalmente ele. Não vou mandar nenhuma mensagem pelo computador nem tomar conhecimento dele.

9h30. Hum, parece que Daniel ainda não chegou.

9h34. Nenhum sinal de Daniel.

9h35. Ai, meu Deus. Ai, meu Deus. Ele deve ter se apaixonado em Nova York e ficado por lá.

9h47. Vai ver que foi para Las Vegas casar.

9h50. Humm. Acho que vou dar uma checada na maquiagem, pode ser que ele apareça.

10h05. Meu coração deu um salto quando voltei do toalete e vi Daniel com Simon do Marketing, ao lado da xerox. Da última vez que o vi ele estava deitado no sofá do apartamento dele com uma cara perdida, enquanto eu fechava a saia e dissertava sobre babaquice emocional. Agora estava com uma cara ótima e saudável, tipo "estive viajando". Quando passei pela porta, ele olhou direto para minha saia e deu um grande sorriso.

10h30. Chegaram Novas Mensagens acendeu na tela. Teclei o Sim.

> Mensagem para Jones
> Gata frígida.
> Cleave.

Tive de rir, não consegui evitar. Quando olhei para sua salinha envidraçada, ele estava rindo para mim de um jeito aliviado e carinhoso. Mas não vou responder.

10h35. Parece uma grosseria não responder.

10h37. Nossa, estou num tédio mortal.

10h45. Vou mandar só um recadinho simpático, nada sedutor, só para reatar relações.

11h. Rá, rá. Entrei no sistema como Perpétua para assustar Daniel.

> Mensagem para Cleave
> Já é tão difícil fazer um bom trabalho, atingir as metas, e os colegas ainda ficam usando o tempo da minha equipe para mandar mensagens fúteis pelo computador.
> Perpétua
> P.S.: A saia de Bridget não está se sentindo muito bem e foi mandada para casa.

22h. Humm. Daniel e eu trocamos mensagens o dia inteiro. Mas não tenho a menor intenção de ir para a cama com ele.

Liguei para meus pais hoje à noite e ninguém atendeu. Mto estranho.

QUINTA-FEIRA, 9 DE FEVEREIRO

58 kg (gordura em excesso, provavelmente causada pela camada protetora contra o frio da baleia), 4 unidades alcoólicas, 12 cigarros (m. b.), 2.845 calorias (mto frio).

21h. Estou adorando os encantos do inverno, eles nos mostram que estamos à mercê dos elementos da natureza e não devemos nos apegar muito a hábitos sofisticados nem trabalhar demais, mas sim nos manter aquecidos e assistir à tevê.

Liguei para meus pais pela terceira vez esta semana e ninguém atendeu. Será que a neve deixou o bairro deles isolado do mundo? Preocupada, liguei para meu irmão James, em Manchester, só para ouvir um dos seus recados hilários na secretária eletrônica: som de água correndo e Jamie fingindo que é o presidente Clinton na Casa Branca, depois uma descarga de privada e o risinho da sua namorada patética ao fundo.

21h15. Liguei três vezes seguidas para meus pais, deixando tocar 20 vezes. Minha mãe acabou atendendo com uma voz estranha dizendo que não podia falar mas ligaria para mim no fim de semana.

SÁBADO, 11 DE FEVEREIRO

56,7 kg, 4 unidades alcoólicas, 18 cigarros, 1.467 calorias (queimadas durante as compras).

Acabei de chegar das compras e ouvi um recado que meu pai deixou na secretária perguntando se podia almoçar comigo no domingo. Levei um susto. Meu pai não vem a Londres sozinho para almoçar comigo aos domingos. Ele come rosbife, ou salmão com batatas cozidas, em casa com mamãe.

— Não precisa ligar de volta — dizia o recado. — Encontro com você amanhã.

O que está acontecendo? Fui até a esquina, trêmula, louca por um cigarro. Quando voltei tinha um recado da mamãe. Pelo que entendi, ela também vem para o almoço amanhã. Vai trazer um pouco de salmão e chega à uma da tarde.

Liguei para Jamie e ouvi Bruce Springsteen cantando durante 20 segundos e depois Jamie rosnando: "... seu tempo acabou."

DOMINGO, 12 DE FEVEREIRO

56,7 kg, 5 unidades alcoólicas,
23 cigarros (nenhuma surpresa), 1.647 calorias.

11h. Ai, Deus, é impossível conversar com papai e mamãe ao mesmo tempo. É dose para leão. Vai ver que essa história de almoço é só uma brincadeira de pais que assistem a muito programa de auditório na televisão. Vai ver que minha mãe vai chegar com um salmão vivo numa coleira e anunciar que está trocando papai pelo salmão. Ou papai vai chegar plantando bananeira na janela, vestido de bobo da corte, entrar quebrando tudo e começar a bater na cabeça da mamãe com uma bexiga de ovelha; ou, de repente, cair do armário de vassouras de cara no chão com uma faca de plástico enfiada nas costas. A única coisa capaz de colocar tudo no lugar é um *bloody mary*. Afinal, já é quase meio-dia.

12h05. Mamãe ligou.
— Deixa *ele* ir, então — falou. — Deixa que faça o que bem entender, como sempre. — (Minha mãe é incapaz de xingar alguém. Diz coisas do tipo "furibundo" e "ai, meu Santo Pai".) — Não vou me alterar — continuou mamãe. — Vou ficar limpando a casa como uma Amélia. — (Será que minha mãe estava de porre? Ela não bebe nada além de um único licor de xerez nas noites de domingo desde 1952, quando ficou alegrinha com meio litro de sidra na festa de

21 anos de Mavis Enderby e nunca mais esqueceu disso nem deixou ninguém esquecer. "Nada pior que uma mulher bêbada, querida.")

— Mãe, escuta. Será que não podemos conversar os três juntos, no almoço? — perguntei, como se fosse uma cena do filme *Sintonia de amor* que terminaria com meus pais de mãos dadas e eu, de mochila, dando uma piscadela para a câmera.

— Espere um pouco — disse ela, soturna. — Você vai descobrir como os homens são.

— Mas eu já... — comecei.

— Vou sair, querida — disse ela. — Vou sair para *transar.*

Meu pai chegou às duas horas com um exemplar do *Sunday Telegraph* dobrado embaixo do braço. Quando sentou no sofá fez uma careta e as lágrimas começaram a escorrer pelo rosto dele.

— Ela está assim desde que foi para Albufeira com Una Alconbury e Audrey Coles — soluçou ele, tentando secar as lágrimas com uma das mãos. — Quando voltou, começou a dizer que queria receber salário para fazer o serviço doméstico e que tinha desperdiçado uma vida inteira como nossa escrava. — (*Nossa* escrava? Eu sabia. Tudo culpa minha. Se eu fosse uma pessoa melhor, mamãe não teria deixado de gostar do papai.) — Ela quer que eu saia de casa durante um tempo e... e... — ele ficou chorando baixinho.

— E o quê, papai?

— Ela disse que eu achava que clitóris era alguma coisa que tinha a ver com a coleção de borboletas de Nigel Coles.

SEGUNDA-FEIRA, 13 DE FEVEREIRO

57,6 kg, 5 unidades alcoólicas, 0 cigarro (o enriquecimento espiritual tira a vontade de fumar — grande mudança), 2.845 calorias.

Apesar de estar aborrecida com o problema de meus pais, tenho de admitir um sentimento paralelo e vergonhoso de pretensão quanto a meu novo papel de protetora e, como eu chamo, de conselheira sensata. Há tanto tempo não faço alguma coisa por alguém que essa sensação é totalmente nova e complexa. Era o que faltava na minha vida. Tenho tido umas fantasias de virar samaritana ou professora de catecismo, fazer sopa para os sem-teto (ou, como sugeriu meu amigo Tom, *bruschette* com molho ao *pesto*) ou até cursar medicina. Talvez fosse melhor ainda eu sair com um médico, o que seria vantajoso tanto do ponto de vista sexual quanto espiritual. Comecei a pensar até em pôr um anúncio na seção Corações Solitários dos classificados do *Lancet*. Eu podia anotar os recados, dizer aos pacientes que quisessem visitas médicas à noite para eles sumirem no mundo, fazer suflês de queijo de cabra para ele e, quando chegasse aos 60 anos, estaria no maior tédio, igual a mamãe.

Ai, Deus. Amanhã é Dia dos Namorados. Por quê? Por quê? Por que o mundo faz com que as pessoas sem romance se sintam idiotas quando todos sabem que romances não funcionam? Basta ver a Família Real. Ou papai e mamãe.

O Dia dos Namorados não passa de uma promoção comercial, uma iniciativa cínica. Merece toda a minha indiferença.

QUARTA-FEIRA, 14 DE FEVEREIRO

57 kg, 2 unidades alcoólicas (à altura do Dia dos Namorados: duas garrafas de cerveja Beck, sozinha, argh), 12 cigarros, 1.545 calorias.

8h. Oh, ai. Dia dos Namorados. Será que o carteiro já passou? Pode ser que tenha um cartão do Daniel. Ou de um admirador secreto. Um buquê de flores ou uma caixa de chocolates em forma de coração. Estou bem agitada.

Momento de uma alegria selvagem ao ver um buquê de rosas na portaria do prédio. Daniel! Desci a escada correndo e peguei o buquê toda feliz exatamente na hora em que a porta do apartamento térreo abriu e Vanessa apareceu.

– Ah, que lindas flores! – disse ela, invejosa. – Quem mandou?

– Não sei! – respondi sem jeito, olhando o cartão. – Ah... são para você.

– Não tem problema. Olha, isso é para você – disse ela, me consolando. Era a conta do cartão de crédito.

Resolvi que ia tomar um *cappuccino* e comer uns *croissants* de chocolate para me animar antes de ir para o escritório. O corpo não me interessa. Não vale a pena, já que ninguém me ama nem quer saber de mim.

No caminho para o trabalho, dentro do metrô, dava para ver quem tinha recebido cartão de Dia dos Namorados e quem não tinha. As pessoas se entreolhavam tentando sorrir, maliciosas, ou afastavam o olhar.

Cheguei no escritório e vi que na mesa de Perpétua tinha um buquê do tamanho de uma ovelha.

– Então, Bridget! – cumprimentou ela, alto para todo mundo ouvir. – Você ganhou quantos?

Caí na cadeira resmungando "cala a boca" entre dentes, como uma adolescente humilhada.

– Diga lá, quantos recebeu?

Achei que ela ia pegar minha orelha e puxar, ou alguma coisa assim.

– Eu *sabia* que você não tinha ganhado nenhum – grasnou Perpétua. Foi só aí que percebi que Daniel estava ouvindo e rindo do outro lado da sala.

QUARTA-FEIRA, 15 DE FEVEREIRO

Surpresa inesperada. Estava saindo de casa para o trabalho quando vi um envelope rosa na mesa da portaria – obviamente um cartão atrasado do Dia dos Namorados – endereçado "À Bela Triste". Fiquei emocionada, imaginando que fosse para mim, e de repente me vi como obscuro e misterioso objeto do desejo dos homens. Depois lembrei da droga da Vanessa e seu sedutor cabelinho preto curto. Argh.

21h. Acabei de chegar e o cartão continua lá.

22h. Continua lá.

23h. Inacreditável. O cartão ainda está lá. Vai ver que Vanessa ainda não chegou.

QUINTA-FEIRA, 16 DE FEVEREIRO

56,2 kg (emagreci subindo e descendo as escadas), 0 unidade alcoólica (excelente), 5 cigarros (excelente), 2.452 calorias (não m. b.), número de vezes que desci e subi escadas para ver o envelope do Dia dos Namorados: 18 (psicologicamente negativo, mas ótimo exercício).

O cartão continua lá! Claro que deve ser como pegar a última barra de chocolate ou comer a última fatia do bolo. Vanessa e eu somos muito educadas para fazer isso.

SEXTA-FEIRA, 17 DE FEVEREIRO

56,2 kg, 1 unidade alcoólica (m. b.), 2 cigarros (m. b.), 3.241 calorias (ruim, mas queimadas na escada), número de vezes que fui ver o cartão: 12 (obsessiva).

9h. O cartão continua lá.

21h. Continua lá.

21h30. Continua lá. Não aguento mais. Senti um cheiro de comida saindo do apartamento de Vanessa, então bati na porta. Quando ela abriu, falei:
    — Acho que isso deve ser para você — e mostrei o cartão.
    — Ah, pensei que fosse para você.

– Vamos abrir? – sugeri.

– Vamos. – Entreguei a ela, que me devolveu, rindo. Devolvi. Adoro garotas.

– Abra – pedi, e ela cortou o envelope com a faca de cozinha que segurava. Era um cartão artístico, devia ter sido comprado numa galeria de arte.

Ela fez uma careta.

– Não sei o que isso quer dizer – disse, me entregando o cartão.

O texto dizia: "Apenas uma exploração comercial, ridícula e sem sentido. Para minha gatinha frígida."

Dei uma espécie de guincho agudo.

22h. Acabo de ligar para Sharon e contar tudo. Ela disse que eu não devia perder a cabeça por causa de um cartão barato e devia esquecer o Daniel, já que ele não é uma pessoa muito recomendável e não vai dar em nada que preste.

Telefonei para saber a opinião do Tom, principalmente sobre se eu deveria ligar para Daniel no fim de semana. "Nãããão!", gritou ele. E perguntou várias coisas: por exemplo, como tinha sido o comportamento de Daniel nos últimos dias quando, depois de mandar o cartão, eu não tinha demonstrado nada. Falei que ele parecia mais sedutor do que nunca. Tom receitou aguardar até a próxima semana e continuar indiferente.

SÁBADO, 18 DE FEVEREIRO

57 kg, 4 unidades alcoólicas, 6 cigarros,
2.746 calorias, 2 números certos na
loteria (m. b.).

Finalmente descobri o que há com meus pais. Estava começando a imaginar uma situação tipo mulher-de-meia-idade-de-volta-de-férias-e-enlouquece e ia abrir o *Sunday People* e ver uma foto da minha mãe com cabelo oxigenado e blusa de oncinha sentada num sofá com um sujeito chamado Gonzalez de *jeans* delavê e declarando que, quando você gosta mesmo de um homem, uma diferença de idade de 46 anos não é importante.

Hoje ela pediu para almoçarmos juntas no café da loja Dickens and Jones e fui logo perguntando se ela estava saindo com algum homem.

— Não. Não há ninguém no meio dessa história — disse ela, fazendo um olhar distante com um toque de corajosa resignação que garanto que copiou da Princesa Diana.

— Então por que você está sendo tão cruel com papai?

— Querida, apenas porque, quando seu pai se aposentou, eu percebi que tinha passado 35 anos da minha vida tomando conta da casa dele e criando seus filhos...

— Jamie e eu somos seus filhos também — interrompi, magoada.

— ... e que ele tinha terminado seu trabalho mas o meu ia continuar sempre, exatamente como eu me sentia quando vocês eram pequenos e chegava o fim de semana. A gente só vive uma vez. É simples, eu tomei a decisão de mudar um pouco as coisas e passar o que ainda me resta da vida cuidando de mim, para variar um pouco.

Quando fui ao caixa pagar a conta, fiquei pensando

em tudo aquilo e tentando avaliar o argumento de mamãe sob a ótica feminista. Nessa hora, vi um homem alto e distinto, de cabelo grisalho, jaqueta de couro estilo europeu, carregando uma daquelas bolsas masculinas. Ele procurava alguém no café, olhava o relógio, parecia nervoso. Dei uma olhada em volta e vi minha mãe fazendo um movimento mudo com os lábios para dizer "Já estou indo" e me indicando com um gesto.

Na hora, não comentei nada com mamãe, só me despedi, depois. Mas dei a volta no quarteirão e fui atrás dela, para garantir que não estava imaginando coisas. Era isso mesmo: vi quando ela entrou na seção de perfumes e ficou passeando com o bonitão, experimentando no pulso todos os perfumes expostos, levantando o braço para ele cheirar e dando risadinhas charmosas.

Quando cheguei em casa tinha um recado de Jamie na secretária. Liguei para ele na hora e contei tudo.

— Ah, pelo amor de Deus, Bridget — disse ele, morrendo de rir. — Você tem tanta mania de sexo que se visse mamãe recebendo a hóstia na comunhão ia achar que ela estava dando uma chupada no padre. Você não recebeu nenhum cartão do Dia dos Namorados, não é?

— Fique sabendo que sim — disse eu, zangada. E ele caiu na gargalhada outra vez, depois disse que tinha de desligar porque ia ao parque com Becca fazer *tai chi*.

DOMINGO, 19 DE FEVEREIRO

56,7 kg (m. b., mas graças apenas a preocupações), 2 unidades alcoólicas (mas é o Dia do Senhor), 7 cigarros, 2.100 calorias.

Liguei para mamãe querendo uma explicação sobre o gostosão de meia-idade que vi com ela depois do almoço.

— Ah, você deve estar falando do Julian — disse ela, com uma voz emocionada.

Sem querer, minha mãe se denunciou. Meus pais jamais se referem aos amigos apenas pelo nome de batismo. É sempre Una Alconbury, Audrey Coles, Brian Enderby: "Você sabe quem é o David Ricketts, querida. Casado com Anthea Ricketts, que participa dos almoços da Associação Salva-Vidas."

No fundo, falam desse jeito porque sabem que não tenho a menor idéia de quem é Mavis Enderby, o que não impede que falem sobre Brian e Mavis Enderby durante quarenta minutos, como se eu os conhecesse desde os quatro anos.

Percebi logo que Julian não participava dos almoços da Associação Salva-Vidas, nem tinha uma esposa que participava da Associação Salva-Vidas, do Rotary ou da Liga dos Amigos de São Jorge. Percebi também que ela o tinha conhecido em Portugal antes do problema com papai, e que era bem provável que se chamasse Julio e não Julian. Percebi, enfim, que Julio *era* o problema com papai.

Comentei minha suspeita com ela. Ela negou. Chegou até a contar uma mentira muito enrolada de que tinha esbarrado em "Julian" na loja de departamentos Marks and Spencer de Marble Arch, deixando cair no chão sua nova terrina Le Creuset. Por isso, ele a convidou para tomar um cafezinho na Selfridges e a partir de então nasceu uma relação completamente platônica entre os dois que consistia apenas em idas a cafés de lojas de departamentos.

Por que será que, quando uma pessoa está largando seu marido/mulher, acha que é melhor fingir que não é por causa de outro/a? Será que acham que é menos doloroso para o parceiro pensar que vão se separar só porque não conseguem mais suportá-lo e então duas semanas depois terem a sorte de encontrar um tipo alto, estilo Omar Sharif com bolsa masculina, enquanto o ex-parceiro passa as noites aos prantos cada vez que vê o copo de escovas de dentes. É como aquelas pessoas que, em vez de dizerem a verdade, inventam uma mentira para se desculpar, quando a verdade é melhor do que a mentira.

Uma vez ouvi meu amigo Simon cancelando um encontro com uma garota em quem estava muito interessado porque estava com uma espinha amarela bem do lado direito do nariz e todas as roupas na lavanderia. Foi trabalhar com uma jaqueta ridícula, dos anos 70, pensando em pegar a jaqueta nova na lavanderia na hora do almoço, mas ela não tinha ficado pronta.

Ele então deu tratos à bola para dizer à garota que não podia encontrá-la porque a irmã tinha chegado de repente e ele precisava lhe fazer companhia e também assistir a uns vídeos do escritório para o dia seguinte. A essa altura, a garota lembrou que ele disse que era filho único e sugeriu que levasse os vídeos para ver na casa dela, enquanto ela fazia o jantar. Mas não existiam vídeos do escritório para assistir, então precisou aumentar mais a mentira. Ele e a garota só tinham saído duas vezes, mas ela acabou achando que ele estava saindo com outra e deu o fora. Simon passou a noite sozinho e chateado, com a espinha no nariz e a jaqueta dos anos 70.

Tentei explicar a mamãe que não estava dizendo a verdade, mas ela estava tão envolvida com o sujeito que perdeu completamente a noção de... bom, tudo.

– Você está ficando um tanto cínica e desconfiada, querida – disse ela. – Julio – ah! rá-rá-rá! – é apenas um amigo. Eu só quero conquistar um *espaço*.

Então, fiquei sabendo que, para fazer a vontade dela, Papai está se mudando para o apartamento onde morava a avó dos Alconbury, que morreu, nos fundos do jardim deles.

TERÇA-FEIRA, 21 DE FEVEREIRO

Mto cansada. Papai agora liga várias vezes durante a noite, só para conversar.

QUARTA-FEIRA, 22 DE FEVEREIRO

57 kg, 2 unidades alcoólicas, 19 cigarros, 8 unidades de gordura (uma idéia subitamente repulsiva: jamais tinha visto a gordura escorrendo da bunda e das coxas por baixo da pele. Amanhã vou voltar a contar apenas as calorias).

Tom tinha toda razão. Fiquei tão preocupada com meus pais e tão cansada com os telefonemas desesperados de papai que quase não tomei conhecimento do Daniel. A maravilhosa conseqüência disso foi que ele não tirou os olhos de mim. Mas hoje fiz uma grande besteira. Estava indo comprar um sanduíche e encontrei Daniel no elevador com Simon do Marketing, conversando sobre jogadores de futebol que foram presos por receberem "bola", se venderem.

– Soube dessa história, Bridget? – perguntou Daniel.

— Claro — menti, tentando fazer algum comentário. — Mas acho que isso é bobagem. É uma atitude boba, mas desde que eles dêem bola para as mulheres certas, para mim não tem o menor problema. Não sei por que estão fazendo tanta onda em cima disso.

Simon me olhou como se eu fosse doida e Daniel ficou sério um instante e caiu na gargalhada. Riu sem parar até sair do elevador com Simon, aí virou para trás e disse, enquanto as portas se fechavam:

— Case comigo. — Humm.

QUINTA-FEIRA, 23 DE FEVEREIRO

56,7 kg (se ao menos eu conseguisse me manter abaixo de 57 quilos, em vez de ficar subindo e descendo como o cadáver de um afogado — afogado na gordura), 2 unidades alcoólicas, 17 cigarros (tensão pré-sexo, perdoável), 775 calorias (última tentativa desesperada de chegar a 48,3 kg até amanhã).

20h. Nossa. O computador quase estourou de tanto ficar piscando o sinal de mensagem. Às seis em ponto, decidida, vesti meu casaco e fui embora, mas encontrei Daniel que, no andar de baixo, entrou no meu elevador. Lá estávamos nós, só eu e ele, num enorme campo de eletricidade magnética, atraídos irresistivelmente como dois ímãs. Então de repente o elevador parou e nos separamos, ofegantes, e Simon do Marketing entrou com sua horrenda capa de chuva bege sobre o corpo gorducho. Sem querer, arrumei minha saia e ele disse, com um sorriso afetado:

– Bridget, parece que você foi pega recebendo bola.

Quando saí do prédio, Daniel veio atrás de mim e me convidou para jantar com ele amanhã. Siiiiim!

Meia-noite. Argh. Estou totalmente exausta. Será que é normal se preparar para sair com um homem como se fosse para uma entrevista de emprego? Tenho a impressão de que a cabeça muito culta de Daniel pode acabar virando uma chatice se as coisas continuarem. Vai ver que eu devia me interessar por um homem mais jovem e mais desligado que cozinharia para mim, lavaria minhas roupas e concordaria com tudo o que eu dissesse. Depois que saí do escritório, quase desloquei uma vértebra suando numa aula de aeróbica; passei sete minutos esfregando o corpo com uma escova de cerdas duras; limpei o apartamento; coloquei comida na geladeira, tirei as sobrancelhas, dei uma olhada nos jornais e no *Guia de Sexo Hoje*, coloquei a roupa para lavar e me depilei sozinha, já que estava muito tarde para marcar hora. Acabei ajoelhada numa toalha tentando arrancar uma tira de cera que grudou atrás da minha perna enquanto assistia ao jornal na tevê na tentativa de ter assuntos interessantes para discutir. Fiquei com as costas doloridas, a cabeça doendo e as pernas vermelhas e cheias de restos de cera.

As pessoas sensatas dirão que Daniel deve gostar de mim do jeito que sou mas sou uma filha da cultura *Nova-Cosmopolitan*, fui traumatizada por supermodelos e todo tipo de testes e sei que nem minha personalidade nem meu corpo darão conta do recado se não forem bem trabalhados. Não agüento a tensão. Vou cancelar o encontro e passar a noite inteira comendo biscoitos metida numa camiseta suja de ovo.

SÁBADO, 25 DE FEVEREIRO

55,3 kg (milagre: prova de que o sexo é realmente o melhor exercício), 0 unidade alcoólica, 0 cigarro; 200 calorias (finalmente descobri o segredo para não comer: basta substituir comida por sexo).

18h. Ah, que alegria. Passei o dia num estado que só posso descrever como ebriedade sexual, andando pelo apartamento, sorrindo, pegando uma coisa aqui, outra ali e colocando-as no mesmo lugar outra vez. Foi tão bom. Os únicos pontos negativos foram: 1) assim que terminou, Daniel disse "Droga, eu combinei de pegar o carro na garagem da Citroën"; 2) quando saí da cama e fui ao banheiro, ele avisou que minha meia estava presa atrás da minha perna.

Mas, à medida que as nuvens cor-de-rosa começam a se dispersar, vou me apavorando. O que será que vai acontecer agora? Não combinamos nada. De repente, percebo que estou de novo esperando o telefone tocar. Como é que a situação entre duas pessoas pode ficar tão angustiantemente indefinida, depois que dormem juntas pela primeira vez? Tenho a sensação de que acabo de fazer uma prova e estou aguardando os resultados.

23h. Ai, meu Deus. Por que Daniel não ligou? Será que vamos sair ou não? Como é que minha mãe pode sair com tanta facilidade de uma relação e entrar noutra, enquanto eu não consigo nem ter umazinha? Será que a geração dela é melhor que a minha para fazer com que as relações dêem certo? Talvez eles não vivam por aí paranóicos e inseguros. Vai ver que a melhor ajuda é não ler nenhum livro de auto-ajuda na vida.

DOMINGO, 26 DE FEVEREIRO

57 kg, 5 unidades alcoólicas (afogando as tristezas), 23 cigarros (fumando as tristezas), 3.856 calorias (cobrindo as tristezas com uma camada de gordura).

Acordo sozinha e fico pensando em minha mãe na cama com Julio. Há uma profunda repulsa em pensar nos pais fazendo sexo, ou melhor, um dos pais. Sinto ódio deles por causa de meu pai; fico sensata, otimista com o exemplo de mais 30 anos de paixão desenfreada diante de mim (algo relacionado às lembranças freqüentes de Joanna Lumley e Susan Sarandon) mas, principalmente, sinto muita inveja, sou um fracasso e uma burra por estar na cama sozinha num domingo de manhã, enquanto minha mãe com mais de 60 anos está quase dando a segunda... Ai, meu Deus. Não agüento nem pensar.

MARÇO →

Pânico total em relação
ao aniversário

SÁBADO, 4 DE MARÇO

57 kg (para que fazer regime durante o mês
de fevereiro inteiro se no começo de março acabo
exatamente com o mesmo peso? Argh. Não vou
mais me pesar e anotar tudo o que como já
que não adianta).

Minha mãe passou a ter uma energia jamais vista. Hoje
de manhã, ela irrompeu no meu apartamento quando eu
ainda estava de roupão, pintando a unha dos pés, no maior
tédio, olhando na tevê os preparativos para uma corrida.

– Querida, posso deixar essas coisas aqui por umas horas? – perguntou ela, carregando um monte de sacolas de
compras e entrando no meu quarto.

Logo depois, morta de curiosidade, fui ver o que ela estava fazendo. Sentada na frente do espelho, usava um caro conjunto cor de café de corpete e calcinha e passava rímel nos cílios, com a boca aberta (um dos grandes misté-
rios da natureza é a necessidade de abrir a boca para apli-
car rímel).

– Não acha que você devia se arrumar, querida?

Ela estava incrível: a pele linda, o cabelo brilhando. Dei
uma olhada na minha imagem refletida no espelho. Eu de-

via mesmo ter tirado a maquiagem antes de dormir. Um lado do meu cabelo estava grudado na cabeça, o outro formava uma série de pontas e chifres. Era como se meu cabelo tivesse autonomia, comportando-se muito bem o dia todo, aguardando até eu dormir para começar a correr e pular como crianças se perguntando: "O que a gente inventa agora?"

— Você sabe — disse mamãe, perfumando o colo com seu Givenchy II —, durante todos esses anos seu pai criou tanto problema para pagar as contas e os impostos, como se isso redimisse os trinta anos em que lavei pratos. Bom, a declaração do imposto de renda não estava pronta e pensei: dane-se, eu faço. Claro que aquilo me pareceu tão complicado quanto grego arcaico, então liguei para a Secretaria das Finanças. O funcionário que atendeu foi meio arrogante. "Sinceramente, Sra. Jones, não entendo qual é o problema", disse ele. "Escuta uma coisa, o senhor é *capaz* de fazer um pãozinho assado?" Aí ele explicou tudo e em quinze minutos estava pronta a declaração. Aliás, ele me convidou para almoçar hoje. Um funcionário da Receita, imagine!

— Como? — perguntei, pasma, me apoiando no batente da porta. — Que fim levou o Julio?

— Só porque sou *amiga* do Julio não significa que não posso ter outros *amigos* — informou ela candidamente, vestindo um conjuntinho amarelo.

— O que acha desse conjunto? Comprei agora. Amarelo-limão. Mas tenho de me apressar. Vou encontrar com ele na lanchonete da Debenhams à uma e quinze.

Depois que ela saiu, abri um pacote de granola, comi uma colher e acabei com a sobra de vinho que estava na geladeira.

Conheço o segredo dela: descobriu o poder. Tem poder sobre papai: ele quer que ela volte. Tem poder sobre Julio e sobre o funcionário da Receita, e todo mundo está sentindo esse poder e querendo ter um pouco, o que a torna ainda mais irresistível. Só me resta encontrar alguém ou alguma coisa para dominar e então... ai, meu Deus. Não domino nem o meu próprio cabelo.

Estou tão deprimida. Embora Daniel estivesse muito simpático esta semana, conversador, fazendo até um charme para mim, não consigo entender o que está havendo entre nós, como se fosse completamente normal um homem dormir com uma colega e ficar por isso mesmo. O trabalho, que antes era só uma chateação, passou a ser uma tortura. Fico sofrendo cada vez que ele sai para almoçar ou veste o casaco no final do dia para ir embora: aonde vai? com quem? quem?

Perpétua parece ter conseguido jogar todas as tarefas dela em cima de mim e passa o dia inteiro telefonando para Arabella ou Piggy, falando sobre o apartamento de meio milhão de libras em Fulham que vai comprar com Hugo. "É. Não. É. Não, concordo *plenamente*. Mas o problema é o seguinte: será que alguém vai querer pagar mais trinta mil para ter mais um quarto?"

Às 16h15 de sexta-feira, Sharon ligou para o escritório.

— Você vai sair comigo e Jude amanhã?

— Ahn... — Fiquei em pânico, pensando: "Será que, antes de ir embora, Daniel vai me convidar para sair com ele no fim de semana?"

— Me liga, se ele não te convidar — disse Sharon, depois de uma pausa.

Às 17h45 vi Daniel de casaco, se encaminhando para a porta. Minha expressão assustada deve ter feito ele se sentir culpado, porque sorriu sem graça, mostrou a tela do computador e saiu.

Logo depois, estava piscando Chegaram Novas Mensagens. Teclei Sim. Dizia:

Mensagem para Jones
Tenha um bom fim de semana. Plim-plim.
Cleave

Me sentindo a última das mulheres, peguei o telefone e liguei para Sharon.

— Nos encontramos amanhã a que horas? — perguntei, humilde.

— Às oito e meia, no Café Rouge. Não se preocupe, nós te amamos. Diga a ele para não encher com suas babaquices emocionais.

Duas da manhã. Ah, foi maravilhozcom Sharoe Jude. Não que maisna com aquela besta do Daniel. Estou enjoada. Opa.

DOMINGO, 5 DE MARÇO

8h. Argh. Melhor morrer. Nunca, nunca mais bebo na vida.

8h30. Aaai. Seria bom comer umas batatas fritas.

11h30. Estou morrendo de sede, mas é melhor ficar de olhos fechados e deixar a cabeça enfiada no travesseiro para não atrapalhar os pinos batendo e os faisões passeando dentro dela.

Meio-dia. Foi bem divertido, mas estou mto confusa sobre conselho sobre Daniel. Primeiro, tive de ouvir os problemas de Jude com Richard o Vil, já que eles são um caso mais sério, estão saindo há 18 meses, bem mais do que uma transadinha de nada. Portanto, esperei com humildade a minha vez de contar as últimas de Daniel. A conclusão geral foi, a princípio: babaquice emocional.

Jude apresentou a interessante teoria do Tempo Masculino, como no filme *Patricinhas de Beverly Hills*: os chamados cinco dias ("sete", corrigi) depois do sexo durante os quais um novo relacionamento fica em suspenso. Essa fase não parece um tempo desesperador para os machos da espécie, mas um período normal de esfriamento para avaliar as emoções antes de prosseguir. Jude argumentou que Daniel estava muito nervoso com sua situação profissional etc. etc., então eu tinha de compreender, ser simpática e agradável para mostrar que confio nele e não vou ficar carente, nem pular fora da relação.

Nesse ponto Sharon quase cuspiu sobre o queijo ralado e disse que não era humano deixar uma mulher no ar sem saber o que fazer durante dois fins de semana depois de dormir com ela e que isso causava uma enorme insegurança e eu devia dizer a ele o que eu achava. Humm. Vamos ver. Vou dar mais uma dormidinha.

14h. Retorno triunfal de uma heróica expedição ao térreo para pegar o jornal e um copo d'água. Dava para sentir a água correndo como um riacho cristalino nos cantos recônditos da minha cabeça. Embora não haja prova, estive pensando na teoria de que a água percorre mesmo a cabeça da gente. Deve entrar através da corrente sanguínea. Como a desidratação provoca ressaca, talvez a água penetre no cérebro através de uma espécie de ação capilar.

14h15. Dei um pulo quando li nos jornais a notícia de duas crianças de dois anos que tiveram de fazer prova para entrar no jardim de infância. Tenho de ir ao chá de aniversário do Harry, meu afilhado.

18h. Dirigi feito uma louca pelas ruas londrinas, cinzentas e molhadas de chuva, até a casa de Magda, parando antes na Waterstone para comprar um presente. Fiquei péssima só de pensar que estava atrasada, de ressaca e ainda ia ter de ficar cercada de mães que um dia trabalharam, tiveram uma carreira e agora participavam da Competição Cuidados com os Filhos. Magda, que foi corretora de ações, mente a idade do filho Harry para fazer com que ele pareça mais inteligente. Até para engravidar foi um espanto, Magda tomava oito vezes mais vitaminas e sais minerais do que qualquer outra mulher. O nascimento foi o máximo. Ela passou a gravidez inteira dizendo para todo mundo que seria parto natural, mas foi só sentir a primeira contração que começou a gritar:

— Apliquem uma anestesia, seus idiotas!

A festa de aniversário foi um cenário de pesadelo: eu numa sala cheia de orgulhosas mamães, uma delas com um bebê de um mês.

— Ah, não é um *amorzinho*? — arrulhou Sarah de Lisle, depois perguntou, rápida: — Como foi ele no teste de bebês?

Não sei qual é o problema desses testes que as crianças são obrigadas a fazer com dois minutos de vida. Num jantar, dois anos atrás, Magda ficou sem graça quando contou que Harry tinha tirado 10 no teste e uma das convidadas, que era enfermeira, disse que a nota máxima era 9.

Sem se abalar, Magda começou a se vangloriar de que o filho era um prodígio em matéria de cocô, causando uma série de ataques e contra-ataques. A essa altura, as criancinhas, numa idade em que deveriam estar envoltas em fraldas plásticas, passeavam pela sala, vestidas em modelinhos da grife Baby Gap. Menos de dez minutos depois que cheguei, o tapete já tinha três cocôs. Ocorreu então uma discussão inútil sobre quem tinha feito os cocôs, seguida de um tenso trocar de roupas, oportunidade para outra competição a respeito do tamanho dos pintos dos bebês e, em conseqüência, dos maridos.

– É assim mesmo, o tamanho do pênis é hereditário. Cosmo não tem esse problema, sabe?

Depois dessa, achei que minha cabeça ia explodir. Pedi licença, peguei o carro e voltei para casa, dando graças a Deus por ser solteira.

SEGUNDA-FEIRA, 6 DE MARÇO

56,2 kg (m. m. b.: percebi que o segredo do regime é não se pesar).

11h. Trabalho. Completamente exausta. Na noite passada, eu estava imersa num banho morno com óleo de gerânio, tomando vodca com tônica, quando a campainha tocou. Era minha mãe, chorando na escada. Levei algum tempo para entender o que estava acontecendo, enquanto ela andava pela cozinha, chorando cada vez mais alto e recusando-se a falar. Comecei a desconfiar que seu ataque de poder sexual perpétuo tinha desmoronado como cartas de baralho: papai, Julio e o funcionário da Receita tinham perdido o interesse por ela ao mesmo tempo. Mas não era isso. Ela estava com a síndrome do "Tenho tudo".

– Estou me sentindo como a cigarra que passou o verão inteiro cantando – disse ela, assim que percebeu que eu estava me desinteressando do caso. – E agora chegou o inverno da minha vida e não reservei nada para mim.

Eu ia argumentar que não se pode dizer que três candidatos em potencial, a metade de uma casa e as pensões não eram nada, mas fiquei quieta.

– Quero ter uma profissão – confessou ela. E alguma

parte mesquinha de mim sentiu-se feliz e segura porque eu tinha uma profissão. Bom, um emprego, pelo menos. Eu era uma cigarra juntando muita comida, ou moscas, ou seja lá o que as cigarras comem no inverno, apesar de não ter um namorado.

Acabei consolando mamãe, deixando que ela abrisse o meu guarda-roupa e criticasse todas as minhas roupas e dissesse por que eu devia começar a comprar só na Jaeger e na Country Casuals. Minha estratégia funcionou bem e ela se recuperou tão depressa que conseguiu até ligar para Julio e marcar para tomarem "uma saideira".

Quando ela saiu já eram mais de dez horas, então liguei para contar a Tom as horrendas novidades: Daniel não tinha ligado no fim de semana inteiro e eu queria saber o que ele achava dos conselhos controversos de Jude e Sharon. Tom disse que eu não devia seguir nenhum deles, não me fazer de sedutora, não comentar nada e continuar como uma rainha da frieza e da indiferença.

Tom disse que os homens costumam se imaginar numa espécie de escada do sexo, com todas as mulheres acima ou abaixo deles. Se a mulher está *abaixo* (isto é, querendo dormir com o homem e dando em cima dele), então, no melhor estilo Groucho Marx, ele não quer entrar para o clube dela. Essa mentalidade masculina me deixa deprimida, mas Tom disse para eu não ser ingênua e se gosto mesmo do Daniel e quero conquistá-lo tenho de ignorá-lo e ser o mais fria e distante possível.

Acabei indo dormir à meia-noite, mto confusa, mas fui acordada três vezes por telefonemas de papai.

— Quando alguém te ama, é como ter um cobertor envolvendo seu coração. Mas, quando arrancam o cobertor... — disse, e caiu em prantos. Ele ligou do apartamento da vovó, nos fundos do jardim dos Alconbury, onde estava "até as coisas se acalmarem", como declarou, esperançoso.

De repente percebi que as coisas estavam completamente mudadas e agora era eu quem cuidava dos meus pais em vez deles cuidarem de mim, o que parece pouco natural e errado. Será que sou tão velha assim?

Posso garantir que nos dias de hoje não adianta beleza, comida, sexo ou sedução para conquistar o coração de um homem, mas sim a capacidade de parecer pouco interessada nele.

Não tomei conhecimento do Daniel o dia inteiro e fingi estar ocupada (faço um esforço para não rir). **Chegaram Novas Mensagens** ficou piscando, mas só olhei e ajeitei o cabelo como se fosse uma mulher muito charmosa e importante, com mais o que fazer. No final do dia, percebi que a fórmula estava funcionando como num milagre de laboratório escolar de química (teste de acidez, fósforo ou algo parecido). Ele continuou me olhando e fazendo caras e bocas. A certa altura, quando Perpétua saiu da sala, ele passou pela minha mesa, parou um instante e falou, baixinho:

– Jones, sua criatura maravilhosa. Por que está me ignorando?

Num ímpeto de alegria e ternura, fiquei prestes a contar todas as teses controversas de Tom, Jude e Sharon mas, por sorte, exatamente nessa hora tocou o telefone. Fiz um olhar de desculpas e atendi, depois Perpétua entrou de repente, colocando uma pilha de papéis sobre a minha mesa e empurrando-os com a bunda, berrou: "Ah, Daniel. Vamos..." e botou-o para fora. Isso foi ótimo porque o telefonema era de Tom, que disse para eu manter a pose de rainha da frieza e me deu um mantra para ficar repetindo quando sentisse que estava enfraquecendo: "Avante, inacessível rainha de gelo. Avante, inacessível rainha de gelo."

TERÇA-FEIRA, 7 DE MARÇO

58,9 kg, 58 kg ou 59,4 kg?, 0 unidade alcoólica, 20 cigarros, 1.500 calorias, 6 bilhetes de loteria (ruim).

9h. Argh. Como é que posso ter engordado um quilo e meio desde o meio da noite? Estava com 58,9 kg quando fui dormir, 58 às quatro da manhã e 59,4 quando levantei. Entendo que o peso possa *diminuir* – pode evaporar ou sair do corpo para a privada –, mas como pode *aumentar*? Será que a comida pode sofrer uma reação química com outra, dobrar de densidade e volume e se solidificar formando uma gordura mais pesada e compacta? Não estou parecendo mais gorda. Posso fechar o botão, embora, argh, não consiga fechar o zíper do meu *jeans* de 1989. Então pode ser que meu corpo esteja diminuindo mas ficando mais pesado. Parece papo de marombeira, o que me deixa deprimida. Liguei para Jude reclamando da droga da dieta, e ela mandou anotar tudo o que comi, honestamente, e verificar se segui a dieta. Eis a lista do que comi:

Café da manhã: pãozinho quente (pequena variação da torrada integral indicada); barra de chocolate Mars (pequena alteração da meia *grapefruit* indicada na Dieta de Scarsdale).

Lanche: duas bananas, duas peras (mudei para o plano F, já que estava morrendo de fome e não agüento comer petiscos de cenoura como manda a Dieta de Scarsdale). Um suco de laranja em pacote (Dieta de Alimentos Naturais Anticelulite).

Almoço: uma batata com casca (Dieta Vegetariana de Scarsdale) e pasta de grão-de-bico (Dieta Hay – a pasta é ótima para passar na batata quente porque derrete e compensa os muitos líquidos contidos no café da manhã e o almoço, exceto o pãozinho quente e a barra de chocolate: pequena insubordinação).

Jantar: quatro copos de vinho, peixe e batatas fritas (Dieta de Scarsdale, junto com Dieta Hay – aquisição de proteínas); uma porção de *tiramisu*; chocolate de menta (uma fera).

Vejo que ficou muito fácil achar uma dieta que se adapte a tudo o que você tem vontade de comer. Concluo também que não se deve escolher uma dieta e misturar com outra, mas seguir uma só, à risca – exatamente o que vou começar a fazer logo depois de comer este *croissant* de chocolate.

TERÇA-FEIRA, 14 DE MARÇO

Desastre. Desastre completo. Entusiasmada com o sucesso da tese de total indiferença defendida por Tom, comecei a descuidar, segui os conselhos de Jude e voltei a trocar mensagens com Daniel para mostrar que confio nele e não vou ficar carente, nem sumir de vista sem uma boa razão.

Lá pelo meio da manhã, quando eu estava na máquina de café, minha técnica de rainha da frieza misturada com *Homens são de Marte, mulheres são de Vênus* ia tão bem que Daniel se aproximou e disse:

– Você pode ir a Praga no próximo fim de semana?

– Como? Ahn, você quer dizer no fim de semana que vem?

– *Issso*, no próximo fim de semana – disse ele de um jeito animado e meio paciente, como se estivesse me ensinando a falar inglês.

– Aaah, vou sim, *ótimo* – falei, esquecendo o mantra da rainha da frieza.

Depois ele veio a minha mesa e perguntou se eu gostaria de almoçar no restaurante da esquina. Combinamos de encontrar do lado de fora do prédio para ninguém desconfiar de nada e foi tudo bem emocionante e clandestino até ele dizer, quando estávamos perto do restaurante:

– Escute, Bridge, me desculpe, fiz um rolo na minha cabeça.

– Por quê? O quê? – perguntei, ao mesmo tempo que lembrava da minha mãe e me perguntava se o educado seria dizer: "Perdão, como disse?"

– Não posso ir a Praga no próximo fim de semana. Não sei onde estava com a cabeça quando falei isso. Mas a gente pode ir numa outra oportunidade.

Tocou uma sirene dentro da minha cabeça e um enorme sinal luminoso começou a piscar com a cabeça de Sharon no meio, dizendo: BABAQUICE, BABAQUICE.

Fiquei grudada no chão, olhando para ele.

– O que houve? – perguntou ele, parecendo se divertir.

– Não agüento mais você – falei, furiosa. – Desde aquele dia que você tentou tirar minha saia eu deixei bem claro que não estou a fim de babaquices emocionais. Não foi nada legal você ficar me seduzindo, dormir comigo, depois nem sequer me telefonar e ainda fazer de conta que não houve nada. Você me convidou para ir a Praga só para ter certeza de que podia dormir comigo se quisesse, como se estivéssemos numa espécie de escada, não é?

– Escada, Bridge? – disse ele. – Que escada?

– Cala a boca – disse, áspera. – Agora é dá ou desce. Ou você fica comigo e me trata direito, ou me deixa em paz. Como já disse, não estou interessada em babaquices.

– E o que você fez esta semana? Primeiro, me ignorou completamente como se fosse uma donzela de gelo integrante da Juventude Hitlerista, depois passou a ser uma irresistível gatinha sensual, olhando para mim por cima do computador fazendo olhares de "vamos pra cama, anda" e agora, de repente, vira uma fera.

Ficamos nos olhando como dois animais da selva africana antes de se atacarem num documentário de tevê do naturalista David Attenborough. Aí, de repente, Daniel virou-se e saiu do restaurante. Tive de voltar apatetada para o trabalho e ir ao toalete, onde tranquei a porta e sentei, vigiando enlouquecida a porta. Ai, Deus.

17h. Rá-rá. Estou ótima. Orgulhosa de mim mesma. Depois do trabalho, tive uma reunião de cúpula no Café Rouge para discutir a crise com Sharon, Jude e Tom, que ficaram encantados com a mudança de Daniel, cada um convicto de que tinha sido por causa do próprio conselho. Jude tinha ouvido uma pesquisa no rádio informando que, na virada do século, um terço dos lares será habitado por uma pessoa só, o que pelo menos prova que não somos pobres malucos. Sharon deu uma gargalhada e disse:

— Uma casa em cada três? É mais provável que sejam nove em cada dez.

Sharon acha que os homens — com a honrosa exceção, óbvio, dos presentes, ou seja Tom — são tão difíceis de se envolverem afetivamente que daqui a pouco as mulheres vão mantê-los como bichinhos só para fazer sexo. Assim, um lar como esse não poderá ser considerado como um domicílio partilhado, já que os homens ficarão do lado de fora em canis. De todo jeito, estou me sentindo mto fortalecida. O máximo. Acho que devo ler um trecho do livro de Susan Faludi, *Backlash*.

5h da manhã. Ai, meu Deus, Daniel me deixa tão triste. Eu o amo.

QUARTA-FEIRA, 15 DE MARÇO

57 kg, 5 unidades alcoólicas, (desgraça: urina de satã), 14 cigarros (erva de satã, vou parar no dia do meu aniversário), 1.795 calorias.

Humm. Acordei mal à beça. Para culminar, faltam apenas duas semanas para o meu aniversário, quando terei de admitir que mais um ano se passou, durante o qual todo mundo menos eu virou Bem-Casado, teve filho, plop, plop, plop, à direita, esquerda, centro, faturou centenas de milhares de libras, progrediu na vida, enquanto eu continuo sem rumo e sem namorado, mantendo relações desestruturadas e com uma carreira empacada.

Constato que toda hora estou na frente do espelho à procura de rugas e quando pego a revista *Hello!* procuro imediatamente a idade das pessoas para me comparar (A atriz Jane Seymour está com 42 anos!), lutando contra o medo onipresente de um dia, aos 30 e poucos anos, de repente e sem perceber, estar num vestido largão, carregando uma sacola de compras, de permanente no cabelo, a cara derretendo como nos efeitos especiais dos filmes e aí, pronto. Tudo acabado. Tento me concentrar em Joanna Lumley e Susan Sarandon.

Também estou preocupada em como comemorar meu aniversário. O tamanho do apartamento e da conta bancária não permitem dar uma festa. Quem sabe faço um jantar? Mas aí eu teria de ficar o tempo todo servindo as pessoas e odiaria os convidados assim que chegassem. Podíamos sair para jantar, mas fico culpada porque as pessoas têm de pagar a conta pois, egoísta, obriguei-os a comemorar o meu aniversário gastando dinheiro numa noite chata – mas também não posso pagar para todo mundo. Ai, Deus. O que faço? Gostaria de não ter nascido mas sim ser o resultado de uma imaculada conceição como Jesus, mas não exatamente da mesma forma que Ele, assim não precisava comemorar o aniversário. Sinto-me solidária com o constrangimento que Ele deve sentir porque há dois mil anos quase o mundo inteiro é obrigado a comemorar Seu aniversário.

Meia-noite. Tive uma boa idéia para o aniversário: convidar todo mundo para um coquetel, talvez *manhattans*. Assim, posso oferecer algo aos convidados, no melhor estilo de uma grande dama da sociedade. Se as pessoas mais tarde quiserem jantar, ora, podem ir. Não sei bem como se prepara um *manhattan*, vou pesquisar. Posso comprar um livro que ensina a fazer coquetéis. Para ser sincera, acho que não vou comprar.

QUINTA-FEIRA, 16 DE MARÇO

57,6 kg, 2 unidades alcoólicas, 3 cigarros (m. b.), 2.140 calorias (quase só comi frutas), 237 minutos gastos fazendo lista de convidados (ruim).

Eu	Sharon
Jude	Richard o Vil
Tom	Jerome (eca)
~~Michael~~	
Magda	Jeremy
Simon	
Rebecca	Martin Chato de Galocha
Woney	Cosmo
Joanna	
Daniel?	Perpétua? (argh) e Hugo?

Ai, não. Ai, não. O que faço?

SEXTA-FEIRA, 17 DE MARÇO

Acabo de ligar para Tom que disse, com muita sensatez:

– O aniversário é seu e você deve convidar única e exclusivamente quem quiser.

Então, só vou convidar as seguintes pessoas

Sharon

Jude

Tom

Magda e Jeremy

e preparar um jantar para todos. Liguei de novo para comentar a lista com Tom e ele perguntou:

– E Jerome?

– O quê?

– E Jerome?

– Achei que como você disse que eu só devia convidar... – parei no meio da frase porque se dissesse "quem eu gosto" mostraria que não gostava do insuportável e pretensioso namorado dele. – Ah! – mostrando um susto exagerado. – O *seu* Jerome? *Claro* que ele está convidado, bobo. Mas você acha que fica ruim não chamar Richard o Vil, da Jude? E a Woney, apesar dela ter me convidado para o aniversário na semana passada?

– Ela jamais vai ficar sabendo.

Quando eu disse a lista de convidados para Jude, ela concluiu:

– Ah, então pode-se levar o namorado? – o que significa Richard o Vil. Bom, já que tem mais de seis pessoas, então vou ter de convidar o Michael. Bom. Acho que nove pessoas está perfeito. Dez, contando comigo. Ótimo.

Logo depois, Sharon ligou.

– Espero não ter dado um fora. Encontrei a Rebecca,

perguntei se ela ia ao seu aniversário e ela fez uma cara bem ofendida.

Ah, não, vou ter de convidar Rebecca e Martin Chato de Galocha. Que chateação. Com isso, tenho de chamar a Joanna também. Merda. Merda. Como eu já disse que vou fazer um jantar não posso de repente avisar que vamos a um restaurante porque vai parecer que sou fresca e mesquinha.

Ai, Deus. Acabei de entrar em casa e ouvir na secretária eletrônica um recado gélido e ofendido de Woney.

— Cosmo e eu queríamos saber o que você gostaria de ganhar de aniversário este ano. Ligue para nós, por favor.

Já vi que vou passar o dia do meu aniversário cozinhando para 16 pessoas.

SÁBADO, 18 DE MARÇO

56,7 kg, 4 unidades alcoólicas (entediada), 23 cigarros (péssimo, já que fumados em duas horas), 3.827 calorias (odioso).

14h. Humm. Era só o que me faltava. Minha mãe adentrou o apartamento e, por milagre, a crise da cigarra que cantou o verão inteiro tinha passado.

— Ó meu Santo Pai, querida! — disse, ofegante, indo direto para a cozinha. — Você teve uma semana ruim ou alguma coisa assim? Está com uma cara péssima. Parece que tem noventa anos. Mas sabe de uma coisa, querida? — perguntou, dando uma voltinha, segurando a chaleira e baixando os olhos modestamente, depois me olhando como se fosse uma grande dançarina pronta para iniciar um *show* de sapateado.

— O que houve? — respondi, de má vontade.

— Arrumei um trabalho como apresentadora de televisão.

Vou fazer compras.

DOMINGO, 19 DE MARÇO

56,2 kg, 3 unidades alcoólicas, 10 cigarros, 2.465 calorias (quase só chocolate).

Puxa. Estou encarando meu aniversário de outra forma, totalmente positiva. Estive conversando com Jude sobre o livro que ela está lendo sobre os ritos de passagem dos povos primitivos e isso me deixou feliz e serena.

Cheguei à conclusão que é fútil e errado achar que o apartamento é pequeno demais para receber 19 pessoas, que não posso passar o dia do meu aniversário cozinhando e que seria melhor me arrumar e ir a um restaurante fino com um deus do sexo portador de um cartão de crédito ouro. Em vez disso, vou considerar meus amigos como uma enorme e calorosa família africana, ou talvez turca.

Nossa cultura é muito obcecada por aparência, idade e situação sócio-econômica. Mas o que vale mesmo é o amor. Essas 19 pessoas são amigas minhas; elas querem ser recebidas na minha casa para festejar com carinho meu aniversário e apreciar uma comidinha caseira — e não para avaliar nada. Vou fazer uma torta de carneiro para todos no melhor estilo caseiro. Vai ser uma festa simpática e alegre, como nas tribos étnicas do Terceiro Mundo.

SEGUNDA-FEIRA, 20 DE MARÇO

57 kg, 4 unidades alcoólicas (estou entrando no clima), 27 cigarros (último dia antes de parar), 2.455 calorias.

Resolvi fazer uma torta de carneiro e uma salada de endívias belgas ao forno com fatias de Roquefort e *chorizos* grelhados para dar um toque diferente (não experimentei a receita, mas tenho certeza que é fácil), seguidos por suflês ao Grand Marnier servidos em terrinas individuais. Estou ansiosa pelo dia do aniversário. Espero ficar famosa como grande cozinheira e anfitriã.

TERÇA-FEIRA, 21 DE MARÇO. ANIVERSÁRIO

57 kg, 9 unidades alcoólicas*, 42 cigarros*, 4.295 calorias*. (*se não posso me esbaldar no meu aniversário, quando é que vou poder?)

18h30. Não dá mais. Acabo de pisar numa panela de purê de batata com os sapatos novos de camurça preta da loja Pé no chão (melhor dizer Pé na batata). Esqueci que o piso da cozinha e todas as superfícies da cozinha estão cobertas de panelas de picadinho de carne e purê de batata. Já são quase seis e meia e tenho de ir à Cullens comprar os ingredientes do suflê ao Grand Marnier e outras coisas que esqueci. Ai, meu Deus, de repente lembrei que o tubo de gel anticoncepcional deve estar ao lado da pia. Preciso guardar também os potes decorados com uns esquilos cafonas e esconder o cartão de aniversário que Jamie mandou com a foto de uma ovelhinha e os dizeres: "Feliz Aniversário, sabe onde você está agora?" E dentro do cartão: "Cruzando o Cabo da Boa Esperança."

Agenda:

18h30 – Compras.
18h45 – Voltar para comprar os enlatados que esqueci.
18h45-7 – Preparar a torta de carneiro e colocar no forno (ai, Deus, espero que caiba tudo).
19-19h05 – Preparar os suflês ao Grand Marnier (acho que vou dar uma provadinha no licor agora. Afinal, é meu aniversário).
19h05-19h10. Hum. O Grand Marnier está uma delícia. Preciso arrumar os pratos e talheres para ninguém achar que está tudo uma bagunça e dar um jeito na cozinha. Ah, tenho de comprar guardanapos também (ou será que é *serviettes*?, nunca lembro como se usa chamar).
19h10-19h20 – Limpar tudo e encostar os móveis na parede da sala.
19h20-19h30 – Fazer as tais fatias grelhadas de *chorizo*.

Com isso, sobra uma boa meia hora para me aprontar, então não há razão para ficar nervosa. Preciso de um cigarro. Argh. Faltam quinze para as sete. Como é que pode? Argh.

19h15. Voltei da loja e percebi que esqueci a manteiga.

19h35. Merda, merda, merda. A torta de carneiro ainda está em panelas espalhadas pelo chão da cozinha inteira e eu ainda não lavei o cabelo.

19h40. Ai, meu Deus. Fui pegar o leite e percebi que esqueci a sacola de compras nos fundos da loja. Os ovos estavam dentro. O que significa... Ai, Deus, o azeite também... então não dá para fazer a tal salada.

19h40. Hum. A melhor coisa a fazer, com certeza, é entrar na banheira com uma taça de champanhe e me aprontar. Se eu estiver linda, posso continuar cozinhando depois que todo mundo chegar e talvez consiga que Tom vá buscar os ingredientes que estão faltando.

19h55. Aargh. Tocou a campainha. Estou de calcinha, sutiã e cabelo molhado. O chão da cozinha está cheio de torta. De repente, odeio os convidados. Tive de ficar como uma escrava por dois dias, agora eles vão se acomodar e ficar pedindo coisas como cucos esfomeados. Dá vontade de abrir a porta e berrar: "Ah, *fodam-se!*"

2h da manhã. Estou muito emocionada. Quando abri a porta, vi Magda, Tom, Sharon e Jude com uma garrafa de champanhe. Eles disseram para eu me aprontar logo e, enquanto sequei o cabelo e me vesti, eles limparam toda a cozinha e jogaram fora a torta de carneiro. Magda tinha reservado uma grande mesa no restaurante 192 e dito a todo mundo para se encontrar lá, e não no meu apartamento; eles ficaram me esperando com presentes e ainda me pagaram o jantar. Magda disse que tiveram um sexto sentido estranho e quase paranormal de que o suflê ao Grand Marnier e aquela história de salada não iam dar certo. Adoro meus amigos, são melhores que uma enorme família turca com lenços esquisitos na cabeça.

Uma coisa é certa: no próximo Ano-Novo vou renovar minhas resoluções, com os seguintes acréscimos:

Eu Vou
Parar de ser tão neurótica e ter medo das coisas.

Não vou
Mais dormir com, nem tomar conhecimento de, Daniel Cleaver.

ABRIL →

Equilíbrio interior

DOMINGO, 2 DE ABRIL

57 kg, 0 unidade alcoólica (maravilhoso), 0 cigarro, 2.250 calorias.

Li numa reportagem que a escritora Kathleen, finada esposa do finado teatrólogo Kenneth Tynan, tinha "equilíbrio interior" e só escrevia se estivesse perfeitamente arrumada, sentada numa mesinha no centro da sala e tomando um copo de vinho branco gelado. Se estivesse atrasada para entregar um texto para Perpétua, Kathleen Tynan jamais ficaria toda vestida e apavorada embaixo do cobertor, fumando sem parar, engolindo uma caneca de saquê frio e se maquiando para fugir da obrigação. Kathleen Tynan não permitiria que Daniel Cleaver dormisse com ela quando bem entendesse, sem ser seu namorado. Também não beberia demais nem vomitaria. Eu gostaria de ser como Kathleen Tynan (mas, claro, não gostaria de estar morta).

Por isso, sempre que as coisas ameaçam sair de controle, eu agora repito as palavras "equilíbrio interior" e fico me imaginando de vestido de linho branco, sentada numa mesa com um vasinho de flores. "Equilíbrio interior." Há seis dias não pego num cigarro. Há três semanas assumi em relação a Daniel um ar de digna superioridade, não mandei mais mensagens, não fiz olhares nem dormi com ele. Na última semana, contra a vontade, só consumi três unidades alcoólicas, fazendo concessão a Tom. Ele reclamou que sair à noite com uma pessoa que acaba de largar os vícios era a mesma coisa que sair com um molusco, uma ostra ou qualquer um desses flácidos seres marinhos.

Meu corpo é um templo. Será que já está na hora de dormir? Ah, não, são só oito e meia da noite. Equilíbrio interior. Aaah. Telefone tocando.

21h. Era meu pai, com uma voz estranha e enrolada, parecendo um robô.

— Bridget. Ligue a televisão na BBC1.

Mudei de canal e quase morri de susto. Vi na tela uma chamada para o programa de Anne e Nick, que, sentados num sofá, tinham entre os dois uma imagem em destaque de um rosto de mulher: minha mãe, toda emperiquitada e pintada, como se fosse a chata daquela entrevistadora Katie Boyle ou alguém do gênero.

— Nick... — chamou Anne, simpática. E ele:

— Agora vamos apresentar nossa nova atração da primavera, *De repente, solteira*, problema enfrentado por um número cada vez maior de mulheres. Continue, Anne.

— Trazemos para vocês a incrível Pam Jones, nossa nova apresentadora — disse Anne. — Ela própria enfrenta a situação *De repente, solteira* e está fazendo sua estréia na tevê.

Enquanto Anne falava, a imagem de minha mãe descongelou e foi aumentando na tela até substituir a imagem de Anne e Nick e mostrar mamãe enfiando um microfone no nariz de uma mulher com cara de ratinho.

— Você chegou a pensar em suicídio? — rugiu minha mãe.

— Cheguei — confessou a mulher-ratinho, começando a chorar. Nesse ponto, a imagem congelou, diminuiu e ficou num canto da tela para mostrar Anne e Nick no sofá de novo, com cara de velório.

Papai estava arrasado. Mamãe não tinha sequer contado para ele do emprego como entrevistadora de tevê. Ele parece não estar acreditando, acha que mamãe está apenas passando por uma crise de fim de vida e já percebeu que fez uma bobagem, mas está com vergonha de pedir para voltar.

Quanto a mim, acho que negar a realidade é uma saída. Basta que você se convença de uma coisa e fique feliz da vida – desde que sua ex-cônjuge não apareça na tela da tevê iniciando uma nova carreira pelo fato de não estar mais casada com você. Tentei fazer de conta que isso não era o fim do mundo e que minha mãe podia estar pensando em voltar para ele, dando assim um final inesperado para a série televisiva, mas não funcionou. Pobre papai. Acho que ele não sabe nada sobre Julio e o fiscal da Receita Federal. Perguntei se gostaria que eu o visitasse amanhã, podíamos sair para jantar num lugar simpático no sábado à noite e talvez dar um passeio no domingo, mas ele disse que não precisava, estava se sentindo bem. Os Alconbury vão oferecer uma ceia à moda inglesa antiga, no sábado à noite, em benefício da Associação Salva-Vidas.

TERÇA-FEIRA, 4 DE ABRIL

Resolvi me esforçar para não chegar sempre atrasada no trabalho e não deixar que a bandeja de coisas a fazer fique transbordando na minha mesa etc. Vou iniciar um programa de auto-aperfeiçoamento, anotando minuciosamente o tempo gasto para fazer cada coisa.

7h. Me pesei.
7h03. Voltei para a cama deprimida por causa do excesso de

peso. Cabeça ficou no pé. Não havia diferença entre dormir ou levantar da cama. Pensei em Daniel.

7h30. Uma fome insuportável me obrigou a sair da cama. Fiz café, pensei em comer uma *grapefruit*. Descongelei o *croissant* de chocolate.

7h35 – 7h50. Olhei pela janela.

7h55. Abri o armário. Olhei para as roupas.

8h. Escolhi uma blusa. Tentei achar a minissaia preta de *lycra*. Tirei tudo do guarda-roupa procurando a saia. Mexi nas gavetas e olhei atrás da cadeira do quarto. Procurei na cesta de roupas para passar. Olhei na cesta de roupas para lavar. Saia sumiu. Fumei um cigarro para me consolar.

8h20. Passei uma escova dura e seca (anticelulite) no corpo, tomei banho e lavei a cabeça.

8h35. Comecei a escolher a roupa de baixo. Como não tenho lavado nada, as únicas calcinhas existentes na gaveta eram calções de algodão branco. Horríveis de olhar, mesmo que só para usar no trabalho (causam efeito psicológico negativo). Voltei à cesta de roupas para passar. Achei uma calcinha de renda preta superapertada e desconfortável, mas melhor do que a imensa e horrenda calçona estilo vovó.

8h45. Experimentei uma meia-calça preta, opaca. A primeira que vesti parecia ter encolhido: o meio das pernas ficava 10cm acima dos joelhos. Peguei outra e vi que estava com um furo atrás. Joguei fora. De repente, lembrei que estava com a minissaia de *lycra* na última vez que voltei para casa com Daniel. Fui até a sala. Vitória: achei a saia atrás das almofadas do sofá.

8h55. Voltei à meia. A terceira que experimentei estava com um buraco no dedão. Vesti. O buraco se transformou num desfiado que ia até o sapato. Fui até a cesta de roupas para passar. Encontrei a última meia preta opaca, enrolada com outras coisas. Desembaracei tudo e estiquei.

9h05. Vesti a meia. Vesti a saia. Comecei a passar a blusa.

9h10. De repente, percebi que meu cabelo estava secando num jeito esquisito. Procurei a escova. Achei na bolsa.

Sequei o cabelo. Não ia ficar bom. Borrifei um pouco de spray e sequei mais um pouco.

9h40. Voltei a passar a blusa e descobri uma mancha enorme na frente. Todas as outras blusas estavam sujas. Entrei em pânico por causa da hora. Tentei limpar a mancha com um pano. Molhei a blusa inteira. Sequei com ferro.

9h55. Superatrasada. Desesperada, fumei um cigarro e li um folheto de agência de turismo para me acalmar por cinco minutos.

10h. Tentei achar a bolsa. Bolsa sumiu. Resolvi dar uma olhada na caixa de correspondência para ver se chegou alguma coisa legal.

10h07. Só chegou a conta do cartão de crédito, acusando o não-pagamento da taxa obrigatória de manutenção. Tentei lembrar o que estava tentando fazer antes. Voltei a procurar a bolsa.

10h15. Super-hiperatrasada. Subitamente, lembrei que estava com a bolsa no banheiro quando fui procurar a escova e não encontrei. Acabei achando a bolsa no meio das roupas do armário. Enfiei as roupas no armário outra vez. Vesti a jaqueta. Pronta para sair de casa. Não achei as chaves. Vasculhei a casa inteira, enlouquecida.

10h25. Encontrei a chave na bolsa. Percebi que esqueci a escova.

10h35. Saí de casa.

Três horas e 35 minutos entre acordar e sair de casa — é tempo demais. No futuro, tenho de levantar assim que acordar e fazer uma reestruturação completa no sistema de lavanderia. Abro o jornal e leio que o acusado de um assassinato nos Estados Unidos tem certeza de que as autoridades colocaram um *microchip* na bunda dele para monitorar seus movimentos, digamos assim. Fico apavorada só de pensar num *microchip* desses na minha bunda, principalmente de manhã.

QUARTA-FEIRA, 5 DE ABRIL

56,7 kg, 5 unidades alcoólicas (culpa de Jude), 2 cigarros (tipo da coisa que pode acontecer a qualquer um, não significa que voltei a fumar), 1.765 calorias, 2 bilhetes de loteria.

Hoje, comentei com Jude aquela história de equilíbrio interior e, engraçado, ela disse que estava lendo um livro de auto-ajuda sobre zen. Segundo ela, o conceito zen podia ser aplicado a qualquer área da vida: zen e a arte de fazer compras, zen e a arte de comprar um apartamento etc. Ela disse que é tudo uma questão de Fluir, não de lutar. Se, por exemplo, você está com um problema, ou as coisas não estão andando, em vez de batalhar ou se estressar, você deve relaxar, encontrar seu caminho no Fluir e tudo vai funcionar. Ela disse que é como quando não se consegue abrir uma porta com a chave e a pessoa fica forçando: isso só faz piorar. Basta retirar a chave, passar manteiga de cacau, ir com jeito e eureca! Mas Jude recomendou que não comentasse isso com Sharon porque ela acharia pura besteira.

QUINTA-FEIRA, 6 DE ABRIL

Estava no bar tomando um drinque calmamente com Jude e conversando mais a respeito do Fluir quando percebi um vulto conhecido e bem-vestido sentado num canto tranqüilo jantando: era Jeremy, marido de Magda. Acenei para ele e, por um milésimo de segundo, percebi uma expressão de horror que me fez olhar imediatamente para sua acompanhante que a) não era Magda b) tinha menos de 30 anos c) usava um vestido que experimentei duas vezes na Whistles e não levei porque era caro demais. Bruxa maldita.

Tinha certeza de que Jeremy ia sair do restaurante dando um rápido adeusinho tipo "Depois a gente se fala", mostrando que somos dois velhos amigos e, ao mesmo tempo, que aquele não era o momento para demonstrar isso com beijos e altos papos. Eu ia deixar, mas depois pensei, espera aí! Magda e eu somos como duas irmãs! Calma lá! Se o marido dela não tem por que se envergonhar por estar jantando com essa vadia usando o *meu* vestido, então vai me apresentar a ela.

Mudei de trajeto para passar pela mesa dele, que, nessa altura, fingiu uma acalorada discussão com a fulana, me olhou quando passei e deu um sorriso firme e seguro, como quem diz "almoço de negócios". Devolvi um olhar que dizia "Não me venha com almoço de negócios" e saí, bem empertigada.

Mas o que devo fazer agora? Ai, ai, ai. Devo contar para Magda? Não contar? Ligar para ela e perguntar se está tudo bem? Ligar para Jeremy e perguntar se está tudo bem? Ligar para Jeremy e ameaçar contar para Magda, a menos que ele termine com a bruxa do meu vestido? Não me meter com o problema dos outros?

Pensei em zen, em Kathleen Tynan e no equilíbrio interior, fiz uma espécie de saudação ao sol, que lembrava de remotas aulas de ioga, e me concentrei na roda interior até atingir o Fluir. Então resolvi serenamente que não contaria para ninguém, já que a fofoca é um veneno perigoso e contagioso. Em vez disso vou ligar sempre para Magda, perguntar se está tudo bem (com sua intuição feminina, ela vai perceber) e então Magda me contará. E, através do Fluir, se eu achar que devo, contarei o que vi.

Não. As coisas que realmente têm valor não são adquiridas através da luta, tudo vem pelo Fluir. Zen e a arte de viver. Zen. Fluir. Hum, mas então por que eu fui encontrar com Jeremy e aquela fulaninha, se não por causa do Fluir? Ué, que diabo significa tudo isso?

TERÇA-FEIRA, 11 DE ABRIL

55.8 kg, 0 unidade alcoólica, 0 cigarro, 9 bilhetes de loteria (tenho que parar com isso).

Parece que está tudo normal com Magda e Jeremy; vai ver que era mesmo só um almoço de negócios. Talvez a noção do zen e do Fluir seja correta, pois não há dúvida de que, fazendo relaxamento e sentindo as vibrações, fiz a coisa certa. Na próxima semana, estou convidada para o badalado lançamento de *A motocicleta de Kafka*, no bar Ivy. Decidi que em vez de ficar apavorada porque tenho de ir a uma festa, ficar insegura até chegar lá e voltar para casa chateada e deprimida, vou desenvolver minha *performance* social e minha autoconfiança e Fazer as Festas Renderem Frutos — como ensina o artigo que acabo de ler na revista.

Pelo jeito, a editora Tina Browm da *New Yorker* é um gênio em matéria de festas: passa de um grupo a outro com desenvoltura, cumprimentando "Martin Amis! Nelson Mandela! Richard Gere!" com uma voz que dá a firme impressão de que ela está pensando "Meu Deus, nunca tive o prazer de encontrar alguém assim na vida! Você já viu a pessoa mais interessante da festa além de você? Converse! Converse! Faça contatos! E tchauzinho!" Gostaria de ser como Tina Brown, só não gostaria, óbvio, de trabalhar loucamente como ela.

O artigo é cheio de dicas práticas. Pelo jeito, nunca se deve falar com ninguém numa festa por mais de dois minutos. Findo esse prazo, basta dizer: "Acho que é para a gente circular. Bom te ver", e ir saindo. Se você não souber o que falar depois de perguntar a uma pessoa o que ela faz na vida e tiver como resposta "Sou agente funerário" ou "Trabalho para a Agência de Apoio à Criança", basta perguntar: "E gosta do seu trabalho?" Ao apresentar duas pessoas, acrescente um detalhe simpático sobre cada uma, assim elas terão como iniciar uma conversa. Por exemplo: "Este é John, ele é neozelandês e adora surfar." Ou então: "Gina é uma ótima pára-quedista e mora num saveiro."

E o detalhe mais importante: nunca se deve ir a uma festa sem ter um objetivo definido – seja "fazer contatos" e portanto aumentar sua rede de conhecidos que possam ajudá-la a melhorar na profissão; fazer amizade com uma determinada pessoa ou só "agarrar" um bom partido. Agora vejo como eu estava errada em ir a festas com o único objetivo de não ficar bêbada.

SEGUNDA-FEIRA, 17 DE ABRIL

56,2 kg, 0 unidade alcoólica (m. b.), 0 cigarro (m. b.), 5 bilhetes de loteria (ganhei 2 libras, portanto gastei apenas 3).

Certo. Amanhã é o dia do lançamento de *A motocicleta de Kafka*. Vou me concentrar nos objetivos. Basta um minuto. Dar só uma olhada nas recomendações e depois ligar para Jude.

Certo.

1) Não beber demais.

2) Ter como meta encontrar pessoas para ampliar minha rede de contatos.

Hum. Bom, depois eu penso em mais metas.

23h. Certo.

3) Colocar em prática as estratégias sociais do artigo.

~~4) Fazer com que Daniel ache que eu tenho equilíbrio interior e queira sair comigo de novo. Não. Não.~~

~~4) Encontrar um Deus do Sexo e dormir com ele.~~

4) Fazer contatos interessantes no mundo editorial, ou mesmo com profissionais de outras áreas para encontrar uma nova profissão.

Ai, Deus. Não quero ir a essa festa, fico apavorada. Quero ficar em casa tomando vinho e assistindo a *East-enders*.

TERÇA-FEIRA, 18 DE ABRIL

57 kg, 7 unidades alcoólicas (ai, Jesus), 30 cigarros, não posso nem pensar nas calorias, 1 bilhete de loteria (excelente).

O lançamento do livro começou mal, não vi ninguém conhecido para apresentar a outra pessoa. Peguei um drinque e vislumbrei Perpétua conversando com James, do *Telegraph*. Aproximei-me, segura, pronta para entrar em ação mas, em vez de Perpétua dizer: "James, esta é Bridget, que nasceu em Northamptonshire e é ótima ginasta" (vou voltar a fazer ginástica logo) continuou conversando bem mais que os dois minutos recomendados e me ignorou.

Fiquei do lado, me sentindo uma completa idiota, quando vi Simon do Marketing. Esperta, fingi que não queria participar da conversa de Perpétua e fui na direção dele, pronta para dizer "Simon Barnett!" no melhor estilo Tina Brown. Quando estava bem perto, percebi que, infelizmente, Simon do Marketing estava conversando com Julian Barnes. Desconfiei que não seria capaz de exclamar animada "Simon Barnett! Julian Barnes!" com o *tom* e o entusiasmo necessários, mudei de caminho e fui me afastando. Aí, Simon disse numa voz arrogante e irritada (engraçado, ele nunca usa essa voz quando está querendo te paquerar perto da máquina de xerox):

– Quer alguma coisa, Bridget?

– Ah, sim! – respondi, sem saber o que eu poderia estar querendo. – Ahn.

– Como? – Simon e Julian ficaram me olhando, à espera de uma resposta.

– Sabem onde fica o toalete? – a pergunta escapou. Droga. Droga. Por quê? Por que perguntei isso? Vi um sorriso passar pelos lábios finos-porém-atraentes de Julian Barnes.

– Acho que é por ali, que bom – falei, e fui saindo. Quando passei pelas portas de vaivém do banheiro, encostei na parede, tentando tomar fôlego e pensando: "equilíbrio interior, equilíbrio interior, equilíbrio interior". O problema é que aquilo não estava funcionando.

Olhei para a escada, desanimada. A idéia de ir para casa, vestir meu pijaminha e ligar a tevê começou a parecer muito interessante. Mas, lembrando das Metas para Festas, respirei fundo, murmurei "equilíbrio interior", empurrei a porta do banheiro e voltei para a festa. Perpétua ainda estava ali do lado, se divertindo com suas horrendas amigas Piggy e Arabella.

– Ah, Bridget, você ia pegar uma bebida, não? – perguntou ela, mostrando seu copo. Quando voltei com três copos de vinho e um de água Perrier, elas estavam discutindo grandes temas.

– Para mim, isso é um horror. Significa que, hoje, as pessoas dessa geração só tomam conhecimento dos grandes autores da literatura – Austen, Eliot, Dickens, Shakespeare e outros – através da televisão.

– Concordo, é um absurdo. Um crime.

– Com certeza. Eles acham que, quando estão zapeando do *Noel e seus convidados* para o *Encontro marcado*, aquilo é Austen ou Eliot.

– *Encontro marcado* é aos sábados – informei.

– Como? – Perpétua não tinha entendido o que eu disse.

– Aos sábados. *Encontro marcado* é às sete e quinze de sábado, depois de *Gladiadores*.

– E daí? – disse Perpétua com um ar superior, olhando de soslaio para Arabella e Piggy.

– Essas grandes adaptações de obras literárias não costumam ser apresentadas nas noites de sábado.

– Ah, olha ali o Mark – interrompeu Piggy.

– É mesmo – disse Arabella, agitada. – Ele se separou da mulher, não?

– O que eu quis dizer é que não tem nada tão bom quanto *Encontro marcado* em outro canal na mesma hora das obras-primas da literatura, portanto não acredito que ninguém fique zapeando canais nesse horário.

– Ah, quer dizer que *Encontro marcado* é "bom"? – perguntou Perpétua, com um sorriso irônico.

– É, muito bom.

– Você sabe que, antes de virar novela de tevê, *Middlemarch* foi um livro, não?

Detesto Perpétua quando fica desse jeito. Velha, gorda, idiota e peidorreira.

– Ah, eu achava que era uma novela patrocinada por um xampu – falei, de mau humor, pegando vários canapés e enfiando tudo na boca. Quando olhei para cima, vi um homem moreno, de terno, bem na minha frente.

– Olá, Bridget – disse ele. Por pouco não deixei todos

os canapés caírem da minha boca. Era Mark Darcy. Mas sem aquele suéter de losangos estilo comentarista de esportes da tevê.

– Olá – respondi de boca cheia, tentando não entrar em pânico. Depois, lembrei do artigo na revista e virei para Perpétua. – Mark, esta é Perpétua – comecei e parei, gelada. O que dizer? Perpétua, que é muito gorda e passa o tempo inteiro me enchendo? Mark, que é muito rico e teve uma ex-mulher muito cruel?

– Sim? – disse Mark.

– ... ela é minha chefe e está comprando um aparta mento em Fulhan. Mark é – falei, virando para Perpétua – um grande advogado de direitos humanos.

– Olá, Mark. Conheço você de nome, claro – anunciou Perpétua como se fosse uma heroína de novela e ele, o duque de Edinburgo.

– Mark, olá! – cumprimentou Arabella, arregalando os olhos e piscando de um jeito que devia achar muito sedutor. – Não vejo você há séculos. Como vai Nova York?

– Nós estávamos comentando sobre hierarquias culturais – informou Perpétua. – Bridget é uma dessas pessoas que acha que, quando a tevê mostra *Encontro marcado*, é o mesmo que ver Otelo de Shakespeare dizendo o monólogo "Será por causa deste teu semblante que minha alma ruirá, precipitada dos céus para os braços das fúrias infer nais!" – Perpétua cacarejava de rir.

– Ah, então Bridget é uma autêntica pós-modernista – concluiu Mark Darcy. – Esta é Natasha – apresentou, apontando para uma moça alta, magra e bonita ao lado dele. – Ela é uma grande advogada de família.

Parecia que ele estava me esnobando. Que ousadia. Natasha falou então, com um sorriso de quem sabe das coisas:

– Acho que as pessoas deveriam primeiro provar que tinham lido os clássicos para depois terem permissão de assisti-los na versão televisiva.

— Ah, concordo *plenamente* – disse Perpétua, continuando seu acesso de riso. – Que idéia ótima!

Com certeza, ela estava visualizando Mark Darcy e Natasha em casa, com um monte de criancinhas em volta da mesa de jantar.

— Deviam proibir o público de ouvir a música da Copa do Mundo – piou Arabella –, a menos que provassem que ouviram a ópera *Turandot* inteira!

— Mas, sob vários aspectos, a democratização da nossa cultura é uma *grande meta*... – disse a Natasha de Mark, subitamente séria, como se a conversa estivesse indo pelo caminho errado.

— Exceto no caso de programas de auditório, que deviam ser cancelados antes da estréia – guinchou Perpétua. Sem querer, olhei para o traseiro dela e pensei "Opinião muito sofisticada, vindo de quem vem" e vi Mark Darcy olhando para o mesmo lugar.

— O que me *incomoda* – Natasha falava como se estivesse participando de uma mesa-redonda nas universidades de Oxford ou Cambridge – é isso, essa espécie de individualismo arrogante que acha que cada geração vai criar um novo mundo.

— Mas é exatamente o que os jovens *fazem* – disse Mark Darcy, calmamente.

— Bem, se você vê por este prisma... – respondeu Natasha, na defensiva.

— Que prisma? – perguntou Mark Darcy. – Não se trata de encarar por um determinado prisma, é um fato.

— Não, desculpe, você está entendendo errado *de propósito* – disse ela, mais irritada. – Não estou falando de uma nova visão desconstrutivista. Estou falando da total *vandalização* da estrutura cultural.

Mark Darcy fez uma cara de quem ia cair na gargalhada.

— Se você está se referindo ao tipo de bobagem moral-

mente relativista, que considera *Encontro marcado* ótimo...
– disse ela, olhando para mim.

– Mas eu estava falando sério quando disse que gosto de *Encontro marcado* – argumentei. – Embora ache que os participantes deviam responder às perguntas, em vez de lerem respostas decoradas e idiotas, cheias de trocadilhos e implicações sexuais.

– Concordo – interrompeu Mark.

– Detesto *Gladiadores*. Faz com que eu me sinta gorda – falei. – Mas foi ótimo encontrar você. Tchau!

Eu estava esperando a moça da chapelaria devolver meu sobretudo, pensando em como o fato de não usar um suéter de losangos pode alterar o charme de um homem, quando senti uma mão segurando de leve minha cintura. Virei-me.

– Daniel!

– Jones! Por que você está fugindo tão cedo? – inclinou-se e me deu um beijo. – Hum, você está com um perfume delicioso – constatou, oferecendo um cigarro.

– Não, obrigada, encontrei o equilíbrio interior e parei de fumar – falei, de um jeito ensaiado, tipo Mulher Modelo, desejando que Daniel não fosse tão atraente num encontro assim, individual.

– Sei. Equilíbrio interior, não é? – disse com um sorriso afetado.

– Isso mesmo – respondi, de um jeito também afetado. – Você estava no lançamento? Não vi.

– Eu sei. Mas eu vi você. Conversando com Mark Darcy.

– Onde conheceu Mark Darcy? – perguntei, surpresa.

– Em Cambridge. Não agüento aquele chato. Parece uma velha. Onde você o conheceu?

– É filho de Malcolm e Elaine Darcy – comecei, quase acrescentando: "Você conhece Malcolm e *Elaine*, querido. Eles nos visitaram quando morávamos em Buckingham..."

— Quem são...

— São amigos de meus pais. Quando éramos crianças, eu brincava com ele na piscininha de plástico.

— Claro, só podia ser, sua sacaninha – grunhiu ele. – Você quer jantar?

Equilíbrio interior, repeti para mim mesma, equilíbrio interior.

— Vamos, Bridge – disse ele, fazendo olhares sedutores. – Preciso conversar seriamente sobre a sua blusa. É fina demais. Quando se olha com atenção, é tão fina que fica transparente. Nunca te ocorreu que sua blusa pode estar sofrendo de... *bulimia*?

— Tenho um encontro – disse, assustada.

— Vamos, Bridge.

— Não – respondi, com uma firmeza que me surpreendeu.

— Que pena – disse ele, suavemente. – Vejo você na segunda-feira – e me lançou um olhar tão ofendido que quase fui atrás dele gritando: "Transa comigo! Transa comigo!"

23h. Acabo de ligar para Jude e contar do encontro com Daniel e também do filho de Malcolm e Elaine Darcy, com quem mamãe e Una tentaram me obrigar a ficar no bufê de peru ao *curry* e que no lançamento me pareceu bem mais atraente.

— Espera aí – disse Jude. – Você está falando de *Mark* Darcy? O advogado?

— Esse mesmo. Mas... você conhece?

— Bom, conheço. Quer dizer, tratamos uns processos com ele. É muito simpático e atraente. Entendi você dizer que o cara do bufê de peru ao *curry* era um chato de galocha.

Hum. Essa Jude.

SÁBADO, 22 DE ABRIL

54 kg, 0 cigarro, 0 unidade alcoólica, 1.800 calorias.

Hoje é um dia histórico e muito feliz. Depois de 18 anos tentando pesar 54 quilos, consegui. Os ponteiros da balança não estão enganados, meu *jeans* confirmou. Eu estou magra.

Não existe uma explicação plausível. Fiz duas aulas de ginástica na semana passada mas isso, embora seja raro, não é suficiente. Comi como sempre, normal. É um milagre. Liguei para Tom: ele achou que posso estar com uma solitária. Disse que para me livrar dela devo segurar uma xícara de leite quente e um lápis na frente da boca. (Consta que solitárias adoram leite quente.) Abrir a boca e, quando a cabeça da solitária aparecer, deixar que ela se enrosque no lápis.

— Escuta — falei —, essa solitária vai continuar onde está. Gosto muito dela. Fez com que eu emagrecesse, perdesse a vontade de fumar e de tomar vinho.

— Você está apaixonada? — perguntou Tom de um jeito desconfiado e ciumento. É sempre assim. Não é que queira ficar comigo, claro, ele é *gay*. Mas, se você é solteiro, a última coisa que deseja é que sua melhor amiga tenha uma relação estável com um homem. Pensei bem, depois parei, surpresa com uma súbita e estranha conclusão. Não estou mais apaixonada pelo Daniel. Estou livre.

TERÇA-FEIRA, 25 DE ABRIL

54 kg, 0 unidade alcoólica (excelente), 0 cigarro (m. m. b.), 995 calorias (continuo indo bem).

Argh. Esta noite fui a uma festa na casa de Jude usando um vestido preto justo para, orgulhosa, exibir minha silhueta.

— Puxa, você está se sentindo bem? — perguntou Jude quando cheguei. — Está com uma aparência cansada.

— Estou ótima, perdi três quilos. Por quê? — respondi, desconcertada.

— Nada. Eu pensei que...

— O quê? O quê?

— Que talvez você tenha emagrecido um pouco... no rosto — ela disfarçou, olhando para meu peito murcho.

Simon teve a mesma reação.

— Bridgiiiiit! Você tem um cigarro?

— Não, parei de fumar.

— Ah, puxa, é por isso que está parecendo tão...

— Tão o quê?

— Ah, nada, nada. Um pouquinho... abatida.

Foi assim a noite inteira. Nada pior do que ouvir que você está com uma cara cansada. Era a mesma coisa que dizer que pareço um cocô. Fiquei muito satisfeita comigo mesma por não beber mas, lá pelo meio da festa, quando todo mundo estava bêbado, comecei a me sentir tão calma e sem sal que aquilo estava quase me irritando. Continuei participando das conversas, mas não conseguia dizer uma palavra, só ficava olhando e concordando de um jeito sério e desligado.

A certa altura, perguntei para Jude:

— Você tem chá de camomila? — quando ela passou por

mim, tropeçando e dando uns soluços. Começou a rir sem parar, me abraçou e caiu. Achei que era hora de ir.

Quando cheguei em casa, fui para a cama e coloquei a cabeça no travesseiro, mas nada aconteceu. Fiquei virando de um lado para outro, sem conseguir dormir. Em geral, a essa altura eu já estaria roncando e tendo algum sonho paranóico. Acendi o abajur. Eram apenas onze e meia. Talvez fosse bom eu fazer alguma coisa como, ahn... costurar? Equilíbrio interior. O telefone tocou. Era Tom.

— Você está bem?

— Estou ótima. Por quê?

— Você parecia tão, digamos, desanimada. Todo mundo comentou que nem parecia você.

— Não, eu estava ótima. Você reparou como estou magra? — Silêncio. — Tom?

— Acho que você estava melhor antes, meu bem.

Agora me senti oca e confusa, como se tivessem puxado o tapete sob meus pés. Dezoito anos – em vão. Dezoito anos de calorias e somas de unidades calóricas. Dezoito anos comprando saias compridas e blusas largas e saindo dos lugares de costas para esconder o traseiro. Milhões de bolos de queijo e *tiramisus*, dezenas de milhares de fatias de queijo emental que deixei de comer. Dezoito anos de luta, sacrifício, inanição – para quê? Dezoito anos e o resultado é "cansada e desanimada". Estou me sentindo como um cientista que descobre que o trabalho ao qual dedicou uma vida inteira foi um engano total.

QUINTA-FEIRA, 27 DE ABRIL

O unidade alcoólica, o cigarro, 12 bilhetes de loteria (m. m. ruim, mas não me pesei, nem pensei em dieta o dia inteiro, m. b.)

Tenho de parar de comprar os bilhetes de loteria, mas o problema é que quase sempre sou premiada. Os bilhetes são muito melhores do que a loto, porque os números sorteados não aparecem mais durante o programa *Encontro marcado* (temporariamente fora do ar) e em geral você não acerta só um número e fica com uma sensação de impotência e palermice, tendo uma única coisa a fazer: rasgar o bilhete com ódio e jogá-lo no chão para todo mundo ver.

Os bilhetes são diferentes, é um jogo mais interativo, com seis números para serem riscados – o que é difícil e complicado de fazer –, e você nunca fica com a sensação de não ter participado. Ganha quem tira três somas iguais, e sempre consigo chegar perto, uma vez tirei duas fileiras – e os prêmios chegam a 50 mil libras.

Mas você não pode se privar de todos os prazeres da vida. Eu só compro uns cinco ou seis bilhetes por dia e, além do mais, vou parar logo.

SEXTA-FEIRA, 28 DE ABRIL

14 unidades alcoólicas, 64 cigarros, 8.400 calorias (m. b., mas foi errado contá-las. Obsessão de emagrecer mto ruim), 0 bilhete de loteria.

Às oito e meia da noite passada, eu estava tomando um banho relaxante de aromaterapia e bebendo chá de camomila quando soou o alarme contra roubo de um carro. Esses alarmes são insurportáveis e inúteis; liderei uma campanha na nossa rua contra eles, já que é mais provável você achar seu carro amassado por um vizinho mal-humorado que foi tentar desligar o alarme do que ter o carro roubado por um ladrão propriamente dito.

Dessa vez, ao invés de me irritar e chamar a polícia, eu apenas respirei fundo com as narinas bem abertas e murmurei "equilíbrio interior". Tocou a campainha da porta. Peguei o interfone. Uma voz muito educada e suave disse: "Ele está tendo um caso." Depois ouvi um choro histérico. Desci as escadas do prédio correndo e encontrei Magda derramando cascatas de lágrimas sobre o volante do Saab conversível de Jeremy, que fazia pii-pii-pii altíssimo com todas as luzes piscando, enquanto o bebê berrava como se estivesse sendo estrangulado no assento traseiro.

— Desliga isso! — berrou alguém de uma janela.

— Não consigo, droga! — gritou Magda, tentando abrir o capô do carro.

— Jery! — gritou ela no celular. — Jery, seu maldito adúltero! Como é que abre o capô do seu Saab?

Magda é uma pessoa muito educada, mas minha rua não é. É do tipo que ainda tem cartazes nas janelas pedindo "Liberdade para Nelson Mandela".

– Eu não vou voltar, seu idiota! – gritava Magda. – Só quero saber como abre a porra do capô!

Magda e eu entramos no carro e puxamos todas as alavancas que vimos; ela de vez em quando dava um gole numa garrafa de água Laurent-Perrier. A essa altura, tinha uma multidão enfurecida olhando. Logo depois, Jeremy apareceu em sua moto Harley-Davidson. Mas, em vez de desligar o alarme, tentou tirar o bebê do banco traseiro, enquanto Magda gritava. Depois o australiano Dan, que mora no apartamento embaixo do meu, abriu a janela.

– Ola, Bridged. Tem água caindo do meu teto – gritou.

– Merda! A banheira!

Subi as escadas correndo mas, quando cheguei, percebi que tinha fechado a porta com a chave por dentro. Fiquei batendo a cabeça na porta e repetindo "merda, merda".

Dan apareceu no corredor.

– Nossa, é melhor você fumar um desses – disse, oferecendo um cigarro.

Agradeci e fumei com tanta vontade que parecia estar comendo o cigarro.

Após vários cigarros e várias enfiadas do cartão de crédito na fechadura, conseguimos entrar e ver que o apartamento estava completamente inundado. Não conseguimos fechar as torneiras. Dan desceu correndo e voltou com uma chave inglesa e uma garrafa de uísque. Fechou as torneiras e ficou me ajudando a secar tudo. O alarme contra roubo parou e corremos para a janela no momento em que o Saab saía em disparada, perseguido pela Harley Davidson.

Nós rimos – a essa altura, já tínhamos tomado um bocado de uísque. Aí, de repente – agora não lembro direito como foi –, Dan me beijou. Foi uma situação esquisita, em matéria de etiqueta, porque eu tinha acabado de inundar o apartamento dele e estragar tudo, então não queria parecer mal-educada. Claro que isso não lhe dava o direito de me assediar sexualmente, mas era uma situação muito agradável depois de todos aqueles problemas, equilíbrio interior e coisa e tal. De repente, apareceu na porta um motoqueiro de jaqueta de couro com uma caixa de pizza.

— Ah, merda! — disse Dan. — Esqueci que encomendei uma pizza!

Então, comemos a pizza, tomamos uma garrafa de vinho tinto, fumamos mais alguns cigarros e bebemos mais um pouco de uísque, depois ele quis me beijar de novo e eu disse:

— Não, melhorr não — e ele achou muita graça e começou a repetir

— Ai, meu Deus. Ai, meu Deus!

— O que foi? — perguntei.

— Bridged, eu sou casado, mas acho que amo você.

Quando ele finalmente foi embora, bati a porta e fiquei tremendo encostada nela, fumando sem parar guimbas de cigarro. "Equilíbrio interior", disse, querendo me animar. A campainha tocou. Não atendi. Tocou de novo. Depois tocou sem parar. Abri.

— Querida — disse uma outra voz bêbada que eu conhecia.

— Daniel, vá embora! — murmurei.

— Não, deixeu explicar.

— Não.

— Bridge... quero entrar.

Silêncio. Ai, Deus. Por que eu ainda acho Daniel tão interessante?

— Eu te amo, Bridge.

— Vá embora. Você está bêbado — falei, com toda a segurança que consegui juntar.

— Jones?

— O que é?

— Posso ir ao banheiro?

SÁBADO 29 DE ABRIL

12 unidades alcoólicas, 57 cigarros, 8.489 calorias (excelente).

Vinte e duas horas, quatro pizzas, um prato de comida indiana para viagem, três maços de cigarros e três garrafas de champanhe depois, Daniel ainda está aqui. Estou apaixonada. Estou também dividida entre:

a) Voltar a fumar 30 cigarros por dia.
b) Ficar noiva.
c) Achar que sou uma besta.
d) Achar que estou grávida.

23h45. Fiquei enjoada e fui vomitar, tentando ser rápida para Daniel não ouvir, mas ele gritou do quarto:
— Lá se vai seu equilíbrio interior, minha linda. Aliás, eu diria que este é o melhor lugar para ele ficar.

MAIO →

Futura mamãe

SEGUNDA-FEIRA, 1º DE MAIO

0 unidade alcoólica, 0 cigarro, 4.200 calorias (estou comendo por dois).

Tenho certeza de que estou grávida. Como pudemos ser tão idiotas? Daniel e eu ficamos numa tal euforia por estarmos juntos outra vez que a realidade pareceu esvanecer-se e depois que você... bem, não quero falar nesse assunto. Hoje de manhã senti os primeiros sinais de enjôo, mas podia ser porque fiquei na maior ressaca depois que Daniel finalmente foi embora e comi o seguinte para ver se melhorava:

2 pacotes de queijo emental em fatias.

1 litro de suco de laranja natural.

1 batata assada, fria.

2 fatias de bolo de limão cru (muito leve, mas isso também deve ser porque estou comendo por dois).

1 barra de chocolate (só 125 calorias. Meu corpo teve uma reação muito positiva ao bolo de limão, o que prova que o bebê estava precisando de açúcar).

1 sobremesa tipo torta vienense, de chocolate com creme (o bebê esfomeado fica pedindo).

brócolis cozidos no vapor (tentativa de fazer com que o bebê não fique com maus hábitos alimentares)

4 salsichas frias (só tinha uma lata no armário e a gravidez me deixa cansada demais para sair e fazer compras outra vez).

Ai, Deus. Estou começando a me entusiasmar com a idéia de ser uma mãe como aquelas que saem nos anúncios de Calvin Klein, fico pensando em usar cabelo curto e levantar o bebê nos braços, rindo muito, como no anúncio do fogão de *design* especial ou um anúncio de cinema mostrando estilo de vida sadia ou coisa que o valha.

Hoje no trabalho, Perpétua estava mais chata do que nunca, passou 45 minutos ao telefone com Desdêmona discutindo se as paredes ficariam bem pintadas de amarelo com cortinas rosa-acinzentadas, ou se ela e Hugo deviam escolher vermelho e um friso floral. Ficou 15 minutos dizendo só "Certamente, não, certamente, certamente" e terminou a conversa com: "Mas claro, pode-se usar exatamente o mesmo argumento em defesa do vermelho."

Em vez de ter vontade de jogar coisas na cabeça dela, fiquei sorrindo de um jeito elevado pensando que, dentro de pouco tempo, todas essas coisas ficariam supérfluas para mim, comparadas com cuidar de um pequenino ser humano. Depois, fiquei fazendo uma série de fantasias em relação a Daniel: ele carregando o bebê no ombro, chegando em casa do trabalho e nos encontrando – o bebê e eu – no banho e, mais tarde, tendo participação muito ativa na reunião de pais e mestres.

Mas aí Daniel apareceu. Jamais o vi com uma cara daquelas. A única explicação era que, ao sair da minha casa ontem, ele continuou bebendo. Deu uma olhada para mim com uma expressão de assassino sanguinário. De repente, as fantasias foram substituídas pelas imagens do filme *Condenados pelo vício*, em que o casal fica o tempo todo completamente bêbado, gritando e jogando garrafas um no outro, ou do seriado *Os relaxados*, de Harry Enfield, com Daniel gritando: "Bridge, o bebê. Está gritando. Arranca a cabeça dele."

E eu respondendo: "Daniel, estou fumando um cigarro."

QUARTA-FEIRA, 3 DE MAIO

58 kg (Argh. O bebê está crescendo numa rapidez incrível), 0 unidade alcoólica, 0 cigarro, 3.100 calorias (principalmente de batatas, ai, meu Deus). *Tenho de ficar de olho na balança outra vez por causa do bebê.

Socorro. Passei a segunda-feira toda e a terça quase inteira achando que estava grávida mas, na verdade, sabendo que não estava. Como se você estivesse voltando para casa à noite e achasse que estava sendo seguida, sabendo que não estava. Aí, de repente, alguém a agarra pelo pescoço — e eis que minha menstruação está atrasada dois dias. Daniel nem olhou para o meu lado na segunda-feira inteira, só apareceu às seis da tarde e disse:

— Olha, vou ficar em Manchester até o final da semana. Encontro você no sábado à noite, certo? — Ele não me telefonou. Sou uma mãe solteira.

QUINTA-FEIRA, 4 DE MAIO

58,5 kg; 0 unidade alcoólica, 0 cigarro, 12 batatas.

Fui à farmácia para, discretamente, comprar um teste de gravidez. De cabeça baixa, estava tentando dizer à balconista o que eu queria, achando que devia ter colocado meu anel no anular esquerdo, quando o farmacêutico perguntou bem alto:

— Teste de gravidez, não?

— Pssiu — fiz, olhando para trás.

— Há quantos dias sua menstruação está atrasada? — berrou ele. — É melhor levar o teste azul. Ele acusa gravidez a partir do *primeiro dia* de atraso.

Agarrei o tal teste azul, paguei as malditas oito libras e 95 centavos e saí rápido.

Na agência, passei duas horas olhando para minha bolsa como se ela fosse uma bomba prestes a explodir. Às 11h30 não agüentei mais, agarrei a bolsa, entrei no elevador, desci dois andares e fui ao banheiro para evitar o perigo de alguma conhecida minha ouvir um ruído suspeito. Não sei por quê, aquilo tudo me deixou com raiva de Daniel. Era responsabilidade dele também, mas não precisou gastar oito libras e 95 centavos e se esconder no banheiro tentando fazer xixi num bastão. Desembrulhei o pacote com raiva, joguei a caixa na cesta de lixo e consegui fazer o que devia, depois coloquei o bastão de cabeça para baixo e não olhei para ele. O resultado demorava três minutos. Não tinha jeito de eu ficar olhando meu destino ser selado por uma tênue risca azul que se formaria aos poucos. Não sei como consegui vencer aqueles 180 segundos, meus últimos 180 segundos de liberdade: peguei o bastão e quase dei um grito. Lá estava uma fina linha azul, brilhando como metal. Aaargh! Aargh!

Depois de passar 45 minutos olhando distraída para o computador, fazendo de conta que Perpétua era um cacto mexicano toda vez que ela perguntava o que eu tinha, corri para uma cabine telefônica para falar com Sharon. Maldita Perpétua. Se ela tivesse uma surpresa dessas, é tão cheia de princípios morais britânicos que em dois minutos estaria entrando na igreja num modelo Amanda Wakeley para noivas. O trânsito estava tão barulhento que Sharon não conseguia entender o que eu estava dizendo.

– O quê? Bridget? Não estou ouvindo. Você está discutindo com um policial de uniforme azul?

– Não – expliquei – Estou falando da linha azul do teste de *gravidez*.

– Meu Deus. Encontro você no Café Rouge daqui a quinze minutos.

Embora fosse apenas quinze para a uma, achei que não tinha problema algum tomar uma vodca com suco de laranja, já que se tratava de uma emergência real, mas lembrei que o bebê não devia tomar vodca. Esperei, me sentindo como uma espécie de hermafrodita fazendo um jogo contraditório em que tinha sentimentos simultâneos de pai e mãe em relação ao bebê. Por um lado, eu estava toda encantada e dengosa em relação a Daniel, contente de ser uma mulher de verdade – de uma fertilidade tão avassaladora! – e imaginando a pele rosada e macia do bebê, uma coisinha tão linda, usando elegantes roupinhas de bebê da Ralph Laurent. Por outro lado, eu pensava, ai, meu Deus, minha vida acabou, Daniel é um alcoólatra maluco e quando souber da gravidez vai me matar e me dar o fora. Acabaram-se as noites de papo com as garotas, as compras, a azaração, o sexo, as garrafas de vinho e os cigarros. Vou virar uma horrenda máquina de ordenha na qual ninguém vai achar graça e que não vai caber em nenhuma calça, principalmente no meu *jeans* verde ácido novo da Agnés B. Acredito que esta confusão é o preço que tenho a pagar por ser uma mulher moderna, em vez de seguir o curso da natureza e ter casado aos 18 anos com Abnor Rimmington, recém-chegada de Northampton.

Quando Sharon chegou, mostrei por baixo da mesa, fazendo uma cara feia, o bastão do teste com sua denunciadora linha azul.

– É isso? – perguntou ela.

– Claro – respondi. – O que você acha que é? Um telefone celular?

– Você é ridícula – disse ela. – Não leu as instruções de uso? Precisa ter duas linhas azuis. Essa linha é só para mostrar que o teste está funcionando. Uma linha quer dizer que você *não* está grávida, sua boba.

Quando cheguei em casa, a secretária eletrônica tinha um recado da minha mãe dizendo:

– Querida, ligue já. Meus nervos estão em *frangalhos*.

Os nervos *dela* estão em frangalhos!

SEXTA-FEIRA, 5 DE MAIO

57 kg (ah, maldição, não consigo vencer o hábito secular de me pesar, principalmente depois do trauma da gravidez – um dia faço algum tipo de terapia por causa disso), 6 unidades alcoólicas (viva!), 25 cigarros, 1.895 calorias, 3 bilhetes de loteria.

Passei a manhã toda devaneando, com pena de não estar grávida, e só me animei um pouco quando Tom ligou e sugeriu um *bloody mary* no almoço para começar um fim de semana saudável. Quando voltei para casa, encontrei um recado zangado de minha mãe dizendo que ia para um *spa* e na volta me ligava. Me pergunto qual é o problema. Ela deve estar soterrada por caixas e caixas de jóias da Tiffany's enviadas pelos admiradores e cheia de ofertas de emprego das emissoras rivais.

23h45. Daniel acaba de ligar de Manchester.

— Como foi a sua semana? Boa? — perguntou.

— Ótima, obrigada — garanti, alegre. Ótima, obrigada. Argh! Li em algum lugar que o melhor presente que uma mulher pode dar para um homem é sossego. Então eu não podia admitir que, assim que ele saiu de perto de mim depois de começarmos a sair direito, eu virei uma neurótica com mania de gravidez.

Bem, não importa. Vamos nos encontrar amanhã à noite. Oba!

SÁBADO, 6 DE MAIO, DIA DA VITÓRIA DA EUROPA (VE)

57,6 kg, 6 unidades alcoólicas, 25 cigarros, 3.800 calorias (comemorando o aniversário do fim do racionamento de comida durante a guerra), 0 acerto na loteria (nim).

Hoje, Dia VE, acordei sentindo uma onda de calor fora de hora, tentando compartilhar a emoção do fim da guerra, a liberdade da Europa, que coisa maravilhosa, incrível etc.

etc. Para ser sincera, não estou nada bem em relação a essa história toda. A palavra mais adequada deve ser "largada". Não tenho avós maternos nem paternos. Papai já combinou ir a uma reunião no jardim dos Alconbury onde, por razões ignoradas, ele vai virar as panquecas. Mamãe vai voltar à rua onde morou quando criança, em Cheltenham, para uma festa de bolinho de carne de baleia, provavelmente acompanhada de Julio. (Graças a Deus, ela não fugiu com um alemão.)

Nenhum dos meus amigos está organizando nada. Mas participar das comemorações seria constrangedor e pouco adequado, um excesso de otimismo, parece que estamos querendo festejar uma coisa que não tem nada a ver conosco. Pois é claro que eu não era nem um ovo quando a guerra terminou, não era nada, enquanto todas as pessoas da época lutavam e faziam geléia de cenoura ou sei lá o quê.

Detesto pensar nisso e cogito ligar para mamãe perguntando se ela já ficava menstruada quando a Guerra terminou. Será que os óvulos são produzidos um de cada vez, ou ficam armazenados em microfôrmas uterinas até serem ativados? Será que, sendo eu um óvulo armazenado, pude perceber que a guerra tinha acabado? Se ao menos eu tivesse um avô, poderia participar dessa história, fazendo de conta que estava sendo gentil em acompanhá-lo nas comemorações. Ah, dane-se, melhor ir às compras.

19h. O calor fez meu corpo dobrar de tamanho, juro. Nunca mais vou experimentar roupa numa cabine coletiva. Quando tentei enfiar um vestido na loja Warehouse, ele ficou preso nos braços e virou do avesso, meus braços ficaram abanando, a barriga e as coxas à mostra para garotas de 15 anos, que disfarçaram para não rir de mim. Tentei tirar a droga do vestido pelas pernas, mas ficou preso no quadril.

Detesto cabines coletivas. Cada garota dá uma olhada disfarçada no corpo das outras e sempre tem umas que sabem que ficam ótimas com qualquer roupa e ficam dando voltas muito felizes, balançando o cabelo e fazendo pose de modelo no espelho, dizendo "Será que essa roupa me engorda?" para sua amiga gorda obrigatória que parece uma vaca com qualquer roupa.

As compras foram um desastre. Sensato, eu sei, seria apenas comprar algumas coisas essenciais na Nicole Farhi, Whistles e Joseph, mas os preços estavam tão assustadores que voltei rápido para a Warehouse e a Miss Selfridge, onde consegui achar uns vestidos por 34 libras e 99 centavos, fiquei presa neles e acabei comprando na Marks and Spencer porque lá não preciso experimentar, e assim pelo menos não voltei para casa de mãos abanando.

Comprei quatro coisas, todas feias e sem graça. Uma vai ficar atrás da cadeira do quarto numa sacola da Marks & Spencer durante dois anos. As outras três serão trocadas por vales da Boules, Warehouse etc., que depois eu perco. Assim, acabo de gastar 119 libras, que davam muito bem para comprar alguma coisa ótima na Nicole Farhi, como uma camisetinha de algodão.

Eu sei que estou fazendo isso apenas para me punir, por ter mania de comprar de uma forma fútil e consumista, em vez de vestir o mesmo vestido sintético o verão todo e pintar uma linha atrás das pernas, como faziam as mulheres durante a guerra para fingir que estavam de meias. Compro também por não conseguir participar das comemorações do Dia Vitória da Europa. Talvez fosse bom eu ligar para Tom e sugerir uma boa festa para o feriado de segunda-feira. Será que dá para fazer uma festa cafona no Dia VE – como no casamento real? Não, não se pode brincar com mortos. E é preciso considerar também o problema da bandeira britânica. A metade dos amigos de Tom participou da liga antinazista e acharia que usar a bandeira britânica na festa ia parecer que esperávamos a presença de *skinheads*. Fico imaginando como seria se nossa geração tivesse passado por uma guerra. Bom, é hora de um drinquezinho. Daniel chega daqui a pouco. É melhor começar os preparativos.

23h59. Droga. Estou escondida na cozinha fumando um cigarro. Daniel dorme. Aliás, acho que está fingindo. Passamos uma noite *completamente* esquisita. Percebi que, até o momento, nossa relação baseou-se no fato de um de nós estar resistindo a fazer sexo. Ontem, ficamos juntos, com a *suposta* idéia de que obviamente faríamos sexo no final da noite. Sentamos na frente da televisão e assistimos às comemorações do Dia VE. Daniel colocou o braço no meu ombro de um jeito incômodo, como se fôssemos dois adolescentes no cinema. O braço ficou enfiado na minha nuca, mas não tive coragem de pedir para tirar. Depois, quando foi impossível não falarmos em ir para a cama, ficamos muito formais, bem britânicos. Em vez de um tirar a roupa do outro de um jeito selvagem, entabulamos o seguinte diálogo:

— Pode usar o banheiro primeiro.
— Não! Por favor, vou depois de você!
— Não, eu insisto.
— De jeito nenhum. Vou pegar uma toalha de visita para você e um sabonetinho em forma de concha.

Acabamos dormindo na mesma cama sem nos tocarmos, como se fôssemos Joãozinho e Maria ou a bela adormecida e o sapo. Se Deus existe, eu gostaria de, primeiro, deixar bem claro que estou muito grata por Ele fazer com que, de repente, a relação com Daniel se transformasse numa coisa normal, depois de tanta babaquice. A seguir, eu humildemente pediria para Ele não deixar Daniel ir para a cama de pijama e óculos, passar 25 minutos lendo um livro, desligar o abajur e virar de lado — mas que Deus faça com que Daniel volte a ser aquele animal desembestado, louco por sexo, que eu conhecia e gostava.

Senhor, agradeço antecipadamente Suas providências em relação ao tema.

SÁBADO, 13 DE MAIO

57,8 kg, 7 cigarros, 1.145 calorias, 5 bilhetes de loteria (ganhei 2 libras, portanto perdi apenas 3, m. b.), 2 libras gastas na loteria, números certos: 1 (melhor).

Como posso ter engordado só 200 gramas depois da orgia gastronômica da noite passada?

Pode ser que a comida e o peso tenham a mesma relação que alho e bafo insuportável: se você come vários dentes de alhos, não fica com o hálito ruim, da mesma forma que se comer muito não engorda. É uma tese estranha e animadora, mas cria uma tremenda confusão na cabeça. Gostaria que me fizessem uma faxina completa. Mas a noitada valeu a pena, com uma maravilhosa discussão feminista e bêbada com Sharon e Jude.

Comemos à beça e tomamos muito vinho, já que cada uma das generosas garotas trouxe uma garrafa de vinho, além de umas comidinhas da Marks and Spencer. Assim, além de um jantar de três pratos, duas garrafas de vinho (um espumante e um branco) e mais o que eu já tinha comprado na M&S (quer dizer, preparado depois de um dia inteiro em volta do forno), comemos:

1 pacote de pasta de grão-de-bico e minipães árabes.
12 rolinhos de salmão defumado com queijo cremoso.

12 minipizzas.

1 torta de amora.

1 *tiramisu* (tamanho festa).

2 barras de chocolate suíço.

Sharon estava muito inspirada. Às 8h35 da noite já estava xingando "Malditos!" e tomando num só gole mais de meia taça de Kir Royale.

— Burros, arrogantes, interesseiros, comodistas. Agem de acordo com uma cultura de Direitos Adquiridos. Passa uma minipizza, por favor?

Jude estava deprimida porque Richard o Vil, com quem está rompida, continua ligando para ela, lançando pequenas iscas verbais dando a entender que quer voltar e assim manter o interesse dela, mas se protegendo atrás da desculpa de querer ser apenas "amigo" (conceito enganoso e perigoso). Na noite passada, ligou de repente, perguntando se ela ia a uma festa de amigos em comum.

— Ah, bom, então eu não vou — avaliou ele. — Não seria legal para você. Sabe, é que eu iria com uma moça que estou meio namorando. Quer dizer, o caso não é nada. É só uma garota boba, que deixa eu ficar transando com ela um pouco.

— Como? — explodiu Sharon, rubra de raiva. — Essa é a coisa mais odiosa que já ouvi alguém dizer de uma mulher. Que biltrezinho arrogante! Por que se dá ao direito de tratar você como quer, apenas amigos, depois se sente muito esperto irritando você com essa nova namorada idiota? Se ele se preocupasse em não ferir seus sentimentos, ficava quieto e ia à festa sozinho, em vez de passar essa droga de namorada no seu nariz.

— Amigos? Essa não! Melhor dizer inimigos! — concluí animada, acendendo mais um Silk Cut e comendo um rolinho de salmão. — Maldito!

Lá pelas 11h30 da noite, Sharon estava completamente inflamada:

– Dez anos atrás, quem se preocupava com o meio ambiente era ridicularizado como esquisito, gente que usava sandália de couro e barbicha. Hoje, basta ver a força do consumidor ecológico – gritava ela, pegando um pouco de *tiramisu* com a mão. – De agora em diante, vai ser a mesma coisa com o feminismo. Não vai mais ter homem deixando seus filhos e sua mulher na pós-menopausa em troca de uma amante jovem, ou tentando engambelar as mulheres mostrando que todas as outras estão dando em cima deles, nem tentanto fazer sexo sem ter qualquer consideração ou interesse pela mulher. Isso tudo porque as jovens amantes e as mulheres vão virar as costas e se lixar para eles. Os homens não terão mais sexo nem mulheres – a menos que aprendam a se comportar adequadamente, em vez de atravancar a vida das mulheres com seu comportamento NOJENTO, HORRÍVEL, EGOÍSTA!

– Malditos! – berrou Jude, dando um gole no seu Pinot Grigio.

– Malditos! – concordei, com a boca cheia de torta de amora com *tiramisu.*

– Malditos sacanas! – gritou Jude, acendendo um Silk Cut com a guimba do anterior.

Foi aí que a campainha tocou.

– Aposto que é o Daniel, aquele bobo! – falei. – Quem é? – gritei no interfone.

– Ah, olá, querida – respondeu Daniel com a voz mais simpática e suave possível. – Desculpe incomodar. Telefonei antes e deixei um recado na sua secretária. O problema é que fiquei preso numa reunião chatíssima a tarde inteira e queria muito ver você. Só para dar um beijinho e sair, se concordar. Posso subir?

– Arrgh. Pode subir, então – resmunguei de mau humor e voltei para a mesa. – Maldito sacana.

– A cultura dos direitos adquiridos – rosnou Sharon. – Querem comida, ajuda e lindos corpos jovens quando eles ficam velhos e gordos. Acham que as mulheres estão aí para lhes dar o que é um direito deles. Escuta, o vinho acabou?

Daniel apareceu na escada, com um belo sorriso. Parecia cansado, mas simpático, de barba feita e num terno muito elegante. Trazia três caixas de chocolate Milk Tray.

— Comprei um de cada sabor — disse ele, levantando a sobrancelha de um jeito sensual — para você comer com café. Não quero atrapalhar. Fiz as compras para o fim de semana.

Levou oito sacolas da Cullens para a cozinha e começou a tirar as coisas de dentro.

Aí o telefone tocou. Era a empresa de táxi que as garotas tinham chamado meia hora antes, com a funcionária explicando que havia um enorme engarrafamento na Ladboke Grove, todos os carros da empresa estavam em serviço e só seria possível nos atender dentro de três horas.

— Vocês vão para onde? — perguntou Daniel. — Eu levo. Não podem ficar pela rua esperando um táxi a essa hora da noite.

Enquanto as garotas foram pegar suas bolsas e ficaram sorrindo sem graça para Daniel, comecei a comer todos os chocolates de castanhas, amêndoas e caramelo das caixas de Milk Tray, sentindo uma mistura confusa de carinho e orgulho por meu maravilhoso namorado com quem as garotas bem que gostariam de dar um amasso, e furiosa por aquele normalmente desagradável sexista bêbado vir atrapalhar nosso discurso feminista apenas por tentar ser o homem perfeito. Argh. Vamos ver quanto tempo dura isso, não?, pensei, enquanto esperava ele voltar.

Quanto voltou, subiu a escada correndo, me segurou nos braços e me carregou para o quarto.

— Vai ganhar um chocolate a mais por ser maravilhosa até quando está de porre — disse ele, tirando um coração de chocolate do bolso. E aí... Mmmmmm.

DOMINGO, 14 DE MAIO

19h. Detesto domingo à noite. Parece hora de fazer o dever de casa. Perpétua me mandou escrever o catálogo para amanhã. Acho que vou primeiro ligar para Jude.

19h05. Ninguém atende. Humm. Então, ao trabalho.

19h10. Acho que vou ligar para Sharon.

19h45. Sharon não gostou de eu ligar porque tinha acabado de chegar em casa e queria telefonar para o serviço de recados 1471 para saber se o cara com quem ela está saindo tinha ligado enquanto ela estava fora e agora meu número vai ficar gravado no lugar do dele.

Acho que o 1471 é uma grande invenção, dizendo na hora o número da última pessoa que ligou. Mas era uma situação irônica porque, quando nós três descobrimos esse serviço, Sharon foi a primeira a ser totalmente contra, considerando que a Companhia Telefônica Britânica estava explorando as pessoas, viciando-as em ligar depois de terem rompido com alguém, provocando uma doença na população inglesa. Tem gente que liga mais de vinte vezes por dia. Jude é a favor do 1471, mas concorda que, se você acaba de brigar com o namorado ou dormir com alguém, o serviço dobra o desespero potencial de chegar em casa: é infernal ninguém-ter-ligado somar-se a nenhum-recado-na-secretária, mais o fato de o número arquivado ter sido da sua mãe.

Consta que, nos Estados Unidos, o serviço similar ao 1471 lista *todos* os números que ligaram e *quantas vezes*, desde a última vez que você perguntou. Fico horrorizada só de pensar no início da minha relação com Daniel, se ele soubesse quantos milhares de vezes liguei. A única coisa boa aqui é que, se você acrescentar o número 141 antes de ligar para uma pessoa, seu número não fica arquivado na lista dela. Jude diz que é preciso cuidado porque, se você está obcecada por alguém e por acaso liga numa hora em que a pessoa está em casa, depois desliga e o número não é arquivado, essa pessoa pode adivinhar que foi você. Preciso garantir que Daniel não vai descobrir isso.

21h30. Resolvi ir até a esquina comprar cigarros. Quando estava subindo a escada do prédio, ouvi o telefone tocando. De repente, lembrei que tinha esquecido de ligar a secretária depois que falei com Tom, então subi correndo, esvaziei a bolsa no chão para achar a chave e me joguei para o telefone exatamente na hora em que ele parou de tocar. Acabava de entrar no banheiro quando tocou de novo. Parou quando tirei do gancho. Começou a tocar quando me afastei. Finalmente, consegui atender.

– Alô, querida, adivinha o que aconteceu? – Minha mãe.

– O quê? – perguntei, desolada.

– Vou levar você para pintar o cabelo! E não venha me perguntar "o quê?", por favor, querida. Não agüento mais ver você usando esses tons sem graça, cor-de-burro-quando-do-foge. Parece que você segue o estilo do Camarada Mao.

– Mãe. Não posso falar agora, estou aguardando...

– Escuta, Bridget. Não quero ouvir nenhuma desculpa – disse ela, com sua voz de Gengis Khan. – Mavis Enderby vivia triste com suas cores amarelo-hepatite e ficou outra pessoa depois que pintou o cabelo e mudou para ro-sa-*shocking* e verde-garrafa, parecendo vinte anos mais jovem.

– Mas eu não quero usar rosas-*shocking* e verdes-garrafa – falei, entre dentes.

– Bom, querida, Mavis usa Inverno. Eu também, mas

você poderia usar Verão como Una, e se vestir em tons pastel. Você não pode dizer nada antes de ver o resultado da tinta.

— Mãe, não vou pintar o cabelo — falei, desesperada.

— Não quero ouvir mais nada. Tia Una outro dia disse que, se você tivesse um toque de brilho e cor no dia do bufê de peru ao *curry*, Mark Darcy teria ficado um pouco mais interessado. Ninguém quer uma namorada que parece ter saído do campo de concentração de Auschwitz, querida. — Pensei em contar vantagem e dizer que eu tinha um namorado, apesar de usar cor de tijolo dos pés à cabeça, mas desisti só de pensar em transformar Daniel num bom assunto de conversa, que poderia desencadear a enorme sabedoria de mamãe a respeito de homens. Consegui que ela parasse de falar na tinta dizendo que ia pensar no assunto.

TERÇA-FEIRA, 17 DE MAIO

58 kg (viúva!), 7 cigarros (m. b.), 6 unidades alcoólicas (bom demais, estou bastante sóbria).

Daniel continua maravilhoso. Como as pessoas podiam estar tão enganadas a respeito dele? Minha cabeça está cheia de fantasias românticas com ele: ficar passeando por praias desertas com os filhinhos, como nos anúncios de Calvin Klein; ser uma Bem-Casada em vez de uma humilde Solteira. Vou sair com Magda.

23h. Humm. Tive um jantar instigante com Magda, que está mto deprimida por causa de Jeremy. Aquela noite do alarme contra roubo e da gritaria na minha rua foi porque

Sloaney Woney disse que tinha visto Jeremy com uma garota no Harbour Club, bem parecida com aquela bruxa que vi com ele semanas atrás. Depois disso, Magda me perguntou à queima-roupa se eu sabia ou tinha visto alguma coisa, então contei da bruxa com o vestido da Whistles.

Jeremy acabou admitindo que ficou muito atraído pela garota. Mas não tinha dormido com ela, garantiu. Mesmo assim, Magda estava uma fera.

– Você deve aproveitar ao máximo a vida de solteira, Bridge – disse ela. – Depois de ter filhos e parar de trabalhar, a gente fica numa situação muito vulnerável. Tenho certeza de que Jeremy acha que minha vida é um mar de rosas, mas é duro cuidar de uma criança pequena e um bebê o dia inteiro. Quando ele chega em casa depois do trabalho, só quer colocar os pés para cima e comer – agora acho que quer também ficar pensando nas garotas de malha justa que circulam no Harbour Club.

"Eu tinha um emprego ótimo. Agora sei que é muito mais divertido sair para o trabalho, bem-arrumada, fazer um charme para os homens no escritório e ter almoços divertidos do que ir à droga do supermercado e pegar Harry na creche. Mas sempre fica a impressão de que não passo de uma horrorosa freqüentadora assídua da Harvey Nichols, que fico me divertindo em almoços enquanto ele trabalha para ganhar dinheiro.

Magda é tão bonita. Fiquei observando enquanto ela brincava com sua taça de champanhe e pensando qual a solução para nós, garotas. Não adianta dizer que a galinha do vizinho é sempre mais gorda do que a nossa. Quantas vezes fiquei deprimida, chateada, pensando na minha vida inútil, passando as noites de sábado bebendo e reclamando para Jude, Sharon e Tom por não ter namorado. Batalho para fechar o mês e riem de mim porque sou uma maluca solteira, enquanto Magda mora numa casa enorme, com jarros com oito tipos diferentes de macarrão, e faz compras o dia inteiro. Mesmo assim, está tão deprimida e insegura, achando que eu sou uma sortuda....

— Ah, aliás, por falar na Harvey Nicks — disse ela, animando-se —, comprei um vestido lindo lá hoje, da Joseph, vermelho com dois botões laterais na gola, um caimento perfeito, 280 libras. Puxa, gostaria tanto de ser como você, Bridge, e poder ter um caso com algum homem. Passar duas horas tomando banho de espuma no domingo de manhã. Ficar a noite inteira na rua sem ter que explicar nada para ninguém. Você não gostaria de fazer compras amanhã de manhã?

— Bom, tenho de trabalhar — expliquei.

— Ah — fez ela, surpresa, enquanto brincava com a taça de champanhe. — Você sabe, quando a gente vê seu marido preferindo outra mulher, é muito ruim ficar em casa, imaginando todos os tipos de mulheres que ele deve estar correndo atrás. Você fica sem saber o que fazer.

Pensei na minha mãe.

— Tem um jeito de você melhorar rápido. Volte a trabalhar. Arrume um amante. Vire o jogo com Jeremy.

— É impossível fazer isso com dois filhos de menos de três anos — resignou-se ela. — Acho que cavei minha própria sepultura.

Ai, Deus. Como Tom sempre diz, numa voz sepulcral, colocando a mão no meu ombro e olhando nos meus olhos de um jeito apavorante: "Só as mulheres sangram."

SEXTA-FEIRA, 19 DE MAIO

56,5 kg (perdi 2,5 kg da noite para o dia, literalmente: devo ter comido alguma coisa que contém mais calorias que queimam, como alface crespa, por exemplo), 4 unidades alcoólicas (modesto), 21 cigarros (ruim), 4 bilhetes de loteria (não m. b.).

16h30. O telefone tocou exatamente quando Perpétua estava me apressando porque não queria se atrasar para o fim de semana no Trehearnes, em Gloucestershire.

— Alô, querida! — era minha mãe. — Imagina só: consegui uma oportunidade ma-ra-vi-lho-sa para você.

— O quê?

— Você vai aparecer na televisão — informou, animada, enquanto eu batia a cabeça na mesa.

— Vou chegar na sua casa com a equipe amanhã às dez horas. Ah, querida, você não está achando o *máximo*?

— Mãe. Se você vier para o meu apartamento com uma equipe de tevê, eu não vou estar aqui.

— Ah, mas você tem que estar — disse ela, com uma voz gélida.

— Não. — Mas a essa altura senti uma ponta de vaidade. — Por que vou aparecer na tevê?

— Ah, querida — arrulhou ela. — A produção do programa quer que eu entreviste uma pessoa *mais jovem* no *De repente, solteira*. Alguém pré-menopausa, que tenha se separado há pouco tempo e possa falar sobre, digamos, as pressões que sofre pelo fato de não ter filhos e tal.

— Mas eu *não* estou na pré-menopausa, mãe! — explodi. — E não sou *De repente, solteira*. De repente, tenho um namorado

— Ah, não seja boba, querida — disse ela, baixinho. Dava para ouvir o barulho da redação atrás dela.

— Eu tenho um namorado.

— Quem é?

— Não interessa — falei, olhando para trás e vendo Perpétua dar um sorriso afetado.

— Ah, por favor, querida. Eu já disse para a produção que tinha conseguido uma pessoa.

— Não.

— Ah, pooor favooor. Nunca tive uma profissão e agora estou no outono da vida e preciso de alguma coisa minha — disse ela, sem parar, como se estivesse lendo num papel.

— Tenho medo que algum conhecido meu veja o programa. E você não acha que vão perceber que sou sua filha?

Houve um silêncio. Ouvi quando ela falava com alguém ao lado. Depois, voltou para o telefone e disse:

— Podemos esconder seu rosto.

— Como? Enfiando minha cabeça numa sacola? Muito obrigada.

— Não, mostramos só seu perfil. Perfil. Ah, por favor, Bridget. Lembre-se de que eu lhe dei a dádiva da vida. Onde você estaria se não fosse eu? Em lugar nenhum. Não seria nada. Um ovo morto. Um nada, querida.

O caso é que, no fundo, eu sempre sonhei em aparecer na televisão.

SÁBADO, 20 DE MAIO

58,5 kg (por quê? de onde?), 7 unidades alcoólicas (sábado), 17 cigarros (consegui reduzir a quantidade), 0 número certo na loteria (mas me distraí bastante na filmagem).

Menos de trinta segundos depois que a equipe de televisão entrou na minha casa, já tinham derramado dois copos de vinho no carpete, mas eu não ligo muito para essas coisas. Só percebi o que estava acontecendo quando um dos homens carregando um imenso holofote gritou "Cuidado com as costas" e perguntou para outro "Trevor, onde quer que ponha essa tralha?" pouco antes de se desequilibrar e quebrar a lâmpada do holofote na porta de vidro do armário da cozinha, derrubando uma garrafa de azeite extravirgem sobre meu livro de cozinha River Café.

Três horas depois, a gravação ainda não tinha começado e eles continuavam circulando pela casa dizendo "Estou atrapalhando, linda?" Já era quase uma e meia da tarde quando finalmente começamos a entrevista, com minha mãe e eu sentadas frente a frente, na penumbra.

— Diga — disse ela, numa voz carinhosa e compreensiva, como nunca ouvi antes —, quando seu marido a largou, você chegou a pensar — a essa altura, ela quase sussurrava — em suicídio?

Fiquei olhando para ela, pasma.

— Sei que é doloroso para você lembrar. Se acha que não vai agüentar, podemos parar um pouco — falou, solidária.

Eu estava tão surpresa que não conseguia dizer nada. Que marido?

— Sei que deve ter sido uma época horrível, sem ter um

companheiro ao lado e com o relógio biológico continuando a correr — disse ela, me chutando por baixo da mesa. Chutei-a de volta e ela deu um gritinho.

— Você não quer filhos? — perguntou, me entregando um lenço.

Nesse momento, ouviu-se uma gargalhada nos fundos da sala. Eu tinha pensado que o fato de Daniel estar dormindo no quarto não daria problema com a gravação: aos sábados ele só levanta depois do almoço e eu tinha deixado os cigarros dele no travesseiro ao lado.

— Se Bridget engravidasse, perderia o filho — disse, rindo sem parar. — Prazer em conhecê-la, Sra. Jones. Bridget, por que nos sábados você não se arruma, como sua mãe faz?

SEGUNDA-FEIRA, 21 DE MAIO

Minha mãe não fala comigo nem com Daniel porque nós a humilhamos e mostramos, na frente de toda a sua equipe, que era tudo uma farsa. Assim pelo menos nos deixa em paz por um tempo. Estou louca para que chegue o verão. Vai ser ótimo ter um namorado no calor. Poderemos dar uma fugidinhas românticas. Mto feliz.

JUNHO →

Oba! um namorado

SÁBADO, 3 DE JUNHO

56,7 kg, 5 unidades alcoólicas, 25 cigarros, 600 calorias, 45 minutos olhando folhetos de turismo com lugares para longa temporada, 87 minutos com folhetos de curta temporada, 7 ligações para o 1471 (bom).

Acabo de concluir que, no calor, é impossível se concentrar em qualquer coisa exceto fazer pequenas viagens a lugares paradisíacos com Daniel. Minha cabeça está repleta de imagens de nós dois: deitados à margem de um riacho, eu usando um vestindo branco e vaporoso; Daniel e eu de camisetas listradas sentados na calçada de um *pub* antigo na orla da Cornualha, tomando cerveja, vendo o pôr-do-sol sobre o mar; Daniel e eu jantando num pátio à luz de candelabros numa mansão-hotel histórica situada no campo e depois nos retirando para nossos aposentos para transar a noite de verão toda.

Muito bem. Hoje à noite vamos a uma festa, na casa de Wicksy, amigo de Daniel. Amanhã pretendo ir ao parque ou almoçar com Daniel em algum restaurante simpático, no campo. Como é bom ter um namorado.

DOMINGO, 4 DE JUNHO

57 kg, 3 unidades alcoólicas (b.), 13 cigarros (bom), 30 minutos olhando folhetos de turismo de longa temporada (b.), 52 minutos de folhetos para curta temporada, 3 ligações para o 1471 (b.).

19h. Humm. Daniel acaba de ir para a casa dele. Estou um pouco chateada, para dizer a verdade. Fez um lindo domingo de verão, mas ele não quis sair nem conversar a respeito de pequenas viagens e insistiu em ficar a tarde inteira com as cortinas fechadas, assistindo a um jogo de críquete na tevê. A festa ontem à noite estava ótima mas, quando fomos falar com Wicksy, ele estava conversando com uma garota muito bonita. Nós nos aproximamos e percebi que a garota ficou um pouco constrangida.

— Daniel, conhece Vanessa? — perguntou Wicksy.

— Não. Muito prazer — respondeu Daniel, estendendo a mão e fazendo o sorriso mais sedutor.

— Daniel — disse Vanessa, cruzando os braços, lívida. — Nós *dormimos juntos*.

Puxa, como está fazendo calor. Dá vontade de só ficar na janela. Alguém toca saxofone, tentando fingir que estamos num filme com locação em Nova York, e há um som alto de vozes porque todas as janelas estão abertas e vem um cheiro de comida dos restaurantes. Humm. Acho que gostaria de mudar para Nova York, mas não deve ser um lugar muito bom para fazer pequenas viagens aos arredores. A menos que seja uma viagem para a própria Nova York, o que seria inútil, se a pessoa já está lá.

Vou dar uma ligada para Tom e depois trabalhar.

20h. Vou passar na casa de Tom para tomar um drinque rápido. Só meia hora.

TERÇA-FEIRA, 6 DE JUNHO

*58 kg, 4 unidades alcoólicas, 3 cigarros (m. b.),
1.326 calorias, nenhum bilhete de loteria
(excelente), 12 ligações para o 1471 (ruim),
15 horas dormindo (ruim, a culpa não foi minha,
mas da onda de calor).*

Consegui convencer Perpétua a permitir que eu trabalhasse em casa. Claro que ela só concordou porque também quer tomar seu banho de sol. Humm. Consegui um ótimo folheto para viagens de curta temporada. Chama-se *Orgulho britânico: as melhores mansões-hotéis campestres nas Ilhas Britânicas*. Maravilhoso. Olhei página por página, imaginando Daniel e eu alternando sexo e romantismo em todos os quartos e salões do local.

11h. Certo: agora vou me concentrar no trabalho.

11h25. Hum, estou com uma unha lascada, droga.

11h35. Nossa. Acabo de ter uma fantasia paranóica totalmente infundada de que Daniel está tendo um caso e fiquei pensando em falar nisso com ele, de uma forma digna mas direta, para que se sinta culpado. Por que tive essa fantasia? Será que pressenti com meu sexto sentido feminino que ele tem outra pessoa?

O problema de sair com as pessoas quando você fica mais velha é que tudo fica muito opressivo. Se você está sem companhia aos 30 anos, a chateação menor de não ter um namorado – não ter sexo, ninguém para sair no domingo, chegar das festas sempre sozinha – fica ligada à idéia paranóica de que você não tem namorado por causa da idade, já teve o último namorado e a última transa da sua vida e é tudo culpa sua, por ser tão agressiva ou tão teimosa e não ter sossegado o rabo quando era jovem.

Você esquece completamente que quando tinha 22 anos, e durante 23 meses não namorou nem saiu com ninguém, pensava que era só um pouco chato. A situação fica complexa, e ter uma relação parece complicado, como se fosse uma meta quase inatingível, e quando você começa a sair com alguém isso nunca poderá corresponder às suas expectativas.

Será que é isso? Ou será que tem alguma coisa errada entre mim e Daniel? Será que ele está tendo um caso?

11h50. Humm. A unha está *mesmo* lascada. Se não consertar, vou começar a roer e daqui a pouco não tenho mais unha. Certo, é melhor achar uma lixa. Pensando melhor, esse esmalte está um horror. É melhor tirar tudo e passar outro. E agora, já que estou pensando nisso.

Meio-dia. É horrível quando está fazendo tanto calor e o seu *soi-disant* namorado não quer ir a nenhum lugar agradável. Acho que ele pensa que estou tentando agarrá-lo para uma miniviagem como se no fundo eu quisesse um casamento, três filhos e limpar o banheiro de uma casa cheia de móveis coloniais em Stoke Newington. Acho que essa história está se transformando numa crise psicológica. Vou ligar para Tom (dá para eu fazer à noite o tal catálogo da Perpétua).

12h30. Humm. Tom diz que se você faz uma pequena viagem com quem está tendo um caso e passa o tempo todo preocupada com a relação, é melhor ir com um amigo.

Fora o sexo, digo. Fora o sexo, concorda ele. Encontrarei Tom à noite e levarei os folhetos para sonharmos com uma pequena viagem. Por isso tenho de trabalhar duro esta tarde.

12h40. Estes *shorts* e camisetas são tão desconfortáveis no calor. Vou trocar por um vestido longo e vaporoso.

Ai, Deus, minhas calcinhas aparecem por baixo desse vestido. É melhor usar calcinhas cor da pele caso alguém bata na porta. Minhas calcinhas Gossard brilhantes ficariam perfeitas. Onde estarão elas?

12h45. Melhor ainda seria usar o sutiã brilhante para combinar, se eu conseguir achá-lo.

12h55. Assim está melhor.

13h. Hora do almoço! Finalmente uma pausa no trabalho.

14h. Muito bem, esta tarde vou mesmo trabalhar e fazer tudo até a noite, assim posso sair. Mas estou com um sono. Está tão quente. Vou fechar os olhos cinco minutos. Dizem que tirar um cochilo é a melhor forma de recuperar as energias. Causava ótimo efeito em Margaret Thatcher e Winston Churchill. Boa idéia. Talvez eu deite na cama.

19h30. Ai, droga.

SEXTA-FEIRA, 9 DE JUNHO

58 kg, 7 unidades alcoólicas, 22 cigarros, 2.145 calorias, 230 minutos examinando o rosto para descobrir rugas.

9h. Oba! Hoje à noite vou sair com as garotas.

19h. Ai, não. O programa mudou: Rebecca também vai.

Sair com ela é como nadar onde tem água-viva: vai tudo muito bem até que, de repente, você é atacada e acaba toda a graça. O problema é que as alfinetadas de Rebecca atingem direto o calcanhar-de-aquiles das pessoas, como se fossem os mísseis da Guerra do Golfo fazendo fzzz-zuuuuch pelos corredores dos hotéis de Bagdá. Sharon diz que não tenho mais 24 anos e devia estar mais madura para lidar com Rebecca. Tem razão.

Meia-noite. Ai, Deusé horrível. Tô velhe acabada. Ende-composição.

SÁBADO, 10 DE JUNHO

Argh. Acordei me sentindo feliz (ainda bêbada de ontem à noite) e, de repente, lembrei do pavor que virou a noite passada com as garotas. Depois da primeira garrafa de Chardonnay, eu ia tocar no tema da minha frustração constante de não conseguir passar um fim de semana fora, quando Rebecca perguntou:
— Como vai Magda?
— Ótima — respondi.
— Ela é tão bonita, não?
— Ahn-ahn — concordei.
— E parece tão jovem, pode passar por 24 ou 25 anos. Vocês foram colegas de escola, não? Ela era três ou quatro anos atrás de você?
— Ela tem seis meses mais que eu — falei, sentindo os primeiros sinais de alfinetada.
— É mesmo? — duvidou Rebecca, depois fez uma longa e constrangedora pausa. — Bom, Magda tem sorte. A pele dela é maravilhosa.

Senti o sangue coagulando no cérebro ao perceber a horrível verdade que Rebecca tinha dito.

– Quer dizer, ela não ri tanto quanto você. Talvez por isso não tenha tantas rugas.

Segurei na mesa para não cair, tentando continuar respirando. Me dei conta de que estava ficando velha antes do tempo. Como num filme acelerado, mostrando uma uva se transformando em passa.

– Como vai sua dieta, Rebecca? – perguntou Sharon.

Argh. Em vez de contestar meu envelhecimento precoce, Jude e Sharon estavam aceitando aquilo como fato consumado e tentando diplomaticamente mudar de assunto para me poupar. Sentei, sentindo que entrava numa espiral de terror, e apoiei meu rosto decadente nas mãos.

– Vou ao banheiro – avisei, com a boca quase fechada como uma ventríloqua e o rosto duro para impedir o aparecimento das rugas.

– Está tudo bem, Bridget? – perguntou Jude.

– Tá – respondi, rápido.

Quando olhei no espelho, fiquei pasma com a luz forte sobre minha cabeça mostrando minha pele dura, marcada pelo tempo, derretendo. Fiquei imaginando as garotas na mesa, censurando Rebecca por dizer o que todo mundo já comentava faz tempo, mas que eu não precisava saber.

De repente, tive uma vontade enorme de sair pelo restaurante perguntando a todos os presentes que idade achavam que eu tinha. Fiz isso uma vez na escola, quando me convenci de que era débil mental e fiquei perguntando para todas as colegas no recreio "Você acha que sou débil?" e 28 delas responderam "Acho".

Quando você começa a pensar em envelhecimento, não tem jeito. A vida de repente fica parecendo com as férias: da metade em diante, os dias voam rumo ao último dia. Preciso fazer alguma coisa em relação ao processo de envelhecimento, mas o quê? Não tenho dinheiro para cirurgia plástica. E fico numa situação tipo faca de dois gumes já que tanto engordar quanto emagrecer provocam o envelhecimento. Por que eu pareço velha? Por quê? Fico olhando as velhinhas na rua, tentando entender todos os mínimos processos que fazem os rostos envelhecerem. Percorro os jornais procurando a idade de todo mundo, querendo ver se as pessoas parecem com a idade que têm.

11h. O telefone tocou. Era Simon, querendo contar da garota na qual está interessado.

— Quantos anos ela tem? — perguntei, desconfiada.

— Vinte e quatro.

Aaargh, aaargh. Cheguei na idade em que os homens não acham mais as contemporâneas atraentes.

16h. Vou tomar chá com Tom. Resolvi que preciso dedicar mais tempo à aparência, como fazem as estrelas de Hollywood. Por isso fiquei horas passando creme antiolheiras, *blush* nas maçãs do rosto e disfarçando tudo o que está ruim.

Quando cheguei, Tom exclamou, assustado:

— Meu Deus.

— O que foi? O quê? — perguntei.

— Sua cara. Você está parecendo a Barbara Cartland.

Comecei a piscar, tentando aceitar que alguma terrível bomba do tempo tinha definitivamente se instalado sob minha pele.

— Pareço mais velha do que sou, não? — perguntei, deprimida.

— Não, parece uma menina de cinco anos que usou todas as pinturas da mãe — disse ele. — Olha ali no espelho.

Olhei no falso espelho vitoriano da casa de chá. Eu parecia um palhaço exagerado, de bochechas vermelhas, olhos como dois corvos negros e mortos e, sob eles, uma mancha branca como os rochedos de Dover. Só então compreendi por que as velhinhas usam tanta maquiagem e todo mundo fica rindo delas. Resolvi que não riria mais.

– O que está acontecendo? – perguntou ele.

– Estou ficando velha antes do tempo – murmurei.

– Ah, pelo amor de Deus. Você está assim por causa da droga da Rebecca, não é? – adivinhou ele. – Sharon me contou do comentário sobre a Magda. É ridículo. Você parece ter 16 anos.

Adoro Tom. Desconfio que ele estava mentindo, mas fiquei bem feliz porque se eu parecesse ter 45 anos ele não ia dizer que pareço ter 16.

DOMINGO, 11 DE JUNHO

56,7 kg (m. b., está calor demais para comer), 3 unidades alcoólicas, 0 cigarro (m. b., está calor demais para fumar), 759 calorias (só de sorvetes).

Mais um domingo perdido. Parece que estou condenada a passar o verão inteiro assistindo a jogos de críquete com as cortinas da sala fechadas. Fico meio inquieta no verão, mas não é só por causa das cortinas fechadas nos domingos e porque Daniel não quer passar um fim de semana fora. À medida que os dias longos e quentes se seguem, um atrás do outro, sinto que estou sempre fazendo uma coisa, mas deveria estar fazendo outra. É um sentimento que faz parte da mesma família daquele que te faz achar que, pelo fato de morar em Londres, deveria estar assistindo a um espetáculo na Royal Shakespeare Company, um concerto no Albert Hall, visitando a Torre de Londres, freqüentando a Royal Academy, indo ao Museu Madame Tussaud, em vez de ficar de bar em bar se divertindo.

Quanto mais brilha o sol, mais óbvio fica que as outras pessoas estão sabendo como aproveitar *melhor* o tempo em algum lugar – assistindo a um grande jogo de *softball* com todo mundo lá, menos eu; passeando com seu amor num atalho da floresta, junto de uma cachoeira onde muitos Bambis aparecem; participando de algum grande evento público com a presença da Rainha-Mãe e de um daqueles tenores que cantam em estádios, para marcar este verão intenso que não estou conseguindo aproveitar. Talvez seja culpa do nosso passado climático. Talvez nós, ingleses, ainda não tenhamos adquirido a capacidade de conviver com sol e céu azul sem nuvens, o que é mais do que um mero acaso. Ainda existe dentro de nós um instinto de entrar em pânico, querer sair do escritório, ficar quase nu e correr para a saída de incêndio.

Mas esse ponto também está mal definido. Se não se deve mais expor o corpo a raios causadores de câncer, então o que se pode fazer? Um churrasco na sombra, talvez? Matar seus amigos de fome enquanto você fica às voltas com o carvão durante horas para depois envená-los com fatias malpassadas de leitão? Ou organizar piqueniques no parque que terminam com todas as mulheres raspando restos de mozarela dos tabuleiros de alumínio e berrando com as crianças com crises de asma causadas pela falta de ozônio, enquanto os homens bebem vinho branco quente sob o sol do meio-dia, olhando os jogos de *softball* com vergonha de não estar participando.

Tenho inveja do verão no resto da Europa, onde os homens usam ternos elegantes e leves, óculos de sol de *design* e circulam tranqüilamente em belos carros com ar condicionado, parando de vez em quando para tomar um *citron pressé* num café na calçada de uma praça antiga, sentindo-se muito à vontade com o sol, sem se incomodar com ele porque sabem que vai continuar brilhando no fim de semana, quando então irão para seus iates e ficarão estirados no convés, calmamente.

Tenho certeza de que essa é a razão oculta da nossa falta de confiança nacional, que surgiu a partir do momento em que começamos a viajar para o exterior e percebemos isso. Pode ser que as coisas por aqui mudem. Há cada vez mais mesas nas calçadas. Os fregueses conseguem se sentar nelas à vontade, só lembram do sol de vez em quando, e então fecham os olhos e viram o rosto para ele, dando grandes sorrisos para quem passa na calçada, como quem diz: "Olha só, olha só, estamos tomando refrigerante num café de calçada, nós também podemos fazer isso" com uma expressão meio angustiada e passageira que significa: "Ou deveríamos estar assistindo a uma apresentação ao ar livre de *Sonho de uma noite de verão*?"

Em algum lugar no fundo do meu cérebro paira uma nova e tênue noção de que talvez Daniel esteja certo: o melhor a se fazer quando está quente é dormir embaixo de uma árvore, ou assistir a um jogo de críquete com as cortinas fechadas. Mas no meu modo de pensar, para conseguir dormir era preciso ter certeza de que haveria sol no dia seguinte e no outro também, e muitos dias de calor na sua vida, suficientes para praticar todas as atividades de dias quentes de forma calma e sem pressa. Poucas chances.

SEGUNDA-FEIRA, 12 DE JUNHO

57,6 kg, 3 unidades alcoólicas (m. b.), 13 cigarros (b.), 210 minutos tentando programar o vídeo (ruim).

7h. Mamãe acaba de ligar:

— Olá, querida. Adivinha o que aconteceu? Penny Husbands-Bosworth vai aparecer no *Notícias da noite*!!!

— Quem?

— Você conhece os Husbands-Bosworth, que-ri-da. Ursula era um ano mais adiantada que você na escola. Herbert morreu de leucemia...

— O quê?

— Bridget, não diga "o quê?", mas "desculpe, como disse?". O fato é que vou sair com Una para assistir a uma projeção de *slides* do Nilo, mas Penny e eu gostaríamos de saber se você pode gravar o programa para nós. Ah, esqueça, o açougueiro está tocando a campainha!

20h. Certo. É ridículo ter um vídeo há dois anos e nunca ter conseguido gravar nada. E o modelo FV 67 HV VideoPlus é uma maravilha. Basta pegar as instruções, apertar os botões certos etc. e pronto.

20h15. Humm. Não consigo achar as instruções.

20h35. Ah! As instruções estavam embaixo da revista *Hello!*. Certo. "Programar o seu vídeo é tão simples quanto fazer uma ligação telefônica." Muito bem.

20h40. "Coloque o controle remoto na direção do aparelho." Bem simples. "Consulte o Índice." Argh, uma lista enorme de "Gravações com controle de tempo sincronizadas com som estéreo", "o decodificador necessário para programas codificados" etc. Eu só quero gravar as abobrinhas que Penny Husbands-Bosworth vai falar e não passar a noite inteira lendo um tratado sobre técnicas de espionagem.

20h50. Ah. Um gráfico. "Botões para funções do IMC." Mas o que são funções do IMC?

20h55. Resolvi ignorar aquela página. Passei para "Gravação com hora marcada no VideoPlus". "Primeiro: siga as instruções do VideoPlus." Que instruções? Detesto esse vídeo idiota. É a mesma coisa que acompanhar setas na estrada. No fundo, sei que as setas e os manuais de vídeo não fazem sentido, mas não consigo acreditar que as autoridades sejam tão cruéis a ponto de quererem enganar todo mundo de propósito. Fico me sentindo uma idiota incompetente como se todos os demais soubessem uma coisa e não me contassem.

21h10. "Ao ligar seu gravador, acerte o relógio e o dia para fazer a gravação através do dispositivo Timer (lembre-se de usar as opções de ajuste rápido para adaptar o horário de verão ou de inverno). Para obter as informações sobre o relógio basta apertar o botão vermelho e o número 6."

Aperto o vermelho e não acontece nada. Aperto todos os números e nada acontece. Gostaria que esse estúpido vídeo nunca tivesse sido inventado.

21h25. Aargh. De repente, aparece o *menu* principal na tela e uma ordem: "Aperte o 6." Ai, meu Deus. Percebi que estava usando o controle remoto por engano. Agora o noticiário já está na tela.

Liguei para Tom e perguntei se podia gravar Penny Husbands-Bosworth para mim, mas ele disse que também não sabe mexer com o vídeo.

De repente, ouço um som dentro do vídeo e o noticiário é substituído, não sei por quê, por *Encontro marcado*.

Acabo de ligar para Jude e ela também não sabe mexer com isso. Aargh, Aaargh. São 10h15 da noite, o *Notícias da noite* começa daqui a 15 minutos.

22h17. A fita não entra.

22h18. Ah, *Thelma e Louise* está lá dentro.

22h19. *Thelma e Louise* não sai.

22h21. Aperto todos os botões, desesperada. A fita sai e entra outra vez.

22h25. A fita certa entrou. Certo. Passo para "Gravar". "Para iniciar a gravação, colocar em Modo Sintonia e apertar qualquer botão (exceto o Memória)." Mas o que é Modo Sintonia? "Ao gravar de uma câmera portátil de vídeo ou similar, basta apertar AV três vezes. Se a transmissão for bilíngüe, apertar 1/2 e segurar por três segundos para escolher a língua."

Ai, meu Deus. Este estúpido manual me lembra o professor de lingüística que tive na escola Bangor, tão obcecado por filigranas de linguagem que não conseguia falar sem fazer uma análise de cada palavra: "Hoje de manhã eu iria, mas vocês sabem que o verbo ir, em 1570..."

Aaargh, aargh. *Notícias da noite* está começando.

22h31. Muito bem, muito bem. Calma. Penny Husbands-Bosworth ainda não começou a falar suas abobrinhas.

22h33. Siim, siiim. GRAVANDO O PROGRAMA NA TELA. Consegui!

Aargh. Ficou tudo louco. A fita começou a rebobinar, parou e pulou fora. Por quê? Merda. Merda. Percebi que, de nervoso, sentei no controle remoto.

22h35. Pareço maluca. Já liguei para Sharon, Rebecca, Simon e Magda. Ninguém sabe como programar o vídeo. A única pessoa que conheço que sabe fazer isso é Daniel.

22h45. Ai, meu Deus. Daniel morreu de rir quando eu disse que não conseguia programar o vídeo. Prometeu gravar para mim. Pelo menos fiz o que pude por mamãe. Quando um amigo aparece na tevê é algo muito emocionante um momento histórico

23h15. Argh. Mamãe acaba de ligar.

— Desculpe, querida. O programa não é *Notícias da noite*, mas *Notícias da manhã*. Dá para você programar para as sete da manhã na BBC1?

23h30. Daniel acaba de ligar.

— Ah, desculpe, Bridget. Não sei o que fiz de errado. Gravou o programa de entrevistas do Barry Norman.

DOMINGO, 18 DE JUNHO

56,2 kg, 3 unidades alcoólicas, 17 cigarros.

Depois de ficar sentada na penumbra durante três fins de semana seguidos, com Daniel passando a mão no meu peito como se fosse uma espécie de amuleto e eu perguntando "Que jogada foi essa?", de repente, explodi:

— Por que não podemos fazer uma viagem rápida? Por quê? Por quê? *Por quê?*

— É uma boa idéia — respondeu ele calmamente, tirando a mão do meu peito. — Por que você não reserva um hotel para o próximo fim de semana? Uma boa mansão-hotel no campo. Eu pago.

QUARTA-FEIRA, 21 DE JUNHO

55,8 kg (m. m. b.), 1 unidade alcoólica, 2 cigarros, 2 bilhetes de loteria (m. b.), 237 minutos gastos olhando folhetos de turismo.

Daniel se recusa a comentar a viagem ou olhar o folheto e me proibiu de falar nisso até sairmos, no sábado. Como ele pode achar que não vou ficar agitada, quando estou esperando isso há tanto tempo? Por que os homens ainda não aprenderam a sonhar com as férias, escolher um lugar num folheto de turismo, planejar e fantasiar, do mesmo jeito que conseguem (alguns, pelo menos) aprender a cozinhar ou costurar? É horrível me responsabilizar sozinha por uma viagem. A mansão-hotel Woving-Hall me parece perfeita: elegante sem ser muito formal, com camas de dossel, um lago e até um centro de ginástica (não vou), mas e se Daniel não gostar?

DOMINGO, 25 DE JUNHO

55,8 kg, 7 unidades alcoólicas, 2 cigarros, 4.587 calorias (eeepa).

Ai, Deus. Assim que chegamos, Daniel achou que a mansão-hotel era brega porque tinha três Rolls-Royces estacionados na porta, um dos quais amarelo. Constatei horrorizada que tinha esfriado à beça e eu só tinha roupas para um calor de 40 graus. Eis o conteúdo da minha mala:
   2 maiôs.
   1 biquíni.
   1 vestido branco, longo e vaporoso.

1 vestido leve para o dia.
1 sapato baixo, de borracha, rosa-claro.
1 minivestido de camurça rosa-claro.
1 camisola curta, preta e decotada.
sutiãs, calcinhas, meias, ligas (várias).

Ouvimos uma trovoada quando eu, tremendo de frio, entrei no hotel atrás de Daniel e o saguão estava cheio de damas de honra e homens de ternos claros. Concluímos que éramos os únicos hóspedes não-convidados para uma festa de casamento.

— Argh! Não é horrível a situação em Srebrenica? — perguntei, só para tentar relativizar nosso problema. — Para dizer a verdade, eu nunca *entendi direito* o que está acontecendo na Bósnia. Achava que os bósnios eram os habitantes de Sarajevo, que estavam sendo atacados pelos sérvios, mas então quem são os sérvios-bósnios?

— Bom, você saberia isso se, em vez de ficar horas lendo folhetos, passasse a ler jornais — alfinetou Daniel com um sorriso.

— Mas então o que *está* acontecendo na Bósnia?

— Nossa, que peitos tem aquela dama de honra.

— E quem são os muçulmanos bósnios?

— Não dá para acreditar no tamanho da lapela daquele homem.

De repente, tive certeza absoluta de que Daniel estava tentando mudar de assunto.

— Os sérvios-bósnios são da mesma raça daqueles que atacaram Sarajevo? — perguntei.

Silêncio.

— Então a quem pertence Srebrenica?

— Srebrenica é uma *área de segurança* — informou Daniel com uma voz bem antipática.

— Mas então por que as pessoas da área de segurança estavam atacando antes?

— Cala a boca.

— Explique só uma coisa: os bósnios de Srebrenica são os mesmos de Sarajevo?

— São muçulmanos — disse Daniel, triunfante.

— Sérvios ou bósnios?

— Escuta, você não pode calar a boca?

— Você também não entende nada do que está acontecendo na Bósnia.

— Entendo.

— Não entende.

— Entendo.

— *Não entende.*

Nesse momento, o porteiro do hotel — que usava calça amarrada na altura dos joelhos, meias brancas, sapatos de couro com fivela, sobrecasaca e uma peruca empoada — aproximou-se e disse, baixo:

— Acho que os primeiros habitantes de Srebrenica e também de Sarajevo eram muçulmanos bósnios, senhor. — E acrescentou, bem a propósito: — Não gostariam de receber os jornais pela manhã no apartamento?

Pensei que Daniel fosse dar um soco nele. Afaguei seu braço e falei:

— Está bem, vamos, vamos, não tem problema — como se ele fosse um cavalo de corrida que se assustou com uma Kombi passando.

17h30. Brrr. Em vez de ficar com Daniel ao sol quente à beira do lago, usando meu vestido longo e vaporoso, fiquei azul de frio num barco, enrolada numa toalha do hotel. Acabamos voltando para o quarto para tomar um banho quente e uma cerveja e descobrimos que outro casal não-convidado para o casamento nos faria companhia na sala de jantar aquela noite. A porção feminina do casal era uma moça chamada Eileen, com quem Daniel tinha dormido duas vezes, mordido sem querer o peito dela com muita força e depois nunca mais falado.

Quando saí do banho, Daniel estava deitado na cama rindo.

— Arrumei uma dieta nova para você — informou.

— Quer dizer que você *acha* que estou gorda.

— Está bem, é assim. É muito simples. Basta você não comer nada que precise pagar. Então, no início da dieta você está gordinha como uma porquinha e ninguém a convida para jantar. Depois emagrece, fica um pouco mais esbelta e famélica, e as pessoas começam a levar você para jantar. Aí você engorda um pouco, os convites somem e você começa a emagrecer de novo.

— Daniel! — explodi. — Essa é a coisa mais sexista, gordofóbica e cínica que já ouvi.

— Ah, não precisa exagerar, Bridge — disse ele. — Essa idéia é o prolongamento lógico do que você mesma acha. Eu sempre digo que ninguém gosta de mulher com pernas de gafanhoto. Os homens querem que a mulher tenha um traseiro onde possam encostar uma bicicleta e colocar uma caneca de cerveja em cima.

Fiquei dividida entre a imagem grotesca de uma bicicleta encostada na bunda e uma caneca em cima, fúria contra Daniel por seu sexismo totalmente irritante e a idéia repentina de que talvez ele tivesse razão sobre o conceito que eu fazia do meu corpo em relação aos homens e, nesse caso, se eu precisava de alguma coisa deliciosa para comer imediatamente e o que poderia ser.

— Vou dar uma ligada na tevê — disse Daniel, aproveitando que fiquei temporariamente muda para apertar o controle remoto e fechar as cortinas que eram daquelas grossas, forradas de preto. Segundos depois a sala ficou completamente escura, exceto pela chama do isqueiro. Daniel tinha acendido um cigarro e estava pedindo à copa seis latas de cerveja Fosters.

— Quer alguma coisa, Bridge? — perguntou, rindo afetado. — Chá com creme, por exemplo? Eu pago.

167

JULHO

→

Argh

DOMINGO, 2 DE JULHO

55,3 kg (continuo indo bem), 0 unidade alcoólica, 0 cigarro, 995 calorias, 0 bilhete de loteria: perfeito.

7h45. Mamãe acaba de ligar.

— Alô, querida, adivinha o que aconteceu?

— Um instante, vou levar o telefone para o outro quarto — falei, olhando nervosa para Daniel, deitado na cama. Desliguei o telefone da parede, saí do quarto sem fazer barulho, liguei o telefone de novo e constatei então que minha mãe não tinha percebido nada e continuava falando com o telefone desligado.

— Então, o que você acha, querida?

— Não sei, eu estava levando o telefone para o outro quarto, como eu disse — respondi.

— Ah, quer dizer que você não escutou nada?

— Não. — Houve um pequeno silêncio.

— Alô, querida, adivinha o que aconteceu? — começou ela outra vez. Às vezes acho que minha mãe faz parte do mundo moderno; às vezes, que vive num outro planeta. Como quando deixa recado na minha secretária eletrônica dizendo apenas, alto e bom som: "Aqui é a mãe de Bridget Jones." — Alô? Alô, querida, adivinha o que aconteceu? — repetiu.

– O quê? – respondi, resignada.

– Una e Geoffrey vão dar uma festa à fantasia chamada Vigários e Vagabundas, no dia 29 de julho. Não acha ótimo? Vigários e Vagabundas! Imagina só!

Fiz um esforço para não imaginar nem ver Una Alconbury de botas justas, meias arrastão e sutiã de *strip-tease*. Pessoas de sessenta anos organizando uma festa desse tipo me parecia antinatural e errado.

– Mas achamos que seria o máximo se você e – seguiu-se um silêncio pudico e pesado – Daniel viessem. Estamos loucos para conhecê-lo.

Quase desmaiei só de pensar na minha relação com Daniel sendo dissecada nos menores detalhes pelos comensais da Associação Salva-Vidas de Northamptonshire.

– Não acredito que Daniel vá.

Exatamente quando eu disse isso, caiu a cadeira em que eu me balançava apoiada na mesa com os joelhos. Fez um barulhão.

Quando peguei o telefone de novo, minha mãe continuava falando.

– Olha, vai ser ótimo. Parece que Mark Darcy também vai, acompanhado, assim...

Daniel apareceu na porta, completamente nu.

– O que houve? Com quem você está falando? – perguntou.

– Com minha mãe – respondi, desesperada, com o canto da boca.

– Dá aqui – disse ele, pegando o telefone. Gosto muito quanto ele demonstra autoridade, mas sem estar irritado, como agora.

– Sra. Jones, aqui é Daniel – disse ele, com a voz mais charmosa possível.

Quase dava para eu ver mamãe, toda cheia de dedos.

– É um pouco cedo demais para ligar num domingo. É, está mesmo um lindo dia. Podemos ajudar em alguma coisa?

Ele me olhou enquanto escutava mamãe falando por alguns minutos, depois voltou a prestar atenção nela.

– Ah, seria ótimo. Vou anotar na agenda no dia 29 e procurar minha camisa de colarinho duro. Agora, gostaríamos de voltar para a cama e dormir. A senhora se cuide. Até logo – disse ele com firmeza e desligou. – Viu? Basta só um pouco de firmeza – garantiu, todo presunçoso.

SÁBADO, 22 DE JULHO

55,8 kg (hum, tenho de perder uns 500 gramas), 2 unidades alcoólicas, 7 cigarros, 1.562 calorias.

Estou adorando a idéia de Daniel ir comigo à festa Vigários e Vagabundas, no próximo sábado. Vai ser ótimo: uma vez na vida não terei de dirigir sozinha, chegar sozinha e enfrentar aquela inquisição de por que não arrumei um namorado. Vai estar um lindo dia de verão. Talvez a gente até possa dar uma paradinha no caminho e passar a noite numa pousada (ou num hotel sem tevê no quarto). Estou louca para Daniel conhecer meu pai. Tomara que goste dele.

Duas da manhã. Acordei aos prantos por causa de um sonho horrível que estou tendo no qual estou fazendo uma prova de francês e enquanto olho as questões me dou conta de que esqueci de estudar e estou vestida só com meu jaleco de ciências, tentando desesperadamente amarrá-lo na cintura para que a Srta. Chignall não perceba que estou sem nada por baixo. Pensei que Daniel fosse ser pelo menos solidário. Sei que o pesadelo está relacionado com minhas preocupações de trabalho, mas Daniel só acendeu um cigarro e pediu para repetir a parte do jaleco de ciências.

— Você não sabe o que é isso, já que tem seu bendito diploma de Cambridge — murmurei, fungando. — Mas jamais esquecerei quando vi no mural da escola minha nota cinco em francês, o que significava que não poderia ir para Manchester. Aquela nota mudou minha vida.

— Você devia agradecer a sua boa estrela, Bridge — disse ele, deitando de costas e soprando a fumaça para o teto. — Você teria certamente se casado com algum chato chamado Geoffrey Boycott e passaria o resto da vida limpando gaiola de passarinho. Mas — ele começou a rir — não tem nada de errado em ter um diploma de... de... (ria *tanto* que mal conseguia falar) Bangor.

— Agora chega. Vou dormir no sofá — gritei, pulando da cama.

— Ei, não faça isso, Bridge — disse ele, me puxando. — Você sabe que eu acho você uma... *grande* intelectual. Só precisa aprender a interpretar sonhos.

— Então o que o sonho está querendo me dizer? — perguntei, mal-humorada. — Que não correspondi à minha capacidade intelectual?

— Não exatamente.

— Então, o quê?

— Bom, acho que o jaleco sem nada por baixo é um símbolo meio óbvio, não?

— De quê?

— De que a busca inútil de uma vida intelectual está atrapalhando sua verdadeira meta.

— Que é qual?

— Ora, preparar todas as minhas refeições, claro — disse ele, não conseguindo disfarçar como estava se divertindo. — E ficar andando pelo meu apartamento sem calcinhas.

SEXTA-FEIRA, 28 DE JULHO

56,2 kg (preciso fazer uma dieta para amanhã),
1 unidade alcoólica (m. b.), 8 cigarros, 345 calorias.

Humm. Daniel estava muito carinhoso ontem à noite e passou horas me ajudando a escolher uma fantasia para usar na festa Vigários e Vagabundas. Ficou sugerindo diversas combinações, depois dizia o que achava. Gostou muito de uma blusa de colarinho duro e de uma cinta-liga preta de renda, numa mistura de vigário com vagabunda e acabou resolvendo, depois de me fazer andar um bocado, que a melhor roupa para mim era o corpete de renda preto da Marks and Spencer com meias, ligas e um avental igual ao das arrumadeiras francesas, que fizemos com dois lenços e umas fitas, uma gravata-borboleta e um rabo de coelho. Daniel foi um amorzinho de me ajudar. Às vezes acho que ele é muito gentil. E estava também particularmente inclinado a transar.

Ah, não agüento esperar até amanhã.

SÁBADO, 29 DE JULHO

55,8 kg (m. b.), 7 unidades alcoólicas, 8 cigarros,
6.245 calorias (malditos Una Alconbury,
Mark Darcy, Daniel, mamãe, todo mundo).

14h. Não acredito no que aconteceu. À uma da tarde, Daniel ainda estava dormindo e eu comecei a me preocupar porque a festa era às duas e meia. Resolvi acordá-lo, levei uma xícara de café e disse:

– Acho melhor você levantar porque temos de estar lá às duas e meia.

– Lá onde? – perguntou ele.

– Na festa Vigários e Vagabundas.

– Ah, meu bem. Escuta, acabo de lembrar, tenho tanto trabalho neste fim de semana. Vou ter de ficar em casa e fazer essa coisarada toda.

Eu não conseguia acreditar. Ele tinha *prometido* ir. Todo mundo sabe que quando você está tendo um caso com alguém é obrigado a agüentar todas as terríveis festas familiares, mas ele acha que basta citar a palavra "trabalho" para se safar de qualquer coisa. Todos os amigos dos Alconbury vão ficar perguntando sem parar se já arrumei um namorado e ninguém vai acreditar que arrumei.

22h. Não acredito no que passei. Dirigi duas horas, estacionei em frente à casa dos Alconbury e, esperando estar bem na minha fantasia de coelhinha, entrei pela lateral da casa e fui até o jardim, de onde vinha um vozerio animado. Quando comecei a atravessar o gramado, fez-se silêncio e percebi apavorada que, em vez de Vigários e Vagabundas, as mulheres estavam de esporte fino, usando duas-peças floridos abaixo dos joelhos, e os homens de calça esporte e suéter de gola em V. Fiquei ali pasma como, digamos, uma coelha. E, enquanto todo mundo me olhava, Una Alconbury veio correndo pelo gramado num vestido fúcsia plissado, segurando um cesto de plástico cheio de folhas e maçãs.

– Bridget!!! Que ótimo ver você. Aceita um suco de maçã? – perguntou.

– Pensei que a festa se chamasse Vigários e Vagabundas – sussurrei.

– Ah, meu Deus, quer dizer que Geoff não telefonou para você? – disse ela. Inacreditável: será que ela perguntou isso porque achava que eu costumava andar vestida de coelhinha?

– Geoff, você não ligou para Bridget? – perguntou ela e completou, olhando em volta: – Nós estávamos querendo conhecer seu novo namorado. Cadê ele?

– Teve de trabalhar – resmunguei.

– Como vai a minha queridinha? – perguntou tio Geoffrey, caindo de bêbado.

– Geoffrey – disse Una, gélida.

– Ombro, armas. Tudo certo, missão cumprida, sargento – disse ele, batendo continência, depois desmontou no ombro dela, rindo. – Eu liguei para Bridget, mas atendeu uma daquelas coisorrív falansozin.

– Geoffrey – ordenou Una, baixo. – Vá ver como está o churrasco. Desculpe, querida, mas depois de todos os escândalos com os vigários da região, nós chegamos à conclusão de que não seria conveniente dar uma festa chamada Vigários e Vagabundas porque – ela começou a rir – todo mundo acha que os vigários *já são* vagabundos. Ah, querida – continuou, enxugando os olhos, que lacrimejavam de tanto rir –, mas quem é esse novo namorado? Por que fica trabalhando num sábado? Argh! Não é uma boa desculpa, hein? Desse jeito, como conseguiremos que você se case?

– Desse jeito, vou acabar como garota de programa – resmunguei, tentando descolar o rabo de coelhinha.

Senti que alguém estava me observando e vi Mark Darcy olhando fixamente para o meu rabo. Ao lado dele estava a alta, magra e charmosa grande advogada de família num recatado vestido lilás com paletó, como Jackie O. usava, e óculos presos na cabeça.

A bruxa sorriu afetada para Mark e me olhou dos pés à cabeça, o que era uma grande falta de educação.

– Você veio de outra festa? – perguntou ela com voz sussurrante.

– Não, estou indo para o trabalho – respondi. Mark Darcy ouviu, deu um meio sorriso e desviou o olhar.

– Alô, querida, não posso falar com você. Estou gravando a festa em vídeo – informou minha mãe, apressada, num esfuziante vestido turquesa plissado e segurando uma claquete. – Querida, que roupa é essa? Você parece uma prostituta ordinária. Agora, por favor, ninguém se mexa eeee... – disse ela para Julio, que estava com uma câmera – ... ação!

Apavorada, olhei em volta à procura de papai, mas não o vi. Só vi Mark Darcy conversando com Una e fazendo um gesto na minha direção. Una, parecendo muito decidida, veio falar comigo.

– Bridget, estou *tão* sem graça com essa confusão a respeito da festa à fantasia – desculpou-se ela. – Mark estava dizendo que você deve estar se sentindo horrível com todos esses velhos em volta. Quer que eu empreste uma roupa minha?

Passei o resto da festa usando por cima da fantasia de coelhinha um vestido de Janine quando foi dama de honra, de mangas bufantes e estampas florais estilo Laura Ashley, com a Natasha do Mark Darcy achando graça e minha mãe de vez em quando passando por mim e dizendo:

– Lindo vestido, querida. Corta!

Assim que me viu sozinha, Una Alconbury perguntou:

– Acho que a namorada dele não é grande coisa. – referindo-se a Natasha. – Faz muito o tipo Jovem Senhora. Elaine acha que ela está louca para agarrar um marido. Ah, olá, Mark! Quer mais um suco de maçã? Que pena, Bridget não pôde trazer o namorado. Ele é um rapaz de sorte, não? – Tudo isso foi dito de forma muito agressiva, como se Una tivesse considerado uma ofensa pessoal o fato de Mark Darcy ter uma namorada que a) não era eu e b) não tinha sido apresentada a ele por Una num bufê de peru ao *curry*.

– Bridget, como é mesmo o nome dele? Daniel, não? Pam disse que ele é um daqueles editores supersuperjovens.

— Daniel Cleaver? — perguntou Mark Darcy.

— É, é isso mesmo — concordei, empinando o queixo.

— É amigo seu, Mark? — perguntou Una.

— De jeito nenhum — negou ele.

— Ahh. Espero que esteja à altura da nossa pequena Bridget — insistiu Una, piscando para mim como se tudo aquilo fosse muito engraçado e não horrível.

— Quero deixar bem claro, insisto, que não sou amigo dele — repetiu Mark.

— Ah, olha só, Audrey está chegando. Audrey! — chamou Una, sumindo antes de ouvir o que ele disse, graças a Deus.

— Você com certeza acha que está muito certo — disse eu, furiosa, quando ela se afastou.

— O quê? — perguntou Mark, parecendo surpreso.

— Por favor, não diga "o quê", Mark Darcy — murmurei.

— Você parece a minha mãe — disse ele.

— Dá a impressão que você acha muito certo falar pelas costas do namorado dos outros para os amigos dos pais deles quando eles não estão presentes só porque você está com ciúmes — critiquei.

Ele ficou me olhando, como se estivesse pensando em outra coisa.

— Desculpe, estava tentando entender o que você disse. Será que eu...? Você está dando a entender que tenho ciúme de Daniel Cleaver? Com você?

— Não, comigo não — falei, irritada, vendo que era isso que parecia. — Eu apenas concluí que deve haver alguma razão para você ser tão crítico a respeito do meu namorado, além da pura maldade.

— Mark, querido — miou Natasha, atravessando com graça o gramado e se aproximando. Era tão alta e magra que não precisava usar saltos, por isso podia andar na grama sem se afundar, parecia ter sido projetada para isso, como um camelo para o deserto. — Venha contar para sua mãe dos móveis de sala de jantar que vimos na Conran.

— Eu só quero que você se cuide, é isso — disse ele calmamente. — E seria bom que sua mãe também se cuidasse — acrescentou, fazendo um gesto com a cabeça na direção de Julio enquanto Natasha o puxava.

Depois de mais 45 minutos de horror, achei que podia ir embora sem parecer indelicada com Una. Dei a desculpa de que precisava trabalhar.

— Vocês, garotas que trabalham! Tem uma coisa que não podem ficar adiando para sempre: tique-taque, tique-taque, tique-taque — avisou.

Antes de me acalmar o bastante para dirigir tive de fumar um cigarro no carro durante cinco minutos. Aí, exatamente ao entrar na estrada principal, o carro do meu pai passou pelo meu. No banco ao lado dele estava Penny Husbands-Bosworth, usando um corpete de renda vermelho e orelhas de coelhinha.

Quando cheguei em Londres e saí da auto-estrada estava me sentindo muito confusa, além de ter voltado mais cedo do que pensava. Então achei que, em vez de ir direto para casa, podia procurar um pouco de apoio em Daniel.

Parei de frente com o carro dele. Toquei a campainha mas ninguém atendeu, esperei um pouco e toquei de novo, caso ele estivesse no meio de uma boa jogada de críquete ou algo assim. Ninguém respondeu. Sabia que ele estava lá por causa do carro e porque tinha dito que ia ficar trabalhando e assistindo ao jogo na tevê. Olhei para a janela do apartamento e lá estava Daniel. Acenei para ele e apontei a porta. Ele sumiu, pensei que fosse apertar o botão para abrir a porta, então toquei a campainha outra vez. Algum tempo depois ele respondeu:

— Olá, Bridge. Eu estava numa ligação para os Estados Unidos. Posso encontrar você no bar daqui a dez minutos?

— Certo — respondi animada, sem pensar, e fui andando para a esquina. Mas quando dei uma olhada lá estava ele de novo, não ao telefone, mas me olhando pela janela.

Esperta como uma raposa, fingi que não vi e fui andando, mas por dentro estava transtornada. Por que ele estava me olhando? Por que não respondeu à campainha logo? Por que não apertou o botão lá de cima e abriu a porta para eu entrar? De repente, a idéia me atingiu como um raio: ele estava com uma mulher.

Com o coração aos pulos, dei a volta no quarteirão e, bem encostada na parede, olhei se ele ainda estava na janela. Não vi ninguém. Voltei rápido e fiquei escondida na entrada do prédio vizinho, observando entre as colunas se alguma mulher saía. Fiquei ali, mas depois comecei a pensar: se sair uma mulher do prédio, como saber se estava no apartamento de Daniel e não em outro? O que eu faria? Falava com ela? Dava voz de prisão? Além do mais, ele podia muito bem dizer para a mulher ficar no apartamento enquanto ia me encontrar no bar.

Olhei meu relógio. Seis e meia. Ah! O bar ainda não estava aberto. Boa desculpa. Confiante, voltei para a porta do prédio e apertei a campainha.

— Bridget, você outra vez? — protestou ele.

— O bar ainda não abriu.

Houve um silêncio. Será que ouvi uma voz ao fundo? Negando a realidade, achei que ele estava apenas lavando dinheiro ou traficando drogas. Vai ver que tentava esconder sacolas plásticas cheias de cocaína debaixo das tábuas do chão, ajudado por um sul-americano esperto de rabo-de-cavalo.

— Deixa eu entrar — eu disse.

— Já disse, estou falando ao telefone.

— Deixa eu entrar.

— Como? — Uma coisa era certa: ele estava tentando ganhar tempo.

— Daniel, aperte o botão — mandei.

Não é interessante como você consegue sentir a presença de uma pessoa mesmo sem vê-la ou ouvi-la? Ah, *claro* que eu dei uma olhada nos armários quando subi a escada, não tinha ninguém neles. Mas eu sabia que tinha uma mulher na casa de Daniel. Talvez eu tivesse sentido um leve perfume... ou alguma coisa no comportamento dele. Não importa como, eu *sabia*.

Ficamos de frente um para o outro, desconfiados, na sala de estar. Eu estava louca para começar a abrir e fechar todos os armários da casa, igual a minha mãe, e ligar para o 1471 e perguntar se havia algum registro de ligação dos Estados Unidos.

— Que roupa é essa? — perguntou ele. Na confusão, esqueci que estava usando o vestido de Janine.

— De dama de honra — expliquei, impávida.

— Quer um drinque? — perguntou Daniel. Pensei rápido. Tinha de fazer com que ele fosse para a cozinha, assim eu poderia examinar todos os armários.

— Uma xícara de chá, por favor.

— Você está bem? — perguntou ele.

— Estou ótima! — garanti. — Adorei a festa. Eu era a única pessoa fantasiada, por isso tive de colocar um vestido de dama de honra, Mark Darcy estava lá com Natasha, sua camisa é muito bonita... — parei, ofegante, percebendo que eu estava igual (não é que "estivesse ficando") a minha mãe.

Ele me olhou, depois foi para a cozinha. Rápida, aproveitei para atravessar a sala e olhar atrás do sofá e das cortinas.

— O que você está fazendo?

Daniel estava na porta da cozinha.

— Nada, nada. Achei que tinha esquecido uma saia atrás do sofá — expliquei, tirando as almofadas, enlouquecida, como se estivesse numa cena de *vaudeville*.

Ele me olhou desconfiado e voltou para a cozinha.

Como concluí que não havia tempo para ligar para o 1471, olhei rapidamente no armário onde ele guarda o cobertor do sofá-cama – não tinha ninguém dentro –, depois fui atrás dele até a cozinha e abri a porta do armário do corredor, o que fez com que a tábua de passar caísse, além de uma caixa de velhos elepês de vinil que se espalharam pelo chão.

– O que você está fazendo? – perguntou ele outra vez, saindo da cozinha.

– Desculpe, a porta prendeu na manga da minha blusa – expliquei. – Estava indo ao banheiro.

Daniel ficou me olhando pasmo, como se eu fosse louca, então não dava para olhar no quarto. Entrei no banheiro, tranquei a porta e comecei a remexer em tudo. Não sabia exatamente o que estava procurando: fios de cabelo louro, lenços de papel com marcas de batom, escovas de cabelo que eu não conhecia – qualquer coisa dessas seria uma pista. Nada. Então, abri a porta devagar, olhei para os dois lados, fui me esgueirando pelo corredor, empurrei a porta do quarto de Daniel e quase morri de susto. Tinha uma pessoa lá.

– Bridge. – Era Daniel, empunhando um *jeans* como se quisesse se defender com ele. – O que está fazendo aqui?

– Ouvi você vindo para cá e aí, então, pensei num encontro secreto – falei, me aproximando de uma forma que seria muito *sexy*, não fosse o meu vestido de florezinhas. Encostei a cabeça no peito dele e abracei-o, tentando cheirar a camisa para sentir resquícios de perfume e dar uma boa olhada na cama, que estava desfeita, como sempre.

– Humm, você ainda está com aquela roupa de coelhinha por baixo, não? – perguntou ele, começando a abrir o zíper do vestido de dama de honra e me apertando de um jeito que deixava bem claro quais eram suas intenções. De repente, me ocorreu que aquilo podia ser um truque e que ele ia me seduzir enquanto a mulher escapava tranqüilamente. – Ah, a chaleira deve estar fervendo - disse Daniel de repente, fechando o zíper do meu vestido e me dando uma palmadinha de um jeito que não era o dele.

Quando começa, ele costuma ir até o fim mesmo se houver um terremoto, maremoto ou aparecer uma foto da ministra Virginia Bottomley nua na tevê.

– Ah, sim, é melhor fazer o chá – falei, achando que isso me daria a chance de dar uma olhada no quarto e no escritório.

– Pode passar – disse Daniel, me empurrando para fora do quarto e fechando a porta de forma que fui andando na frente dele até a cozinha. No meio do caminho, vi a porta que dava para o terraço, na cobertura.

– Vamos sentar na sala? – perguntou Daniel.

Ela estava lá, no maldito terraço. Quando olhei desconfiada para a porta, ele perguntou:

– O que houve?

– Na-da – respondi numa vozinha cantante, indo para a sala. – Só estou um pouco cansada da festa.

Me joguei no sofá parecendo muito à vontade e pensando se devia, mais rápido do que a luz, ir até o escritório, derradeiro local onde ela devia estar, ou correr até o terraço. Achei que, se não estivesse no terraço, estaria no escritório, no guarda-roupa do quarto ou embaixo da cama. E portanto, se subíssemos para o terraço, ela poderia fugir. Mas se fosse esse o caso Daniel já teria sugerido irmos para o terraço antes.

Ele me trouxe uma xícara de chá e sentou em frente ao seu *laptop*, que estava aberto e ligado. Só então comecei a achar que talvez não existisse mulher nenhuma. Havia um texto na tela – quando cheguei, talvez ele estivesse mesmo trabalhando e falando com alguém nos Estados Unidos. E eu, idiota, estava me comportando como uma doida.

– Tem certeza de que está tudo certo com você, Bridge?

– Tudo ótimo. Por quê?

– Bom, você aparece na minha casa sem avisar, num vestido de coelha disfarçada de dama de honra, e fuça todos os quartos. Se não era para espionar alguma coisa, eu gostaria de saber o porquê, só isso.

Fiquei me sentindo uma completa idiota. Era a droga do Mark Darcy tentando atrapalhar minha relação fazendo com que eu ficasse desconfiada. Pobre Daniel, era tão injusto ficar duvidando dele só por causa do que disse um sujeito arrogante, mal-humorado, grande advogado de direitos humanos. Foi aí que ouvi alguma coisa sendo arrastada no terraço, em cima.

— Acho que estou com um pouco de calor — falei, prestando atenção em Daniel. — Vou subir e sentar no terraço um pouco.

— Pelo amor de Deus, será que você não pára um instante? — gritou ele, tentando impedir que eu passasse, mas fui mais rápida. Passei, abri a porta, subi as escadas correndo e abri a portinhola para o terraço ensolarado.

Lá, estirada numa espreguiçadeira, estava uma loura longilínea e bronzeada, completamente nua. Fiquei paralisada, me sentindo um enorme pudim no vestido de dama de honra. A mulher levantou a cabeça, tirou os óculos de sol e virou-se para mim, com um dos olhos fechados. Ouvi Daniel subindo as escadas.

Olhando para ele, a mulher disse, com sotaque americano:

— Mas, meu bem, você não disse que ela era *magra*?

AGOSTO →

Desintegração

TERÇA-FEIRA, 1º DE AGOSTO

56,2 kg, 3 unidades alcoólicas, 40 cigarros (parei de tragar para poder fumar mais), 450 calorias (não estou comendo), 14 ligações para o serviço 1471, 7 bilhetes de loteria.

5h da manhã. Estou um caco. Meu namorado está transando com uma giganta bronzeada. Minha mãe está transando com um português. Jeremy está dormindo com uma vadia horrorosa, o Príncipe Charles está transando com Camilla Parker-Bowles. Não sei mais no que acreditar ou onde me apoiar. Tenho vontade de ligar para Daniel, na esperança de que ele negue tudo, dê uma explicação plausível para aquela valquíria desnuda no terraço — uma irmã mais jovem, uma vizinha amiga que estava se recuperando de uma gripe, alguma coisa assim — e faça com que tudo volte ao lugar. Mas Tom grudou no meu telefone um papel onde está escrito: "Não ligue para Daniel ou vai se arrepender."

Eu devia ter ido para a casa de Tom, como ele sugeriu. Detesto ficar sozinha no meio da noite, fumando e choramingando como uma doida. Tenho medo que Dan escute no andar de baixo e ligue para o hospício. Ai, Deus, o que tenho de errado? Por que nada funciona comigo? É porque estou muito gorda. Penso em ligar para Tom outra vez, mas liguei faz menos de uma hora. Não tenho vontade de ir trabalhar.

Depois do encontro do terraço, eu não disse nada: empinei o nariz, passei por Daniel, desci a escada, entrei no meu carro e fui embora. Direto para a casa de Tom, que entornou vodca na minha garganta, depois acrescentou o suco de tomate e o molho Worcester. Quando cheguei em casa, a secretária tinha três recados do Daniel pedindo para eu ligar. Não liguei, seguindo o conselho do Tom, que garantiu: a única forma de ter sucesso com os homens é ser bem má com eles. Sempre achei isso uma atitude cínica e equivocada mas fui legal com Daniel e olha o que aconteceu.

Ai, Deus, os passarinhos já estão cantando. Tenho de ir trabalhar daqui a três horas e meia. Não consigo. Socorro, socorro. De repente tive uma boa idéia: ligar para mamãe.

10h. Mamãe foi *maravilhosa*.

— Querida, claro que você não me acordou. Estou de saída para o estúdio de gravação. Não posso acreditar que você esteja nesse estado por causa de um *homem* idiota. Eles são completamente egoístas, sofrem de incontinência sexual e não servem para nada. É, isso *inclui* você também, Julio. Agora pare de ficar assim, querida. Anime-se. Durma mais um pouco, depois vá trabalhar com uma cara ótima. Faça com que todo mundo, principalmente Daniel, saiba que você não quer mais nada com ele. Você de repente descobriu como a vida é *maravilhosa* sem aquele sujeito gagá te controlando. Você vai se sentir ótima.

— *Você* está bem, mamãe? — perguntei, ao lembrar de papai chegando na festa de Una acompanhado da viúva Penny Husbands-Bosworth.

— Querida, você é um amor. Estou superocupada.

— Posso ajudar em alguma coisa?

– Pode sim – disse ela, animada. – Será que algum amigo seu tem o telefone de Lisa Leeson? Sabe quem é, a mulher do Nick Leeson, aquele investidor que deu um golpe no Banco Barings? Há dias estou louca atrás dela, é perfeita para aparecer no *De repente, solteira.*

– Eu estava perguntando por causa do papai e não do seu programa – expliquei.

– Seu pai? Mas não estou preocupada com ele. Não seja boba, querida.

– Mas, ele estava... na festa com a Sra. Husbands-Bosworth.

– Ah, eu sei, aquilo foi hilário. Parecia um idiota, querendo chamar minha atenção. Com o que será que ela estava se achando parecida? Um *hamster*, ou algo assim? Mas tenho de ir, estou muito ocupada. Você acha que consegue o telefone de Lisa com alguém? Anote meu *telefone direto*, querida. E não vamos mais ficar choramingando por bobagem.

– Ah, mãe, mas tenho de trabalhar com Daniel, eu...

– Querida, você está enganada. Ele é que tem de trabalhar com você. Seja bem ruim com ele, meu bem. (Ai, meu Deus, não sei com quem ela anda se metendo.) Estive pensando, meu bem. Está na hora de você sair daquele trabalho sem graça, onde não é valorizada. Prepare-se para pedir demissão, menina. Sim, querida... vou arrumar um trabalho para você na televisão.

Fui para a agência parecendo uma Ivana Trump, de *tailleur* e brilho nos lábios.

QUARTA-FEIRA, 2 DE AGOSTO

56,2 kg, 45 cm de coxa, 3 unidades alcoólicas
(mas vinho da melhor qualidade), 7 cigarros
(sem tragar), 1.500 calorias (excelente),
0 chá, 3 cafés (preparados com grãos naturais,
portanto causam menos celulite),
4 unidades de cafeína.

Está tudo ótimo. Vou conseguir voltar aos 48 quilos e acabar com a celulite nas coxas. Aí certamente vai ficar tudo bem. Entrei num programa intensivo de desintoxicação — sem chá, sem café, sem álcool, sem farinha branca, sem leite e o que mais? Ah, puxa. Sem peixe, vai ver. Basta esfregar uma escova nas coxas durante 5 minutos pela manhã, depois tomar 15 minutos de banho de imersão com óleo anticelulite na água e massageando para desfazer a celulite como quem amassa pão, e finalmente fazer massagem com mais óleo anticelulite.

Esta última parte do tratamento me intriga: será que o óleo penetra na celulite através da pele? Sendo assim, se eu passar óleo de bronzear na pele, a celulite fica bronzeada? E o sangue fica bronzeado? E o sistema linfático, tudo bronzeado? Argh. Mas... (Cigarros. Era essa a outra coisa. Sem cigarros. Muito bem. Agora é tarde. Amanhã não fumo.)

QUINTA-FEIRA, 3 DE AGOSTO

55,8 kg, 45 cm de coxas (honestamente: para quê?), 0 unidade alcoólica, 25 cigarros (excelente, se considerar tudo o que passei), aproximadamente 445 pensamentos negativos por hora, 0 pensamento positivo.

Minha cabeça não está nada boa, outra vez. Não suporto a idéia de Daniel ter outra mulher. Passam mil fantasias pela minha cabeça de coisas que os dois estão fazendo. Fiquei distraída dois dias com o plano de emagrecer e mudar de personalidade, mas depois desmontou tudo na minha cabeça. Percebi que era apenas um jeito complicado de enganar a mim mesma. Estava achando que podia me *reinventar* em poucos dias e assim anular o impacto da dolorosa e humilhante infidelidade de Daniel, ocorrida numa encarnação anterior e que jamais se repetiria no meu novo ego melhorado. Infelizmente, agora vejo que o único motivo para me *reinventar*, combater a celulite e emagrecer era fazer com que Daniel percebesse seu erro. Tom já tinha me prevenido e dito que 90% das cirurgias plásticas são feitas por mulheres cujos maridos fugiram com mulheres mais jovens. Eu disse que a giganta do terraço não era tão mais jovem que eu, só mais alta, e Tom argumentou que não era esse o problema. Argh.

No trabalho, Daniel continuou me mandando mensagens pelo computador, dizendo "Precisamos conversar" etc. Ignorei de propósito. Quanto mais ele mandava mensagens, mais iludida eu ficava, achando que minha *reinvenção* estava funcionando, ele tinha percebido seu tremendo erro, só agora via o quanto me amava e a giganta do terraço já era.

Hoje, no final do dia, ele correu atrás de mim quando eu estava indo embora.

— Querida, por favor, precisamos conversar — pediu.

Como uma boba, fui tomar um drinque com ele no American Bar do hotel Savoy, deixei que me *amaciasse* com champanhe e com "Estou tão mal, sinto falta de você, blá-blá-blá". Aí, quando admiti: "Ah, eu também sinto a sua falta", ele de repente ficou sério e disse:

— O caso é que Suki e eu...

— Suki? Vagabi é um nome que cai melhor — falei, achando que ele ia dizer: "Somos como irmãos, primos, inimigos, um caso acabado." Em vez disso, ele me olhou bem firme e disse:

— Ah, é difícil explicar. É uma coisa muito especial.

Fiquei olhando para ele, surpresa com a mudança.

— Desculpe, amor — disse ele, pegando seu cartão de crédito e chamando o garçom —, mas nós vamos nos casar.

SEXTA-FEIRA, 4 DE AGOSTO

45 cm de coxa, 600 pensamentos negativos por minuto, 4 crises de pânico, 12 crises de choro (mas no banheiro, e lembrei de levar o corretivo todas as vezes), 7 bilhetes de loteria.

Trabalho. Banheiro do terceiro andar. É simplesmente... simplesmente... insuportável. Por que diabos tive a idéia de ter um caso com o chefe? Agora não consigo lidar com a situação. Daniel participou para todo mundo que está noivo da giganta. Representantes de venda que eu nem conhecia me ligam para dar os parabéns e tenho de explicar que a noiva é outra. Fico lembrando como foi romântico o início da nossa relação, cheio de mensagens secretas pelo computador e encontros no elevador. Ouvi Daniel falando ao telefone, combinando de ver Vagabi à noite e dizendo, sem graça:

– Até agora, não muito mal...

Eu sabia que ele estava falando da minha reação, como se eu fosse uma secretária apaixonada ou coisa assim. Estou pensando seriamente em fazer uma plástica.

TERÇA-FEIRA, 8 DE AGOSTO

57 kg, 7 unidades alcoólicas (argh, argh), 29 cigarros (hum, hum), 5 milhões de calorias, 0 pensamento negativo, 0 pensamento em geral.

Acabo de ligar para Jude. Contei um pouco do drama com Daniel e ela ficou horrorizada, declarou imediatamente que era uma situação de emergência e disse que ia ligar para Sharon e marcar de nos encontrarmos às nove da noite. Não podia ser antes porque tinha um encontro com Richard o Vil, que finalmente concordou em fazer uma terapia de casal com ela.

2h da manhã. Nossme diverti muito. Opa. Tropecei.

QUARTA-FEIRA, 9 DE AGOSTO

58 kg (mas por uma boa causa), 43 cm de coxa (ou é milagre ou erro provocado pela ressaca), 0 unidade alcoólica (o corpo continua absorvendo o que bebi ontem à noite), 0 cigarro (putz).

8h. Argh. Depois da noite passada, fiquei num estado físico deplorável, mas emocionalmente bem animada. Jude chegou furiosa porque Richard o Vil não tinha ido à terapia de casal.

— Claro que a terapeuta ficou achando que ele era um namorado imaginário e eu uma pessoa muito, muito triste.

— E o que você fez? — perguntei, solidária, afastando uma idéia diabólica: "A terapeuta estava certa."

— Ela disse que eu tinha de falar dos problemas que não são relacionados com Richard.

— Mas todos os seus problemas são relacionados com Richard — argumentou Sharon.

— Eu sei. Falei isso, ela concluiu que tenho um problema com limites e me cobrou 55 pratas.

— Por que ele não apareceu? Espero que aquele verme sádico tenha uma boa desculpa — praguejou Sharon.

— Disse que ficou preso no trabalho — explicou Jude. — Eu falei: "Olha, você não tem o monopólio de problemas de relacionamento. Na verdade, eu tenho um problema de relacionamento. Se você não resolver o seu, vai acabar se envolvendo com o meu e aí será *tarde demais.*

— Mas você *tem* um problema de relacionamento? — perguntei, surpresa, pensando que eu também devia ter.

— *Claro* que tenho — admitiu Jude, zangada. — É que ninguém vê porque está muito mascarado atrás do problema do Richard. Na verdade, o meu problema é bem maior que o dele.

– É mesmo – concluiu Sharon. – Mas você não fica por aí com seu problema grudado na testa, como faz todo homem acima dos vinte anos hoje.

– Era isso que eu queria dizer – concordou Jude, tentando acender mais um Silk Cut, mas o isqueiro falhava.

– Todo mundo tem problema de relacionamento – resmungou Sharon com uma voz gutural igualzinha à de Clint Eastwood. – É a cultura dos três minutos. É uma carência geral de atenção. É típico dos homens transformar isso num problema global e numa desculpa para rejeitar as mulheres e fazer com que se sintam inteligentes e nós nos sintamos burras. Não passa de babaquice emocional.

– Malditos! – gritei. – Que tal pedirmos mais um vinho?

9h. Droga. Mamãe acaba de ligar.

– Querida, adivinha o que aconteceu? O programa *Boa tarde!* está precisando de uma produtora. Trata de assuntos da atualidade, é muito interessante. Falei de você com Richard Finch, o editor. Disse que você tinha diploma de ciências políticas, querida. Não se preocupe, ele é muito ocupado para conferir. Quer que você converse com ele na segunda-feira.

Segunda-feira. Ai, meu Deus. Com isso, tenho só cinco dias para aprender sobre temas da atualidade.

SÁBADO, 12 DE AGOSTO

58,5 kg (ainda por uma causa muito boa),
3 unidades alcoólicas (m. b.), 32 cigarros
(m. m. ruim, principalmente porque foi no dia em
que ia parar), 1.800 calorias (bom), 4 bilhetes de
loteria (b.), 1,5 artigo sobre assuntos sérios lidos,
22 ligações para o 1471 (tudo bem),
120 min. de conversas imaginárias com Daniel
(m. b.), 90 min. pensando em Daniel
implorando para eu voltar (excelente).

Certo. Estou decidida a ver as coisas de uma forma mto positiva. Vou mudar de vida: ficar bem informada sobre temas da atualidade, parar de fumar completamente e manter uma boa relação com um homem adulto.

8h30. Ainda não fumei nenhum cigarro. M. b.

8h35. Nenhum cigarro até agora. Excelente.

8h40. Será que tem alguma coisa interessante na caixa de correspondência?

8h45. Argh. Recebi só um odioso documento da Secretaria de Seguro Social exigindo o pagamento de 1.452 libras. Como? Por quê? Não tenho 1.452 libras. Ai, Deus, preciso de um cigarro para me acalmar. Não devo. Não devo.

8h47. Acabo de fumar. Mas o primeiro dia sem fumar só começa oficialmente depois que estou vestida. De repente começo a pensar em Peter, um ex-namorado com quem tive uma relação funcional durante sete anos e com quem rompi por razões que não lembro. De vez em quando – em geral quando não tem com quem sair num feriado – ele tenta voltar e diz que quer casar comigo. Sem perceber direito o que está acontecendo, começo a achar que agora ele é a solução. Por que ficar infeliz e sozinha se Peter quer ficar comigo? Achei o telefone dele, liguei e deixei um recado na secretária eletrônica dizendo apenas para me ligar, em vez de contar sobre o plano de passarmos a vida inteira juntos etc.

13h15. Peter ainda não retornou a ligação. Não sou mais capaz de atrair homem algum, nem Peter.

16h45. A política de parar de fumar está arruinada. Peter ligou, finalmente.

– Alô, Abelhinha. – Nós sempre nos chamamos de Abelha e Vespinha. – Eu estava mesmo querendo falar com você. Tenho boas notícias: vou me casar.

Argh. Uma sensação desagradável na região do pâncreas. Nenhum ex-namorado nosso deveria sair com outra mulher nem casar, mas continuar solteiro até o fim de seus dias para dar apoio mental.

– Abelha? – perguntou Vespinha. – Bzzzzz?

– Desculpe – respondo, batendo com a cara na parede, meio tonta. – É que, ahn, acabo de ver um acidente de carro pela janela.

Claro que aquilo era uma desculpa, mas Vespinha entusiasmou-se e falou uns vinte minutos sobre o preço de toldos, depois disse:

– Tenho de desligar. Hoje à noite vamos preparar salsichas de cervo Delia Smith acompanhadas de frutinhas do bosque e assistir à televisão.

Argh. Acabo de fumar um maço de Silk Cut num ato

de autodestruição por desespero existencial. Espero que o casal fique obeso e tenha de ser retirado do apartamento por um guindaste, pela janela.

17h45. Estou tentando me concentrar para decorar os nomes dos integrantes do gabinete paralelo britânico e não entrar numa espiral de insegurança. Não conheço a futura mulher do Vespinha, mas imagino que seja uma giganta loura e alta, estilo terraço, que acorda às cinco da manhã, vai fazer ginástica, esfrega sal na pele, depois enfrenta o mercado financeiro internacional o dia inteiro sem borrar o rímel.

Percebi com grande humilhação que me aborreci com Peter porque eu terminei o namoro com ele e agora ele terminou comigo, ao se casar com a Sra. Valquíria Giganta. Mergulho em pensamentos mórbidos e cínicos a respeito de como um fim de caso envolve ego e orgulho feridos, mais do que a perda em si. A partir daí, cheguei à conclusão de que a princesa Sarah se sente tão segura porque o príncipe Andrew ainda quer voltar para ela (até resolver casar com outra, rá-rá-rá).

18h45. Estava começando a assistir ao noticiário das seis horas, equilibrando o *notebook* no colo, quando minha mãe adentrou o apartamento, carregada de sacolas.

– Bom, querida – disse ela passando para a cozinha. – Trouxe uma sopa deliciosa e algumas lindas roupinhas minhas para você usar na segunda-feira! – Ela estava com um vestido verde-limão, casaco preto e sapatos de salto. Parecia a cantora Cilla Black do *Encontro marcado*. – Onde você guarda as conchas de sopa? – perguntou, abrindo e fechando os armários da cozinha. – Desculpe, querida, mas que bagunça! Dê uma olhada nas roupas das sacolas enquanto eu esquento a sopa.

Apesar de não levar em consideração que a) estávamos no verão b) fazia um calor infernal c) eram seis e quinze da tarde e d) eu não queria sopa nenhuma, olhei o que tinha na primeira sacola: uma coisa plissada em tecido sintético amarelo-ovo com estampa floral.

— Err, mãe... — comecei a falar, mas tocou uma campainha dentro da sacola.

— Ah, deve ser o Julio. Arrã, arrã. — Ela segurava o celular no queixo e dava uns pulinhos. — Arrã, arrã. Vista esse, querida — sussurrou para mim. — Arrã, arrã. Arrã. Arrã.

Agora perdi o jornal na tevê, mamãe foi para um queijos-e-vinhos e me deixou parecendo uma perua num conjunto azul-petróleo sobre uma blusa verde e com os olhos pintados de sombra azul que ia até as sobrancelhas.

— Não seja boba, querida — disse ela, ao sair. — Se não fizer *alguma* coisa em relação à aparência, jamais conseguirá um novo emprego, quanto mais um novo namorado!

Meia-noite. Depois que ela foi embora, liguei para Tom, que me levou na festa de um amigo dele da escola de arte na Galeria Saatchi para ver se conseguia que eu parasse com aquela obsessão.

— Bridget — disse ele nervoso, quando entramos no buraco branco repleto de jovens *grunges*. — Você sabe que não se ri de uma instalação artística, não é?

— Eu sei, eu sei — respondi, mal-humorada. — Não vou fazer nenhuma piada sem graça.

Alguém que se chamava Gav disse "Oi": uns 22 anos, gostoso, com uma camiseta apertada que mostrava uma barriga bem musculosa.

— Mas isso é muito, muito, *muito* maravilhoso — disse Gav. — É como uma Utopia com uns ecos assim muito, muito, maravilhosos de, sei lá, identidades pátrias perdidas.

Agitado, ele nos conduziu pela enorme sala branca até um rolo de papel higiênico que tinha o papelão por fora do papel.

Os dois ficaram me olhando, esperando que eu dissesse alguma coisa. De repente, percebi que ia chorar. Tom agora estava salivando diante de uma barra de sabão em forma de pênis. Gav me olhava.

— Puxa, essa é uma reação muito, muito, *muito* forte — disse ele, enquanto eu tentava segurar as lágrimas.

— Vou ao toalete — falei, passando por uma série de sacolas cheias de toalhas de papel. Tinha uma fila numa porta com uma tabuleta escrito *Instalban* e fiquei lá, nervosa. De repente, quando já estava quase na minha vez de entrar, senti uma mão no meu braço. Era Daniel.

— Bridge, o que você está fazendo aqui?

— O que você acha? — respondi, com raiva. — Desculpe, estou apertada. — Entrei no cubículo e, quando ia começar a tirar a roupa, percebi que era uma imitação, de plástico. Daniel enfiou a cabeça na porta.

— Bridge, não faça xixi na instalação, sim? — e fechou a porta.

Quando saí ele tinha sumido. Não consegui enxergar Gav, Tom, nem ninguém. Acabei achando um banheiro de verdade, sentei na privada e chorei, achando que não conseguia mais viver em sociedade, precisava me isolar até melhorar. Tom estava me esperando do lado de fora.

— Venha falar com Gav. Ele ficou muito, assim, interessado em você.

Mas quando olhou para minha cara, mudou de idéia.

— Ah, droga, vou levar você para casa.

Não adianta. Quando alguém nos abandona, além das saudades, além de acabar aquele mundinho que os dois criaram juntos e de tudo o que vemos ou fazemos nos lembrar dele — o pior é pensar que fomos testados e no final tudo o que sobrou da gente ganha o carimbo REJEITADO pela pessoa que a gente ama. Como não ficar me sentindo como um sanduíche velho de rodoviária?

— Gav gosta de você — disse Tom.

— Gav tem dez anos. E só gostou de mim porque achou que eu estava chorando por causa de um rolo de papel higiênico.

— De certa forma, você estava — disse Tom. — Maldito Daniel. Não me surpreenderia nem um pouco se esse idiota fosse o único responsável pelo conflito na Bósnia.

DOMINGO, 13 DE AGOSTO

Noite mto ruim. Para completar, tentei ler para pegar no sono e folheei a revista *Tatler*, onde vi a cara de Mark Bobo Darcy numa reportagem sobre os 50 solteiros mais cobiçados de Londres, dizendo como ele era rico e interessante. Argh. Fiquei ainda mais deprimida, não dá nem para descrever. Muito bem, agora vou parar de ficar com pena de mim e passar a manhã lendo os jornais até decorar.

Meio-dia. Rebecca acaba de ligar perguntando se "estou bem". Achando que ela estivesse se referindo a Daniel, respondi:

— Olha, estou bem deprimida.

— Ah, coitada. É, encontrei Peter na noite passada (Onde? O quê? Por que não fui convidada?) e ele contou que você está muito chateada por causa do casamento. Como disse ele, *é* difícil mesmo, as mulheres solteiras têm tendência a ficar desesperadas à medida que envelhecem.

Na hora do almoço eu já não estava mais agüentando o domingo, nem fingir que estava tudo certo. Liguei para Jude e contei do Vespinha, de Rebecca, da entrevista de trabalho, da mamãe, do Daniel, do desespero geral e combinei de encontrá-la às duas no Jimmy Baez para tomar um *bloody mary*.

18h. Por sorte, Jude estava lendo um livro muito interessante chamado *Cada mulher, uma deusa*. Parece que o livro diz que há certas fases da vida em que tudo dá errado e você não sabe o que fazer, é como se todas as portas de alumínio à sua volta se fechassem igual ao filme *Jornada nas estrelas*. O que se deve fazer é ser heróica e continuar firme, sem mergulhar na bebida nem ficar com pena de si mesma, e então tudo vai dar certo. Segundo o livro, todos os mitos gregos e muitos dos filmes de sucesso são sobre seres humanos enfrentando situações difíceis sem esmorecer e assim vencendo.

O livro diz também que enfrentar fases difíceis é como entrar numa espiral e a cada volta que se desce há um ponto mais sofrido e complicado. Nesse ponto está o seu problema ou ponto fraco. Quando você está na parte mais estreita da espiral, você sempre volta rapidamente à mesma situação, pois os círculos são pequenos. À medida que vai descendo, passa por cada vez menos fases difíceis mas é preciso voltar a elas, então, quando acontece com você, você não deve pensar que voltou à estaca zero.

O problema é que, agora que estou sóbria, não sei direito do que ela estava falando.

Mamãe ligou. Tentei explicar como é difícil ser mulher, tendo um prazo determinado para procriar, problema que não aflige os homens. Mas ela argumentou:

— Ah, sinceramente, querida. Vocês hoje são tão insatisfeitas e românticas. O problema é que têm muitas escolhas na vida. Não digo que não amava seu pai, mas quando eu era jovem sempre nos diziam que, em vez de esperar grandes e arrebatadoras emoções na relação com os homens, devíamos "esperar pouco e perdoar muito". E, para ser sincera, querida, ter filhos não é lá essas coisas. Quer dizer, não vá ficar ofendida, não é nada pessoal, mas se fosse para começar de novo não sei se eu ia ter...

Ai, Deus. Até minha própria mãe preferiria que eu não tivesse nascido.

SEGUNDA-FEIRA, 14 DE AGOSTO

59,4 kg (ótimo — me transformei numa montanha de banha para a entrevista, e estou com uma espinha), 0 unidade alcoólica, muitos cigarros, 1.575 calorias (mas vomitei, então aproximadamente 400).

Ai, Deus. Estou morta de medo da entrevista. Avisei Perpétua que eu ia ao ginecologista; sei que devia ter dito dentista, mas não se pode perder a chance de torturar a mulher mais mexeriqueira do mundo. Estou quase pronta, só falta acabar a maquiagem enquanto fico repassando na cabeça o que penso da liderança de Tony Blair. Ai, Deus, quem é o secretário da Defesa do gabinete paralelo? Merda, merda. É um sujeito de barba? Merda: o telefone tocou. Não acredito: uma terrível voz de adolescente com sotaque do sul de Londres informa, enquanto ao fundo ouve-se uma musiquinha chata:

— Alô, Bridget, aqui é da parte de Richard Finch. Esta manhã ele foi a Blackpool, por isso pede para cancelar a entrevista.

Remarcada para quarta-feira. Vou ter de fingir que tenho um problema ginecológico persistente. De todo jeito, vou tirar a manhã inteira.

QUARTA-FEIRA, 16 DE AGOSTO

Noite horrível. Acordava banhada em suor, sem saber a diferença entre os Unionistas do Ulster e o Partido Trabalhista Social-Democrata e a qual dos dois pertencia o líder Ian Paisley.

Em vez de ser levada à redação para encontrar o grande Richard Finch, me largaram suando na recepção durante 40 minutos, pensando "Ai, Deus, quem é o ministro da Saúde?" até que Patchouli, a assistente dele, me chamou com uma vozinha enjoada. Ela estava de bermuda de *lycra* e tinha um *piercing* no nariz e ficou pasma com meu vestido xadrez, como se, numa tentativa inútil de ser formal, eu estivesse usando um vestido de baile de seda até o pé no estilo Laura Ashley.

— Você sabe que Richard quer que participe da reunião de pauta, não? — murmurou ela, enquanto andava, rápida, por um corredor e eu ia atrás correndo. Abriu uma porta cor-de-rosa e entramos numa sala enorme, cheia de pilhas de roteiros, aparelhos de tevê dependurados no teto, gráficos pelas paredes e bicicletas encostadas nas mesas. No fundo da sala tinha uma mesa grande onde estavam fazendo a reunião. Quando chegamos, todo mundo virou para nos olhar.

Um homem gordo, de meia-idade, com cabelo loiro encarolado, camisa de *jeans* e óculos de aro vermelho falava, agitado, na cabeceira da mesa.

— Entre, entre! — convidou, mostrando os punhos como um boxeador. — Estou pensando no ator Hugh Grant. Estou pensando na atriz Elizabeth Hurley. Estou pensando em como, dois meses depois, eles continuam juntos. Estou pensando como é que ele vai explicar essa história. Isso mesmo! Como é que um homem que tem uma namorada como Elizabeth Hurley ganha uma chupada de uma prostituta em uma via pública e se safa? O que aconteceu com o ciúme?

Eu não acreditava no que estava ouvindo. E o gabinete paralelo? E o processo de paz na Irlanda do Norte? Obviamente ele estava querendo saber como é que ele mesmo podia se explicar por ter dormido com uma prostituta. De repente, falou, olhando na minha direção.

– *Você* sabe? – A mesa inteira, cheia de jovens *grunges*, ficou me olhando. – Você. Deve ser a Bridget! – berrou, nervoso. – Como se explica que um homem com uma bela namorada tenha conseguido transar com uma prostituta, ser descoberto e se safar?

Entrei em pânico. Deu um branco na minha cabeça.

– Então? – perguntou ele. – Vamos, diga alguma coisa!

– Bom, deve ter sido porque alguém engoliu as provas.

Houve um silêncio de morte, e então Richard Finch começou a rir. O riso mais repelente que já ouvi na vida. A seguir todos os jovens *grunges* começaram a rir também.

– Bridget Jones – disse Richard Finch, passando a mão nos olhos. – Seja bem-vinda ao *Boa tarde!*. Sente-se, querida – e deu uma piscadela.

TERÇA-FEIRA, 22 DE AGOSTO

58 kg, 4 unidades alcoólicas, 25 cigarros, 5 bilhetes de loteria.

Ainda não tive notícia do resultado da entrevista. Não sei o que fazer no próximo feriado nacional já que não vou agüentar ficar sozinha em Londres. Sharon vai ao Festival de Edimburgo, Tom também, e muita gente da editora.

Gostaria de ir, mas não sei se tenho dinheiro e tenho medo que o Daniel vá. E também todo mundo vai ser mais bem-sucedido e vai estar se divertindo mais do que eu.

QUARTA-FEIRA, 23 DE AGOSTO

Vou para Edimburgo com certeza. Daniel vai ficar trabalhando em Londres, por isso não corro o risco de dar de cara com ele no Passeio Real. Vai ser bom sair de Londres, em vez de ficar aqui ansiosa à espera de uma resposta do *Boa Tarde!*.

QUINTA-FEIRA, 24 DE AGOSTO

Vou ficar em Londres. Sempre acho que vou me divertir no Festival, mas acabo só conseguindo assistir ao espetáculo de mímica. Além disso, você arruma a mala com roupas de verão e acaba morrendo de frio e tiritando por ruas com piso de pedra ao lado de ruínas, imaginando que todo mundo deve estar numa festa ótima.

SEXTA-FEIRA, 25 DE AGOSTO

19h. Vou para Edimburgo. Perpétua hoje me disse:

— Bridget, acabo de me lembrar de uma coisa. Aluguei um apartamento em Edimburgo e adoraria se você quisesse ficar lá conosco.

Que gentil da parte dela.

22h. Acabo de ligar para Perpétua e dizer que não vou. É besteira, não posso gastar esse dinheiro.

SÁBADO, 26 DE AGOSTO

8h30. Certo, vou ficar em casa, descansar e passar um fim de semana saudável. Ótimo. Posso terminar de ler *Estrada dos famintos*.

9h. Ai, Deus, estou tão deprimida. Todo mundo foi para Edimburgo, menos eu.

9h15. Será que Perpétua já foi?

Meia-noite. Edimburgo. Ai, Deus. Preciso assistir a alguma coisa amanhã. Perpétua acha que sou maluca. Passou a viagem de trem inteira com o celular no ouvido e berrando para as pessoas:

— As entradas para o *Hamlet* com Arthur Smith estão completamente esgotadas, então podemos ir às cinco horas ver os irmãos Coen, mas aí vamos nos atrasar para ver Richard Herring. Então devemos não assistir a Jenny Eclair — puxa, não entendo como ela ainda *faz isso* — e ver *Lanark*, depois tentamos entrar no Harry Hill ou no Bondages e Julian Clary? Espera aí. Vou tentar ver se consigo lugar no Gilded Balloon. Não, o Harry Hill está lotado, então que tal se não formos nos irmãos Coen?

Combinei de encontrar com eles às seis no Plaisance porque queria ir ao Hotel George deixar um recado para Tom e dei de cara com Tina no bar. Não imaginava que o Plaisance fosse tão longe; quando cheguei, o espetáculo já havia começado e não havia mais lugar. No fundo, achei ótimo, e voltei a pé para o apartamento — ou melhor, despenquei. Lá, fiz uma maravilhosa batata cozida no forno com recheio de frango ao *curry* e assisti à *Vítima* na tevê. Devia encontrar Perpétua às nove, no salão. Às oito e meia eu já estava pronta, mas não sabia que não podia ligar para fora, então não podia chamar um táxi, então acabei chegando atrasada. Voltei para o bar do Hotel George para ver se encontrava Tina e saber onde estava Sharon. Pedi um *bloody mary* e fiquei fazendo de conta que não me importava de ficar ali sozinha quando percebi uma confusão de *flashes* de fotógrafos e câmeras de tevê num canto. Quase dei um grito. Lá estava mamãe, vestida como se fosse a Marianne Faithful, pronta para entrevistar Alan Yentob.

— Agora, todo mundo quieto! — ordenou ela numa voz tipo Una Alconbury. — Aaaaa-ção!!! Escute, Alan — perguntou ela, parecendo muito emocionada —, você algum dia chegou a pensar em suicídio?

Para ser sincera, a programação de tevê esta noite estava bem legal.

DOMINGO, 27 DE AGOSTO, EDIMBURGO

O espetáculo assistido.

2h da manhã. Não consigo dormir. Aposto que todo mundo está em alguma festa ótima.

3h. Ouvi Perpétua chegando e dando sua opinião sobre comediantes da escola alternativa:

— São bobinhos, infantis, completamente sem graça.

Acho que ela deve ter entendido alguma coisa errada.

5h. Tem um homem no apartamento. Eu *sinto* que tem.

6h. O homem está no quarto de Debby, do Marketing. Droga.

9h30. Acordei com Perpétua berrando:
— Alguém quer assistir à palestra sobre poesia?
Houve um silêncio, depois ouvi Debby e o homem falando baixinho e ele indo para a cozinha. Soou a voz de Perpétua, furiosa:
— O que você está fazendo aqui?!!! Eu disse que NÃO ERA PARA TRAZER NINGUÉM PARA DORMIR.

14h. Nossa, dormi demais.

19h. Trem de King's Cross. Ai, Deus. Encontrei com Jude no Hotel George às três. Íamos assistir a um *show* de Pergunta e Resposta mas tomamos alguns *bloody marys* e lembramos que isso não nos faria bem. Você fica supertensa tentando acertar uma resposta, levantando e abaixando a mão. Finalmente, consegue fazer a pergunta, com o corpo meio inclinado para a frente e com uma voz esganiçada, depois senta morrendo de vergonha, balançando a cabeça como um cachorro no banco traseiro de um carro enquanto dão uma resposta que leva vinte minutos, na qual você não tem o menor interesse. Para encurtar a história: quando percebemos, já eram cinco e meia e Perpétua chegou junto com umas pessoas da editora.
— Ah, Bridget, que espetáculos você viu? – perguntou, bem alto. Fez-se um grande silêncio.
— Eu estou indo agora... – comecei, muito segura – ...pegar o trem.
— Não assistiu a nada, não é? – perguntou, ameaçadora. – De todo jeito, me deve 75 libras pelo quarto.
— Como? – gaguejei.

— Isso mesmo! Seriam 50 libras, mas há um acréscimo de 50% para mais uma pessoa no quarto.

— Mas no meu quarto não tinha...

— Ah, Bridget, não venha com essa, todo mundo sabe que você estava com um homem no quarto — disse ela. — Mas não se preocupe. Isso não é amor, é apenas Edimburgo. Vou dar um jeito de fazer com que Daniel saiba e aprenda a lição.

SEGUNDA-FEIRA, 28 DE AGOSTO

59,8 kg (muita cerveja e batata recheada), 6 unidades alcoólicas, 20 cigarros, 2.846 calorias.

Recebi um recado de mamãe na secretária eletrônica perguntando o que eu achava de ganhar um batedor elétrico no Natal e me lembrando que este ano o Natal cai numa segunda-feira e por isso ela gostaria de saber se eu ia para casa na sexta-feira à noite ou no sábado.

Um fato menos irritante: recebi uma carta de Richard Finch, editor do *Boa tarde!*, me oferecendo um emprego, acho. Dizia assim:

Muito bem, querida. Você está no ar.

TERÇA-FEIRA, 29 DE AGOSTO

58 kg, 0 unidade alcoólica (m. b.),
3 cigarros (b.), 1.456 calorias (alimentação
saudável pré-emprego novo).

10h30. Trabalho. Acabo de ligar para Patchouli, a assistente de Richard Finch, e saber que só devo começar a trabalhar na próxima semana. Não entendo nada de televisão mas dane-se, estou num beco sem saída aqui na editora e agora ficou muito humilhante trabalhar com Daniel. É melhor eu ir contar a ele.

11h15. Não acredito. Daniel ficou me olhando, branco como uma vela.

– Você não pode fazer uma coisa dessas. Não pode imaginar como as últimas semanas foram difíceis para mim.

Quando estava dizendo isso, Perpétua entrou de repente (devia estar ouvindo do outro lado da porta).

– Daniel – explodiu ela. – Seu egoísta, manipulador, chantagista emocional. Pelo amor de Deus, foi você que terminou com ela. Então, bem que podia parar com essa merda.

De repente pensei que eu poderia gostar muito de Perpétua, mas não lesbicamente.

SETEMBRO _

subindo no escape do
Corpo de Bombeiros

SEGUNDA-FEIRA, 4 DE SETEMBRO

57 kg, 0 unidade alcoólica, 27 cigarros, 15 calorias, 145 minutos gastos em conversas imaginárias com Daniel dizendo o que penso dele (bom, melhor).

8h. Primeiro dia no novo trabalho. Devo começar demonstrando muito interesse, calma, transmitindo uma imagem confiante. E sem fumar. Fumar é sinal de fraqueza e acaba com a autoridade da pessoa.

8h30. Mamãe acaba de ligar, achei que era para me desejar boa sorte no novo trabalho.

— Adivinha o que aconteceu, querida? — começou ela.

— O quê?

— Elaine convidou você para as bodas de rubi dela! — anunciou, fazendo uma pausa ofegante e ansiosa.

Deu um branco na minha cabeça. Elaine? Brian-e-Elaine? Colin-e-Elaine? Elaine-mulher-de-Gordon-que-foi-chefe-da-Tarmacadam-em-Kettering?

— Ela achou que seria ótimo ter alguns jovens para fazer companhia a Mark.

Ah, *Malcolm* e Elaine. Progenitores do superperfeito Mark Darcy.

— Parece que ele disse a Elaine que acha você muito interessante.

— Ah, não minta! — reclamei. Mas gostei de saber.

— Bom, acho que foi isso que ele quis dizer, querida.

— Mas o que ele disse? — perguntei, desconfiada.

— Disse que você era muito...

— Mãe...

— Bom, a palavra exata que ele usou, querida, foi bizarra. Mas é uma graça, não? *Bizarra*. Você pode perguntar direito para ele nas bodas.

— Eu não vou até Huntingdon para comemorar as bodas de rubi de um casal com quem falei uma vez na vida, durante oito segundos, quando tinha três anos de idade, só para me jogar na frente de um divorciado rico que me acha bizarra.

— Ah, não seja boba, querida.

Acabei concordando.

— Acho que tenho de ir à festa — admiti feito uma boba, já que mamãe como sempre começou a falar sem parar como se eu estivesse no corredor da morte e aquele fosse nosso último contato antes de me aplicarem uma injeção letal.

— Ele estava ganhando milhares de libras por hora. Tinha um relógio sobre a mesa, tique-taque, tique-taque, tique-taque. E já contei que vi Mavis Enderby na agência do correio?

— Mamãe, hoje é meu primeiro dia de trabalho. Estou nervosa. Não quero ficar falando de Mavis Enderby.

— Ó meu Santo Pai, querida! Que roupa você vai usar na festa?

— A minissaia preta com uma camiseta.

— Ah, desse jeito você vai parecer uma mendiga maltrapilha. Use alguma coisa elegante, de cores vivas. Que tal aquele lindo duas-peças cereja? Aliás, contei que Una está num cruzeiro pelo Nilo?

Argh. Fiquei me sentindo tão mal depois que ela desligou que fumei cinco Silk Cut, um atrás do outro. Não foi um bom começo de dia.

21h. Estou na cama, completamente exausta. Tinha esquecido como é horrível começar num emprego novo: ninguém conhece você, então a sua personalidade passa a ser definida por qualquer comentário ao acaso ou qualquer coisa um pouco diferente que diz. Não dá nem para retocar a maquiagem sem ter de perguntar onde fica o banheiro.

Cheguei atrasada, mas não por culpa minha. Foi impossível entrar no estúdio da tevê, porque eu não tinha crachá e a portaria era guardada por aqueles seguranças que acham que o trabalho deles consiste em evitar que os funcionários entrem no prédio. Quando finalmente consegui chegar à recepção não podia subir sem que alguém descesse para me buscar. A essa altura já eram 9h25 e a reunião era às nove e meia. Patchouli acabou aparecendo com dois enormes cães latindo, um dos quais pulou em cima de mim e ficou lambendo minha cara, enquanto o outro colocava a cabeça debaixo da minha saia.

— Os cachorros são de Richard. Não são o máximo? — perguntou ela. — Vou levar os dois para o carro.

— Não vou me atrasar para a reunião? — perguntei, desesperada, segurando a cabeça do cachorro no meio das minhas pernas e tentando afastá-lo. Ela me olhou de alto a baixo, como se dissesse "E daí?", e sumiu, puxando os cachorros.

Quando entrei na redação, a reunião já tinha começado e todo mundo ficou me olhando, menos Richard, cujo corpo avantajado estava apertado num estranho paletó verde de lã.

— Entre, entre — disse ele, agitado, mostrando a mesa com as duas mãos. — Estou pensando na edição das nove. Estou pensando em padres corruptos. Estou pensando em atos sexuais dentro da igreja. Estou pensando em por que as mulheres se apaixonam por padres. Vamos lá, você não está sendo paga para ficar quieta. Tenha uma idéia.

— Por que você não entrevista Joanna Trollope? — perguntei.

— Trolha? — disse ele, me olhando sem entender. — Que trolha?

— Joanna Trollope. A autora do livro *A mulher do padre-reitor*, que apareceu na tevê. *A mulher do padre-reitor*. Ela deve saber.

Ele deu um sorriso satisfeito.

— Ótimo — falou, olhando para meu peito. — Grande idéia. Alguém tem o telefone da Joanna Trollope?

Houve um longo silêncio.

— Bom, eu tenho — acabei dizendo, sentindo vibrações de ódio vindas dos jovens *grunges*.

Quando a reunião terminou, corri para me ajeitar no banheiro e lá encontrei Patchouli com uma amiga, que usava um vestido pintado que deixava aparecer as calcinhas e a cintura.

— Não é muito exagerado, é? — perguntou a amiga de Patchouli. — Você tinha de ver aquelas peruas de trinta e poucos anos quando eu entrei. Levaram um susto!

Perceberam que eu estava ali e me olharam, surpresas, tapando a boca com as mãos.

— Não estávamos nos referindo a você — disseram.

Não tenho certeza se vou conseguir agüentar isso.

SÁBADO, 9 DE SETEMBRO

56,2 kg (a grande vantagem de um emprego novo é emagrecer, graças à tensão que provoca), 4 unidades alcoólicas, 10 cigarros, 1.876 calorias, 24 minutos gastos com conversas imaginárias com Daniel (excelente), 94 minutos gastos imaginando conversas com mamãe nas quais meus argumentos venceram.

11h30. Por quê, ai, por que fui dar a chave do meu apartamento para mamãe? Pela primeira vez em cinco semanas eu estava começando um fim de semana sem ter vontade de olhar para as paredes e chorar. Tinha trabalhado a semana inteira. Estava começando a achar que tudo ia dar certo, eu não seria mais *necessariamente* devorada por um pastor-alemão. Foi nesse instante que mamãe entrou, carregando uma máquina de costura.

— Que diabo você está fazendo, bobinha? — perguntou ela, com uma voz que parecia um trinado. Eu estava pesando 100 gramas de cereais para o café da manhã, usando como contrapeso um tablete de chocolate (a balança tem as medidas em onças, o que complica porque a tabela de calorias é em quilos). — Adivinha o que aconteceu, querida? — perguntou ela, enquanto abria e fechava todos os armários.

— O quê? — respondi, de meias e camisola, tentando tirar o rímel de debaixo dos olhos.

— Malcolm e Elaine vão comemorar as bodas de rubi em Londres, no dia 23. Agora você pode ir e fazer companhia a Mark.

— Não quero fazer companhia a Mark — falei, entre dentes.

— Ah, mas ele é tão inteligente. Estudou em Cambridge. Parece que fez uma fortuna nos Estados Unidos...

— Não vou.

— Escuta, querida, não vamos começar com isso — disse ela, como se eu tivesse 13 anos. — Olha, Mark acabou de decorar a casa no Holland Park e vai oferecer a festa para os pais em seis andares, com bufê e tudo mais. Que roupa você vai usar?

— Você vai com Julio ou com papai? — perguntei, para ela ficar quieta.

— Ah, querida, não sei. Talvez com os dois — disse, com aquela vozinha especial, sussurrante, que guarda para os momentos em que acha que é a atriz Diana Dors.

— Você não pode fazer uma coisa dessas.

— Mas seu pai e eu continuamos amigos, querida. E sou apenas amiga de Julio também.

Argh, argh. Aaargh. Não consigo lidar com ela quando ela fica assim.

— Então vou dizer para Elaine que você gostaria muito de ir, sim? — disse, pegando a inexplicável máquina de costura e saindo. — Preciso ir. Tchau!

Não vou passar mais uma tarde borboleteando em volta de Mark Darcy como uma colher de purê de batata na frente de um bebê. Terei de sair do país ou alguma coisa assim.

20h. Vou a um jantar. Todos os Bem-Casados voltaram a me convidar nos sábados à noite porque estou sozinha outra vez, e me colocam sentada na mesa de frente para uma horrenda seleção de solteiros. Meus amigos são muito gentis e sou grata a eles, mas isso só enfatiza meu fracasso emocional e minha solidão — embora Magda continue dizendo que ser solteira é melhor do que ter um marido adúltero que sofre de incontinência sexual.

Meia-noite. Ai, Deus. Todo mundo estava querendo animar o homem sobrante (37 anos, mulher pediu o divórcio há pouco tempo, amostra: "Para ser sincero, acho que o ministro Michael Howard está sendo injustiçado.").

– Não sei do que você está reclamando – disse Jeremy, resistindo. – Os homens ficam mais atraentes quando envelhecem, o que não ocorre com as mulheres. Então, todas essas mocinhas de 22 anos que não o olhariam quando você tinha 25 agora ficam dando em cima.

Sentei e abaixei a cabeça, pensando furiosa na opinião deles sobre os prazos de validade das mulheres e da vida como um jogo das cadeiras em que as garotas sem cadeira – isto é, sem homem – caem fora do jogo quando a música pára – isto é, quando passam dos 30. Argh. É a mesma coisa.

– Isso mesmo, eu concordo que é muito melhor namorar alguém mais jovem – falei, distraída. – Homens de mais de 30 anos são *tão* chatos, com seus porres e sua paranóia de que toda mulher quer agarrá-los para casar. Eu hoje só me interesso *mesmo* por homens de 20 e poucos anos. Eles são tão melhores na... entende?

– É *mesmo*? Mas como você...? – perguntou Magda, curiosa.

– É, *você* se interessa por eles – interrompeu Jeremy, olhando para Magda. – O problema é saber se *eles* se interessam por você.

– Vai me desculpar, mas meu atual namorado tem 23 anos – participei, cândida.

Houve um silêncio de pasmo.

– Bom, nesse caso, pode trazê-lo no jantar do próximo sábado, não? – disse Alex, com um sorriso irônico.

Idiota. Onde é que vou achar um rapaz de 23 anos que queira jantar com Bem-Casados num sábado à noite, em vez de tomar *ecstasy* batizado?

SEXTA-FEIRA, 15 DE SETEMBRO

57 kg, 0 unidade alcoólica, 4 cigarros (m. b.), 3.222 calorias (graças aos fedorentos sanduíches de rodoviária); 210 minutos gastos imaginando o que vou dizer quando pedir demissão do emprego novo.

Argh. Uma horrível reunião com o chefão-tirano Richard Finch.

— Muito bem. Banheiros da loja Harrods cobrando uma libra para os clientes fazerem xixi. Estou pensando em Banheiros de Fantasia. Estou pensando em um estúdio: Frank Skinner e Sir Richard Rogers sentados em cadeiras forradas de pele, com pequenos televisores acoplados no braço das cadeiras, papel higiênico plissado. Bridget, você fica com a reportagem sobre a Associação de Ajuda aos Jovens Desempregados de Clampdown. Estou pensando no Norte. Estou pensando na Associação com os jovens sem nada para fazer, aparecendo no programa ao vivo.

— Mas, mas... — interrompi.

— Patchouli! — berrou ele, e os cachorros que estavam embaixo da mesa acordaram e começaram a pular e latir.

— Quê? — gritou Patchouli por cima da confusão. Estava de midivestido de crochê com uma blusa de náilon alaranjada por cima e chapéu de palha. Como se as coisas que eu usava quanto adolescente fossem fichinhas.

— Onde fica a sede da Associação de Jovens Desempregados?

— Em Liverpool.

— Liverpool. Então, Bridget, ponha os jovens na frente da loja Boots no *shopping* e transmita ao vivo, às cinco e meia. Quero seis jovens.

Depois, quando eu estava saindo para tomar o trem rumo a Liverpool, Patchouli disse, distraída:

– Ah, sim, Bridget. Não é Liverpool, é Manchester, certo?

16H15. MANCHESTER

44 contatos com jovens da Associação, O jovem da Associação concordou em ser entrevistado.

Trem das 19h, Manchester–Londres. Argh. Às 16h45 eu estava correndo histérica no meio de jardineiras de concreto e perguntando:

– Desculpe, você tem emprego? Esquece, brigada!

– O que a gente faz, então? – perguntou o câmera, sem demonstrar qualquer preocupação.

– Associação de Jovens – falei. – *Peraí*.

Fui correndo até a esquina, tive uma idéia. Comecei a ouvir Richard, falando no meu ponto de orelha: "Bridget, que diabo, já fez a Associação de Jovens?" Aí vi um caixa eletrônico na minha frente.

Às 17h20, seis jovens que garantiam ser desempregados estavam enfileirados na frente da câmera, cada um com uma nota de 20 libras novinha no bolso, enquanto eu dava uns retoques para eles parecerem de classe média. Às 17h30 ouvi a música-tema de abertura do programa entrando no ar e Richard berrando:

– Desculpe, Manchester, mas sua entrevista não vai entrar.

– Hã... – comecei, olhando para aqueles seis rostos ansiosos. Claro que eles acharam que eu era uma maluca que fingia trabalhar na televisão. Pior ainda, como trabalhei sem parar a semana inteira e fui para Manchester, não pude tomar qualquer providência em relação ao jantar que tinha de ir com meu "namorado" no dia seguinte. Aí, subitamente, bati o olho naqueles lindos pirralhos tendo ao fundo o caixa eletrônico e comecei a pensar em algo muito interessante.

Humm. Acho que foi bom não tentar atrair um jovem da Associação para o jantar na casa de Cosmo. Seria desonesto, errado. Mas isso não resolve o problema. Acho que vou fumar um cigarro no vagão de fumantes.

19h30. Argh. O vagão de fumantes virou um horrível chiqueiro onde as pessoas se amontoam, humilhadas e ofendidas. Cheguei à conclusão de que hoje os fumantes não podem mais ter uma vida digna, são obrigados a ter uma subvida. Não me surpreenderia se o vagão fosse discretamente desviado da linha e sumisse para sempre. Talvez as empresas ferroviárias privatizadas vão ter vagões de fumantes e, quando o trem passar por uma cidade, os habitantes vão mostrar os punhos ou jogar pedras, contando histórias apavorantes para seus filhos de passageiros que soltam fumaça pelas ventas. Consegui ligar para Tom de um telefone que é um milagre-sobre-rodas (Como funciona? Como? Não tem fio. Estranho. Talvez haja uma conexão elétrica através das rodas e trilhos) para reclamar da crise por causa do jantar com o rapaz inexistente de 23 anos.

— O que acha de Gav? — perguntou Tom.

— Gav?

— É, aquele que você conheceu na Galeria Saatchi.

— Você acha que ele gostaria?

— Acho. Ele estava bem interessado em você.

— Estava nada. Pára com isso.

— Estava sim. Pára de ser complexada. Deixa comigo, eu resolvo.

Às vezes acho que, se não fosse Tom, eu sumia sem deixar qualquer vestígio.

TERÇA-FEIRA, 19 DE SETEMBRO

56,2 kg (m. b.), 3 unidades alcoólicas (m. b.), 0 cigarro (fico com vergonha de fumar na frente de pirralhos saudáveis).

Droga, estou atrasada. Vou ter um encontro com um pirralho metido, tipo geração Diet Coke. Acabei descobrindo que Gav é uma pessoa ótima e teve um comportamento formidável no jantar de Alex, no sábado, flertando com todas as mulheres casadas, me dando atenção e neutralizando as perguntas traiçoeiras sobre nossa "relação" com a desenvoltura intelectual de um professor de Oxford. Fiquei tão grata* que, no táxi de volta para casa, não pude resistir aos ataques dele.** Mas consegui manter um pouco de compostura*** e não aceitar o convite para entrar no apartamento dele e tomar um café. Mas fiquei me sentindo culpada, achando que sou uma chata.**** Então, quando Gav ligou e perguntou se eu gostaria de jantar na casa dele, aceitei, gentil.*****

* morrendo de vontade de ir para a cama com ele
** coloquei minha mão no joelho dele
*** conter meu pânico
**** não parava de pensar "Droga, droga, droga!"
***** quase não consegui me conter de tanta alegria

Meia-noite. Sinto-me como a Abominável Mulher das Neves. Fazia tanto tempo que não saía com um homem que fiquei toda prosa, não resisti e contei para o motorista do táxi sobre meu "namorado": estava indo para a casa do meu "namorado", que tinha preparado um jantar para mim. Mas, infelizmente, quando cheguei no endereço que ele me deu – Rua Malden, 4 – tinha uma mercearia no lugar.

– Quer usar meu telefone, moça? – perguntou o motorista, com uma voz cansada.

Claro que eu não sabia o telefone do Gav, então tive de fingir que estava ligando e dizer que estava ocupado, depois liguei para Tom e tentei descobrir o endereço de Gav de forma que o motorista não ficasse pensando que a história do namorado era mentira. Acabou que o endereço era Malden Villas, 44 e eu não estava prestando atenção quando anotei. Fomos para o novo endereço, mas o papo entre mim e o motorista acabou. Tenho certeza de que ele estava achando que eu era uma prostituta ou coisa parecida.

Cheguei lá me sentindo bem menos segura. No começo, foi tudo muito simpático e comportado – parecido com lanchar na casa de uma melhor amiga em potencial no colégio primário. Gav tinha feito um espaguete à bolonhesa. O problema foi quando acabou a agitação de preparar e servir o jantar e tudo se concentrou na conversa. Acabamos não sei por que falando na princesa Diana.

– O casamento parecia um conto de fada. Lembro que fiquei sentada no muro do lado de fora da catedral de Saint Paul. E você, onde estava? – perguntei.

Gav ficou meio sem graça.

– Bom, eu só tinha seis anos na época.

De todo jeito, continuamos a conversa até que Gav, na maior excitação (essa é, aliás, uma das coisas ótimas de ter um caso com rapazes de 22 anos), começou a me beijar e ao mesmo tempo tentava abrir minha roupa. Acabou conseguindo enfiar a mão na minha barriga e aí constatou, o que foi muito humilhante:

– Humm. Você é toda fofa.

Depois dessa, não consegui continuar. Ai, Deus. Não é fácil. Estou muito velha e vou ter que desistir, dar aula de religião numa escola de moças e ir morar com o professor de hóquei.

SÁBADO, 23 DE SETEMBRO

57 kg, 0 unidade alcoólica, 0 cigarro (m. m. b.), 14 rascunhos de bilhetes respondendo ao convite de Mark Darcy (assim pelo menos parei com as conversas imaginárias com Daniel).

10h. Certo. Vou responder ao convite de Mark Darcy e dizer com todas as letras que não posso comparecer. Não tenho obrigação de ir. Não sou amiga próxima nem parente, e perderia dois programas na tevê: *Encontro marcado* e *Vítimas*.

Ai, Deus. É um daqueles convites esquisitos, escritos na terceira pessoa parecendo que o anfitrião é fino demais e se dissesse diretamente que vai dar uma festa e gostaria de saber se você pode ir seria como chamar o toalete feminino de banheiro. Me lembrei que tinha de responder no mesmo estilo vago como se eu fosse uma pessoa imaginária contratada por mim mesma para responder aos convites de pessoas imaginárias contratadas por amigos para escrever convites. O que escrever?

Bridget Jones lastima não poder comparecer...

A Srta. Bridget Jones lamenta não poder comparecer...

A Srta. Bridget Jones lamenta profundamente comunicar que...

Lastimamos muito informar que a Srta. Bridget Jones está com muitos compromissos e não pode aceitar o gentil convite do Sr. Mark Darcy e portanto, com toda certeza, não tem condições de atender ao amável convite do Sr. Mark Darcy...

Ah, telefone.

Era papai.

— Bridget, meu bem, você vai naquela terrível comemoração do próximo sábado, não?

— Você está se referindo às bodas de rubi dos Darcy?

— O que poderia ser? É a única coisa que consegue fazer sua mãe mudar de assunto e parar de falar sobre quem vai ficar com o armário e a mesa de café de mogno depois que ela conseguiu a entrevista com Lisa Leeson no começo de agosto.

— Eu gostaria muito de cair fora dessa festa — comentei.

Houve um silêncio.

— Papai?

Ouvi um soluço abafado. Papai estava chorando. Acho que ele está à beira de um ataque de nervos. Pensei: se eu fosse casada com mamãe há 39 anos, teria um ataque de nervos mesmo que ela não fugisse com um guia turístico português.

— O que houve, papai?

— Ah, é só que... Desculpe. É que... eu também gostaria de cair fora dessa festa.

— Então por que vai? Tive uma boa idéia, vamos ao cinema.

— É que... — ele começou a chorar de novo. — Só de pensar em sua mãe acompanhada daquele cafajeste gomalinado e perfumado, com todos os meus amigos e colegas há 40 anos cumprimentando o casal e me considerando carta fora do baralho.

— Eles não vão...

— Ah, vão sim. Mas resolvi ir, Bridget. Faço uma cara alegre, levanto a cabeça e... mas ... — soluços.

— O que é, papai?

— Preciso de apoio moral.

11h30.

A Srta. Bridget Jones tem a grata satisfação de...

Bridget Jones agradece a Mark Darcy por...

É com grande prazer que a Srta. Bridget Jones aceita...

Ah, pelo amor de Deus.

Caro Mark,
Agradeço seu convite para as bodas de rubi de Malcolm e Elaine. Terei prazer em comparecer.
Sinceramente,

Bridget Jones

Humm.
Sinceramente,

Bridget

ou apenas
Bridget
Bridget (Jones)
Certo. Vou checar se não há erro de ortografia, passar a limpo e mandar.

TERÇA-FEIRA, 26 DE SETEMBRO

56,7 kg, 0 unidade alcoólica, 0 cigarro, 1.256 calorias, 0 bilhete de loteria, 0 pensamento obsessivo com Daniel, 0 pensamento negativo. Estou uma santa.

É ótimo quando você só fica pensando na carreira profissional, em vez de se preocupar com coisas sem importância como homens e relacionamentos. O *Boa tarde!* vai muito bem. Acho que levo jeito para programas populares de televisão. E a melhor novidade é que vou fazer um teste de vídeo.

Richard Finch teve essa idéia no final da semana passada: queria um especial ao vivo com os repórteres em serviços de emergência na cidade inteira. Ele não teve muita sorte no primeiro programa. As pessoas da redação ficavam dizendo que ele não tinha conseguido atenção em nenhum pronto-socorro e delegacia da cidade. Quando cheguei hoje de manhã, ele me agarrou pelos ombros e berrou:

— Bridget! Chegou a hora! Incêndio. Quero você ao vivo. Estou pensando numa minissaia. Estou pensando num capacete de bombeiro. Estou pensando em você segurando a mangueira.

A partir daí, foi um caos: as notícias do dia foram deixadas de lado e todo mundo foi para os telefones checar como seriam feitos os *links*, quais as torres de transmissão etc. A reportagem só vai ao ar amanhã e tenho de estar no Corpo de Bombeiros de Lewisham às 11 horas. Vou ligar para todo mundo hoje à noite pedindo para não deixarem de me ver. Estou louca para avisar mamãe.

QUARTA-FEIRA, 27 DE SETEMBRO

55,8 kg (encolhi de vergonha), 3 unidades alcoólicas, 0 cigarro (é proibido fumar no Corpo de Bombeiros, mas depois que saí de lá fumei 12 em uma hora), 1.584 calorias (m. b.).

9h. Nunca me senti tão humilhada. Passei o dia ensaiando e preparando tudo. O plano era, quando a câmera mostrasse o Corpo de Bombeiros de Lewisham, eu escorregar pelo escape e começar a entrevistar um bombeiro. Às cinco da tarde, quando entramos no ar, eu estava empoleirada no alto do escape, pronta para descer. Aí, de repente Richard gritou no meu ponto de orelha:

– Vai, vai! – então comecei a escorregar e ele continuou:

– Vai, vai, Newcastle! Bridget, continue aguardando em Lewisham. Volto a contatar você em trinta segundos!

Eu já tinha escorregado um pouco e pensei em descer tudo e depois subir pela escada. Em vez disso, tentei voltar pelo escape e de repente ouvi um grito no meu ouvido.

– Bridget! Estamos no ar. Que diabo você está fazendo? Era para descer pelo escape e não subir. Vai, vai, vai.

Apavorada, dei um sorriso sem graça para a câmera e desci, aterrissando, como combinado, ao lado do bombeiro que deveria entrevistar.

– Lewisham, o tempo está esgotado. Anda, anda, Bridget – gritou Richard no meu ouvido.

– E agora voltamos aos nossos estúdios – informei. E acabou-se.

QUINTA-FEIRA, 28 DE SETEMBRO

56,2 kg, 2 unidades alcoólicas (m. b.), 11 cigarros (b.), 1.850 calorias, 0 convite para trabalhar no Corpo de Bombeiros ou em qualquer tevê concorrente (não é de surpreender).

11h. Caí em desgraça e virei motivo de pilhéria. Richard Finch me humilhou na frente de toda a equipe, usando palavras do tipo "incompetente" e "grande idiota" a torto e a direito.

Mas a frase "E agora voltamos aos nossos estúdios" virou uma espécie de senha na redação. Quando uma pessoa pergunta alguma coisa que a outra não sabe responder, ela diz: "Ahn... e agora voltamos aos nossos estúdios" e cai na gargalhada. É engraçado, mas depois do que aconteceu os jovens *grunges* ficaram mais simpáticos comigo. (Até) Patchouli se aproximou de mim e aconselhou:

— Olha, não liga muito para o Richard, certo? Ele gosta de mostrar poder, sabe como é? Aquele escape foi uma coisa diferente e interessante. Mas, sabe, agora voltamos aos nossos estúdios, tá?

Sempre que passa por mim, Richard Finch me ignora ou então balança a cabeça, incrédulo. E não me deram nada para fazer o dia inteiro.

Ai, Deus, estou tão deprimida. Achei que tinha encontrado uma coisa que gostava de fazer, mas está tudo acabado. Para completar ainda tem a terrível festa das bodas de rubi no sábado e não tenho roupa. Não sirvo para nada. Nem para arrumar um homem. Nem para ter sucesso na vida social. Nem profissionalmente. Nada.

OUTUBRO →

Encontro com Darcy

DOMINGO, 1° DE OUTUBRO

55,8 kg, 17 cigarros, 0 unidade alcoólica (m. b., principalmente porque estive numa festa).

4h. Incrível. Esta foi uma das noites mais incríveis da minha vida.

Na sexta-feira, Jude veio me visitar porque eu estava deprimida. Disse para eu ser mais positiva com as coisas e trouxe um maravilhoso vestido preto para eu usar na festa. Fiquei preocupada porque podia pingar ou deixar cair alguma coisa nele, mas Jude disse que tinha muito dinheiro e muitas roupas, graças ao seu bom emprego, e não se importava com o que pudesse acontecer com o vestido – portanto, eu podia ficar tranqüila. Adoro Jude. As garotas são muito mais legais que os homens (com exceção de Tom, mas ele não vale, é *gay*). Resolvi comprar um acessório para o maravilhoso vestido, uma meia-calça de *lycra* que custou 6,95 libras e usar o sapato de camurça da loja Pé no chão (tirei o purê de batata que estava grudado nele).

Levei um susto quando cheguei na casa de Mark Darcy para a festa: não era uma simples casa branca com terraço na rua Portland ou similar, como eu imaginava, mas uma enorme casa estilo bolo de noiva, do outro lado da avenida Holland Park (onde dizem que mora o teatrólogo Harold Pinter), no meio de jardins.

Sem dúvida, ele caprichou na festa para os pais. Todas as árvores estavam iluminadas com lâmpadas vermelhas e guirlandas de corações vermelhos, lindo, e havia um caminho coberto com toldo vermelho e branco até a entrada da casa.

Quando chegamos na porta, as coisas ficaram ainda mais requintadas: uma equipe de recepção nos serviu champanhe e recebeu os presentes (comprei um CD com as músicas românticas de Perry Como do ano que Malcolm e Elaine se casaram, mais um queimador de óleo aromático da loja Body Shop para ela, que durante o bufê do peru ao *curry* perguntou onde comprei o meu). Depois os convidados eram conduzidos até uma escadaria de madeira que formava uma curva e tinha os degraus iluminados por velas em forma de coração. No andar de baixo havia um amplo salão de tacos de madeira escura e uma estufa que abria para o jardim. O salão inteiro era iluminado por velas. Papai e eu ficamos parados olhando, sem conseguir falar.

Em vez dos aperitivos que eram de se esperar num coquetel da geração de meus pais – com pratos de vidro oferecendo diversos tipos de pepino em conserva, ou palitinhos de queijo e abacaxi espetados em *grapefruits* –, havia enormes bandejas de prata com camarões gigantes, minitortas de tomate, mozarela e frango. Os convidados pareciam não acreditar que estavam ali, felicíssimos. Mas Una Alconbury estava com cara de quem acabou de chupar um limão. Quando papai a viu, concluiu:

– Ah, querida, não tenho certeza se mamãe e Una vão gostar desta festa.

– Um pouco exagerado, não? – perguntou Una, ajeitando a estola nos ombros, meio mal-humorada. – Se você exagera, as coisas acabam ficando vulgares.

– Ah, isso não é verdade, Una. A festa está maravilhosa – aparteou meu pai, servindo-se do décimo nono canapé.

– Humm, concordo – falei, com a boca cheia de minitorta e com minha taça de champanhe sendo completada pelo garçom sem eu nem perceber. – Está superótimo.

Depois de passar horas preocupada por causa do duaspeças da Jaeger, fiquei eufórica. Ninguém nem perguntou por que eu ainda não tinha casado.

– Arf – gemeu Una.

Mamãe estava prestando atenção em nós.

– Bridget, já falou com Mark? – perguntou, bem alto.

De repente lembrei que Una e mamãe deviam estar perto de fazer bodas de rubi. Conheço mamãe, por isso é pouco provável que um pequeno detalhe como largar o marido para ficar com um guia turístico vá atrapalhar as comemorações. Ela também não vai deixar que Elaine Darcy faça uma festa melhor – mesmo que o custo seja um casamento de conveniência de uma filha indefesa.

– Agüenta firme, meu bem – disse papai, apertando meu braço.

– Que casa linda. Você não tem uma estola bonita para colocar nos ombros, Bridget? O quê, seu pai está com caspa? – constatou mamãe, batendo nas costas dele. – Escute, querida: *por que* você ainda não falou com Mark?

– Bom, eu... – resmunguei.

– O que você acha da decoração, Pam? – sussurrou Una.

– Exagerada – respondeu mamãe, baixinho, fazendo um movimento com os lábios que mostrava certo desprezo.

– Exatamente o que eu achei – concordou Una, feliz. – Não foi, Colin? Exagerada.

Dei uma olhada em volta e quase morri de susto. Mark Darcy estava a dez passos, olhando para nós. Devia ter ouvido tudo. Abri a boca para dizer alguma coisa – não sei bem o quê – e melhorar a situação, mas ele se afastou.

O jantar foi servido na "Sala de estar" do térreo e na fila das escadas, fiquei exatamente atrás de Mark Darcy.

– Olá – cumprimentei, tentando amenizar a grosseria de mamãe. Ele deu uma olhada em volta, sem tomar conhecimento de mim, e olhou de novo para trás. – Olá – repeti, dando uma leve cutucada nele.

– Ah, olá. Desculpe, não tinha visto você – explicou.

– Que festa ótima. Obrigada por me convidar – falei. Ele ficou me olhando.

– Ah, não fui eu, foi minha mãe que convidou – disse. – Agora tenho de, bem, cuidar de colocar as pessoas nas mesas. Gostei muito da sua reportagem sobre o Corpo de Bombeiros de Lewisham – completou ele, subindo as escadas, passando entre os convidados e se desculpando enquanto eu ficava ali, sem saber o que fazer. Argh.

Quando ele chegou no alto da escada, Natasha surgiu num incrível vestido de cetim dourado, dependurou-se no braço dele e, sem querer, bateu numa das velas, que espirrou cera vermelha na barra de sua roupa.

– Merda – reclamou. – Merda.

Os dois sumiram, mas dava para ouvir a voz dela reclamando.

– Eu disse, foi ridículo passar a tarde inteira colocando velas em lugares onde as pessoas podiam tropeçar. Teria sido melhor você usar seu tempo verificando o lugar dos convidados nas mesas.

Por incrível que pareça, as pessoas estavam muito bem colocadas. O lugar de mamãe não era perto de papai nem de Julio, mas de Brian Enderby, com quem ela sempre gostou de fazer charme. Julio estava ao lado da elegante tia cinqüentona de Mark, que exultou de felicidade. Papai ficou azul de alegria por ter sido colocado ao lado de uma linda oriental. Eu estava toda animada. Quem sabe ficava sentada entre dois belos amigos de Mark Darcy, grandes advogados, ou mesmo americanos nascidos na tradicional Boston. Mas, quando fui procurar meu nome no mapinha das mesas, ouvi uma voz conhecida falando à minha direita.

— Então, como vai minha Bridgezinha? Sou um homem de sorte: me colocaram ao seu lado na mesa. Una me contou que você terminou o namoro. Arre! Quando é que vamos conseguir casar você?

— Espero que, quando conseguirem, eu celebre a cerimônia religiosa — disse uma voz à minha esquerda. — Eu poderia usar um novo paramento. Hum, de seda creme. Ou talvez uma linda batina fechada com 39 botõezinhos da etiqueta Gamirellis.

Mark tinha tido o cuidado de me colocar entre Geoffrey Alconbury e o padre *gay*.

Mas, depois de bebermos um pouco, a conversa ficou bem animada. Perguntei ao padre o que ele achava do milagre das imagens indianas de Ganesh, o deus-elefante, que bebiam leite. Ele respondeu que as autoridades eclesiásticas achavam que o milagre na imagem de barro era causado pelo calor de um verão muito quente alternado com dias frios.

Quando o jantar terminou e as pessoas começaram a descer para dançar no andar de baixo, fiquei pensando no que o padre disse. Curiosa, e temendo ser obrigada a dançar *twist* com Geoffrey Alconbury, pedi licença e discretamente peguei uma colher de chá e um potezinho de leite da mesa e entrei no quarto onde os presentes estavam expostos, comprovando o que Una tinha dito sobre tudo ser muito exagerado.

Levei algum tempo para conseguir achar meu queimador de óleo aromático, que tinha sido colocado num canto e, quando o vi, derramei um pouco de leite na colher e pus no lugar onde fica a vela. Incrível. O queimador estava bebendo o leite. Dava para ver o leite sumindo.

– Meu Deus, é um milagre! – gritei, sem imaginar que, exatamente nessa hora, Mark Darcy estava passando.

– O que está fazendo? – perguntou ele, da porta.

Eu não sabia o que dizer. Claro que ele deve ter achado que eu estava querendo roubar algum presente.

– Hein? – insistiu.

– O queimador de óleo que dei para sua mãe está bebendo o leite – murmurei, incrédula.

– Ah, não seja boba – disse ele, rindo.

– *Está* – falei, indignada. – Olhe.

Coloquei mais um pouco de leite na colher, derramei no queimador e ele foi sumindo.

– Está vendo? É um milagre – constatei, orgulhosa.

Ele ficou muito intrigado, tenho certeza.

– Você tem razão, é um milagre – disse, devagar.

Nesse instante, Natasha apareceu na porta e, ao me ver, cumprimentou:

– Olá. Hoje não está de coelhinha, não? – e deu uma risadinha para fazer de conta que seu comentário venenoso era uma piada divertida.

– É que nós, coelhinhas, usamos isso no inverno para nos aquecer – expliquei.

– Um vestido de John Rocha? – perguntou, olhando para o vestido de Jude que eu estava usando. – Da coleção do outono passado, não? Reconheci a bainha.

Fiquei pensando em alguma coisa bem arguta e cortante para dizer mas, infelizmente, não consegui achar nada. Depois de uma pequena pausa, falei:

– Bom, acho que você está louca para circular pela festa. Gostei de te ver outra vez. Tchau!

Eu precisava ir para o jardim tomar um pouco de ar fresco e fumar um cigarro. Estava uma noite linda, quente e estrelada, com a lua iluminando todos os canteiros de rododendros. Na verdade, não gosto muito dessa flor, ela me lembra as casas de campo vitorianas do norte da Inglaterra como as descritas nos livros de D. H. Lawrence, onde as pessoas se afogam em lagos. Desci a escada para a parte inferior do jardim. Dentro da casa, tocavam valsas vienenses com tanto entusiasmo que parecia que o mundo ia acabar. De repente ouvi um barulho perto e vi a silhueta de um corpo nas janelas envidraçadas. Era um rapaz jovem e atraente do tipo que freqüenta colégio público.

– Oi – disse o jovem. Acendeu um cigarro, meio desajeitado, e desceu a escada até onde eu estava. – Você não gostaria de dançar? Ah, desculpe, não me apresentei – disse, estendendo a mão como se estivéssemos no primeiro dia de aula da Universidade de Eton e ele fosse o ex-reitor que tinha esquecido as boas maneiras. – Meu nome é Simon Dalrymple.

– Bridget Jones – falei, estendendo a mão e me sentindo um membro do Ministério da Guerra.

– Oi. Legal te conhecer. Então, *vamos* dançar? – disse ele, parecendo o rapaz de colégio público outra vez.

– Bom, não sei – falei, querendo escapar e dando sem querer uma risada que parecia de uma prostituta de cais.

– Estou falando em dançar aqui mesmo. Só um pouquinho.

Fiquei sem saber. Estava achando a idéia agradável, para dizer a verdade. Acontecer uma coisa dessas, depois de fazer um milagre para Mark Darcy – aquilo estava começando a me subir à cabeça.

– Por favor – insistiu Simon. – Nunca dancei com uma mulher mais velha. Ah, desculpe, não quis... – continuou, ao ver minha cara. – Quero dizer, com alguém que já saiu do colégio – completou, olhando para minha mão com olhos apaixonados. – Você se incomoda? Eu ficaria muito, muito grato.

Claro que Simon Dalrymple sabia dança de salão desde que nasceu, por isso me guiava com perfeição. O problema era que ele parecia estar, bem, para ir direto ao assunto, com a maior ereção que já tive a sorte de ver na vida e dançávamos tão juntos que não dava para confundir aquilo com um estojo de lápis.

— Agora é minha vez, Simon — disse uma voz.

Era Mark Darcy.

— Ande, volte para dentro. A essa hora você devia estar na cama.

Simon ficou completamente arrasado. Enrubesceu e foi embora, correndo.

— Dançamos? — perguntou Mark, estendendo a mão.

— Não — falei, furiosa.

— O que houve?

— Humm — disse, tentando achar uma desculpa para estar tão irritada. — Foi horrível você fazer isso com um jovem, impondo-se e humilhando-o numa idade em que os meninos são tão vulneráveis — quando percebi a cara surpresa dele, recuei. — Mas gostei que me convidasse para a festa. Obrigada, está maravilhosa.

— É, acho que você já disse isso — falou Mark, piscando muito. Ele parecia muito agitado e magoado. — Eu... — ele parou e começou a andar pelo pátio, suspirando e passando a mão pela cabeça. — Você... tem lido algum livro bom?

Inacreditável.

— Mark, se você me fizer essa pergunta mais uma vez, corto minha cabeça. Por que não pergunta outra coisa? Mude um pouco de assunto. Pergunte se eu tenho algum *hobby*, o que acho da moeda única européia, ou se tive alguma experiência estranha com camisinhas.

— Eu... — começou ele outra vez.

— Ou pergunte com qual desses eu preferia transar: Douglas Hurd, Michael Howard ou Jim Davidson. Na verdade, não teria a menor dúvida: prefiro Douglas Hurd.

— Douglas Hurd? — repetiu Mark.

– Hum. Isso mesmo, faz um tipo bem certinho, mas é interessante.

– Ahn – disse Mark, como se estivesse refletindo sobre o que eu disse. – Mas ele tem uma mulher muito atraente e inteligente. Ele deve ter algum charme oculto.

– Qual, por exemplo? – perguntei, ingênua, esperando que ele dissesse algo a respeito de sexo.

– Bom...

– Ele deve ser bom de cama – completei.

– Ou um ceramista muito talentoso.

– Ou um ótimo aromaterapeuta.

– Você aceita jantar comigo, Bridget? – perguntou ele de repente, bravo, como se fosse me sentar numa mesa em algum lugar e me passar um sermão.

Parei e fiquei olhando para ele.

– Foi minha mãe quem sugeriu? – perguntei, desconfiada.

– Não, eu...

– Foi Una Alconbury?

– Não, não...

De repente, entendi quem podia ser.

– Foi a *sua* mãe, não?

– Bom, minha mãe...

– Não quero ser convidada para jantar só porque sua mãe pediu. E sobre o que conversaríamos? Você ia ficar me perguntando se eu tinha lido algum livro bom e eu teria de dar alguma desculpa esfarrapada e...

Ele me olhou, sem graça.

– Mas Una Alconbury me disse que você era uma leitora voraz, que adora livros.

– Ah, foi? – perguntei, satisfeita. – O que mais ela disse?

– Bom, que você é uma feminista radical e tem uma vida muito interessante...

– Aaah – concordei.

— ... sempre sai com milhares de homens.

— Hum.

— Soube do caso com Daniel. Sinto muito.

— Acho que você até tentou me prevenir. Mas o que você tinha contra ele?

— Ele dormiu com a minha mulher — disse ele. — Duas semanas depois que casamos.

Fiquei olhando para ele, completamente sem graça, até que uma voz lá em cima gritou:

— Markee!

Era Natasha, com o corpo contra a luz, debruçada na janela para ver o que estava acontecendo.

— Markee! — gritou ela outra vez. — O que está fazendo aí?

— No Natal, cheguei a achar que, se minha mãe me falasse mais uma vez em Bridget Jones — disse ele, apressado —, eu iria à redação do *Sunday People* acusá-la de ter me molestado com uma bomba de bicicleta quando eu era criança. Mas depois que conheci você... eu estava com aquele suéter de losangos ridículo que Una tinha me dado de presente de Natal. Bridget, todas as outras garotas que conheço são tão superficiais. Não conheço nenhuma que tenha coragem de usar um rabinho ou...

— Mark! — berrou Natasha, descendo a escada na nossa direção.

— Mas você tem namorada — falei, dizendo o óbvio.

— Para dizer a verdade, não tenho mais — contou ele. — Só jantar? Um dia desses?

— Tá — sussurrei. — Tá.

Depois achei que era melhor ir embora: e se Natasha ficasse me observando como uma crocodila chocando seus ovos, dos quais eu estava me aproximando, dando meu endereço e telefone para Mark Darcy e marcando encontro para a próxima terça-feira? Quando passei pelo salão de festas vi mamãe, Una e Elaine Darcy numa animada conversa com Mark. Não pude evitar imaginar a cara que elas fariam se soubessem o que tinha acabado de acontecer. De repente imaginei como seria o próximo bufê do peru ao *curry*, com Brian Enderby levantando o cós da calça e dizendo: "Arre, é ótimo ver que os jovens estão se divertindo, não?" e Mark Darcy e eu sendo obrigados a fazer gracinhas como dar beijinhos ou fazer sexo na frente deles, igual a um casal de focas amestradas.

TERÇA-FEIRA, 3 DE OUTUBRO

56,2 kg, 3 unidades alcoólicas (m. b.), 21 cigarros (ruim), número de vezes que pronunciei a palavra "maldito" nas últimas 24 horas: 369 (aprox.).

19h30. Estou em pânico. Daqui a meia hora Mark Darcy passa para me pegar. Acabo de chegar do trabalho, meu cabelo está horrível e infelizmente continua o mesmo caos com as roupas para lavar. Socorro, ai, socorro. Estava pensando em usar meu *jeans* 501 branco, mas lembrei que Mark deve ser do tipo que vai me levar num restaurante muito fino. Ai, Deus, não tenho nada fino para vestir. Será que ele acha que eu vou aparecer de rabinho de coelha? Não que eu esteja interessada nele nem nada.

19h50. Ai, Deus, ai, Deus. Ainda não lavei a cabeça. Vou tomar um banho rápido.

20h. Secando o cabelo. Espero que Mark Darcy se atrase porque não quero que me encontre de roupão e cabelo molhado.

20h05. O cabelo já está mais ou menos seco. Agora só falta me maquiar, vestir e enfiar atrás do sofá tudo o que está sobrando pela casa. Vou por etapas. Acho que o mais importante é a maquiagem, depois arrumar a sala.

20h15. Ele ainda não chegou. M. b. Acho ótimo homem que se atrasa para um compromisso, é melhor do que aqueles que chegam antes da hora e provocam pânico por causa de todas as coisas que ainda estão esparramadas pela casa.

20h20. Bom, agora estou completamente pronta. Acho que vou mudar de roupa.

20h30. Estranho. Como é que ele pode estar atrasado mais de meia hora.

21h. Não dá para acreditar. Mark Darcy me deu um bolo. Maldito!

QUINTA-FEIRA, 5 DE OUTUBRO

56,7 kg (ruim), 4 barras de chocolate (ruim), número de vezes que assisti ao vídeo: 17 (ruim).

11h. Estou no banheiro do trabalho. Ai, não, ai, não. Para completar a minha derrota, hoje fui o centro das atenções na reunião da manhã.

— Certo, Bridget, vou dar mais uma oportunidade para você — disse Richard Finch. — O julgamento da atriz Isabella Rossellini. A decisão do júri deve sair hoje e acho que ela vai ser absolvida. Vá até o Tribunal. Não quero ver você na tela trepada em nenhum mastro ou poste. Quero uma boa entrevista. Pergunte a ela se acha certo a gente sair matando todo mundo com quem não estamos a fim de transar. Então, Bridget, o que está esperando? Pode ir.

Eu não tinha a menor ou a mais remota idéia do assunto sobre o qual ele estava falando.

– Você sabe do processo da Isabella Rossellini, não? Você às vezes lê jornal, não? – perguntou Richard.

O problema nesse tipo de trabalho é que as pessoas ficam citando nomes e casos e você tem apenas um segundo para resolver se deve ou não confessar que não sabe do que estão falando e, se perde a oportunidade de dizer isso, vai passar a próxima meia hora tentando descobrir uma pista, mas sempre mantendo uma expressão confiante, de quem sabe exatamente o que aconteceu com Isabella Rossellini.

Daqui a cinco minutos tenho de encontrar uma assustadora equipe de filmagem no Tribunal para cobrir o julgamento e mostrar tudo na tevê, sem ter a menor idéia do que se trata.

11h05. Graças a Deus, Patchouli existe. Saí do banheiro e ela estava no corredor, tentando conter os cachorros de Richard pela coleira.

– Está tudo bem? – disse ela – Você parece meio assustada.

– Não, não, estou ótima – garanti.

– É mesmo? – e ficou me olhando. – Escuta aqui, você percebeu que ele não estava querendo dizer Isabella Rossellini, não? Ele quis dizer Elena Rossini.

Ah, graças a Deus e todos os anjos do céu. Elena Rossini é a babá acusada de matar o patrão depois que ele a violentou várias vezes e prendeu-a em casa durante 18 meses. Peguei dois jornais para ler os detalhes e corri para um táxi.

15h. Não posso acreditar no que aconteceu. Eu estava no Tribunal há horas, com a equipe e um monte de repórteres, aguardando o final do julgamento. Aliás, foi divertido à beça. Comecei até a achar graça do fato de ter levado um bolo do Sr. Calças Engomadas Mark Darcy. De repente, percebi que meus cigarros tinham acabado. Cochichei para o câmera, que era um amor, para saber se tinha problema eu ir rápido até uma tabacaria e ele disse que não, porque quando os funcionários avisassem que o julgamento tinha terminado, iriam me chamar.

Como os colegas ouviram que eu ia até a tabacaria, todos encomendaram cigarros e balas. Levei um bom tempo para conseguir comprar tudo. Estava na tabacaria tentando separar os trocos quando um grandalhão chegou apressado e pediu ao vendedor:

— Me dê uma caixa de balas Quality Street, por favor? — como se eu não estivesse na frente. O pobre vendedor ficou me olhando sem saber o que fazer.

— Desculpe, mas o senhor sabe o significado da palavra fila? — perguntei numa voz bem irritada, virando para o homem. Emiti um ruído estranho. Era Mark Darcy todo paramentado, de toga. Ele ficou me olhando daquele seu jeito.

— Onde diabos você se meteu ontem à noite? — perguntei.

— Devolvo a pergunta — disse ele, ríspido.

Foi nesse instante que o meu câmera entrou na tabacaria.

— Bridget — gritou. — Perdemos a entrevista. Elena Rossini saiu e foi embora. Comprou as balas?

Pasma, segurei na beira do balcão para não cair.

— Perdemos a entrevista? — repeti, quando consegui recobrar o fôlego. — Perdemos? Ai, Deus. Era minha última oportunidade depois do escape dos Bombeiros e eu fui comprar balas. Vou ser demitida. Os outros repórteres fizeram a entrevista?

– Ela não deu nenhuma entrevista – avisou Mark Darcy.

– Não? Mas como você sabe? – perguntei, olhando para ele desesperada.

– Porque sou o advogado de defesa dela e recomendei que não desse entrevistas. Olhe lá fora, ela está no meu carro – disse ele, tranqüilamente.

Olhei para o carro. Elena Rossini colocou a cabeça na janela e gritou com um sotaque estrangeiro:

– Mark, desculpe: pode trazer chocolate Dairy Box em vez de balas?

Só então nosso carro apareceu, com o câmera.

– Derek! – gritou o câmera pela janela. – Compre um Twix e uma barra de Lion, certo?

– Então onde você estava ontem à noite? – perguntou Mark Darcy.

– Fiquei esperando por você – disse eu entre dentes.

– Como? Mas às oito e cinco eu toquei sua campainha vinte vezes.

– Ah, é que eu estava... – expliquei, começando a entender. – ...secando o cabelo.

– Seu secador é possante?

– É, tem 1.600 volts, modelo Seleção Salões – expliquei orgulhosa. – Por quê?

– Talvez fosse bom comprar um secador mais silencioso ou começar a se arrumar um pouco mais cedo. Bom, tudo certo – disse ele, rindo. – Chame o seu câmera, vou ver como posso ajudá-la.

Ai, Deus. Que constrangedor. Sou uma besta completa.

21h. Não consigo acreditar: as coisas deram muito certo. Acabo de assistir à chamada do *Boa tarde!* pela quinta vez. Diz assim:

– Exclusivo para o *Boa tarde!*. Este é o único programa de tevê a mostrar uma entrevista com Elena Rossini, minutos após ela ter sido inocentada no julgamento. Nossa correspondente no local, Bridget Jones, tem as notícias exclusivas para você.

Adoro este trecho:

— Nossa correspondente no local, Bridget Jones, tem as notícias exclusivas para você.

Vou assistir a só mais uma vez, depois desligo.

SEXTA-FEIRA, 6 DE OUTUBRO

57 kg (comer reconforta), 6 unidades alcoólicas (problema com álcool), 6 bilhetes de loteria (jogar dá segurança), 21 ligações para o 1471 para ver se Mark Darcy ligou (apenas por curiosidade, claro), número de vezes que assisti ao vídeo: 9 (melhorou).

21h. Argh. Deixei um recado na secretária eletrônica de mamãe ontem para contar do furo jornalístico que dei e, quando ela me ligou à noite, achei que era para me parabenizar. Não, era para comentar da festa. Una e Geoffrey disseram isso, Brian e Mavis fizeram tal coisa, Mark estava tão simpático e por que eu não falava com ele etc. etc. Tive uma vontade enorme de contar para ela o que tinha acontecido, mas me contive ao imaginar as conseqüências: um grito de alegria ao saber do convite para sair com ele e o brutal assassinato da filha única depois de saber o que houve.

Continuo com a esperança de que ele me ligue e marque outro encontro depois do fiasco do secador. Talvez fosse bom eu mandar um cartão agradecendo à entrevista e lastimando que o meu secador seja tão barulhento. Não é que eu esteja interessada nele nem nada. Trata-se apenas de um gesto de boa educação.

QUINTA-FEIRA, 12 DE OUTUBRO

57,6 kg (ruim), 3 unidades alcoólicas (tão saudável quanto normal), 13 cigarros, 17 unidades de gordura (fiquei pensando se é possível calcular a quantidade de unidades de gordura do corpo inteiro. Espero que não), 3 bilhetes de loteria (ótimo), 12 ligações para o 1471 para ver se Mark Darcy ligou (melhor).

Argh. Elogiada por um artigo no jornal por uma repórter do grupo dos Bem-Casados. O título tinha uma ironia sutil, estilo Frankie Howard: "As alegrias de ser solteiro."

"Eles são jovens, ambiciosos e ricos, mas suas vidas escondem uma dolorosa solidão. (...) Quando saem do trabalho, enfrentam uma enorme carência emocional. (...) Pessoas que têm uma vida solitária procuram consolo em comida enlatada, desejando que seja igual àquela que suas mães faziam."

Argh. Droga. Pode me informar como é que a Sra. Bem-Casada aos 22 anos pode saber disso?

Vou escrever um artigo baseado nas "dezenas de conversas" que tive com os Bem-Casados: "Quando saem do trabalho, elas caem aos prantos porque, apesar de exaustas, precisam descascar batatas e lavar toda a roupa na máquina enquanto seus maridos barrigudos e bêbados assistem ao jogo de futebol na tevê, dão um arroto e pedem mais um prato de batata frita. Há noites em que elas, na cozinha com seu aventalzinho chinfrim, ficam muito deprimidas porque o marido ligou avisando que está de plantão outra vez, mas elas escutam ao fundo o farfalhar de um vestido de seda e a voz sensual de uma típica Solteira."

Depois do trabalho, fui encontrar com Sharon, Jude e

Tom. Ele também estava pensando em escrever um artigo irritado sobre as carências emocionais dos Bem-Casados.

O artigo de Tom diria, inflamado: "Os casados influenciam tudo, desde o tipo de moradia que se constrói ao tipo de comida que enche as prateleiras dos supermercados. Vemos por todos os lados lojas Anne Summers oferecendo artigos para donas-de-casa tentando de forma patética simular o sexo excitante praticado pelos Solteiros e as lojas Mark and Spencer têm comidas cada vez mais exóticas para casais exaustos fingirem que estão em um maravilhoso restaurante como os Solteiros e que depois não precisam lavar a louça."

— Não agüento mais essa queda-de-braço a respeito de ser solteira! — rosnou Sharon.

— Eu também não, eu também não! — concordei.

— Você esqueceu de falar na babaquice emocional — acrescentou Jude. — Sempre há babaquice emocional.

— Mas não estamos sós. Temos nossa família extensa formada pela rede de amigos com quem falamos ao telefone — disse Tom.

— Isso mesmo, viva! Os Solteiros não deviam ser obrigados a se explicar o tempo todo, deviam ter um *status* adquirido, como as gueixas — falei, muito satisfeita, dando mais um gole no meu Chardonnay chileno.

— Gueixas? — perguntou Sharon, fazendo um olhar gélido.

— Fique quieta, Bridge — mandou Tom. — Você está bêbada. Está tentando afogar sua carência emocional na bebida.

— Bom, a Sharon também — falei.

— Não estou — disse Sharon.

— Tássim — insisti.

— Escutaqui — aparteou Jude. — Vampdimasum Chardonnay?

SEXTA-FEIRA, 13 DE OUTUBRO

58,5 kg (me transformei num barrilzinho de vinho), 0 unidade alcoólica (mas me alimento do barrilzinho), 0 caloria (m. b.) *

*Devo ser honesta quanto a esse detalhe. O conceito m. b. está errado: 5.876 calorias foram vomitadas pouco depois de ingeridas.

Ai, Deus, estou tão sozinha. Passei o fim de semana inteiro sem ter ninguém para amar ou com quem me divertir. Não tem importância. Comprei um delicioso pudim de gengibre na M&S e vou prepará-lo no microondas.

DOMINGO, 15 DE OUTUBRO

57 kg (melhor), 5 unidades alcoólicas (mas numa ocasião especial), 16 cigarros, 2.456 calorias, 245 minutos pensando no Sr. Darcy.

8h55. Dei uma saidinha para comprar cigarros antes de me preparar para assistir à adaptação do livro *Orgulho e preconceito* na BBC. É incrível como as ruas estão cheias de carros. Será que essas pessoas não deviam estar em casa se preparando para ver o programa? Acho ótimo que o país seja tão viciado em tevê. A razão do meu vício, eu sei, é que sinto uma necessidade humana de que Darcy durma com Elizabeth. Tom contou que o guru de futebol Nick Hornby diz em seu livro que não é por acaso que os homens têm mania por futebol. Hornby afirma que os fãs cheios do hormônio sexual masculino testosterona não querem jogar, mas sim considerar o time como representante deles, como os membros do Parlamento. Elizabeth e Darcy são meus representantes na área do amasso, ou melhor, do galanteio. Nem por isso eu faço questão de vê-los marcando gols: detestaria ver Darcy e Elizabeth na cama, fumando um cigarro depois de transarem. Seria errado e pouco natural e eu logo perderia o interesse pela história.

10h30. Jude acaba de ligar e passamos 20 minutos falando "Uau, aquele Sr. Darcy". Adoro o jeito dele falar, como se ele não pudesse ser interrompido. Uau! Depois ficamos horas discutindo as qualidades do Sr. Darcy em relação a Mark Darcy e concordamos que o Sr. Darcy era mais atraente porque era mais rude mas, como se trata de um personagem, era uma desvantagem intransponível.

SEGUNDA-FEIRA, 23 DE OUTUBRO

58 kg, 0 unidade alcoólica (m. b. Descobri um ótimo substituto para as bebidas alcoólicas: um refrigerante chamado smoothies — mto gostoso, com sabor de fruta), 0 cigarro (smoothies tira a vontade de fumar), 22 smoothies, 4.265 calorias (das quais 4.135 por causa de smoothies).

Argh. Vou assistir agora ao programa *Panorama*, sobre "Mulheres de ótimo nível, independentes, que conseguem todos os melhores empregos" (peço ao Senhor que está no céu e a todos os anjos que eu logo vire uma delas). A pergunta a ser discutida é: "Reformar o currículo educacional será a solução?" Foi aí que bati o olho numa foto de Darcy e Elizabeth abraçadinhos no *Standard*: horrorosos, vestidos como namorados modernos abraçados num gramado: ela num conjunto de malha; ele, de camisa pólo, jaqueta de couro e com um bigode fininho. Pelo jeito, já estão dormindo juntos. Que coisa mais desagradável. Fico me sentindo perdida e preocupada, pois certamente o Sr. Darcy do livro jamais seria um ator, coisa tão inútil e frívola, mas o fato é que ele *é* ator. Humm. Tudo mto confuso.

TERÇA-FEIRA, 24 DE OUTUBRO

58,5 kg (malditos smoothies), 0 unidade alcoólica, 0 cigarro, 32 smoothies.

Estou numa fase ótima no trabalho. Desde a entrevista com Elena Qualquercoisa, acho que não dei mais nenhum fora.

Quando entrei na redação, Richard Finch estava de punhos fechados como um boxeador, dizendo:

— Vamos! Vamos! Rosemary West!

Cheguei um pouco atrasada, é verdade, mas isso é o tipo da coisa que pode acontecer com qualquer um.

— Estou pensando em vítimas de estupro que são lésbicas. Estou pensando na escritora Jeanette Winterson. Estou pensando no *Boa tarde!*. Estou pensando em como é que as lésbicas transam. Isso mesmo! *O que* as lésbicas fazem na cama?

De repente, ele me olhou.

— *Você* sabe? — Todo mundo olhou também. — Vamos,

Bridget-atrasada-outra-vez – gritou, nervoso. – O que as lésbicas fazem na cama?

Tomei fôlego e disse:

– Acho que devíamos fazer uma reportagem sobre o romance na vida real de Darcy e Elizabeth.

Ele me olhou de cima a baixo, devagar.

– Excelente idéia, excelente. Quem são os atores que interpretam Darcy e Elizabeth? Vamos, vamos – disse, terminando com a reunião.

– Os atores são Colin Firth e Jennifer Ehle – acrescentei.

– Você, minha querida – disse ele, olhando para um dos meus peitos –, é simplesmente um gênio.

Sempre quis virar gênio um dia, mas nunca pensei que fosse acontecer comigo – ou com meu *peito esquerdo*.

NOVEMBRO →

Uma criminosa na família

QUARTA-FEIRA, 1º DE NOVEMBRO

56,9 kg (consegui, consegui!), 2 unidades alcoólicas (m. b.), 4 cigarros (não pude fumar na casa de Tom para não botar fogo na roupa que ele ia usar no concurso Miss Mundo Alternativo), 1.848 calorias (b.), 12 smoothies (grande progresso).

Dei uma passada na casa de Tom para uma reunião de alto comando só para conversar sobre o assunto Mark Darcy. Mas Tom estava preocupado com o concurso Miss Mundo Alternativo. Há muito tempo ele resolveu concorrer fantasiado de Miss Aquecimento Global e agora estava numa crise de insegurança.

— Não tenho a menor esperança de ganhar — disse, olhando-se no espelho e caminhando até a janela. Sua fantasia era uma esfera de polistireno imitando o globo terrestre com as calotas polares derretendo e uma grande mancha de queimado em cima do Brasil. Numa das mãos, Tom segurava um pedaço de madeira tropical e um aerossol Lynx, e na outra uma pele que garantia ser de jaguatirica. — Você acha que eu devo pintar um melanoma na pele? — perguntou ele.

— É um concurso de beleza ou de fantasias?

– É esse o problema, eu não sei de que é o concurso, ninguém sabe – disse ele, tirando seu adereço de cabeça, uma miniatura de árvore que ficaria iluminada durante o desfile. – É as duas coisas. É tudo. Beleza. Originalidade. Arte. É ridiculamente confuso.

– É preciso ser *gay* para participar? – perguntei, tocando no polistireno.

– Não, qualquer um pode entrar: mulher, animal, o que for. É esse o problema – explicou, voltando a se olhar no espelho – Às vezes acho que teria mais chance se desfilasse com um cachorro bem garboso.

Acabamos chegando à conclusão de que, embora *em si* o tema aquecimento global fosse correto, o globo de polistireno não tinha um *design* muito insinuante para um traje de luxo. Achamos melhor colocar uma tira de seda chinesa em azul Yves Klein flutuando em meio a fumaça e sombras para simbolizar as calotas polares derretendo.

Como percebi que não ia conseguir falar com Tom a respeito de Mark Darcy, fui embora antes que ficasse muito tarde, prometendo pensar em algum traje de praia ou esporte para ele se fantasiar.

Cheguei em casa e liguei para conversar com Jude, mas ela só falava numa nova e maravilhosa invenção oriental chamada Feng Shui, divulgada na revista *Nova-Cosmopolitan* desse mês. Essa técnica ajuda as pessoas a conseguirem tudo na vida, basta desbloquear os caminhos tirando todos os armários do apartamento e dividi-lo em nove partes (o que se chama fazer o baguá). Cada uma das partes representa uma área da vida: profissão, família, relacionamentos, dinheiro ou filhos, por exemplo. Essas coisas vão depender da disposição de móveis e objetos pela casa. Por exemplo: se você está sempre sem dinheiro, pode ser por causa de uma cesta de papel colocada no seu Canto da Prosperidade.

Mto interessada na nova teoria, já que pode explicar

muitas coisas. Vou já comprar a revista. Jude disse para eu não contar para Sharon pois, óbvio, ela acha que Feng Shui é besteira. Depois de toda essa conversa, consegui levar o assunto para o tema Mark Darcy.

– *Claro* que você não acha graça nele, Bridge, sempre tive certeza disso – garantiu Jude, acrescentando que só havia uma solução: eu devia fazer um jantar e convidá-lo.

– É a melhor coisa, diferente de convidar para sair. Não há tensão, você fica à vontade e pode se exibir loucamente, e fazer com que seus amigos finjam que acham você maravilhosa.

– Jude, você disse "finjam"? – perguntei, magoada.

SEXTA-FEIRA, 3 DE NOVEMBRO

58 kg (argh), 2 unidades alcoólicas, 8 cigarros, 13 smoothies, 5.245 calorias.

11h. Estou muito animada com o jantar. Comprei o novo e maravilhoso livro de receitas de Marco Pierre White. Afinal, consegui entender a simples diferença entre comida caseira e de restaurante. Como diz Marco, o segredo está na *concentração* de sabor. O segredo dos molhos, além da concentração de sabor, está nos bons caldos. É preciso cozinhar muitos ossos de peixe, carcaças de frangos etc. e congelar tudo em forma de cubos de gelo. Depois, fica tão fácil merecer uma estrela no Guia Michelin como fazer uma torta de carneiro. Aliás, muito mais fácil, já que não é preciso descascar as batatas, basta passá-las em gordura de ganso. Incrível eu não ter percebido isso antes.

Vou preparar o seguinte cardápio:

Velouté de aipo (mto simples e barato, basta preparar o caldo).

Atum grelhado no carvão sobre *velouté* de tomates-cereja acompanhados de *confit* de alho e batatas *fondant*.

Confit de laranjas. Creme Inglês ao Grand Marnier.

Vai ficar uma delícia. Vou virar uma grande e famosa cozinheira, sem muito esforço.

As pessoas vão invadir meus jantares, dizendo em coro: "É ótimo jantar na casa de Bridget, lá tem pratos com qualidade Michelin num ambiente descontraído." Mark Darcy vai ficar muito impressionado e perceber que sou uma pessoa diferente e com prendas domésticas.

DOMINGO, 5 DE NOVEMBRO

57 kg (horror), 32 cigarros, 6 unidades alcoólicas (não tem mais smoothies na mercearia — esses comerciantes são uns desleixados), 2.266 calorias, 4 bilhetes de loteria.

19h. Hum. Hoje é a Noite das Fogueiras e não fui convidada para nenhuma fogueira. Ouço fogos estourando por todo lado. Vou dar uma passada na casa de Tom.

23h. Foi ótimo. Tom estava tentando se acostumar com o fato do título de Miss Mundo Alternativo ter sido concedido à maldita Joana d'Arc.

— O que me deixa mais chateado é eles dizerem que não é um concurso de beleza, mas no fundo é. Tenho certeza de que, se não fosse o meu nariz... – concluiu, se olhando no espelho, furibundo.

– O quê?

– Meu nariz.

– O que ele tem de errado?

– Ah, o que tem de errado. Puxa, basta *olhar*.

O nariz tinha uma pequena marca no lugar onde alguém tinha jogado um vidro quando Tom tinha 17 anos.

– Entendeu o que estou falando? – perguntou ele.

Expliquei que não tinha sido por causa daquela marca que Joana d'Arc ganhou o prêmio, a menos que os jurados estivessem usando um telescópio Hubble para examinar os candidatos, mas aí Tom começou a reclamar que, além do mais, estava muito gordo e ia começar um regime.

– Quantas calorias deve-se ingerir por dia numa dieta? – perguntou.

– Umas mil. Bom, eu geralmente pretendo comer mil e acabo em 1.500 – falei, sabendo muito bem que a última parte não era bem verdade.

– Mil? Mas eu achava que a gente precisasse de duas mil só para continuar vivo – confessou Tom, incrédulo.

Olhei-o, confusa. Percebi que fazia regime há tantos anos que nem passava pela minha cabeça que o corpo necessita de calorias para sobreviver. Cheguei num ponto em que o ideal de nutrição é não comer absolutamente nada e a única razão para as pessoas comerem é porque são tão gulosas que não conseguem parar e acabam quebrando o regime.

– Quantas calorias tem um ovo cozido? – perguntou Tom.

– 75.

– Uma banana?

– Pequena ou grande?

– Pequena.

– Sem casca?

— É.

— 80 – garanti.

— Uma azeitona?

— Preta ou verde?

— Preta.

— 9.

— Um drinque?

— 81.

— Uma caixa de chocolate Milk Tray?

— 10.896 calorias.

— Como você sabe tudo isso?

Pensei um pouco.

— Da mesma forma que se sabe recitar o alfabeto ou ler as horas.

— Certo. E quanto é nove vezes oito?

— 64. Não, 56. Aliás, 72.

— Responda rápido: qual a letra antes do J?

— P. Quer dizer, L.

Tom disse que estou doente mas sei que sou igual a todo mundo – isto é, Sharon e Jude. Honestamente, estou preocupada com Tom. Acho que participar de um concurso de beleza fez com que ele não suporte a pressão que nós, mulheres, há muito suportamos, e está ficando inseguro, obcecado pela aparência e quase anoréxico.

A noite terminou com Tom se divertindo na cobertura do prédio, soltando rojões no jardim dos vizinhos de baixo, que, segundo ele, têm horror a *gays*.

QUINTA-FEIRA, 9 DE NOVEMBRO

56,7 kg (melhor sem os smoothies), 5 unidades alcoólicas (melhor do que ficar com um estômago dilatado, cheio de frutas amassadas), 12 cigarros, 1.456 calorias (excelente).

Estou muito animada com o jantar. Marquei para a próxima terça-feira. Eis a lista de convidados:

Jude	Richard o Vil
Sharon	
Tom	Jerome o Pretensioso (a não ser que eu tenha muita sorte e até terça eles tenham terminado)
Magda	Jeremy
Eu	Mark Darcy

Mark Darcy gostou muito quando liguei para convidá-lo.

– O que você vai preparar? – perguntou. – Sabe cozinhar bem?

– Bom, na verdade, eu sigo o livro de Marco Pierre White. É incrível como fica simples cozinhar quando a pessoa sabe concentrar o sabor.

Ele riu e recomendou:

– Bom, não faça nada muito complicado. Lembre-se de que as pessoas vão ao jantar para vê-la e não para comer doces confeitados dentro de forminhas.

Daniel jamais diria algo tão gentil assim. Estou louca para que chegue o dia do jantar.

SÁBADO, 11 DE NOVEMBRO

56,2 kg, 4 unidades alcoólicas, 35 cigarros (crise), 456 calorias (só estou tomando líquidos).

Tom sumiu. Fiquei preocupada porque Sharon ligou de manhã dizendo que não podia jurar mas achava que, na quinta-feira, quando estava num táxi na Ladbroke Grove, tinha visto Tom com um olho roxo e escondendo a boca com a mão. Quando Sharon conseguiu que o táxi voltasse, ele tinha desaparecido. Ontem, ela deixou dois recados na secretária dele perguntando notícias, mas não teve resposta.

Enquanto ouvia, lembrei que tinha deixado um recado para Tom na quarta-feira perguntando se ele estaria em casa no fim de semana e não tive resposta, o que nunca acontece. Liguei para ele na hora. Tocou várias vezes e ninguém atendeu, então liguei para Jude, que também não tinha notícias dele. Tentei falar com Jerome o Pretensioso e nada. Jude disse que ligaria para Simon, que mora na rua seguinte à de Tom, e pediria para que ele fosse à casa dele. Ela ligou 20 minutos depois dizendo que Simon tocou a campainha de Tom e bateu na porta durante horas, mas ninguém atendeu. Sharon me ligou de novo. Tinha falado com Rebecca, que achava que Tom ia almoçar na casa de Michael. Liguei para Michael: ele disse que Tom tinha deixado um recado estranho na secretária, com uma voz enrolada, dizendo que não poderia ir ao almoço, sem explicar por quê.

15h. Estou começando a entrar em pânico, e ao mesmo tempo estou adorando o fato de ser o centro do drama. Sou praticamente a melhor amiga de Tom, então todo mundo fica ligando para mim, e passei a fazer uma voz calma e mostrar grande preocupação. Estou achando que ele encontrou um novo amor e passa por uma espécie de lua-de-mel, escondido uns dias em algum lugar. Talvez não tenha sido ele que Sharon viu, ou o olho roxo fosse conseqüência do sexo entusiástico ou uma maquiagem pós-moderna no estilo Rocky Horror Show. Preciso dar mais uns telefonemas para confirmar essa tese.

15h30. As pessoas discordam da tese, todos acham que e impossível Tom encontrar um novo homem, quanto mais ter um novo caso, sem ligar para todo mundo contando. Não posso dizer nada. Pensamentos muito loucos percorrem minha cabeça. É verdade que Tom andava meio perturbado. Comecei a pensar se sou mesmo uma boa amiga. Em Londres, somos tão egoístas e ocupados. Será que um dos meus amigos poderia ficar tão infeliz a ponto de... ah, olha *só* onde meti a revista *Marie Claire* deste mês: em cima da geladeira!

Fiquei folheando a *Marie Claire*, imaginando o enterro de Tom e que roupa eu usaria. Aaargh, de repente lembrei daquele membro do Parlamento que se sufocou com um saco plástico na cabeça, um laço de corda no pescoço e uma laranja de chocolate na boca, ou alguma coisa assim. Será que Tom pratica atos sexuais esquisitos e não conta para nós?

17h. Acabo de ligar para Jude de novo.

— Você acha que devemos chamar a polícia e pedir para arrombar o apartamento? — perguntei.

— Eu já chamei — disse Jude.

— E o que eles disseram? — sem conseguir disfarçar minha chateação porque ela chamou a polícia sem me consultar. A melhor amiga de Tom sou eu e não ela.

— Os policiais não pareceram muito preocupados. Disseram para ligarmos se ele não aparecer até segunda-feira. É compreensível. Não se pode ficar muito assustado porque um solteiro de 29 anos não está em casa no sábado de manhã e não compareceu a um almoço ao qual disse que não iria.

— Mas tem alguma coisa errada, eu sinto — falei, com uma voz misteriosa e soturna, percebendo pela primeira vez como sou uma pessoa sensitiva e intuitiva.

— Sei o que você está querendo dizer — pressentiu Jude. — Eu também sinto. Tem alguma coisa muito errada.

19h. Extraordinário. Depois que falei com Jude, não consegui fazer compras nem nada assim mais fútil. Achei que era a melhor hora para fazer o Feng Shui, então saí e comprei a *Nova-Cosmopolitan*. Com cuidado, seguindo o desenho publicado na revista, fiz o baguá do apartamento. Levei um susto. Tinha uma cesta de papel no meu Canto dos Amigos. Claro que era por isso que o Tom tinha sumido.

Liguei correndo e contei para Jude. Ela disse para eu tirar a cesta de papel daquele lugar.

— Mas onde ponho? Não vou colocar no meu Canto das Relações ou dos Filhos.

Jude disse para eu aguardar um instante enquanto ela dava uma olhada na revista. Na volta, perguntou:

— Que tal colocar a cesta no Canto da Prosperidade?

— Hum, não sei, logo agora que o Natal está chegando e tal — falei, me sentindo muito sovina.

— Bom, se você acha isso. De todo jeito, vai acabar tendo de comprar um presente a menos... — acusou Jude.

Coloquei a cesta de papel no meu Canto do Conhecimento e fui a uma floricultura comprar plantas de *folhas redondas* para colocar no Canto da Família e dos Amigos (plantas com espinhos, principalmente cacto, não são indicadas) Estava tirando o *cache-pot* do armário embaixo da pia quando ouvi um som de chaves. Dei um tapa na própria testa: como não lembrei antes? Aquelas eram cópias das chaves de Tom, que ele tinha deixado comigo quando foi para Ibiza.

Pensei em ir até a casa dele *sem Jude*: ela não telefonou para a polícia sem me avisar? Mas achei que seria muito mesquinho, então liguei para ela e resolvemos chamar Sharon também, porque foi ela quem deu o alarme.

Quando entramos na rua de Tom, imaginei o jeito digno, trágico e composto que eu teria ao ser entrevistada pelos jornais, ao mesmo tempo que sentia um medo paranóico de a polícia achar que matei Tom. De repente, aquilo deixou de ser uma brincadeira. Talvez tivesse mesmo acontecido alguma coisa terrível e trágica.

Subimos a escada do prédio sem nos olharmos nem dizer uma palavra.

Quando coloquei a chave na fechadura, Sharon teve uma dúvida:

— Será que não é melhor tocar a campainha primeiro?

— Eu toco — disse Jude, dando uma olhada para nós e tocando a campainha.

Ficamos quietas. Nada. Ela tocou de novo. Eu já ia virar a chave quando ouvimos uma voz no interfone.

— Alô?

— Quem é? — perguntei, com a voz trêmula.

— Quem você acha que pode ser, sua boba?

— Tom! — gritei de alegria. — Deixa a gente subir.

— A gente quem? — perguntou, desconfiado.

— Eu, Jude e Sharon.

— Querida, preferia que vocês não subissem, para dizer a verdade.

— Ai, droga — disse Sharon, me empurrando. — Tom, sua bicha idiota, você simplesmente deixou a metade de Londres desesperada ligando para a polícia, vasculhando a cidade inteira atrás de você porque ninguém sabe onde você está. Droga, deixa a gente entrar.

— Não quero ninguém, só Bridget — disse Tom, arrogante. Passei gloriosa entre as duas.

— Não fique tão metida — disse Sharon.

Silêncio.

— Anda, seu idiota, deixa a gente entrar.

Houve um silêncio e ouvimos o som da porta abrindo. Bzzz.

Chegamos no último andar e ele abriu a porta, perguntando:

— Vocês agüentam ver isso?

Nós três gritamos. Tom estava com o rosto todo desfigurado, com marcas amarelas e escuras e um gesso no nariz.

— Tom, o que houve? — gritei, tentando dar um abraço desajeitado nele e acabando por beijar sua orelha. Jude começou a chorar, Sharon deu um soco na parede.

— Não se preocupe, Tom. Vamos descobrir os bárbaros que fizeram isso — ameaçou ela.

— O que houve? — repeti, com lágrimas escorrendo pelo rosto.

— Bom, é... É que eu fiz uma plástica no nariz — disse Tom, se soltando do meu abraço.

Sem ninguém saber, ele foi operado na quarta-feira e ficou com vergonha de contar para nós porque achávamos a marca no nariz dele insignificante. Jerome devia ter cuidado dele — e a partir de então passou a ser chamado de Jerome o Canalha (devia ser Jerome Sem Coração, mas concordamos que o outro apelido soava melhor). Mas quando Jerome o Canalha viu Tom depois da cirurgia ficou tão assustado que explicou que ia embora por uns dias e sumiu. O pobre Tom estava tão deprimido e traumatizado, tão esquisito por causa da anestesia, que simplesmente desligou o telefone, se enfiou debaixo dos lençóis e dormiu.

— Então era você que estava na Ladbroke Grove quinta-feira à noite? — perguntou Sharon.

Era. Ele esperou ficar bem escuro para ir comprar comida. Apesar da nossa alegria por ele estar vivo, Tom estava muito triste por causa de Jerome.

— Ninguém me ama — disse ele.

Falei para ele ligar para minha secretária eletrônica e ouvir os 22 recados desesperados dos amigos dele, preocupados porque estava sumido há 24 horas, o que afastou nosso medo de morrermos sozinhos e sermos comido por um pastor-alemão.

— Ou do corpo só ser encontrado três meses depois, em decomposição sobre o tapete — completou Tom.

Perguntamos então como um lunático com um nome daquele podia fazer Tom achar que ninguém o amava?

Dois *bloody mary* depois ele estava rindo da mania que Jerome tinha de usar o termo "autoconfiante" e de suas cuecas Calvin Klein samba-canção. Enquanto isso, Simon, Michael, Rebecca, Magda, Jeremy e um rapaz que disse se chamar Elsie ligaram para saber notícias dele.

— Sei que todos nós somos neuróticos, solteiros, completamente malucos e nossa vida gira em torno do telefone — disse Tom, enrolando as palavras, emocionado. — Mas é meio parecido com uma família, não?

Eu *sabia* que o Feng Shui ia funcionar. Agora que deu certo, vou rapidamente mudar a planta de folhas redondas para o Canto dos Relacionamentos. Gostaria que existisse um Canto da Culinária também. Faltam só nove dias para o jantar.

SEGUNDA-FEIRA, 20 DE NOVEMBRO

56,2 kg (m. b.), 0 cigarro (é horrível fumar quando se está realizando milagres gastronômicos), 3 unidades alcoólicas, 200 calorias (o esforço de ir ao supermercado deve ter queimado mais calorias do que as que comprei, sem falar nas que comi.)

19h. Acabo de voltar da odiosa experiência de solteira classe média no supermercado, que fica na fila do caixa ao lado de adultos com filhos comprando feijão, *nuggets*, macarrão de letrinhas etc., trazendo os seguintes mantimentos:

20 cabeças de alho
1 lata de gordura de ganso
1 garrafa de Grand Marnier
8 filés de atum
3 dúzias de laranjas
4 potes de creme de leite
4 bastões de baunilha de 1,39 libra cada.

Tenho de começar os preparativos hoje à noite, já que trabalho amanhã.

20h. Argh, não estou com a menor vontade de cozinhar. Muito menos de mexer com esse horrendo saco de ossos de galinha: que nojo.

22h. Já coloquei os ossos de galinha na panela. O problema é que Marco manda amarrar dois ingredientes que acentuam o sabor – alho-poró e aipo – com um barbante, mas o único que tenho é azul. Bom, espero que funcione.

23h. Deus meu, a coisa levou séculos para cozinhar mas valeu a pena porque rendeu quase dez litros, que congelei em cubos de gelo e tudo ficou por apenas 1,70 libra. Hum, o *confit* de laranja vai ficar uma delícia. Agora, basta descascar 36 laranjas e ralar a casca. Faço isso em dois tempos.

Uma da manhã. Estou morrendo de sono mas faltam uma duas horas para o caldo cozinhar e mais uma hora para a laranjas assarem no forno. Já sei o que vou fazer. Deixo o caldo em fogo brando durante a noite e as laranjas na temperatura mínima do forno, assim ficarão mto macias como se cozidas no vapor.

TERÇA-FEIRA, 21 DE NOVEMBRO

55,8 kg (o nervosismo queima as gorduras),
9 unidades alcoólicas (mto ruim mesmo),
37 cigarros (m. m. ruim), 3.479 calorias
(e tudo um nojo).

9h30. Acabo de destampar a panela. Os dez litros de caldo concentrado esperados viraram um monte de ossos de galinha queimados e cobertos por uma geléia. O *confit* de laranja parece delicioso, igualzinho ao da foto do livro de receitas, só um pouco mais escuro. Agora vou trabalhar. Saio da redação às quatro, na volta penso numa solução para o problema da sopa.

17h. Ai, Deus. O dia virou um pesadelo. Richard Finch m ª deu uma bronca na frente de todo mundo na reunião da manhã:

— Bridget, pelo amor de Deus, esqueça esse livro de receitas. Pense em crianças queimadas por fogos de artifício. Estou pensando em mutilações. Estou pensando em alegres comemorações familiares que se transformam em pesadelos. Estou pensando em 20 anos depois. O que aconteceu com aquele menino dos anos 60 que queimou o pinto com bombinhas de São João guardadas no bolso da calça? Onde está ele? Bridget, descubra o menino das bombinhas que ficou sem pinto. Ache o John Bobbitt dos anos 60.

Argh. Eu estava no quadragésimo oitavo telefonema para saber se existia um grupo de apoio às vítimas de pinto queimado quando o telefone tocou.

— Alô, querida, é mamãe — ela parecia mais animada e histérica do que nunca.

— Oi, mãe.

— Alô, querida, liguei só para me despedir, espero que fique tudo bem.

— Despedir? Aonde vai?

— Ah. Rá-rá-rá. Eu contei, Julio e eu vamos passar duas semanas em Portugal só para ver a família dele e tomar um pouco de sol antes do Natal.

— Você não tinha contado.

— Não seja boba, querida. Claro que contei. Você tem que aprender a prestar atenção. Mas fique direitinha, sim?

— Sim.

— Ah, querida, só mais uma coisa.

— O quê?

— Estive tão ocupada que esqueci de comprar meus cheques de viagem.

— Ah, não se preocupe, você pode fazer isso no aeroporto.

— O problema, querida, é que estou indo para o aeroporto e esqueci meu cartão do banco.

Incrível, pensei, encarando o telefone.

— Uma chatice. Então achei que você talvez pudesse me emprestar algum dinheiro. Não muito, só umas 200 libras para cheques de viagem.

Ela falou de um jeito que lembrava os mendigos pedindo esmola para tomar uma xícara de chá.

— Estou trabalhando, mãe. Julio não pode emprestar? Ela ficou cheia de melindres.

— Não posso acreditar que você seja tão sovina, querida. Depois de tudo o que fiz por você. Dei-lhe o dom da *vida* e você não pode emprestar algumas libras para sua mãe comprar cheques de viagem.

— Mas como vou entregar o dinheiro para você? Terei de ir ao caixa eletrônico e mandar por um motoqueiro. Aí o dinheiro será roubado e vai ser um problema. Onde você está?

— Aah. Bom, por sorte eu não podia estar mais perto: se você atravessar a rua em frente ao NatWest, nos encontramos daqui a cinco minutos. Obrigada, querida. Tchau!

— Bridget, onde *diabos* você está indo? — berrou Richard quando tentei sair de fininho. — Já achou o menino do pinto queimado?

— Estou com uma pista ótima — respondi, e saí correndo.

Minha mãe chegou na hora em que eu esperava o dinheiro sair do caixa, novinho em folha, e pensava como ela ia passar duas semanas em Portugal com 200 libras. Surgiu esbaforida e escondida atrás de óculos escuros, embora estivesse chovendo muito.

— Ah, querida. Você é um amor. Muito obrigada. Tenho de correr senão perco o avião. Tchau! — disse ela, arrancando as notas da minha mão.

— O que está acontecendo? — perguntei. — Por que você estava por aqui, tão distante do aeroporto? Como vai se arranjar sem o cartão do banco? Por que Julio não pode emprestar? Como você vai fazer? Hein?

Ela pareceu assustada, como se estivesse prestes a chorar, mas logo fez um olhar distante e uma magoada cara de princesa Diana.

– Tudo vai dar certo, querida – deu seu sorriso-coragem. – Cuide-se – acrescentou com uma voz trêmula, me deu um abraço rápido, fez sinal para os carros pararem e atravessou a rua.

19h. Acabo de chegar em casa. Certo. Calma, calma. Equilíbrio interior. A sopa vai ficar uma delícia. Vou só cozinhar e amassar os legumes como está na receita e depois – para concentrar o sabor – cozinhar aquela geléia azul da carcaça de galinha junto com o creme e a sopa está pronta.

20h30. Vai tudo muito bem. Os convidados estão na sala. Mark Darcy, muito gentil, trouxe uma garrafa de champanhe e uma caixa de chocolates belgas. Ainda não fiz o prato principal, só cozinhei as batatas, mas logo termino isso. De todo jeito, a sopa é o primeiro prato.

20h35. Ai, Deus. Destampei a panela para retirar os ossos. A sopa está azul brilhante.

21h. Adoro meus adoráveis amigos. Tiveram uma atitude bem esportiva em relação à sopa azul. Mark Darcy e Tom chegaram até a discutir o preconceito contra comidas coloridas. Mark argumentou: por que não pode haver sopa azul, só porque não existe legume azul? Afinal de contas, *nuggets* de peixe não são, originalmente, de cor alaranjada. (A verdade é que, apesar de todo o meu esforço, a sopa ficou com gosto de creme cozido, como Richard o Vil teve a gentileza de observar. Nesse momento, Mark Darcy perguntou qual era a profissão dele e foi ótimo porque Richard o Vil acabou de ser demitido na semana passada por fraude nos gastos.) Mas tudo certo. O prato principal vai ficar bem gostoso. Bom, vamos começar cuidando do *velouté* de tomates-cereja.

21h15. Ai, Deus. Houve alguma coisa na mistura, algo de estranho: o purê de tomates-cereja está espumoso e numa consistência três vezes maior. E as batatas cozidas deviam estar prontas há dez minutos, mas estão duras como pedra. Talvez seja melhor eu colocar no microondas. Aargh, aargh. Dei uma olhada na geladeira e não achei o atum. Que fim levou o atum? Onde foi parar?

21h30. Graças a Deus. Jude e Mark Darcy vieram para a cozinha, me ajudaram a preparar uma grande omelete, amassaram a batata meio cozida e fritaram como se fossem batatas coradas. Colocamos o livro de receitas aberto em cima da mesa para vermos pelas fotos como seriam as fases de preparo do atum grelhado. Pelo menos o *confit* de laranja vai ficar bom, está com uma cara ótima. Tom disse que era melhor a gente não se preocupar com o creme inglês ao Grand Marnier e beber o licor direto.

22h. Estou bem triste. Fiquei na maior expectativa quando as pessoas deram a primeira garfada na sobremesa. Houve um silêncio embaraçoso.

— O que é isso, meu bem? — Tom acabou perguntando. — Geléia?

Apavorada, provei. Era, como ele disse, pura geléia. Concluí que, depois de gastar tanto dinheiro, acabei servindo aos meus amigos:

Sopa azul
Omelete
Geléia

Sou um completo fracasso. Estrela do Guia Michelin de gastronomia? Pareço mais uma marmiteira.

Pensei que as coisas não pudessem ficar piores do que estavam, depois da geléia. Mas, assim que terminamos aquela horrenda refeição, o telefone tocou. Felizmente, atendi no quarto: era papai.

— Você está sozinha? — perguntou.

— Não, está todo mundo aqui, Jude e tal. Por quê?

— É que gostaria que você estivesse com alguém... desculpe, Bridget. As notícias não são muito boas.

— O que houve? O quê?

— A polícia está procurando sua mãe e Julio.

2h da manhã. Northamptonshire, cama de solteiro num quartinho da casa dos Alconbury. Argh. Tive de sentar e tomar fôlego enquanto papai ficou repetindo "Bridget? Bridget? Bridget?" como um papagaio.

— O que aconteceu? — consegui perguntar.

— Os dois pegaram — acredito e espero, sem o conhecimento de sua mãe — muito dinheiro de uma porção de gente, inclusive meu e de alguns amigos nossos. Ainda não sabemos quanto foi mas, pelo que a polícia disse, sua mãe pode ser condenada a muitos anos de prisão.

— Ai, meu Deus. Foi por isso que ela viajou para Portugal com minhas 200 libras.

— Ela agora deve estar bem longe.

Vi o futuro surgindo como um horrível pesadelo: Richard Finch me chamando de De Repente, Filha de Detenta do *Boa Tarde!*, e me obrigando a fazer uma entrevista ao vivo da sala de visitas do Presídio Holloway antes de ser De Repente, Demitida ao vivo.

— O que eles fizeram?

— Parece que Julio usou sua mãe como testa-de-ferro, digamos assim, para pegar muito dinheiro de Una e Geoffrey, Nigel e Elizabeth, Malcolm e Elaine (ai, Deus, os pais de Mark Darcy). Muito, mas muito dinheiro para dar como entrada em apartamentos num condomínio.

– Você não sabia que seus amigos estavam metidos nisso?

– Não. Acho que não me disseram nada porque ficaram sem graça de fazer negócio com aquele cafajeste gomalinado que corneou um dos mais antigos amigos deles.

– E o que aconteceu?

– Os apartamentos nunca existiram. A poupança da sua mãe acabou, além da minha aposentaria. Foi bobagem minha colocar a casa no nome dela, sua mãe penhorou. Bridget, estamos falidos, sem recursos, sem casa e com sua mãe prestes a ser condenada como criminosa.

Depois de dizer isso, ele não agüentou. Una veio ao telefone e disse que ia dar um pouco de Ovomaltine para papai. Falei que chegaria lá dentro de duas horas mas ela falou para eu só dirigir depois de me recuperar do choque, pois não se podia fazer nada, melhor ir na manhã seguinte.

Desliguei o telefone e bati com a cabeça na parede, me xingando por ter largado os cigarros na sala. Mas Jude apareceu com um copo de Grand Marnier.

– O que foi? – perguntou ela.

Contei tudo, bebendo o Grand Marnier de um gole. Jude não disse uma palavra e foi procurar Mark Darcy.

– Sinto-me culpado – confessou ele, passando a mão no cabelo. – Devia ter sido mais claro naquela festa dos Vigários e Vagabundas. Eu sabia que Julio tinha alguma coisa estranha.

– Como assim?

– Ouvi quando falou no celular perto dos canteiros do jardim. Ele não sabia que eu estava ouvindo. Se eu soubesse que meus pais também estavam envolvidos, eu... – ele balançou a cabeça. – Agora lembro de minha mãe dizendo alguma coisa, mas fiquei tão distraído com a simples menção da palavra condomínio que devo ter mandado ela ficar quieta. Onde sua mãe está agora?

– Não sei. Em Portugal? No Rio de Janeiro? No cabeleireiro?

Ele começou a andar de um lado para outro na sala, fazendo perguntas como um grande advogado.

— O que está sendo feito para encontrá-la? Qual é a quantia envolvida? Como descobriram a fraude? O que a polícia sabe? Quem mais tem conhecimento do caso? Onde está seu pai? Você gostaria de falar com ele? Você permite que eu vá junto? — foi uma cena muito *sexy*, juro.

Jude apareceu trazendo café. Mark resolveu que era melhor achar o motorista dele para nos levar até Grafton Underwood e, por um segundo, tive a sensação completamente inusitada de ser grata à mamãe.

Foi tudo muito dramático quando chegamos na casa de Una e Geoffrey: tinha Enderby e Alconbury chorando por todo canto e Mark Darcy telefonava sem parar. Fiquei me sentindo culpada, pois uma parte de mim estava — apesar do medo — adorando não ter de ir trabalhar e viver uma situação totalmente diferente do cotidiano, com todo mundo podendo beber vários copos de xerez e comer sanduíches de salmão como se fosse Natal. Foi a mesma sensação que tive quando vovó ficou maluca e, depois de tirar toda a roupa, correu para o pomar de Penny Husbands-Bosworth e precisou ser contida pela polícia.

QUARTA-FEIRA, 22 DE NOVEMBRO

55,6 kg (viva!), 3 unidades alcoólicas, 27 cigarros (muito compreensível, já que minha mãe está sendo considerada uma criminosa), 5.671 calorias (ai, Deus, parece que meu apetite voltou), 7 bilhetes de loteria (este foi um ato de desprendimento, tentando recuperar o dinheiro de todo mundo. Mas cheguei à conclusão de que, se ganhasse, não ia dar tudo para eles), 10 libras ganhas, 3 libras de lucro (preciso começar a partir de alguma coisa).

10h. Cheguei em casa, exausta por não ter dormido. Para completar, tenho de ir trabalhar e ainda vou levar bronca por estar atrasada. Quando vim embora, papai parecia estar melhorando: numa hora mostrava-se muito satisfeito porque Julio tinha provado que era um salafrário e assim mamãe poderia voltar para casa e começar vida nova. Outra hora caía em profunda depressão, achando que a dita vida nova ia consistir em visitas à prisão, aonde chegaria de ônibus.

Mark Darcy voltou para Londres de madrugada. Deixei um recado na secretária eletrônica dele agradecendo a ajuda e tal, mas ele não ligou de volta. Não posso culpá-lo. Aposto que Natasha e todas as outras mulheres que ele conhece não servem sopa azulada para ele nem viraram filhas de criminosa.

Una e Geoffrey disseram para não me preocupar com papai, pois Brian e Mavis vão ficar e ajudar a cuidar dele. Fiquei pensando em por que sempre falam Una e Geoffrey e não Geoffrey e Una, mas dizem Malcolm e Elaine e Brian e Mavis. Por outro lado, dizem Nigel e Audrey

Coles. Do mesmo jeito que nunca se diz Geoffrey e Una, jamais se diria Elaine e Malcolm. Por quê? Por quê? Sem querer, fico pensando em Sharon e Jude daqui a muitos anos, chateando as filhas, dizendo: "Você conhece Bridget e *Mark*, querida, que moram naquela casa enorme em Holland Park e sempre passam as férias no Caribe." Isso mesmo. Seria Bridget e Mark. Bridget e Mark Darcy. Os Darcy. E não Mark e Bridget Darcy, pelo amor de Deus: horrível. De repente, me sinto mal por estar pensando em Mark Darcy nesse contexto, como se fosse a governanta Maria com o Capitão Von Trapp no filme *A noviça rebelde* e precisasse fugir para conversar com a Madre Superiora que vai cantar *Climb Every Mountain* para mim.

SEXTA-FEIRA, 24 DE NOVEMBRO

56,7 kg, 4 unidades alcoólicas (mas tomadas na presença da polícia, por isso nada a declarar), 0 cigarro, 1.760 calorias, 11 ligações para o 1471 para saber se Mark tinha me ligado.

22h30. As coisas estão indo de mal a pior. Achei que o único lado positivo do processo contra mamãe tinha sido fazer com que Mark Darcy e eu nos aproximássemos, mas não soube mais dele, desde que saiu da casa dos Alconbury. A polícia acaba de vir ao apartamento pegar meu depoimento. Comecei a me comportar como as pessoas que são entrevistadas na televisão quando um avião cai no jardim delas, usando aqueles chavões de telejornais, de filmes passados em tribunais e que tais. Acabei descrevendo minha mãe como tendo "estatura mediana" e "tez clara".

Os policiais eram muito interessantes e tranqüilizado-res. Ficaram até tarde e um dos detetives disse que ia apa-recer de novo no meu apartamento para ver como esta-vam as coisas. Simpático mesmo, adorei.

SÁBADO, 25 DE NOVEMBRO

57 kg, 2 unidades alcoólicas (xerez, argh), 3 cigarros (fumados na janela da casa dos Alconbury), 4.567 calorias (só de biscoitos recheados e sanduíches de salmão), 9 ligações para o 1471 para saber se Mark Darcy tinha ligado.

Graças a Deus. Mamãe ligou para papai. Parece que dis-se para ninguém se preocupar, ela estava bem, tudo ia bem, depois desligou de repente. A polícia estava na casa de Una e Geoffrey interceptando a linha, como no filme *Thel-ma e Louise*, e disseram que ela estava mesmo em Portu-gal, mas não conseguiram localizar a cidade. Gostaria tan-to que Mark Darcy ligasse. Claro que ele deve ter ficado assustado com meus desastres culinários e por haver uma criminosa na minha família, mas era muito educado para demonstrar isso. Claro também que o fato de termos tido uma piscininha de plástico em comum na infância não sig-nifica nada depois do roubo das economias dos pais dele pela vexaminosa mãe da malcriada Bridget. Vou encon-trar papai hoje à tarde como uma solteirona desprezada por todos os homens e não do jeito que já tinha me acos-tumado: ao lado de um grande advogado, dentro de um carro com motorista.

13h Viva! Viva! Na hora em que ia sair de casa, o telefone tocou, mas eu só conseguia ouvir um ruído. Depois, tocou de novo. Era Mark, falando de Portugal. Que gentileza e que sagacidade. Ele passou a semana inteira em contato com a polícia, além de continuar mantendo seu escritório de grande advogado e ter ido para Albufeira ontem. A polícia local encontrou mamãe; Mark acha que ela vai ser inocentada porque está bem evidente que ignorava o que Julio estava fazendo. A polícia conseguiu recuperar parte do dinheiro, mas ainda não encontrou Julio. Mamãe volta hoje à noite e terá de ir direto à delegacia para ser interrogada. Mark disse para eu não me preocupar, tudo vai acabar bem e ele já está vendo se vai ser preciso pagar fiança. Desligamos, sem dar tempo nem para eu agradecer. Fiquei louca para falar com Tom e contar as maravilhosas notícias, mas lembrei que não era para ninguém saber do problema de mamãe e, infelizmente, na última vez que falei de Mark Darcy para Tom, acho que disse que ele é um horrível filhinho de mamãe.

DOMINGO, 26 DE NOVEMBRO

57,6 kg, 0 unidade alcoólica, 1/2 cigarro (não fumo mais), Deus sabe quantas calorias, 188 minutos gastos desejando matar minha mãe (número aproximado).

Dia horrível. Fiquei aguardando a chegada de mamãe ontem à noite, hoje de manhã e à tarde; quase fui três vezes para o aeroporto de Gatwick. Acaba que ela chegou à tarde no aeroporto de Luton, escoltada pela polícia.

Papai e eu estávamos nos preparando para consolar uma pessoa bem diferente daquela que conhecíamos. Ingênuos, achávamos que, depois de tudo o que passou, ela teria se redimido.

– Me larga, seu *pateta* – ouvimos no saguão de chegada do aeroporto. – Agora estamos em território britânico, tenho certeza que me conhecem e não quero que todo mundo me veja *destratada* por um policial. Ih, sabe de uma coisa? Acho que deixei meu chapéu de palha embaixo da poltrona do avião.

Os dois policiais fizeram uma cara de espanto enquanto mamãe – de casaco xadrez branco e preto estilo anos 60 (provavelmente ela planejou para combinar com o uniforme dos policiais), lenço na cabeça e óculos escuros – entrava na sala de bagagens seguida pelos agentes da lei. Meia hora depois, saíram. Um dos policiais trazia o chapéu de sol.

Colocá-la no carro da polícia foi quase uma luta corporal. Papai estava chorando ao volante do seu Sierra e eu tentava explicar para mamãe que ela precisava ir à delegacia saber se ia pagar uma fiança, mas só o que ouvi sem parar foi:

– Não seja boba, querida. Chega aqui: o que você passou no rosto? Não tem um lenço para eu limpar?

– Mãe – falei, enquanto ela tirava um lenço da bolsa e dava uma cuspidinha nele. – Você pode ser condenada – avisei, com ela esfregando o lenço no meu rosto. – Acho melhor ir para a delegacia com os policiais.

– Veremos, querida. Talvez amanhã, depois que eu esvaziar a cesta de legumes. Deixei um quilo de batatas King Edwards lá e devem estar apodrecendo. Ninguém cuidou das plantas enquanto estive fora e aposto o quanto você quiser como Una deixou o aquecimento ligado.

Só quando papai se aproximou e participou que a casa ia ser penhorada, incluindo a cesta de legumes, ela ficou quieta e, muito mal-humorada, entrou no banco de trás do carro, ao lado dos policiais.

SEGUNDA-FEIRA, 27 DE NOVEMBRO

57,6 kg, 0 unidade alcoólica, 50 cigarros
(isso mesmo!), 12 ligações para o 1471 para saber
se Mark Darcy ligou, 0 hora de sono.

9h. Acabo de fumar o último cigarro antes de ir para a redação. Estou arrasada. Na noite passada, papai e eu tivemos de esperar duas horas sentados num banco na delegacia. Até que ouvimos uma voz pelo corredor.

— É, sou eu mesma. Apresento o *De repente, solteira* todas as manhãs! Claro que você pode pedir. Tem uma caneta? Escrevo aqui? Autógrafo em nome de quem? Ah, seu danado. Sabe que eu morro de vontade de experimentar um desses...

— Ah, você está aí, papai — constatou minha mãe, surgindo no corredor com um capacete da polícia na cabeça. — O carro está lá fora? Sabe, estou morrendo de vontade de chegar em casa e esquentar água para um chá. Será que Una lembrou de ligar o *timer*?

Papai parecia abatido, assustado e confuso. Eu idem.

— Você foi libertada? — perguntei.

— Ah, não seja boba, querida. Libertada! Não sei! — disse ela, revirando os olhos para o detetive-chefe e me empurrando rumo à porta. Do jeito que o detetive estava corado e agitado, eu não me surpreenderia se ela tivesse conseguido se livrar concedendo alguns favores sexuais na sala de interrogatório.

— Mas o que houve? — perguntei, enquanto papai colocava todas as malas, chapéus, burro de palha ("Não é uma graça?") e castanholas no bagageiro do Sierra. A seguir, papai ligou o carro. Eu tinha resolvido que ela não ia fugir dos problemas, varrer tudo para baixo do tapete e começar a mandar em nós dois.

– Está tudo esclarecido, querida, foi apenas um mal-entendido. Alguém fumou dentro do carro?

– O que houve, mãe? O que houve com o dinheiro das pessoas e os apartamentos do condomínio? – perguntei. – Onde estão minhas 200 libras?

– Arre! Foi só um probleminha com o projeto dos prédios. Você sabe que esses funcionários portugueses às vezes são bem corruptos. Só querem saber de propina e gorjeta, iguaizinhos à Winnie Mandela. Então, Julio devolveu todos os depósitos. Acabamos tendo umas férias ótimas! O tempo estava um pouco nublado, mas...

– Onde está Julio? – perguntei, desconfiada.

– Ah, ficou em Portugal para resolver o problema com o projeto.

– E como fica a minha casa? E a poupança? – indagou papai.

– Não sei do que você está falando. Não tem nenhum problema com a casa.

Mas, infelizmente, mamãe estava enganada. Quando chegamos em The Gables, todas as fechaduras tinham sido trocadas e tivemos de voltar para a casa de Una e Geoffrey.

– Arre, Una. Estou exausta, acho que vou direto para a cama – disse mamãe depois de ver as caras desapontadas, o lanche frio sobre a mesa e as fatias murchas de beterraba.

Papai foi atender o telefone e voltou dizendo:

– Era Mark Darcy.

Tentei não demonstrar que meu coração tinha pulado para a boca.

– Ele está em Albufeira. Parece que conseguiram pegar o... o cafajeste gomalinado... e recuperaram parte do dinheiro. Pode ser que a gente consiga The Gables de volta.

Quando ele disse isso, todos gritaram de alegria e

Geoffrey começou a cantar "Ele é um bom companheiro". Esperei que Una comentasse alguma coisa a meu respeito, mas ela não disse nada. Era sempre assim. Exatamente na hora em que resolvo gostar de Mark Darcy, todos param de querer me juntar a ele.

— Aceita um pouco de chá no leite, Colin? — ofereceu Una, passando para papai um bule de chá decorado com um friso de flores de damasco.

— Não sei... não entendo por que... não sei o que pensar — disse papai, preocupado.

— Olha, não precisa mais se preocupar — interrompeu Una, com um ar calmo e controlado que não era comum nela. De repente a vi como a mãe que eu jamais tive. — Coloquei muito leite na sua xícara. Vou tirar um pouco e completar a xícara com água quente.

Quando finalmente saí da confusão, peguei a estrada para Londres a mil por hora, fumando sem parar, num ato de rebeldia insensato.

DEZEMBRO →

Ai, Deus

SEGUNDA-FEIRA, 4 DE DEZEMBRO

58 kg (humm, tenho de emagrecer antes que chegue a comilança natalina), 3 modestas unidades alcoólicas, 7 beatíficos cigarros, 3.876 calorias (ai), 6 ligações para o 1471 para saber se Mark Darcy tinha ligado (b.).

Fui ao supermercado e, não sei por quê, fiquei pensando sem parar em árvores de Natal, lareiras, cânticos de Natal, pasteizinhos de carne etc. Depois percebi por quê. Os respiradouros do supermercado costumam soltar um cheiro de pão assado, mas hoje o cheiro era de pasteizinhos natalinos. É incrível como os comerciantes são descarados. Lembrei do meu poema preferido de Wendy Cope, que diz:

No Natal, as crianças cantam, os sinos tocam.
O ar frio do inverno faz nossas mãos e rostos ficarem gelados.
Felizes, as famílias vão para a igreja, se envolvem na alegria.
E a coisa toda vira um horror se você está sozinha.

Até agora, nada de Mark Darcy.

TERÇA-FEIRA, 5 DE DEZEMBRO

58 kg (certo, vou começar mesmo uma dieta hoje), 4 unidades alcoólicas (início da estação festiva), 10 cigarros (excelente), 3.245 calorias (melhor), 6 ligações para o 1471 (franco progresso).

É uma distração olhar os catálogos de roupas e acessórios que vêm encartados dentro dos jornais. Gostei principalmente do apoiador de metal prateado para óculos, justificado com a seguinte legenda: "Os óculos costumam ser colocados de qualquer jeito sobre a mesa, o que é um convite para acidentes." Concordo plenamente. Outro acessório é o interessante chaveiro Gato Preto, com um mecanismo simples que, "ao acender uma luzinha vermelha, ilumina a fechadura de toda pessoa que adore gatos". E os conjuntos de *bonsai*! Que graça. "Pratique a antiga arte *bonsai* com esta caixinha de mudas de árvores-da-seda rosa originárias da Pérsia." Lindo, lindo demais.

Fico triste porque meu romance com Mark Darcy, que brotava como uma muda de árvore-da-seda rosa, foi arrancado pela raiz por Marco Pierre White e minha mãe. Mas estou tentando encarar tudo de uma ótica filosófica. Talvez Mark Darcy seja perfeito e certinho demais para mim, com sua competência e inteligência. Além de não ser fumante, não bebe e tem carros com motorista. Pode ser desígnio de Deus: vou acabar achando um homem mais extravagante, mais mundano e mais *light*. Como Marco Pierre White, por exemplo, ou, só para citar um nome completamente ao acaso, Daniel. Humm. É. Tenho de seguir em frente, não posso ficar com pena de mim.

Liguei para Sharon, que disse que não é desígnio nenhum que eu tenha de ficar com Marco Pierre White e muito menos com Daniel. A única coisa de que uma mulher moderna e atual precisa é dela mesma. Viva!

2h da manhã. Por que Mark Darcy não me ligou? Por quê? Por quê? Vou acabar sendo devorada por um pastor-alemão, apesar de todos os esforços para evitar que isso ocorra. Deus, por que eu?

SEXTA-FEIRA, 8 DE DEZEMBRO

59,4 kg (desastre), 4 unidades alcoólicas (b.), 12 cigarros (excelente), 0 presente de Natal comprado (ruim), 0 cartão enviado, 7 ligações para o 1471.

16h. Humm. Jude acaba de telefonar e, quando nos despedimos, disse:

— Vejo você domingo, na casa de Rebecca.

— Rebecca? Domingo? Que Rebecca? Onde?

— Ah, você não foi...? Ela está só reunindo alguns... Acho que é uma espécie de jantar pré-Natal.

— De todo jeito, já tenho compromisso no domingo — menti. Finalmente, uma boa oportunidade para espanar todos os cantinhos de casa. Eu *pensava* que Jude e eu tivéssemos a mesma amizade em relação a Rebecca, mas então por que ela convidou Jude e não eu?

21h. Fui ao bar 192 tomar um vinho com Sharon e ela perguntou:

— O que você vai usar na festa de Rebecca?

Festa? Então é uma *festa* mesmo.

Meia-noite. Deixa para lá. Melhor não me chatear com isso. É o tipo da coisa que não tem mais importância na vida. As pessoas deviam convidar quem elas querem e os outros não devem ficar de mau humor por causa disso.

5h30 da manhã. Por que Rebecca não me convidou para a festa dela? Por quê? Por quê? Para quantas outras festas todo mundo foi convidado menos eu? Aposto que neste exato momento estão todos numa festa, rindo e bebendo champanhe caro. Ninguém gosta de mim. O Natal vai ser um deserto de festas, exceto as três festas que tenho no mesmo dia, 20 de dezembro, quando vou passar a noite inteira na sala de edição.

SÁBADO, 9 DE DEZEMBRO

O convite para festas de Natal.

7h45. Mamãe me acordou.

— Alô, querida. Estou ligando rápido porque Una e Geoffrey perguntaram o que você quer de presente de Natal e eu pensei numa sauna facial.

Como é que minha mãe pode — depois de cair em desgraça e por pouco não ser condenada a muitos anos de prisão — ficar exatamente como era antes, flertando com policiais e me torturando.

— Por falar nisso, você vai... — por um segundo, tive um sobressalto só de pensar que ela ia dizer "ao bufê de peru ao *curry*" e com isso trazer à baila o nome de Mark Darcy. Mas não: ela queria saber se terça-feira vou à festa da TV Vibrante. — Vai? — quis saber, entusiasmada.

Fiquei morta de humilhação. Meu Deus, eu *trabalho* na TV Vibrante.

— Não fui convidada — murmurei. Não há nada pior do que ter de admitir para sua mãe que você não é uma pessoa popular.

— Ah, querida, claro que você foi convidada. *Todo mundo* foi.

— Eu não fui.

— Bom, vai ver que é porque você trabalha lá há pouco tempo.

— Mas mamãe, você nem trabalha lá.

— Meu caso é diferente, querida. Bom, estou com pressa. Tchau!

9h. Breve oásis emocional ao receber um envelope pelo correio, mas trata-se de uma miragem: convite para a venda especial de maquiagem de olhos.

11h30. Liguei para Tom em desespero paranóico para ver se ele queria sair à noite.

— Sinto muito, Jerome e eu vamos numa festa no Clube Groucho — desculpou-se, com uma vozinha cantante.

Ai, Deus, detesto quando Tom está feliz, seguro e de bem com Jerome. Prefiro muito mais quando está péssimo, inseguro e deprimido. Como ele sempre diz: "É tão bom quando tudo vai mal com os outros."

— Vejo você amanhã, então — disse ele, tentando compensar —, na casa de Rebecca.

Tom só viu Rebecca duas vezes na vida, ambas na minha casa, e eu a conheço há nove anos. Resolvi fazer compras e parar de pensar nisso.

14h. Dei de cara com Rebecca na Graham and Greene, comprando uma echarpe por 169 libras. (O que está acontecendo com as echarpes? Uma hora elas são vendidas por quilo e custam 9,99 libras; outra hora, são de um veludo divino e têm o mesmo preço de um aparelho de televisão.

No ano que vem isso decerto vai acontecer com as meias ou as calças e vamos nos sentir por fora se não estivermos com calcinhas de veludo negro que custaram 145 libras na loja English Eccentrics.)

– Olá – cumprimentei, animada, achando que finalmente ia acabar com o problema da festa e ela também diria: "Vejo você no domingo."

– Ah, oi – respondeu ela, friamente, sem me olhar. – Não posso conversar, estou com muita pressa.

Ela saiu da loja, onde estava tocando a música "Castanhas assando na fogueira", e fiquei olhando para um fantástico coador do famoso *designer* Phillipe Starck que custava 185 libras, mal contendo as lágrimas. Detesto Natal. Tudo é programado para a família, o afeto, o aconchego, o sentimento, os presentes, e se você não tem namorado nem dinheiro, se sua mãe está saindo com um português ladrão e foragido, e seus amigos não querem mais ser seus amigos, dá vontade de emigrar para um desses horríveis países muçulmanos onde pelo menos *todas* as mulheres são consideradas párias. Não tem problema. Vou passar o fim de semana lendo um livro tranqüilamente e ouvindo música clássica. Talvez leia *Estrada dos famintos*.

20h30. *Encontro marcado* estava ótimo. Vou pegar mais uma garrafa de vinho.

SEGUNDA-FEIRA, 11 DE DEZEMBRO

Cheguei do trabalho e encontrei um recado ríspido na secretária.

– Bridget. Aqui é Rebecca. Sei que você está trabalhando na tevê. Sei que agora tem grandes festas para ir todas as noites mas, mesmo assim, acho que poderia ter a gentileza de responder ao convite de uma amiga, apesar de você estar importante demais para se dignar a ir à festa dela.

Liguei para Rebecca na mesma hora, mas nem a secretária eletrônica atendia. Resolvi ir até a casa dela deixar um bilhete e, descendo a escada do meu prédio, encontrei Dan, o australiano que mora no andar de baixo e do qual escapei em abril.

– Oi. Feliz Natal – disse ele, animado. – Você pegou sua correspondência?

Olhei-o sem entender o que estava dizendo.

– Tenho colocado embaixo da sua porta para você não ter de descer de camisola para pegar de manhã, morrendo de frio.

Subi a escada correndo, levantei o capacho e embaixo dele, como um milagre natalino, havia uma pilha de cartões, cartas e convites todos endereçados a mim. A mim, a mim, a mim.

QUINTA-FEIRA, 14 DE DEZEMBRO

58,5 kg, 2 unidades alcoólicas (ruim, pois não bebi nada ontem – amanhã tenho ae compensar o que já bebi, para evitar um ataque cardíaco), 14 cigarros (será ruim? ou bom? Dizem que uma pequena quantidade de nicotina no sangue pode ser bom, desde que a pessoa não fume sem parar), 1.500 calorias (excelente), 4 bilhetes de loteria (ruim, mas seria bom se o dono da Virgin Store, Richard Branson, tivesse ganhado sua fortuna numa loteria sem fins lucrativos), 0 cartão enviado, 0 presente comprado, 5 ligações para o 1471 (excelente).

Festas, festas, festas! E Matt, colega da redação, acaba de ligar perguntando se vou ao almoço de Natal na terça-feira. *Não pode* estar interessado em mim, tenho idade para ser tia-avó dele, mas então por que ligou à noite para me convidar? E por que perguntou com que roupa eu estava? Não devo ficar muito animada e nem deixar que a festa e o telefonema do rapaz me subam à cabeça. É melhor lembrar do velho ditado que diz que gato escaldado tem medo de água fria e também que onde se ganha o pão não se come a carne. E recordar o que aconteceu na última vez em que me meti com um frangote: passei pela humilhação de ouvir Gav dizer: "Ah, você é toda fofa." Humm. O sexualmente emocionante almoço de Natal será seguido de uma noite numa discoteca (para o editor, é esse o ideal de diversão). O fato exige uma criteriosa escolha de roupa. Acho melhor ligar para Jude.

TERÇA-FEIRA, 19 DE DEZEMBRO

60,3 kg (mas tenho quase uma semana para perder 3 quilos até o Natal), 9 unidades alcoólicas (sofrível), 30 cigarros, 4.240 calorias, 1 bilhete de loteria (excelente), 0 cartão enviado, 11 cartões recebidos, incluindo 1 do jornaleiro, 1 do gari, 1 dos funcionários da garagem Peugeot e 1 do hotel onde passei uma noite, quatro anos atrás, em uma viagem de trabalho. Sou uma pessoa pouco popular, ou vai ver que este ano todo mundo está enviando seus cartões mais tarde.

9h. Ai, Deus, estou me sentindo horrível: com uma acidez no estômago causada pela ressaca e hoje é o dia do almoço na discoteca. Não posso ficar assim. Vou explodir por causa de tantas obrigações que deixei de cumprir, parece até revisão para provas de final de ano. Não consegui mandar os cartões nem fazer as compras de Natal, exceto as coisas que comprei correndo ontem na hora do almoço, quando vi que aquela noite na casa de Magda e Jeremy seria a última vez que eu ia encontrar as garotas antes do Natal.

Detesto troca de presentes entre amigos porque, ao contrário da família, não há como saber quem vai ou não dar presentes e se estes devem ser uma lembrancinha ou um presente mesmo, então tudo se transforma numa terrível troca de cartas marcadas. Há dois anos, comprei para Magda uns brincos lindos na Dinny Hall e ela ficou sem graça porque não tinha comprado nada para mim. No ano passado, então, não comprei nada para ela e ela me comprou um vidro do caríssimo perfume Coco Chanel. Este ano comprei para ela um vidro grande de óleo de açafrão com champanhe e uma saboneteira de arame trançado e ela ficou gaguejando aquelas mentiras de sempre, de ainda não ter feito as compras de Natal. No ano passado, Sharon me deu uma espuma de banho numa embalagem em forma de Papai Noel, então na noite passada dei para ela um vidro de algas marinhas da Body Shop e uma geléia para passar no banho e ela me deu uma bolsa. Eu tinha levado um embrulho extra com um vidro de azeite fino como presente neutro de emergência mas ele caiu do meu casaco e quebrou em cima do tapete da Magda da loja Conran.

Argh. Seria ótimo se o Natal apenas *fosse*, sem trocas de presentes. É uma coisa tão idiota, todo mundo se estressando, gastando rios de dinheiro em coisas inúteis que as pessoas jamais usarão: os presentes deixaram de ser provas de afeto para virarem uma angustiada solução para problemas. (Humm. Mas tenho de admitir que adorei ganhar uma bolsa nova.) O que adianta o país inteiro ficar correndo durante seis semanas, de mau humor, preparando-se para um inútil teste sobre qual será o gosto dos outros, no qual o país inteiro é reprovado e depois fica com coisas horrendas e indesejadas? Se acabassem com os presentes e os cartões, então o Natal passaria a ser como um animado festival pagão para distrair as pessoas do inverno deprimente. Mas se o governo, as instituições religiosas, os pais, a tradição etc. insistem que se não houver recolhimento do imposto sobre presentes de Natal o país vai se arruinar, por que não obrigar cada pessoa a sair e gastar 500 libras em presentes para si mesma, depois distribuir para os parentes e amigos embrulharem e darem para elas, em vez desse tormento psicológico?

9h45. Mamãe ligou.

— Querida, estou telefonando para dizer que este ano resolvi não dar presentes para ninguém. Você e Jamie agora já sabem que Papai Noel não existe e todos nós estamos muito ocupados. Este ano vamos apenas ter o prazer de nos reunir.

Mas sempre ganhamos presentes de Papai Noel em sacos colocados na beira da cama. O mundo agora ficou sem graça e cinzento. Não vai parecer o mesmo Natal de sempre.

Ai, Deus, melhor eu ir trabalhar — mas não vou beber nada no almoço na discoteca, só vou ser simpática e profissional com Matt, ficar lá até as 15h30, depois sair e voltar para escrever meus cartões de Natal em casa.

2h da manhã. Clarque tudo bem — todo mundo bebe nas festas de Natal do trabalho. Bem divertido. Tende dormi — nvonem tirarrop.

QUARTA-FEIRA, 20 DE DEZEMBRO

5h30 da manhã. Ai, Deus. Ai, Deus. Onde estou?

QUINTA-FEIRA, 21 DE DEZEMBRO

58,5 kg (na verdade, não tenho motivo de emagrecer para o Natal já que estou tão empanturrada — em qualquer momento a partir da ceia de Natal é perfeitamente aceitável recusar comida, já que está todo mundo empanzinado. Aliás, acho que é a única época do ano em que não comer não é problema).

Passei os últimos dez dias num estado de permanente ressaca e levando uma subvida, sem fazer as refeições direito nem comer pratos quentes.

O Natal é uma espécie de guerra. Fazer compras na Oxford Street é algo que me ameaça. Será que a Cruz Vermelha ou os alemães vão chegar e me descobrir? Argh. São 10 horas da manhã. Não fiz as compras de Natal. Não mandei os cartões. Tenho de ir trabalhar. Certo, nunca, mas nunca mais na vida eu vou beber. Argh, telefone.

Argh. Era mamãe, mas podia muito bem ser Goebbels tentando me convencer a invadir a Polônia.

— Querida, estou ligando só para saber a que horas você vai chegar na sexta à noite.

Com incrível competência, mamãe planejou um Natal familiar cheio de afeto: ela e papai estão fazendo de conta que nada aconteceu o ano inteiro, uma atitude "para o bem das crianças", isto é, eu e Jamie, que tem 37 anos.

— Mãe, *acho* que já falamos sobre isso: não vou para sua casa na sexta-feira, vou na noite de Natal. Lembra que combinamos tudo? Naquela primeira vez que você ligou, em agosto...

– Ah, não seja *boba*, querida. Você não vai ficar sozinha no seu apartamento o fim de semana inteiro quando estamos em época de Natal. O que vai comer?

Argh. Detesto essas coisas. Como se, pelo simples fato de ser solteira, você não tivese um lar, amigos ou compromissos, e é considerada egoísta por se recusar a ficar à disposição de todos o Natal inteiro e feliz porque vai dormir torta num saco de dormir no quarto dos adolescentes, descascar batatas o dia inteiro para 50 pessoas e *ser gentil* com pervertidos a quem chama de *tios*, enquanto eles ficam olhando seus peitos.

Já meu irmão pode ir e vir quando bem entende, todo mundo acha ótimo e compreensível só porque ele consegue viver com uma eco-chata praticante de *tai chi chuan*. Honestamente, eu preferia tocar fogo no meu apartamento a ficar nele com Becca, a namorada de Jamie.

É espantoso minha mãe não demonstrar gratidão a Mark Darcy por ele ter resolvido tudo para ela. Pelo contrário: ele passou a fazer parte daquele assunto que não deve ser comentado, isto é, o grande drama do condomínio, e ela se comporta como se ele jamais tivesse existido. Tenho certeza de que ele teve um bocado de trabalho para conseguir recuperar o dinheiro de todo mundo. Mark Darcy é uma pessoa ótima. Boa demais para mim, claro.

Ai, Deus. Tenho de colocar um lençol na cama. É horrível dormir num colchão todo cheio de botões. Mas onde estão os lençóis? Gostaria de comer alguma coisa.

SEXTA-FEIRA, 22 DE DEZEMBRO

Agora que o Natal está chegando, sinto uma espécie de ternura em relação a Daniel. É inacreditável eu não ter recebido um cartão de Natal dele (embora eu também não tenha conseguido mandar nenhum até agora). Parece estranho ter estado tão próxima dele o ano inteiro e não ter mais nenhum contato. Isso é muito triste. Talvez Daniel tenha virado um judeu ortodoxo. Talvez amanhã Mark Darcy telefone para me desejar Feliz Natal.

SÁBADO, 23 DE DEZEMBRO

58,9 kg, 12 unidades alcoólicas, 38 cigarros, 2.976 calorias, 0 amigo ou pessoa querida para me cumprimentar nesta época festiva.

18h. Resolvi ser uma solteira sozinha em casa, igualzinha à princesa Diana depois do divórcio.

18h05. Onde estão as pessoas? Imagino que estejam todas com seus namorados ou em casa, confraternizando com a família. Mas é uma oportunidade para fazer tudo o que preciso... ou eles têm suas próprias famílias. Bebês. Criancinhas de pijamas, rechonchudas, bochechas rosadas, olhando animadas para a árvore de Natal. Ou vai ver que estão todos numa grande festa, menos eu. Não tem importância, tenho um monte de coisas a fazer em casa.

18h15. Não tem importância. Falta só uma hora para começar o *Encontro marcado*.

18h45. *Ai, Deus, estou tão sozinha.* Até Jude me esqueceu. Ela ligou a semana inteira, apavorada porque não sabia o que comprar para Richard o Vil. Não quer nada muito caro porque dá a impressão de que o caso está ficando sério ou que ela está tentando humilhá-lo (boa idéia, se ela quer saber). O presente também não pode ser nada para vestir, já que essa área é um convite aos problemas, podendo fazer Richard o Vil se lembrar da última namorada, Jilly a Vil (para quem ele não quer voltar, mas finge ainda gostar para não ter de ficar com Jude – verme). A última idéia dela era dar uma garrafa de uísque junto com outros presentinhos para não parecer pão-dura ou neutra – talvez junto com moedas de chocolate e tangerinas. Tudo depende da forma como Jude encara a cena Meias Dependuradas na Lareira: uma coisa tão exageradamente chata que chega a dar náusea ou, pelo contrário, algo muito elegante em sua pós-modernidade.

19h. Situação de emergência: Jude telefonou chorando. Vem para cá. Richard o Vil voltou para Jilly a Vil. Jude culpa os presentes. Ainda bem que fiquei em casa. Devo ser uma emissária do Menino Jesus para ajudar os perseguidos no Natal por essa espécie de Herodes, isto é, Richard o Vil. Jude vai chegar às sete e meia.

19h15. Droga. Tom telefonou e com isso perdi o começo de *Encontro marcado.* Está vindo para cá. Jerome, que tinha voltado para ele, terminou o caso e voltou para o ex-namorado que faz parte do coro do musical *Cats.*

19h17. Simon vem para cá. A namorada dele voltou para o marido. Graças a Deus fiquei em casa, assim posso receber os amigos chutados por seus respectivos casos como se eu fosse a Rainha de Copas ou a Deusa da Bondade. Mas sou uma pessoa assim mesmo: gosto de gostar dos outros.

20h. Viva! Um milagre natalino. Daniel acaba de ligar dizendo com a voz enrolada:

– Jonesh. Eu te amo, Jonesh. Cometi um erterrível. A idiota da Suki é de plástico. Peitos sempre apontando para o norte. Eu te amo, Jonesh. Vou aparecer na sua casa para dar uma olhada na sua saia.

Daniel: o maravilhoso, confuso, *sexy*, maravilhoso, engraçado Daniel.

Meia-noite. Argh. Nenhum deles apareceu. Richard o Vil mudou de idéia e voltou para Jude. O mesmo em relação a Jerome e à namorada de Simon. Tudo não passou de uma exasperação emocional do espírito natalino que fez todo mundo ficar inseguro a respeito de ex-casos. Melhor nem falar em Daniel, que ligou às dez da noite para dizer:

– Escute, Bridge. Você sabe que todo sábado à noite eu assisto ao jogo na tevê, não? Posso ir amanhã antes do jogo?

Incrível? Fantástico? Extraordinário?

1h da manhã. Estou completamente só. O ano foi um fracasso total.

5h da manhã. Droga, não tem importância. Talvez o Natal não vá ser uma chatice. Talvez meus pais apareçam na manhã seguinte, de mãos dadas, meio sem graça, dizendo: "Crianças, precisamos conversar uma coisa com vocês", e eu poderia ser dama de honra na cerimônia de confirmação de votos conjugais.

DOMINGO, 24 DE DEZEMBRO. NOITE DE NATAL

58,9 kg, 1 mísera taça de xerez, 2 cigarros sem a menor graça, já que fumados escondido, na janela, cerca de um milhão de calorias, 0 pensamento festivo.

Meia-noite. Estou meio confusa sobre o que é real ou não. Tem uma fronha de travesseiro na beira da minha cama que mamãe colocou antes de ir dormir, dizendo: "Vamos ver se Papai Noel vem." A fronha agora está cheia de presentes. Mamãe e papai estão separados e pensando em se divorciar, mas dormindo na mesma cama. Por outro lado, meu irmão e a namorada, que moram juntos há quatro anos, estão em quartos separados. Não sei direito por que tudo isso, a não ser que seja para não preocupar a vovó que a) está maluca e b) ainda não chegou. A única coisa que me mantém ligada ao mundo real é que, mais uma vez, estou passando o Natal de um jeito humilhante: dormindo sozinha numa cama de solteiro na casa de meus pais. Talvez papai esteja neste instante tentando transar com mamãe. Argh, argh. Não, não. Por que o cérebro da gente pensa essas coisas?

SEGUNDA-FEIRA, 25 DE DEZEMBRO

59,4 kg (ai, Deus, virei um Papai Noel, um pudim de Natal ou similar), 2 unidades alcoólicas (completa vitória), 3 cigarros (idem), 2.657 calorias (quase só molhos), 12 presentes de Natal sem nada a ver comigo, 0 presente com alguma coisa a ver comigo, 0 reflexão filosófica a respeito de uma Virgem dar à luz, número de anos desde que não sou mais virgem, hum.

Desci para a sala, esperando que meu cabelo não estivesse com cheiro de cigarro. Mamãe e Una trocavam opiniões políticas e punham enfeites na ponta das couves-de-bruxelas.

— Ah, sim, eu acho aquele homem — como é que ele se chama? — *muito* bom.

— É, quer dizer, mas ele se meteu naquela — como é que se chama? — maracutaia que ninguém esperava, não?

— Ah, mas então é melhor você tomar cuidado porque pode acabar tendo um problema como aquele — como é mesmo o nome dele? — que costumava perseguir os mineiros. Mas sabe de uma coisa? Salmão defumado não me faz bem, sinto uma azia, principalmente depois que comi muita castanha-do-pará com cobertura de chocolate. Ah, olá, querida — disse mamãe, quando apareci. — O que você vai usar no Dia de Natal?

— Isto aqui — murmurei, de mau humor.

— Ah, não seja boba, Bridget, você não pode usar isso no *Dia de Natal*. Não vai aparecer na sala para cumprimentar tia Una e tio Geoffrey antes de mudar de roupa? — perguntou, com aquela vozinha especial de não-está-tudo-ótimo? que significa "Faça o que estou dizendo ou passo o espremedor elétrico Magimix em você".

– Olá, como está, Bridget? Como vão os namorados? – brincou Geoffrey, dando um daqueles abraços especiais, ruborizando e puxando o cós da calça para cima.

– Ótimos.

– Quer dizer que você ainda não arrumou um namorado. Arre! O que a gente faz com você?

– Isso é um biscoito de chocolate? – perguntou vovó, olhando para mim.

– Levante os ombros, querida – segredou mamãe.

Meu Deus, por favor, me ajude. Quero ir para casa. Quero minha vida de volta. Não me sinto adulta, parece que sou uma adolescente que todo mundo fica irritando.

– Então como *é* que vai fazer em relação a bebês, Bridget? – quis saber Una.

– Ah, olha só, um pênis – disse vovó, segurando um tubo gigante de chocolate Smarties.

– Vou trocar de roupa – avisei, sorrindo sem graça para mamãe. Corri para o quarto, abri a janela e acendi um Silk Cut. Vi a cabeça de Jamie na janela do andar de baixo, também fumando. Dois minutos depois a janela do banheiro abriu e uma cabeça ruiva apareceu e acendeu um também. Era a droga da mamãe.

Meia-noite e meia. A troca de presentes foi um pesadelo. Faço sempre uma festa com cada presente horrível que recebo, dou gritinhos de alegria, por isso a cada ano recebo mais presentes horrendos. Quando eu trabalhava na editora, a namorada de meu irmão me deu uma série de terríveis escovas de roupa, calçadeiras e enfeites de cabelo em forma de livro. Este ano ela me deu uma claquete magnética para geladeira. Una, para quem cada tarefa doméstica exige uma engenhoca útil e prática, me deu uma série de minichaves de fenda que cabem em diversos tipos de tampas de jarro ou garrafas na cozinha. E mamãe, que me dá presentes para tentar fazer com que minha vida fique mais parecida com a dela, me deu um fogareiro de uma boca.

— Basta você refogar os temperos antes de ir para o trabalho e colocar alguns legumes na panela. (Será que ela tem idéia que há certas manhãs em que é difícil tomar um copo d'água sem vomitar?)

— Ah, olha só. Não é um pênis, é um biscoito comprido — constatou vovó.

— Pam, acho que vamos ter de passar esse molho na peneira — disse Una, saindo da cozinha com uma panela na mão.

Ai, não, por favor. Agora chega.

— Acho que não precisa, querida — disse mamãe, falando cuspindo. — Você já mexeu bem o molho?

— Não fique me ensinando, Pam — disse Una, sorrindo de um jeito ameaçador. Elas se posicionaram como se fossem dois lutadores. Essa história do molho se repete todo ano. Felizmente, algo interrompeu a luta iminente: um barulho e um grito quando uma pessoa entrou pela porta envidraçada. Era Julio

Todo mundo se assustou e Una deu um grito.

Ele estava barbado, segurando uma garrafa de xerez. Foi cambaleando até papai e levantou-o do chão.

— Você dormiu com minha mulher.

— Ah, Feliz Natal, ahn... Posso lhe oferecer um xerez? — cumprimentou papai. — Ah, vejo que já tem. Muito bem. Aceita um pastelzinho de carne?

— Você dormiu com minha mulher — disse Julio, ameaçador.

— Ele é tão latino, rá-rá-rá — comentou mamãe de um jeito coquete enquanto todo mundo ficava olhando apavorado. Sempre vi Julio limpo, bem penteado e com uma bolsa masculina. Agora estava desarrumado, bêbado e, para ser sincera, exatamente do jeito que eu gosto. Não era de estranhar que mamãe parecesse mais excitada do que constrangida.

— Julio, seu bobo — arrulhou ela. Ai, Deus, ela ainda gostava dele.

— Você dormiu com ele — disse Julio, dando uma cuspida no tapete chinês e subindo para o primeiro andar. Mamãe foi atrás, dando um gritinho para nós:

— Papai, por favor, pode trinchar o peru e chamar as pessoas para a mesa?

Ninguém se mexeu.

— Muito bem, gente — disse papai, com uma voz tensa, séria e máscula. — Tem um criminoso perigoso lá em cima fazendo Pam de refém.

— Ah, se quer saber, acho que ela não está ligando — opinou vovó num raro e inadequado instante de lucidez. — Ah, olha só, tem um biscoito no meio das dálias.

Olhei pela janela e quase caí dura. Lá estava Mark Darcy, firme como uma autoridade, atravessando o gramado e entrando pela porta envidraçada. Estava suado, sujo, com o cabelo desgrenhado, a camisa aberta. *Opa, opa!*

— Fiquem todos calmos e quietos, como se estivesse tudo normal — disse, tranqüilo. Estávamos todos tão apalermados e ele tão seguro que fizemos o que disse, parecendo zumbis hipnotizados.

— Mark — sussurrei, quando passei por ele com o molho. — O que você está dizendo? Não tem nada normal.

— Não sei se Julio é uma pessoa violenta. A polícia está lá fora. Se conseguirmos fazer com que sua mãe desça e ele fique lá, a polícia pode subir e pegá-lo.

— Está bem, deixa comigo — falei, e fui para o primeiro degrau da escada.

— Mamãe! — gritei. — Não consigo achar os guardanapinhos de aperitivos.

Todo mundo ficou em suspense. Não houve resposta.

— Chame outra vez — disse Mark, baixinho, me olhando com admiração.

– Diga para Una levar o molho para a cozinha – murmurei.

Ele fez um sinal positivo com a mão. Respondi com o mesmo sinal e tomei fôlego.

– Mamãe? – gritei para cima outra vez. – Sabe onde está a peneira? Una está preocupada com o molho.

Dez segundos depois ouviu-se um barulho pela escada e mamãe apareceu, afogueada.

– Os guardanapinhos de aperitivos estão dependurados no gancho de guardanapinhos de aperitivos, sua boba. Mas o que Una aprontou com esse molho? Arre! Vamos ter de usar o espremedor elétrico Magimix!

Quando ela falou, ouvimos passos lá em cima e um tumulto.

– Julio! – gritou mamãe e foi correndo para a porta.

O detetive que eu tinha conhecido na delegacia estava na porta da sala.

– Muito bem, fiquem calmos. Está tudo sob controle – garantiu.

Mamãe deu um grito quando Julio, algemado a um jovem policial, apareceu no corredor e foi levado pela porta da frente, atrás do detetive.

Fiquei olhando enquanto ela se recompunha e dava uma olhada em volta da sala, avaliando a situação.

– Bom, graças a Deus eu consegui acalmar Julio – concluiu ela, aliviada, depois de um silêncio. – Não foi fácil! Você está bem, papai?

– Mamãe, sua blusa está do lado do avesso – disse papai.

Olhei aquela cena terrível, sentindo como se o mundo estivesse caindo à minha volta. Senti então uma mão forte segurando meu braço.

– Vamos – disse Mark Darcy.

– O quê? – perguntei.

– Bridget, não diga "o quê", diga, "desculpe, como disse?" – sussurrou mamãe.

– Sra. Jones – disse Mark, sério. – Vou levar Bridget comigo para comemorar o resto do aniversário do Menino Jesus.

Dei um grande suspiro e agarrei a mão de Mark Darcy.

– Feliz Natal para todos – falei, com um sorriso simpático. – Espero que a gente se veja no bufê de peru ao *curry*.

Eis o que aconteceu a seguir:

Mark Darcy me levou para o Hintlesham Hall para tomar champanhe e ter um almoço de Natal atrasado, que estava m. b. Gostei principalmente da liberdade de colocar molho no peru de Natal pela primeira vez na vida sem me preocupar. Natal sem mamãe e Una era uma coisa diferente e maravilhosa. Foi muito fácil conversar com Mark Darcy, principalmente porque podia comentar sobre o cerco festivo da polícia a Julio.

Mark tinha ficado quase o mês inteiro em Portugal, como se fosse um eficiente detetive particular. Ele me contou que seguiu Julio até Funchal e descobriu onde estava o dinheiro, mas não conseguiu convencer nem ameaçar Julio para que ele devolvesse nada.

– Acho que agora ele vai devolver – disse ele, rindo. Mark Darcy é mesmo uma pessoa maravilhosa, além de ser bonito à beça.

– Como é que ele voltou para a Inglaterra?

– Bom, desculpe usar um lugar-comum, mas descobri seu calcanhar-de-aquiles.

– O quê?

– Bridget, não diga "o quê", diga, "desculpe" – conseitou ele. Eu ri. – Percebi que, embora sua mãe seja a mulher mais impossível do mundo, Julio a ama. De verdade.

Maldita mamãe, pensei. Como é que ela consegue ser uma irresistível deusa do sexo? Talvez eu devesse pintar o cabelo.

— E aí, o que você fez? — perguntei, me contendo para não começar a gritar: "E eu? E eu? Por que ninguém me ama?"

— Eu apenas avisei a ele que sua mãe ia passar o Natal com seu pai e que eles iam dormir na mesma cama. Desconfiei que ele era maluco e burro o suficiente para tentar, digamos, *impedir* isso.

— Como você sabia?

— Palpite. Faz parte do meu trabalho — explicou Mark. Nossa, como ele é incrível.

— Mas você foi maravilhoso, largou seu trabalho para fazer tudo isso. Por quê?

— Bridget, não acha bem óbvio?

Ai, meu Deus.

Quando subimos, ele tinha reservado uma suíte. Foi incrível, muito elegante e uma delícia e mexemos em tudo e tomamos mais champanhe e ele disse como gostava de mim: tipo da coisa, aliás, que Daniel jamais faria.

— Então por que você não me ligou antes do Natal? — perguntei, desconfiada. — Deixei *dois* recados na sua secretária eletrônica.

— Eu não queria falar com você antes de terminar meu trabalho. E não achava que você gostasse de mim.

— *O quê?*

— Bom, você não saiu comigo porque estava secando o *cabelo*. E quando nos conhecemos, eu estava com aquele ridículo suéter e as meias com estampas de abelhinhas que minha tia tinha me dado, parecia um completo idiota. Achei que você tinha pensado que eu era um pateta.

— Bom, um pouco, mas...

— Mas o quê?

— Não está querendo dizer "mas desculpe"?

Aí ele tirou a taça de champanhe da minha mão, me beijou e disse:

— Certo, Bridget Jones, vou perdoar você por isso.

Me carregou nos braços e me levou para o quarto (que tinha cama de dossel!) e fez todo tipo de coisas que farão com que, no futuro, sempre que eu vir um suéter de losangos com gola em V, vou entrar em combustão espontânea de tanta vergonha.

TERÇA-FEIRA, 26 DE DEZEMBRO

4h da manhã. Finalmente descobri o segredo da felicidade com os homens e, com grande pesar, raiva e enorme senso de derrota, coloco esse segredo nas palavras de uma adúltera, cúmplice de um criminoso e celebridade:

— Querida, não diga "o quê", diga "desculpe" e faça o que sua mãe mandar.

JANEIRO-DEZEMBRO (resumo)

3.836 unidades de bebida (ruim)

5.277 cigarros

11.090.265 calorias (repulsivo)

3.457 unidades de gordura (aprox.) (idéia horrível de
   qualquer maneira)

Peso ganho 32,6kg

Peso perdido 33kg (excelente)

42 números certos na loteria (m. b.)

387 números errados na loteria

98 bilhetes de loteria comprados

110 libras ganhas com os bilhetes de loteria

12 libras de lucro na loteria (Siiim! Siim! Venci o
   sistema e, ao mesmo tempo, ajudei boas causas,
   como grande benfeitora que sou)

Um bocado de ligações para o 1471

1 cartão de Dia dos Namorados (m. b.)

33 cartões de Natal (m. b.)

114 dias sem ressaca (m. b.)

2 namorados (até agora um só por seis dias)

1 namorado legal

uma resolução de Ano-Novo cumprida (m. b.)

Foi um ano de grande progresso.

Este livro foi composto na
tipologia Cochin em corpo 11,5/14 e
impresso em papel offset 90g/m² no
sistema Cameron da divisão gráfica
da Distribuidora Record.

"In *Shock Value*, *New York Times* scribe Zinoman attempts to give these directors the same treatment Peter Biskind gave Spielberg, Scorsese, and Coppola in his magnificent *Easy Riders, Raging Bulls*. In other words, he explains the filmmakers' importance while never letting his cultural theorizing get in the way of a good production yarn or intriguing biographical nugget. Zinoman succeeds monstrously well in this mission. . . . There is plenty here to make the most knowledgeable of horror fans' head explode."   —*Entertainment Weekly*

"Not only is *Shock Value* enormously well-researched—the book is based on the author's interviews with almost all of the movement's principals—it's also an unbelievable amount of fun. Zinoman writes with a strong narrative drive and a contagious charisma."   —NPR.org

"[*Shock Value*] fuses biography (in this case, of such masters of horror as Wes Craven, John Carpenter, and Tobe Hooper), production history, movie criticism, and social commentary into a unified and irresistible story. . . . You should finish a great movie book with your dander up and your Netflix queue swelled by at least a dozen titles. And on that count, *Shock Value* more than delivers."
                                                        —Laura Miller, Salon.com

"Zinoman . . . concentrates on a handful of films and filmmakers that brought the corpse back to life during the late 1960s and early '70s, and he convincingly conveys what made movies like *Night of the Living Dead* and *The Texas Chain Saw Massacre* different from anything that had come before: more unsettling, purer in their sense of dread. . . . Where *Shock Value* excels is in its primary research, the stories of how the seminal shockers of this era came to be."
                                                        —*The New York Times*

"[A] fine introduction to the revival of a genre."   —*The Wall Street Journal*

"Though in-depth character bios and discussion of the changing movie business are fascinating, Zinoman's shot-by-shot descriptions of groundbreaking films and championing of understated gems are even more impressive. This volume reveals just enough to satiate horror aficionados, while offering plenty for curious fright-seekers who want to explore the formative years of what's become a billion-dollar industry."   —*Publishers Weekly* (starred review)

"Impassioned, articulate prose . . . Zinoman is such a literate, intelligent defender of the cause that his arguments are well worth reading. Even better, he has a knack for finding the characters in behind-the-scenes theatrics."   —*The Onion*

"Insightful, revealing, and thoroughly engrossing . . . Thoroughly researched, *Shock Value* is chock full of nuggets of insider details that even the most hardcore horror fan might not know."   —About.com

"Between 1968 and 1976, all the films that redefined the horror movie were made: *Night of the Living Dead, Rosemary's Baby, The Exorcist, Dark Star, The Last House on the Left, The Texas Chain Saw Massacre,* and *Carrie*. In fluent reporter's prose lent urgency by personal fascination, Zinoman tells how their creators made those paradigm-shifters. . . . There are many good-bad and downright bad books about horror movies. Zinoman gives us the rare all-good book about them."
—Roy Olson, *Booklist*

"May well prove to be the most indispensable overview of modern horror."
—*Rue Morgue*

"Brisk, accessible, and incisive . . . walks a tonal tightrope of entertaining prose and sobering deliberation."
—*Fangoria*

"Five Stars. The most effortlessly enchanting treatise on the American horror film since Stephen King's *Danse Macabre* . . . die-hard horror fans will worship it."
—BloodyDisgusting.com

"Vivid and fascinating, *Shock Value* chronicles a period that feels both close and, sadly, remote. It is the fresco of a brave, uncompromising era in genre filmmaking. Mavericks, madmen, mutants, and monsters populate this entirely relevant book."
—Guillermo del Toro, director of *Pan's Labyrinth* and *Hellboy*

"If the soul of American cinema in the glory years of the 1970s belonged to names such as Altman, Coppola, and Scorsese, then its flesh and blood came from directors like Carpenter, Craven, Hooper, and Romero. Jason Zinoman shows us how and why by giving these pioneers of modern horror a chance to tell their own story, often in their own fascinating words. The result is a riveting history of fear and film that will thrill anyone who believes that movies can open our minds while they rip out our guts."
—Adam Lowenstein, author of *Shocking Representation: Historical Trauma, National Cinema, and the Modern Horror Film*

"This is a titillating insider's guide to the most influential horror movies of our time, and the men who made them. Full of weird personalities, studio screwage, and pesky mental breakdowns, *Shock Value* does for horror what Peter Biskind's *Down and Dirty Pictures* did for the studio system. Zinoman gives the genre what it needs most: an intelligent vivisection."
—Sarah Langan, author of *The Keeper* and *Audrey's Door*

"If you think you already know everything you need to know about the '70s revolution in American film, think again, and take a trip to the (very) dark side with Jason Zinoman's astute, informed, and vivid exploration of how the horror movie came back from the dead and walked among us once again. Zinoman brings a fan's appreciation, a critic's tough-mindedness, and a reporter's zeal to his group portrait of the movies that reshaped a generation's sleepless nights. Aficionados should love it, and skeptics may find themselves giving this always disreputable genre the fair shake that, as this smart and savvy book makes clear, it deserves."
—Mark Harris, author of *Pictures at a Revolution*

PENGUIN BOOKS

SHOCK VALUE

Jason Zinoman is a critic and reporter covering theater for *The New York Times*. He has also regularly written about movies, television, books, and sports for publications such as *Vanity Fair*, *The Guardian*, *The Economist*, and *Slate*. He was the chief theater critic for *TimeOut New York* before leaving to write the On Stage and Off column in the *Weekend* section of *The New York Times*. He grew up in Washington, D.C., and now lives in Brooklyn.

SHOCK VALUE

How a Few Eccentric Outsiders
Gave Us Nightmares, Conquered Hollywood,
and Invented Modern Horror

JASON ZINOMAN

PENGUIN BOOKS

PENGUIN BOOKS

Published by the Penguin Group

Penguin Group (USA) Inc., 375 Hudson Street, New York, New York 10014, U.S.A. • Penguin Group
(Canada), 90 Eglinton Avenue East, Suite 700, Toronto, Ontario, Canada M4P 2Y3 (a division of Pearson
Penguin Canada Inc.) • Penguin Books Ltd, 80 Strand, London WC2R 0RL, England • Penguin Ireland,
25 St. Stephen's Green, Dublin 2, Ireland (a division of Penguin Books Ltd) • Penguin Books Australia Ltd,
250 Camberwell Road, Camberwell, Victoria 3124, Australia (a division of Pearson Australia Group Pty Ltd)
• Penguin Books India Pvt Ltd, 11 Community Centre, Panchsheel Park, New Delhi – 110 017, India •
Penguin Group (NZ), 67 Apollo Drive, Rosedale, Auckland 0632, New Zealand (a division of Pearson New
Zealand Ltd) • Penguin Books (South Africa) (Pty) Ltd, 24 Sturdee Avenue, Rosebank, Johannesburg 2196,
South Africa

Penguin Books Ltd, Registered Offices: 80 Strand, London WC2R 0RL, England

First published in the United States of America by The Penguin Press,
a member of Penguin Group (USA) Inc. 2011
Published in Penguin Books 2012

10 9 8 7 6 5 4 3 2 1

Grateful acknowledgment is made for permission to reprint excerpts from the following copyrighted works:
"Desolation Row" by Bob Dylan. Copyright © 1965 by Warner Bros. Inc.; renewed 1993 by Special Rider
Music. All rights reserved.
The Age of Movies: Selected Writings of Pauline Kael, edited by Sanford Schwartz. Used by permission of The
Library of America.

THE LIBRARY OF CONGRESS HAS CATALOGED THE HARDCOVER EDITION AS FOLLOWS:

Zinoman, Jason.
    Shock value : how a few eccentric outsiders gave us nightmares, conquered Hollywood, and invented
modern horror / Jason Zinoman.
        p. cm.
    Includes bibliographical references and index.
    ISBN 978-1-59420-302-2 (hc.)
    ISBN 978-0-14-312136-7 (pbk.)
    1. Horror films—United States—History and criticism. I. Title.
    PN1995.9.H6Z56 2011   2010052279
    791.43'617—dc22

Printed in the United States of America
Designed by Marysarah Quinn

For Agnès

CONTENTS

SHOCK VALUE

INTRODUCTION

The first monster that an audience has to be
scared of is the filmmaker. They have to feel in
the presence of someone not confined by the
normal rules of propriety and decency.

Wes Craven

THE MOANS of a woman in pain echoed down the hallways of
an office building. Then came the lewd roar of a man enjoying himself. It was Times Square in the early seventies. High
above the traffic of Broadway, inside a cramped editing room, a baby-faced director, Wes Craven, huddled over a television screen staring at
his first feature film, *The Last House on the Left*. Sean Cunningham, his
producer and friend, sat nearby, worrying. This is sick, Cunningham
thought, but is it *good* sick?

Cunningham had worked backstage Off Broadway and shot soft-core
pornography. He was not naive. After a few years making cheap movies
peddling cheaper thrills, he developed a feel for exploitation, for tapping
into the desires of sweaty men in trench coats without alienating the
other crucial demographic of teenagers necking at drive-in theaters. So
when he told Craven he wanted him to make an extreme exploitation
movie, he was thinking of some nudity, a splash or two of blood, and
maybe even a bit of sadism to satisfy the perverts. But this film, this
was, well, what exactly?

What he saw was a curly-haired maniac named Krug, wide-eyed and scowling, sitting on the chest of a girl in the middle of the woods. Her face was a mask of terror and disgust. Krug carved the word "Love" into her chest. A crowd of hooligans cheered. With a half-crazed sneer, Krug, holding a knife, stared lasciviously at the struggling girl. Then he drooled all over her. This wasn't scary movie stuff that would make your girlfriend cuddle up on your shoulder. This would send her running out of the car. Cunningham didn't know what to make of *The Last House on the Left*, and he couldn't believe that Craven had directed it. A father of two kids who left his job upstate as a literature professor, Craven was shy, cerebral, and very, very mellow. Rarely angry or overly emotional, Craven betrayed the habits of a small-town academic whose mild rebellions included long hair, pot smoking, and avant-garde theater. He was more likely to make a terrible pun than to offer a harsh insult. He hardly seemed to fit the part of the bomb-throwing provocateur.

Craven asked one his former students, Steve Chapin, to drop by to discuss working on the music for the movie. When Chapin came in and saw what was on the screen, it made him think of the mayhem caused by Charles Manson, whose recent murder trial had made him the most famous criminal in America. "It's a thriller," Craven told him. "Tough stuff."

Chapin, who had the laid-back affect of a downtown folksinger, watched Krug carve his initials into the body of his victim. There were no cutaway shots, no suggestion, just a graphic, vile assault, shot with the discretion of a snuff film. "You guys sure about this?" Chapin said in a thick Brooklyn accent. "Are you allowed to do this? Are you allowed to do this in America?" Maybe he didn't really know Craven after all.

Trying to reassure him that everything was respectable, or at least as much as such entertainment usually is, Cunningham said, "Don't worry: it's just a joke." For him, the point was shock value; Chapin later asked to be removed from the credits.

Cunningham struck out into movies when there were not many independent feature companies operating out of New York. He was a natural showman, and his great insight as a promoter was in his advertisements subverting the usual puffery ("Scariest Film of All Time!") that no one believed anymore. Instead, he told the audience to stay away—for their own good. "Not recommended for persons over 30" the poster for *The Last House on the Left* warned. For those brave enough to attend, the ad urged: "Just keep telling yourself: It's Only a Movie. It's Only a Movie." Craven, however, was not interested in offering such comfort. To him, the point was to make the horrific violence look so real that you might entertain the thought that maybe this isn't just a movie. Wes Craven was serious.

He wasn't the only one. On the West Coast, around the same time, another few aspiring filmmakers were watching a maniacal-looking man with scraggly hair wield a knife over a young girl. Dan O'Bannon, the actor playing the sweaty brute with an authentic-sounding southern accent, appeared at first in shadow, a dark shape walking down a hill. The director cut to a virginal babysitter sitting in the living room by herself when she answered the phone. She hears only heavy breathing. Silence. The phone rings again, more breathing. "Is this one of your jokes?" she says, the television blaring in the background. Suddenly the perspective shifts to a shaky camera shot outside the suburban house where the potential victim appears through the window. The phone rings again, but it's the operator this time: "The killer's inside the house!" The lulling tone shifts into hectic cuts and a synthesizer sound track as a silent madman races after the victim, ending in police gunfire and death.

The story of the killer stalking the babysitter from inside the house was an old urban legend, but it had yet to become a movie trope. Screened at the USC film school, the fifteen-minute short *Foster's Release* was later shown at the Edinburgh Film Festival, and largely forgotten. Its director, Terence Winkless, a soft-spoken student with experience acting on television, didn't care much about horror. He saw it as a lark, and the thought of expanding this movie into a feature did not occur to him.

When Winkless moved on to create something closer to his heart, *Wallflower*, a soulful meditation about the challenges of being an artist, he received written criticism from his classmates, mostly anonymous, except for one pointed assessment. "I don't know anything from the ending. Nothing happens one way or the other," it stated brusquely. "Cutting was at times very effective but you kept coming back to that side medium shot." The critic signed his name JHC, the initials for John Howard Carpenter.

John Carpenter would go on to direct his own heavy-breathing stalker babysitter movie less than a decade later. *Halloween* became one of the most commercially successful and artistically influential horror movies ever made. Winkless worked on a few films, including co-writing *The Howling*, but his career never took off. The way he describes it, *Foster's Release* could be considered the Rosetta Stone of modern horror. "John took it from me no question," Winkless says with no bitterness in his voice. "But I don't blame him. He was smart. I was too much of a purist to turn *Foster's Release* into something bigger. That's fine: I have a good life. I just don't have his kind of money."

The year after *Halloween* opened, inspiring countless imitations with similar masked serial killers prowling outside of houses, Dan O'Bannon's screenplay for *Alien*, a movie that he had been thinking about since his film school days, revolutionized the monster movie. The success of these two movies, which can be traced back to the USC film school in the early seventies, completed the horror genre's transition from queasy exploitation fare to the beating heart of popular culture.

This book tells the unlikely story of how John Carpenter, Wes Craven, Dan O'Bannon, and several other innovative artists over the course of about a dozen years invented the modern horror movie. In the 1960s, going to see a horror movie was barely more respectable than visiting a porn theater. You watched scary movies in cars or in dirty rooms with sticky floors. Critics often ignored the genre, and Hollywood studios saw its box office potential as limited. Religious groups and politicians sometimes protested, but more often, mainstream adult audiences didn't pay attention. These young filmmakers revived the genre, and the results of their work can be seen almost every weekend when a major horror movie opens.

Magazines and television channels are now dedicated to horror movies. Popular video games are based on movies like *Alien*. Universities teach exploitation cinema. Museums curate festivals of low-budget movies that were picketed when they opened. In terms of the box office, zombies and vampires are as close to a sure thing as there is in Hollywood. Relentless serial killers have become the subject of Oscar-winning productions such as *The Silence of the Lambs* and *No Country for Old Men*.

The publishing industry has long relied on that indestructible commercial artist Stephen King, but now *Twilight* helps drive the business, and the undead have brought a new generation to the stories of Jane Austen in the bestseller *Pride and Prejudice and Zombies*. Some of the most popular shows on television include serial killers (*Dexter*), demons (*Supernatural*), zombies (*The Walking Dead*), and vampires (*True Blood*). A-list actresses such as Jennifer Connelly and Naomi Watts now are scream queens. Pop stars like Lady Gaga are just as likely to dress in gothic style and strike zombie poses as to project a bubble-gum image. Horror has become a billion-dollar industry.

Even our politicians communicate in language created by the horror film. In early 2008, a thirty-second advertisement appeared on televisions sets across the country, commanding the focus of the nation, and for a moment, it seemed to shift the momentum of the Democratic presidential primary. It began with a two-story suburban house in an ominous shadow. The glow of the windows stood out like twinkling eyes through the darkness. Someone was home. The frame of the picture moved unsteadily, swooping downward in a rush, bobbing back and forth, approaching, retreating, suggesting that a threat is out there, staring at the house. The screen dims to black and the telephone screeches. It keeps ringing. Shots of a little girl sleeping inside the house flash for a second, then a close-up of a peaceful baby. "Someone is out there," a gravelly baritone says. Where? The phone rings louder and louder and louder until the music swells, a shock of light intrudes on the screen, and a new voice announces calmly: "I am Hillary Clinton, and I have approved this message."

In the subsequent controversy over the ad, no commentator noticed what was stunningly obvious: Hillary Clinton had made a horror movie. Not just any horror movie, either; this potent short video borrowed conventions that can be traced back to a very fertile cultural moment when John Carpenter put the audience in the perspective of the killer in *Halloween*.

Horror has become so pervasive that we don't even notice how thoroughly it has entered the public consciousness. It's on television, in the movies, and in the show that goes on in our minds when we go to bed at night. The modern horror movie has not only established a vocabulary for us to articulate our fears. It has taught us what to be scared of.

In the late sixties, the film industry was changing. Rules about obscenity and violence were in flux. The "Midnight Movie" was reaching a young audience that embraced underground and cult films. Starting in the second half of 1968, the flesh-eating zombie and the remote serial killer emerged as the new dominant movie monsters, the vampire and werewolf of their day. A new emphasis on realism took hold, vying for attention with the fantastical wing of the genre. Just as important was how the writers of these movies shifted the focus away from narrative and toward a deceptively simpler storytelling with a constantly shifting point of view. Movies were more graphic. The relationship with the audience became increasingly confrontational, and that was a result largely of the new class of directors who were making low-budget movies for drive-in theaters and exploitation houses across the country.

This cultural shift took place at the same transitional period when some of the most ambitious Hollywood movies in history were being made. Many of the adventurous mainstream directors who belong to what is known as the New Hollywood got their start in horror. Francis Ford Coppola, Steven Spielberg, and Peter Bogdanovich refined their craft on low-budget scares before moving on to what most people in the movie business considered more mature work. At the same time, another class of directors more committed to genre was getting started. George Romero, David Cronenberg, John Carpenter, Wes Craven, and Tobe Hooper reinvented the conventions of the horror films outside of Hollywood, while William Friedkin, Brian De Palma, and Roman Polanski smuggled more prestige horror productions into the studio system. Never in the history of the movies had so much talent been put to work frightening audiences.

Movies like *The Last House on the Left* and *Night of the Living Dead* rarely received sustained and serious consideration from critics, and while that has changed in the decades since they opened, the source of their inspiration often remains misunderstood. Alfred Hitchcock is usually cited as the godfather of the genre, but his relationship with the younger horror directors is much more complicated and tense than assumed. Comic books, monster movie magazines, and the short stories of H. P. Lovecraft had an equally significant impact on the directors of the era. And while these movies typically told their stories in a highly cinematic language, the influence of a new school of drama on scary movies has been underestimated. To explain the success of these movies, you need to begin by examining the background and artistic intentions of their creators. But you can't end there, for these movies, besides being in some cases made almost by accident, were the product of a specific cultural context.

Beginning after the end of the restrictive Production Code in 1968 and before special effects took hold of the genre in the early 1980s, these scary movies benefited from coming of age when there was increased artistic freedom but enough technical limitations to keep control in the hands of the director. Their energy focused not on effects, but on the best way to scare an audience. On that question, they shared many ideas. Their intellectual influences were much more diverse than those of future generations of horror makers. This broadened their visions. While most of the directors did not socialize with one another—this was before horror conventions and film festivals became popular—they kept close track of what the others were doing, borrowing good ideas and generally working in a kind of long-distance collaboration. As a result, a direct line can be drawn from *Rosemary's Baby* to *The Exorcist*, from *The Last House on the Left* to *The Texas Chain Saw Massacre*, and from *Night of the Living Dead* to every horror movie since.

The key horror movie artists of this era had very different sensibilities but remarkably similar personality types: outsiders, insecure and alienated, frequently at odds with their parents and other authority figures. The men (and they are exclusively men) are a surprisingly mild-mannered group. They generally dress in rumpled clothes, have broad senses of humor, and rarely seem on the verge of knocking you over the head with a blunt instrument. It's hard to imagine a less threatening group of people. "The truth is that we are sweet," confesses George Romero, who has probably dreamed up more ways for a zombie to eat a human being than any man alive. "A bunch of us back then were stoners, but that's about it. No capes or fangs or anything. Steve King says we don't have nightmares because we give them all away."

Most of the artists who make horror movies got started because of an interest in and, often, a joy in being scared when they were kids. The scares of childhood are generally much more varied and intense than those we experience as adults. These directors recall them most vividly. They hold tightly to them. Many grew up in remote parts of the world and with a set of common assumptions about what things went bump in the night; they dipped into the same small pool of menacing literature, theater, and film. As a consequence, the movies during this period not only addressed the same questions, but their answers had enough in common with each other that a cohesive form of the genre developed by the end of the 1970s, when Ron Rosenbaum described this school of scary movies in *Harper's Magazine*. He called it the "New Horror." Horror, he argued, "seems ready to supplant sex and violence in the hierarchy of mass sensation-seeking."

The popular narrative about the rise of the mainstream studio directors of the New Hollywood is that through the strength of their ideas they defied the bottom line to make something personal. The success of New Horror also depends on the personal visions of a few artists, but the best films were not merely victories by art in its endless battle against commerce. The best horror movies were products of compromise and dispute, stitching together spare parts and tweaking old, fraying conventions. The making of these movies has usually been seen through the narrow prism of one director. That ignores the essentially collaborative way most of these movies were made. After hundreds of conversations with the leading directors, writers, producers, actors, and executives as well as critics and members of the MPAA ratings board, it's clear to me that these movies need to be seen first in the context of genre and then as a product of a struggle between antithetical sensibilities.

Rosemary's Baby pitted the Old Horror tradition of the producer Bill Castle against the new art house ideas of Roman Polanski. The crafty commercial instincts of Cunningham and the confrontational philosophical bent of Craven provide the central artistic drama of *The Last House on the Left*. In *Sisters* and *Carrie*, Brian De Palma was not stealing from Hitchcock; he was in dialogue with him, and De Palma often disagreed with the master. The making of *The Exorcist* was a battle between the virtues of faith and those of more secular values. The aesthetic of *Alien* melded science fiction rooted in real-world technology with a gothic surrealism.

The tensions behind the making of these movies are not only reflected on-screen. They are essential to why they proved so scary. The disputes made the intentions of the filmmakers more inchoate and at times even incomprehensible. What the New Horror movies share is a sense that the most frightening thing in the world is the unknown, the inability to understand the monster right in front of your face. These movies communicate confusion, disorientation, and the sense that the true source of anxiety is located in between categories: fact and fantasy, art and commerce, the living and the dead.

Fear is personal. Whether it is heights or rats or failure, what frightens us is as varied as what makes us laugh or what we find beautiful. Taste matters. So do experience and culture. But just as there are some paintings that are simply beautiful regardless of context, certain scares transcend the particular phobias of time and place. When we see a sharp knife approach an eyeball, our response is reflexive and even primal. Who has never been afraid of the dark? Then there are the images that not only instantly frighten but endure, sticking in the subconscious and reappearing in dreams. The artistic task for these directors was to locate these enduring scares, the ones that, in a way, we all share.

Death may be the one thing that binds together all horror movies, but its role in scaring audiences is overrated. It's not just that so much violence on-screen desensitized audiences. To some, dying seems rather simple and finite. There's a reason that Hamlet can debate both sides of "To be or not to be" for an entire soliloquy. Dying is terrifying, but the confusion of life can be worse. That may be why some of the most horrifying images of the New Horror—the monster busting out of a man's chest in *Alien*, the devilish baby carriage in *Rosemary's Baby*— examine the beginnings rather than the ends of life.

We will never understand what a baby is thinking emerging from the womb. But try to imagine the shock of one world turning into another. Nothing is familiar and the slightest detail registers as shockingly new. Think of the futility of processing what is going on. No wonder they scream. One of the central pleasures of getting scared is that it focuses the mind. When you experience extreme fear, you forget the rest of the world. This intensity fixes you in the present tense. Overwhelming terror may be the closest we ever get to the feeling of being born. To put it another way, the good horror movies make you think; the great ones make you stop.

CHAPTER ONE

THE DEVIL'S ADVOCATE

Ladies and gentlemen, please do not panic! But
scream! Scream for your lives!
Dr. Warren Chapin, The Tingler

WILLIAM CASTLE was in bed sweating. This was a good
sign. It meant that *Rosemary's Baby* had done what it was
supposed to do. But that was not all it did. At first glance,
the novel appeared to him to be the usual nonsense about a young woman
possessed by Satan, hocus-pocus that has spooked audiences since a
three and a quarter-minute French silent film called *The House of the
Devil* premiered in 1896. The book's author, Ira Levin, was a comic
playwright whose previous three Broadway shows had bombed; his
last play opened that year and closed in a week. This potboiler was about
a woman pregnant with the Antichrist. Castle had directed this kind of
thing many times before and he was looking to stop.

Once Castle started making his way through the first few chapters,
however, he recognized that this was also slick, hard-driving storytelling. He was also impressed with how Levin rooted his tale in the real
world of contemporary Manhattan. It was about issues that people could
relate to—the nervousness of entering the real estate market; struggling
in a faltering, sexless marriage; and the yearning, desperate search for

fame. The book puts you in the position of Rosemary imagining what it's like to become isolated from your spouse, the world, and, possibly, your sanity. Levin was also playing on anxieties that ordinary people understand: meddling neighbors, doctors with all the answers, and the frightening uncertainties of your first pregnancy. At the heart is a joke that even critics would appreciate: Rosemary's husband, an actor, sold their child to Satan in exchange for a role in a Broadway show.

It was also clear that this was a book that could turn into a film very easily. The novel was mostly dialogue. Castle began putting the pieces together in his head. His friend Vincent Price would star as the creepy neighbor who sells Rosemary's husband on the plan. That would bring in the horror crowd. The rest of the cast could be filled out with younger actors to appeal to kids. Put the whole thing in 3-D and it would be huge. He saw only one problem: the Catholics would go berserk. The film was after all about a sympathetic believer who lost her faith, moved to New York, gave birth to the Devil, and then learned to make the best of it. And she's the hero! Castle's wife, whom he trusted, read the script and told him he was going to have push-back from the Church. Then again, controversy sells. "Even if they ban it," he told his wife, "Catholics will go."

Only one day earlier, when the galleys first crossed his desk, Castle had passed on it right away. "*Rosemary's Baby* is not for me," he told the agent over the phone. "The bottom has dropped out of horror films." Recent box office numbers backed him up. Only a handful of major new horror movies opened in 1967. With the exception of *Wait Until Dark*, a thriller that benefited from the buzz produced by its star Audrey Hepburn, they were all disappointments. Hammer Productions, the English company that revived interest in the old gothic standbys *Dracula* and *Frankenstein*, was running out of ideas, producing a flop in *Frankenstein Created Woman*, the fourth in its series starring Peter Cushing. Castle's *The Spirit Is Willing*, a ghost story starring Sid Caesar, could have been made in the thirties. The most interesting new spin on the old formula that year might have been *The Fearless Vampire Killers*, an uneven and slowly paced spoof of Hammer films by a young director named Roman Polanski. Despite compelling camerawork, the movie never struck the right balance of laughs to scares, baffling audiences looking for comedy and horror.

Castle lost money in 1966 on *Let's Kill Uncle*, a silly series of scares set on an island where a broken-down haunted house sits next to a pool filled with sharks. Of the four proposed endings, Castle chose the most nonsensical one where the murderous uncle develops a heart. While he was known for advertising campaigns that sold outrageousness, he never really planned on delivering it. When it came to his movies, Castle was happy right behind the curve. He was a master thief with a knack for picking which houses to break into. They were usually the ones built by Alfred Hitchcock. Castle directed, but his genius was in promotion. He took out an insurance policy at Lloyds of London for $1,000 for any audience member who died of fright at his 1958 revenge film *Macabre*. The next year, he jerry-rigged buzzers to the seats that would vibrate during scare sequences in *The Tingler*, a monster movie about creatures who live inside our bodies that began with Castle's personal warning that the way to protect yourself from the tingling sensation of fear was to scream.

These tactics brought the audience into the movie, gave them a role to play, made everyone a scream queen. Castle played a crucial part as one of the main attractions, putting himself in the ads just like Hitch-cock did—a cigar-chomping, rotund ham who impersonated the role of a big-shot Hollywood producer that he never truly was. Castle started with an ingenious marketing campaign, but just as important was the appeal of being a part of a community of tremblers, sitting in a room with other people and freaking out together. His gimmicks turned the movies into interactive events but they also told you something about them. They were often not good enough to stand on their own. They needed something extra.

A publicist at heart, Castle knew enough about the power of image to understand that his could use some improvement. He made movies for excitable teenagers, but he yearned for the approval of critics and award committees and serious artists. That was not going to happen as long as his showman persona was more famous than his movies. Image matters, but when a new audience of serious-minded film buffs were flocking to new-wave cinema and daring counterculture fare, Castle could tell that he was becoming known as someone out of touch: Hitchcock without the talent. He was looking for a project that could deliver him an Oscar. So after some lobbying by its agent, he took a copy of *Rosemary's Baby* home, because, well, he didn't have any better options. When he started to sweat, he decided to take a risk.

After contacting the agent the next day, Castle bet everything on the book: he sold his house and bought the option himself for $100,000, plus another $50,000 if it became a bestseller, which it did, and 5 percent of the net profits. Since he had a contract with Paramount to make cheap shockers, he submitted the idea to an executive. In a few days, he received a phone call.

Speaking in smooth, dulcet tones, Robert Evans, the thirty-six-year-old vice president of production at the struggling studio, laid on the charm. Evans had never cared what Castle had done before. But Evans saw the same thing that Castle did. *Rosemary's Baby* was a new spin on Old Horror. Looking beneath the surface, Evans noticed a movie about the perils of domesticity. Rosemary had made the choices of a very deferential good girl from the 1950s. She wants a child, stays at home, and defers to her husband's career, follows the advice of her older neighbors and doctors even though it makes her unsure of herself. She's polite, kind to friends, and hesitant about challenging her husband. When he rapes her in her sleep, she is shocked, but forgives him. And for all her attempts at being the perfect wife, what does that get her? The movie expressed an au courant attitude about the evils of conformity, youth culture, and the sexual revolution. Now that's something you can sell. But Evans knew it wouldn't work with Old Horror gimmicks.

The last time studios took a big chance on horror movies was during the Depression, when Universal Pictures produced its classic monster movies. The 1931 premiere of *Frankenstein*, the chilling story of the misunderstood monster based on Mary Shelley's novel, was shot in an expressionist style that was in the same spirit of emerging surrealist artists such as Salvador Dalí. Opening the same year, in the midst of a global economic collapse the depths of which had never been seen before, *Dracula* presented a vision of more uncompromising evil. Both stories exist in a world of shadows and odd sounds, strange creatures and flights of fancy. They transported audiences somewhere far away.

By the next decade, horror had been relegated to low-budget departments, given scant finances and little respect. Producer Val Lewton made the best horror films of the 1940s with modest Freudian films such as *Cat People* that turned the shadows on the wall of a room housing an empty pool into a terrifying hint of a monster. Lewton and a few others could turn these boutiques into a laboratory for great movies, but few in the studio system got behind supernatural horror. It was kids' stuff. In the fifties, a new monster movie craze took hold, along with a science-fiction boom, but horror remained marginal. The classic Universal monster movies—*Frankenstein*, *Dracula*, *The Wolf Man*—began regularly appearing on television. That cut into ticket sales.

Paramount was doing poorly so it had little to lose. Anticipation was already building for the new Warner Brothers movie *Bonnie and Clyde*, which reinvented the gangster drama as a counterculture fable with two killers as glamorous and sexy antiheroes. Evans wanted to do the same thing for horror—update it for a young crowd. But he knew that would not happen with William Castle as the director. Evans imagined the result: workmanlike cinematography, a low-rent cast, standing under dark shadowy lighting on a studio lot waiting for a payoff with a man in red pajamas and a pitchfork. There would be organ music, perhaps, and a spectacular advertising campaign that included no lack of exclamation marks and promises of extreme terror. Vincent Price would probably be involved.

Evans understood showmen like Castle because he was one himself. Through force of will, he transformed himself from a clothes salesman in New York to a golden-skinned lothario, a studio executive who understood the counterculture, and a populist who traded in art. He knew that you needed someone with more class to turn *Rosemary's Baby* into a hit. He called Charles Blühdorn, the head of Gulf and Western Industries, which had recently bought Paramount, and made his case.

Four days later, Blühdorn and Castle hammered out a deal. After shaking Castle's hand, Blühdorn walked back behind his desk and asked what was not an innocent question. "How old are you, Castle?" The producer knew what that meant. At fifty-three years old, he was considered almost over the hill. "Have you heard of Roman Polanski?" Blühdorn said, making the case that Castle did not want to hear. "A genius. And thirty-two years old. Wouldn't it be wonderful if Polanski, with his youth, directed *Rosemary's Baby* and you, with your experience, produced," he said, sticking in the dagger. "You could teach each other so much."

Castle's heart sank. He had seen movies by Polanski and there was no questioning his talent. But *Rosemary's Baby* was *his* chance at respectability. Ever since he left school to work as an assistant to Bela Lugosi, Castle had imagined mainstream success, but the wait had been too long. Castle stood up and angrily resisted. "Look, Mr. Blühdorn, the reason I bought *Rosemary's Baby* with my own money was to direct the film," he protested. "It's going to be an important motion picture, and I'm not going to miss the opportunity of directing. I direct *Rosemary's Baby* or no deal!"

It was an empty threat—and they both knew it. Paramount could tie up his film forever, and with all his savings in the book, Castle couldn't afford to have it languish. Backed into a corner, he did the only thing he could do: agree to terms and sign up as a producer who would monitor shooting. It was a decision that would haunt him. Even though his name was on the film—and he even made a cameo, showing up outside a telephone booth—Castle was given little power over the artistic direction of the movie, and even less credit for it. While the hiring of Roman Polanski seemed like another example of the kind of backstabbing and office politics that went on in Hollywood, it represented something more than that: a passing of the torch from the Old Horror to the New.

It took a producer from the Old Horror to recognize the potential of a book about the Antichrist, but a new kind of director to shake all the dust out of the story. The man who would modernize the Devil was, pointedly, an agnostic Jew. Roman Polanski did not believe in the supernatural. But he did believe in the existence of a certain kind of evil. He had seen the effects of the Holocaust firsthand growing up in Poland. His mother died in a concentration camp. He and his father escaped. After a stint in France, he moved to London, where he developed a reputation for stylish clothes, a prodigious sexual appetite, and movies with dark, anxious subject matter. Hollywood, to him, meant success, glamour, and fun. Robert Evans sold him on *Rosemary's Baby* with the promise of following it up with a movie about skiing. Polanski agreed and started planning a project based on the idea that straddling the line between real and fake is much more dangerous than jumping to one side.

THE DEFINITION of the horror film was fairly narrow in the late 1960s. It almost always involved the supernatural. In one of the first serious histories of the genre, *An Illustrated Guide to the Horror Film*, published in 1967, the critic Carlos Clarens gives only brief mention to movies about human killers. In a short appreciation, he describes *Psycho* not as a horror movie but as a "pathological case study." He also argues that the purpose of the horror movie was not merely to scare, but to sublimate those fears. "The more rationalistic a time becomes the more it needs the escape valve of the fantastic," he writes, arguing that horror films allow man to curb his natural tendency of violence.

At the time, the most important figures in the genre were actors. Horror directors were largely unknown and considered easily replaceable. Stars like Christopher Lee, Peter Cushing, and Boris Karloff were the main attraction. But no one in horror was bigger in the sixties than

Vincent Price. Speaking with a slightly fey, mellifluous ghost story voice that provided a steady sound track to several decades of movies that made little kids shake, Price would play, in movie after movie, a man haunted by the past. As the star of a series of Edgar Allan Poe adaptations directed tastefully by the prolific independent producer Roger Corman, he specialized in ominous characters frightened by the dead and surrounded by the putrid, crumbling buildings of a gothic world that no longer existed. There was something sneaky about his performances, a sexual ambiguity and camp humor on display. He seemed on the verge of a wink, his eyebrows ready to arch. This style made him a popular talk show guest. In July, around the same time that Castle discovered *Rosemary's Baby*, Price guest-hosted an episode of *The Mike Douglas Show*. The subject was horror movies.

Douglas might have been the least frightening man in America. He flashed an easy smile that had a brightness matched only by the white set of his television show. The generation gap didn't exist in this happy world of canned gags, silly sketches, occasional songs, and glib, sunny banter. Nor did any political discord or any of the cultural divides of the sixties. Douglas was for everyone, parents as well as kids—or at least that was his goal. When asking Price to describe the essence of the genre, he sounded like a curious nineteenth-century anthropologist looking to explain an exotic indigenous tribe to a civilized nation. At the start of the show, the host posed this question: How do you make a scary movie?

Price responded with a little, mischievous smile, the kind he was known for. "An essential part of any horror film is a cape, preferably blood-red," he told Douglas, stressing that costume is key. Cobwebs are important. The atmosphere must be gloom and doom, including rain, lightning, and thunder. Then he sang a song, punctuating the rhymes with a theatrical scowl. Price telegraphed what he thought many people already believed—this whole genre was absurd. In other interviews, Price would say that he didn't like the word "horror," which connoted, he felt, something insubstantial. He preferred "gothic melodrama," but his banter served a promotional purpose. Horror needed a makeover.

To show that the violence and scares of the genre were nothing for parents to worry about, Price emphasized that horror was pure escapism. Its appeal was not in confronting demons, but in making them go away. After the actor made his case, Douglas introduced the German psychiatrist Fredric Wertham. For horror fans, there was no scarier monster than this slight old gentleman. He had built a career as a popular scold arguing that certain kinds of irresponsible popular culture led to juvenile delinquency. His most famous accomplishment was demonizing the horror comic book, especially the beloved EC Comics, in the 1950s. After he testified to Congress about its dangerous effects on children, shining a light on the blood-soaked stories of a human head used as a baseball or served on a platter, the industry was forced to censor itself, and the era of violent comics came to an abrupt end. Now with a new book to sell, he had turned his sights to horror movies. That he was sitting next to Vincent Price made this a clash of the titans for horror fans.

Strolling onstage, Wertham looked frail and formal when attempting to make casual conversation, paying Price a few mild compliments. But he appeared to grow in stature after going on the attack. "He has done incalculable harm to American children," he said of Price in a thick accent that made him seem like a villain from a World War II comedy. He described how the worst horror movies are shown in cities that have been wracked by violence and riots, casually implying a connection. "Horror shows teach cruelty," he said soberly, "that it's fun to kill and choke a girl."

Price chuckled, uneasily. He clearly didn't expect the severity of this ambush. This doctor took horror films very seriously; and Price, to engage him, would have to get serious himself, which is exactly what he didn't want to do. Price was more ambivalent about the genre than he let on. Tired of playing the same old monsters, he had grown increasingly unhappy with the quality of his films, stuck in a contract that kept him appearing in cameos in teen films that he felt were beneath him. Price would have liked to do other kinds of movies and plays, but the audience wants what it wants. So he would remain Mr. Horror. Instead of firing back, Price collapsed. "I don't condone them," he said, "but as a matter of fact, in most of them I don't play the meanie."

After presenting the horror movie as harmless fun full of silly capes and goofy costumes, Price contradicted the image and made a pitiful concession, absurd on its face. Of course he played meanies. In front of all his fans, Price confessed his sins to the genre's worst enemy. It was evidence of the irrelevance of the horror movie in 1967. Even Vincent Price couldn't defend horror! After regrouping, Price did offer one defense that focused on what would become the central divide of the modern horror film. The real horror, he said, is not the fantasy at the movies, but the real world of violence and war. The studio audience applauded.

In other words, how can you get worked up about vampires and werewolves when kids are dying in Vietnam? Price added there was more murder in *Medea* than in any horror movie. Wertham returned fire immediately. "Fantasy and reality are not separate," he countered. "One spills from one to the other." The serene confidence of the authoritative doctor stunned Price into an awkward silence and inadvertently made one of the arguments for the New Horror. Price made pure fantasy—or at least it was a kind of fantasy where the line between the real and the unreal was clear. Audiences knew that what they were watching was fake, obviously, so showing them terrifying violence would do no harm. But what if they didn't know? Or more to the point, what if they could be fooled, ever so briefly, into suspending their disbelief?

ROMAN POLANSKI knew this deception was the key to *Rosemary's Baby*. He had been strongly influenced by R. L. Gregory's *Eye and Brain: The*

Psychology of Seeing, which argues that our ideas about reality are based on perceptions shaped by memory, that we see what's in front of us much less than we think we do. Polanski made the movie strictly from Rosemary's perspective and maintained that it must be always possible for all the supernatural elements she starts to believe in to be a series of coincidences. His goal was to create an anxiety about reality itself. There would be no Vincent Price or any 3-D. Otherwise remaining faithful to the novel, he did make a few departures from the script in the casting. The book called for a "strapping all-American" woman, and he originally favored his wife Sharon Tate's friend Tuesday Weld for the part. Jane Fonda was also asked to play the role and turned it down. The studio settled on Mia Farrow, who was married to Frank Sinatra and a star on the TV series *Peyton Place*. Polanski thought her delicate quality would project vulnerability, so he cast her even though she wasn't exactly the heartland type described in the book. Polanski knew he needed a central performance that could tempt his audience to indulge in paranoia, the sneaking suspicion that everyone is out to get you. In *Repulsion*, his 1965 film that takes place in the mind of a mad Catherine Deneuve, the suspense hinges on finding out whether the bizarre things happening (arms coming out of walls, etc.) are real or the product of delusion.

Rosemary's Baby is also about a lonely, isolated woman unsure if she can trust her own mind. Could her husband really be in cahoots with the Devil? How could that be possible? What's really unnerving in the film is not the Devil, but that one can be so fragile as to even believe in such a thing. It's a movie about the terror of neurosis. As such, Polanski told his crew and actors, establishing a strict ambiguity about just about everything was important. He showed only parts of the action, often keeping the camera away from the people talking; motivations are hinted at, but rarely explained.

The movie starts with the young couple, played by Farrow and the director John Cassavetes, buying an apartment in Manhattan. Production designer Richard Sylbert suggested the Dakota, an Upper West

Side apartment building known for its famous residents, as a stand-in for the haunted Bramford from the novel. The couple falls in love with the apartment right away. He's a hungry, desperate actor, and she's an innocent. No shadows or ominous messages. It's a scene notable for its banality. But the mundane quickly turns absurd.

Polanski loved *Waiting for Godot* and in the sixties in France had met Samuel Beckett, who had always wanted to be a filmmaker and was interested in Polanski's mounting an adaptation of *Godot*. The plans never went anywhere, but Polanski's ideas about terror, like those of many of his peers in film, were shaped by the theater. He lived in London in the sixties when Harold Pinter, Edward Albee, and Beckett were all the rage. In 1966, Kenneth Tynan, the legendary critic then working at the National Theatre, wrote the then artistic director Laurence Olivier, advising that he give Polanski a short-term contract. "He has exactly the right combination of fantasy and violence for us," he wrote.

Trained at the Lodz film school in Poland, Polanski displayed his agility with the camera in the unorthodox way that the stars of *Rosemary's Baby* were shot. Farrow is frequently seen in profiles, her face sliced in half. Other times he showed us her back. When she talked, the audience sometimes saw only the person who was listening. Breaking with the conventions of most Hollywood movies, he stayed on location to root the fantastical story in a hard, tactile realism. Against the wishes of Bill Castle, he shot on Fifth Avenue during the lunch hour: "I want realism, Bill, it can be done," he insisted.

The first death took place right on the streets of the Upper West Side. Rosemary found the girl's body splayed on the sidewalk after she jumped out of a window. Polanski shot the scene during midnight and insisted on veracity. "Blood is phony, does not look real," he shouted at his production team. For a movie about the Devil, Polanski insisted on a faithful portrait of contemporary New York. While shooting on Park Avenue, he asked Mia Farrow to walk into actual traffic to get a shot of the pregnant Rosemary that looked authentic. "Nobody will hit a pregnant woman," he assured her.

Polanski wanted the details of the environment to be very specific. He called Ira Levin to ask which issue of *The New Yorker* was referred to in the book. Levin had to confess that he just made it up. But even though *Rosemary's Baby* established right from the start a much more modern, realist style, it proceeded to undermine this repeatedly by alternating the scenes of domestic naturalism with snatches of dreams and the bizarre. We first see this when Rosemary has a dream where a nun scolds her before the voices of the next-door neighbors intrude.

"All she has to be is young, healthy, and not a virgin," squawks her neighbor Ruth Gordon. Here is the movie in essence, the targeting of Rosemary, a Catholic girl who lost her faith to become an agnostic, and the sound of the real world bleeding into her dream. An even more sur-real series of images flashes in montage when she is impregnated by the Devil—including one on a yacht with John F. Kennedy, who tells her the cruise is "for Catholics only" when she asks about her friend Hutch, who warns her against moving into the new building, suppos-edly haunted by a coven of witches. Even the supernatural elements display human weakness and flaws. Polanski insisted that the old witches be nude, causing headaches among the brass at Paramount.

This psychedelic dream may be the most dated-looking scene of this film. Years later, Polanski, who drew on his experiences with a bad trip on LSD, said he wished he could shoot it again. Its hazy look is in stark contrast to the crisp cinematography of the apartment. "We prefogged the film for that scene," says the cinematographer William A. Fraker. "We exposed the film to light and then ran it through and put it in the camera. We were trying to do new things."

The scene ingeniously hinted at what was really going on without wasting time on a clunky expository monologue. It also reflects the mental state of the heroine, who begins to question her own faculties. Everyone seems to be lying. Guy tells her she looks great when she clearly is gaunt and sickly. Her doctor thinks she's delusional. The older next-door neighbors are untrustworthy. But she also thinks it might just be paranoia. The movie has the groovy feel of a paranoid bad trip. "This is no dream!" she shouts. "It's really happening."

Polanski often used a wide-angle lens to make the environment of the Dakota as much a part of the movie as the actors. The floors creaked and the dark elevators made for a gripping central character. "When you use a wider lens, you are always aware of the set around her. If you go long, the focus becomes only on her," said Fraker. "Roman wanted the focus to be on the house."

Rosemary's Baby was something relatively new: a horror film for adults. Not surprisingly, it ran into conflicts from the studio. When filming slowed down and costs rose out of control, there was talk inside the studio about firing Polanski. Evans held firm. He also earned brush-back for opening the movie in June, traditionally the time for family fare. The advertising departments wanted to sell the stars, the shocks. Instead, Polanski went with a subtle, iconic image—a baby carriage with the tagline hovering over it: "Pray for Rosemary's Baby." Then there was the phone call from Frank Sinatra demanding that Evans let his wife Mia Farrow out of the contract to appear in *The Detective*, a film that Sinatra was to star in. Evans dodged the issue. After he called a meeting with Farrow, and made the argument that if she stayed on with *Rosemary's Baby* she could win an Oscar, she told Sinatra to wait. That made him angry. He served her divorce papers on the set and she never won the Oscar.

As the shoot came to a close, one major issue remained to be resolved: what to show in the final images. The whole film had built to this moment. Rosemary, pale and sickly, had suspected that her pregnancy has gone terribly wrong, that her husband and her neighbors are not to be trusted. So she flees to the doctor who promptly sedates her and she goes into labor. When she wakes up, Dr. Sapirstein tells her the baby has died but she doesn't believe him. She walks into Castevets' apartment, where she finds a coven hovering over a bassinet. Walking toward her child, Rosemary holds a knife, trembling, with a hint of a smile. She discovers that this is the Devil's son and when the moment comes to decide what to do with him, her maternal instinct takes over.

She decides to raise the baby—a good, conservative girl to the very end, she can't abandon her own, even if he is the son of Satan. By pitting the values of the family against those of religious purity, Levin hit upon an ironic finish that refused to resolve itself with the defeat of the evil force as in a typical monster movie. The Devil wins. In this final passage of the book, Levin describes the claws of the baby. Rosemary, as Stephen King would write, "has given birth to the comic book version of Satan."

Polanski decided to eliminate it, offering only a quick glimpse of a sinister pair of eyes. Castle couldn't believe it. The title is *Rosemary's Baby*. Where was the payoff? The audience would be furious. But Polanski insisted. Castle pleaded: Let's at least shoot another scene just so we could have an option. At this moment, Evans's decision to hire Polanski paid off. The Old Horror, the kind where the seats buzzed when the monsters appeared, required the payoff, but this film was never about the Devil. By not showing us the cartoon devil, Polanski removed the last traces of childish comedy, the final gimmick.

IN MAY OF 1968, right before Paramount released the film, Polanski attended the first premiere at the Regency Theater in San Francisco. A team of studio executives sat in the back listening carefully to the audience. The reaction was muted. Evans waited at the door when the crowd filed out. One woman walked up to him and pointed a finger: "You should be ashamed of yourself." Evans smiled and thought to himself: This is going to be big. The movie opened in June of 1968 to huge box office, and controversy. The Catholic League protested. On August 8, a theater manager in Vermont banned the movie from four theaters after the Burlington Roman Catholic Diocese said it distorted religious beliefs and appealed for Catholics to stay away. If they did, their absence wasn't reflected in the box office, which brought in over $33 million.

When the National Catholic Office for Motion Pictures gave the movie a condemned rating, a representative from the office told *The New York Times*, "the very technical excellence of the film serves to intensify its defamatory nature." Many reviewers compared the movie's ambition unfavorably to Polanski's earlier work. You could sense the dismissive attitude toward the horror genre in the review by *The New Republic*'s Stanley Kauffmann, who wrote: "Only a director satisfied with ephemera could have lavished his gifts on the whole project."

One of its harshest critics was Charles Champlin, the respected chief reviewer of the *Los Angeles Times*. After praising the performances and the direction of *Rosemary's Baby*, singling out Farrow and Polanski, he wrote:

> Having paid my critical respects, I must add that I found *Rosemary's Baby* a most desperately sick and obscene motion picture whose ultimate horror—in my very private opinion—was that it was made at all. It seems a singularly appropriate symbol of an age which believing in nothing will believe anything.

Whatever you might think of his conclusions, Champlin noticed something about this film that many critics missed—that its carefully maintained ambiguity was a break from the past. "Traditional horror films turn on an agreed dichotomy of angel and devil, right and wrong," he wrote. "Its surfaces are too accurate and Miss Farrow's anguish too real to let us be comfortable in some never-never land of escape." Champlin wrote a follow-up story called "Toward a Definition of Good Taste in Movies" that argued his point with a refreshing candor. Simply, for a horror movie, the movie was "too well done."

CHAPTER TWO

THE PROBLEM WITH *PSYCHO*

You know what they call my films nowadays.
Camp. High camp. My kind of horror is not
horror anymore. No one's afraid of a painted
monster.

Byron Orlok, Targets

ON NOVEMBER 4, 1965, Alfred Hitchcock wrote a curt telegram to Bernard Herrmann, his longtime collaborator who had written music for seven of his movies, including *Vertigo* and *Psycho*. It was an incredibly fruitful relationship, perhaps the greatest ever between director and composer. But you wouldn't know it from the tone of this message. It had become increasingly common for studios to release a single with their movie, hoping to exploit the growth of the music business. Songwriters were replacing composers, but Herrmann refused to follow this trend in his work for Hitchcock's new thriller *Torn Curtain*. Pressured by Universal Pictures to deliver a hit song, Hitchcock, still smarting over the failure of his last movie, *Marnie*, was not pleased that Herrmann did not deliver a catchy tune ready for the pop charts. "We do not have the freedom that we would like to have because we are catering to an audience that is why you get your money and I get mine," he wrote after expressing his displeasure. "The audience is very different to the one we used to cater."

The irritated message anticipated the ugly fight that would follow. Hitchcock eventually fired Herrmann from the movie, and they never resolved their differences. There was a silver lining, however, since Herrmann moved on to lend moody scores to movies by the next generation of directors such as Brian De Palma (*Sisters*), Larry Cohen (*It's Alive*), and Martin Scorsese (*Taxi Driver*). But the episode revealed that Hitchcock was worried he was losing his hold on his audience.

Through most of his career Alfred Hitchcock was a reliably popular entertainer who the critics carped was not willing to address themes worthy of his talent. Many of his classic movies received harsh reviews. *The New Yorker* described *Vertigo* in 1958 as "farfetched nonsense." By the mid-sixties, his reputation as a hit-maker had started to suffer. *Torn Curtain* opened in 1966 and was a flop. Three years later, *Topaz* was another disappointment. The irony is that at the same time that he was losing the mass audience, he was gaining cachet in elite opinion.

A concerted effort by European critics that started in the fifties, which was later picked up by their American counterparts, led to a reevaluation. Hitchcock became known as the ultimate misunderstood mainstream artist. He was a studio showman who, his admirers argued, smuggled his own distinctive visual style into canny entertainments. This was always a slight oversimplification, since Hitchcock worked within a system that helped guide his vision. But the image of him as a powerful, single-minded auteur who made his movies through an uncompromising force of will reached a crucial turning point in 1967, when the French critic and director François Truffaut published a book-length interview with the master. Treating his works, even the minor ones, with the seriousness afforded a major painter in a museum retrospective, the book became essential reading for students of film and aspiring directors. Among other notable elements, Hitchcock laid out his theories about scaring audiences, which would become tenets of moviemaking.

He articulated his famous distinction between "surprise" and "suspense," illustrating it by comparing two scenes. In the first, characters are sitting at a table when a bomb goes off. That's surprise. In the other, there is a shot of the bomb under the table and then another of people having a conversation above who do not know the bomb is there. The audience waits for the explosion. That's suspense. In outlining these two strategies, Hitchcock implied that more artistically serious movies, such as those he made, employed suspense, while cheap ones tried surprise, a distinction that hardened into a common wisdom. But most of the finest scary movies, including some by Hitchcock, have both.

Hitchcock also popularized the term "Pure Cinema," which became something of a religion among horror directors. French avant-garde artists from the 1920s first used this term (or *cinéma pur*) to describe a kind of film language that transcends story and character, but many American moviegoers learned about it through Hitchcock. Communicating information visually became a goal for most of those who made horror movies after Hitchcock. Once the province of talky Victorian ghost stories, horror, in large degree thanks to Hitchcock, evolved into one of the most cinematic of film genres.

Hitchcock had a long career, but among the new generation of horror fans, two movies had the biggest impact, and they premiered during a fallow period for the genre. *Psycho* revolutionized the then small subgenre of serial killer movies in 1960. Three years later, *The Birds* became the most potent example of an evergreen brand of horror—when nature attacks—that exploded in the early seventies. Rats (*Willard*), snakes (*Stanley*), frogs (*Frogs*), and even bunnies (*Night of the Lepus*, starring Janet Leigh) stalked innocent humans before animals calmed down for a while, only to be roused again by *Jaws* in 1975. As much as *The Birds*, starring Tippi Hedren as the blond survivor, inspired these movies, however, it did not have the impact of *Psycho*.

Hitchcock shocked audiences throughout the world by violating one of the oldest rules of Hollywood: the star, good or bad, does not die until the end. The setup of Janet Leigh as an ordinary woman caught up in a crime, stealing money so she can elope with her divorced boy-friend Sam Loomis, worked hard to put the audience on the side of the criminal. She may be stealing and running away, but it's out of love. Then forty minutes into the movie, she takes a shower and, in a series of hectic cuts, is killed by the stiff-arm of a character in shadow holding a knife aloft like a torch. This murder took one week to shoot and lasts less than a minute. There was no gore, but blood did swirl down the drain. Norman Bates did not just murder a woman. In the context of the movie, he does something even more dramatic: he kills a plotline.

Hitchcock's influential ideas repeatedly appeared in horror movies of the sixties and seventies. Not just his shots and visual tropes, either. John Carpenter cast Jamie Lee Curtis in *Halloween* to exploit the fact that her mother was Janet Leigh. Tobe Hooper patterned the madman in *The Texas Chain Saw Massacre* after the same serial killer who inspired Norman Bates, whom the school in Brian De Palma's *Carrie* was named after. De Palma, who would cast Hedren's daughter Melanie Griffith in *Body Double*, was probably Hitchcock's most persistent imitator. He fell in love with the way Hitchcock manipulates the audience through a shot from a character's point of view. "There's nothing like it in any other art form," he explains. "You're seeing exactly what the character is seeing. It puts you right in their position. It's unique to cinematic storytelling and that's why Hitchcock is such a master—because he developed it."

As influential as he was, the notion that Hitchcock is the inventor of the modern horror genre is overstated. The relationship between Hitchcock and the younger generation of genre directors was sometimes even hostile. They borrowed some ideas, but rejected others. The French critics loved Hitchcock, but appreciating him was slumming. American students and exploitation artists couldn't afford to do that, and in several crucial ways, their movies represented a pointed backlash against the style of Hitchcock. They respected the elder statesman but also felt the need to rebel.

The directors of the horror movies of the late sixties and seventies wanted more sex, gore, rock music, ambiguity, and political thrills than they got from Hitchcock. Personally, Hitchcock was not a natural father figure. At best, he was the competitive kind who had no interest in revealing his secrets. Hitchcock, a private man, had little interest in mentoring directors. He scoffed at a screening of De Palma's *Dressed to Kill*, another homage to *Psycho*.

"He was personally insulted because in the ads, all the critics said that the movie was Hitchcockian," says John Landis, who showed Hitchcock the movie in a screening room on the Universal lot. "He was going on and on and being very nasty. And finally I said: 'Wait a second, Hitch. He's not stealing from you. It's an homage.' Taking a breath, he said: 'You mean *fromage*.'"

The most serious grudge that horror directors hung on to was that Hitchcock ruined *Psycho* when he explained the madness of Norman Bates in the final scene. Much of the movie attempted to see life through the eyes of a psychotic, but when the police caught Norman and locked him in a room for questioning, Hitchcock returned to a more comforting point of view—the safety of a diagnosis from the medical establishment. By contrast, most New Horror directors thought that ambiguity and confusion are not only scarier than certainty, but also reflect the reality of a world where the Vietnam War and Watergate are in the headlines.

Even in his movies that owed the most to Hitchcock, such as *Sisters*, which killed off its star early on and used a score by Herrmann, Brian De Palma did not pay homage to the last scene, refusing to put the audience at ease. Instead of order restored, he more often added a disorienting dream sequence as a coda. William Friedkin, whose movie *The Exorcist* includes long scenes where doctors are unable to explain the problems of a troubled little girl, calls the last scene of *Psycho* the masterpiece's major flaw. "If you took the scene out and you end on just Norman Bates, with Bernard Herrmann's music, it would have iced people in a way that it did not," he said. "Most intelligent people do not want simple answers."

Hitchcock also had a teasing style that handled murder and crime with a dry sense of humor. He made films when the Production Code mandated a certain morality. He got around the censors through suggestion and subtle manipulation of point of view. By the freewheeling seventies, such subterfuge seemed about as relevant to some young horror directors as Tennessee Williams's old winks at homosexual subtext. Immorality was fair game now and you could joke about almost anything you wanted. To the new generation, Hitchcock's movies could seem stuffy. "*Psycho* was kind of restrained I always thought," Craven says.

Hitchcock surely knew about this criticism, and he mounted a defense of himself in one of his most underrated films, *Frenzy*. His penultimate movie, the 1972 thriller had a typical Hitchcock suspense plot involving a mistaken identity and a detective trailing a killer, wrapped inside a piece of film criticism.

Telling the story of a serial killer who murdered London women by strangling them with a necktie, the movie includes one notorious on-camera rape and the murder occurs thirty minutes into the film. The camera pauses on the woman's face as you wait for Hitchcock to turn it away, to shift to a quick-cutting sequence as in the shower scene in *Psycho*. It never happens. Instead of building suspense through indirection and clever pacing, he plants the camera in front of a brutal act of violence and then gets closer and waits. The tenor of the horror film changed. It wasn't enough to titillate or direct the audience. Now you had to assault them. Later in the movie comes the real shock.

After following the killer upstairs to the room of another victim in what appears to be a murder, the camera this time, right at the moment of confrontation, backtracks down the hall, through the stairs, and out the door. It sits there watching foot traffic, discreetly standing outside, while the audience waits for the scream. In a quintessentially meta-cinematic joke, Hitchcock is telling us something with these scenes—that he can do rape and torture and mayhem with the best of them, just like the young guns, but the worst crime on camera does not compare with the hint of one offscreen.

. . .

IN THE SIXTIES, most scary movies still left much to the imagination. This opened up a niche for the unabashedly hard-core violence pioneered by the low-rent auteur Herschell Gordon Lewis, the director of drive-in gross-outs such as *A Taste of Blood* and *Scum of the Earth!* He didn't cut away from a sliced neck or a gaping wound. He showed it to you, again and again. In doing so, he invented gore. The impetus, he claims, was *Psycho*. "I thought it cheated," says Lewis. "Hitchcock showed the results but not the action because he couldn't risk getting turned down by theaters who wouldn't accept his product. We didn't care."

After leaving a secure position as an English teacher at Mississippi State College, to the chagrin of his mother, Lewis, a pragmatist, tried his hand at business, stumbling into advertising, shooting commercials, and eventually making some short, sexually suggestive films whose main purpose was to get scantily clad women to cavort on a beach. Teaming with the producer David Friedman, a Barnum-like promoter with extensive ties to the worlds of freak shows and carnivals, Lewis made several movies in the early sixties featuring topless girls that were part of the genre of "nudie-cutie" movies. When they did so-so business, the duo changed tactics and made a trilogy of movies with women getting limbs chopped off, brains and intestines dribbling out, and blood pouring from open wounds.

Three years after *Psycho* opened, Lewis presented *Blood Feast*, a terribly acted horror film made in four days for $24,000 without a script or much of a clue. The main idea was that bathtubs of blood would be spilled in an effort to portray an Egyptian meal cooked with the bodies of virgins and a tongue ripped out of a woman's mouth. For the watershed last effect, the moon landing for gore films, an actual sheep's tongue was used. Lewis knew he needed something slithery, disgusting, and real so he imported the body part from Tampa Bay. Everything else in the production was found locally. But Lewis took this tongue very seriously.

Although he did care about a few aesthetic matters—the movie must be in color, the better to see the red blood—Lewis basically made his film based on one principle: show the audience something that they could never see in a mainstream movie. Lewis did not have much talent as a storyteller or a handler of actors (the style varies from effusive hamming to comatose mumbling) or a creator of images or really much of anything having to do with the art of movies. But when it came to really gruesome blood and guts, he had the market almost all to himself. Word got out fast.

On the first night of *Blood Feast*, thousands of mostly young audiences arrived to a sold-out drive-in in Peoria, Illinois, looking to see something outrageous. The advertisements promising "Nothing so appalling in the annals of horror" got people's attention—or at least certain kinds of people. "Our audience was ninety percent men," Lewis says. "If a woman showed up, she was dragged there. Anyone under thirty-five howled with pleasure. Anyone older than fifty-five, simply howled."

The press took notice. "A blot on the American film industry" roared the *Los Angeles Times*. Before long, the movie became a hot property. Friedman, who had a background in advertising, upped the ante in his following movies such as *Two Thousand Maniacs!*, which showed the nipples of a woman cut off, milk dribbling out of the holes in her breasts. It wasn't the same. The shock was never as great, and Lewis knew he would never get good reviews or a large audience. He would never top that tongue.

At the other end of the artistic spectrum of the low-budget horror genre in the 1960s was the Italian director Mario Bava, the shy son of a cameraman from the silent film era whose stylish movies repeatedly proved the endless variety of startlingly elegant ways you could brutally kill a woman. Bava managed to be artful and gruesomely graphic. "He was the first to be very mean with his horror," says his son Lamberto, who continued the family business. "The American movies were more fantastic, atmospheric. He got more directly to the point."

The same year that *Blood Feast* sickened small-town American movie audiences, *The Girl Who Knew Too Much* premiered in Italy, inventing the subgenre that would become known as the *giallo* (meaning yellow), referring to a kind of cheap pulp novel. It was typically characterized by dark stories of deception, voyeurism, and betrayal, involving a masked man who committed a series of elaborate murders that the police struggle to figure out. *The Girl* is a twisty tale of a foreigner who thinks she witnesses a crime but is helpless to stop it. The next year, Bava refined his technique with the stunning *Blood and Black Lace*, a meticulously composed and flamboyantly bloody cinematic Grand Guignol about a maniac wearing a white mask killing fashion models.

Bava sets up a traditional detective plot but makes little attempt to respect it, paying cursory mind to whodunit mechanics as he builds his movie around a half dozen elaborately composed murder scenes, designed with startling splashes of color and swirling, theatrical camerawork. Early on, the killer, wearing black gloves, which would become a staple of the giallo, strangles a woman on the street with a wire, leaving her undressed, with a face lined with streaks of blood. Other beautiful women meet equally nasty ends, eyes gouged out by a claw, faces burned, and another suffocated by a pillow, her curved legs kicking in the background. But the quintessential Bava death might be the last one, when the two killers hug, pull each other into an erotic embrace before a gun goes off, one shooting the other in the stomach. No director tied sex and violence together as tightly as Bava. The dual skewering of a couple in the middle of sex in *A Bay of Blood* was the apotheosis of his brand of violence, imitated numerous times, most famously perhaps in *Friday the 13th, Part 2*.

With the possible exception of Hitchcock, no director working in the sixties had more influence over the horror genre than Bava. Since he dabbled in many genres, including westerns and science fiction, his impact on subsequent genre artists has been far-ranging. Yet he was underappreciated in his own country. *Blood and Black Lace*, for instance, earned back only half of its $150,000 production cost. By the sixties, independent companies such as American International Pictures, home of Roger Corman's Edgar Allan Poe movies, had started moving aggressively into buying films abroad, making deals from sales agents at festivals, which turned into enormous markets. It singled out Italy as the first stop to find cheap foreign product, in part because Bava placed American actors in lead roles.

"Most of the Italian pictures used a washed-up American name," says William Immerman, the former lawyer for American International Pictures, in his office in Los Angeles. "The guy who got arrested as a drunk and couldn't work would go to Italy to resuscitate his career. Jack Palance, and Aldo Ray and Dana Andrews, virtually everyone with an alcoholic problem who couldn't work in the studio would go to Italy. It didn't matter that they didn't know their lines because they were dubbed."

Bava had trouble in the States, too. Incredibly, American International Pictures turned down *Blood and Black Lace* for distribution, and when it was released in the United States (many of his movies were mangled in dubbed American versions) the critical response was not generous. *The New York Times* dismissed it in under 120 words that began with this insult:

> Murdering mannequins is sheer, wanton waste. And so is "Blood and Black Lace," the super-gory whodunit, which came out of Italy to land at neighborhood houses yesterday sporting stilted dubbed English dialogue, stark color and grammar-school histrionics.

More generous reviews of the film saw Bava's interests as similar to those of Lewis. "Bava is simply trying to titillate a very specialized segment of his audience," Carlos Clarens writes. In some regards, that may be true, though not the way that most people read it. Bava was more of an artist than a sadist, but he also didn't feel that you had to choose.

Bava's vision was more visually ambitious, but in the sixties, it didn't matter. Gore films were simply not taken seriously.

THAT CHANGED when a black-and-white movie made in Pittsburgh opened at a few drive-in theaters to admiring reviews in the summer of 1968. It told a bare-bones story about a town overrun by flesh-eating zombies who meet their match in a defiant African American hero who is mistakenly gunned down by a local policeman. The movie combined the bloodletting of Herschell Gordon Lewis with what looked to be a hip political message about race relations and mindless conformity. "When it came out, *Night of the Living Dead* was powerful shit," says director John Landis (who paid homage to the movie in Michael Jackson's video *Thriller*). "When the law enforcement show up at the end and say 'Shoot him in the head,' it was very real and current."

The horror genre was hardly known for exploring issues of race. And in the late sixties, most liberal Hollywood movies preferred to portray African American characters as strong stoics who triumphed by maintaining their dignity in the face of racism. The hero in *Night of the Living Dead* was a man of action. He was going to survive no matter what and didn't care how it looked if he slapped a white woman as long as it helped save lives. That he died fighting invited comparisons to other fallen civil rights leaders of the era.

This political subtext was a revelation to horror directors. Wes Craven saw *Night of the Living Dead* in a theater in Times Square and describes it as the first horror movie that wasn't shackled to a sense of decorum. At around the same time, John Carpenter saw the movie while attending film school at USC and Dario Argento, then a film critic, enjoyed the film in Rome. Chomping, lurching, and drooling their way across the country, George Romero's zombies became popular in Europe, where they were interpreted by some critics as a searing indictment of American warmongering and racial prejudice. The influential French film journal *Cahiers du Cinéma*, which championed obscure or underappreciated American movies, praised the movie as a political rallying cry about American racism. Argento, an Italian film critic turned director, who built on Bava's legacy to make even more surreal and dreamlike giallos, raved about Romero to his friends. As a critic, Argento celebrated him in print, and invited him to screenings in Italy, before starting his own horror movie career.

Night of the Living Dead was also proof for a generation of directors that you didn't need the support of a studio, big or small, to make an effective horror film that would attract large audiences. You didn't need money, much experience, or stars. You didn't even have to leave Pittsburgh. Film students noticed. *Night of the Living Dead* might never have received a huge national release, but it ran for years at small movie theaters and inspired countless directors to pick up a camera. It did for horror what the Sex Pistols did for punk.

The movie itself, however, was actually much more rooted in the past than the reviews of the day would have you believe. Unlike Polanski, Romero didn't look down on the old traditions of horror. Growing up in the Bronx, Romero was a precocious kid whose loving parents encouraged his artistic interests even though they wouldn't allow him to bring scary comic books into the house. His amiable, laid-back style hid a single-minded drive and dedicated love of fantasy films. As a teenager, he told his parents he was going to the prom, dressed up in a tuxedo, and instead went to Times Square to see a movie. "In my mind, horror wasn't the poor relative," he said. "It wasn't the penny dreadful. It was legit."

What he was less excited about, however, were the films of Alfred Hitchcock. As a teenager Romero worked on Alfred Hitchcock's *North by Northwest* as a volunteer on the set. His responsibilities were mainly limited to fetching things, but he did pay attention to the director and noticed his chilly demeanor. But it wasn't just his imperious manner that bothered him. He thought the movies were mechanical. They didn't have the gleefully bad taste of his favorite comic books or the goofy fun of monster movies. He found Hitchcock's suspense sequences overly technical. "Take that scene in *The Birds*, when the birds are in the cage and they're on the windy road," Romero says, describing a relatively mundane scene that adds to the ominous mood. "He obviously just wanted that shot. He often does some effect just so he can get a shot and it often takes you right out of the story. You got to respect the guy, but it's a lot about him."

Night of the Living Dead has a more spontaneous feel. It wasn't the work of a control freak so much as one who understood that things could easily get out of control. Chaos was at hand, and the movie reflected that in content, style, and even the process by which it was made.

The movie was a backup plan for Romero. When he couldn't get funding for "Whine of the Fawn," a Bergman-inspired coming-of-age film set in the Middle Ages, he tried something more commercial. "We didn't know anyone who had any horses, so a western was out," says the producer Russ Streiner. "And we didn't live by the water, so we couldn't do a beach movie. That left horror."

Night of the Living Dead was made in the spirit of the hippie communes of its era, shot by a group of recent college graduates who smoked pot and tossed some ideas around. Romero was not a dictatorial auteur, and he gave little thought to how to position himself for a future career. He was just having some fun. The stakes were very low. Romero and nine of his friends put up $600 each to make the movie—which eventually cost a little more than $100,000—and then, in good democratic fashion, opened up the floor for debate over the question of who would direct. There were several candidates, but Romero made the most persuasive case, which rested on his experience making industrials and working in TV news for years. Romero had even made short movies for *Mister Rogers' Neighborhood*. "One of my first films was 'Mister Rogers Gets a Tonsillectomy,' " Romero says. "Possibly the scariest film I ever made."

Even though he was the director, many of his friends had input and the movie was a collage of different styles and ideas. At the beginning of *Night of the Living Dead*, two young siblings, Johnny (Russell Streiner) and Barbara (Judith O'Dea), laugh in a graveyard looking for their father's grave. Johnny tries to scare his sister, playing up the joke of getting a case of nerves walking through a graveyard. Two vanilla protagonists, they speak in the capital-letters gee-whiz style of science-fiction movies from the 1950s. The acting was out of a low-budget monster movie, but the camerawork had a grainy documentary feel.

Romero worked in commercials, which is reflected in the quick, clean, accomplished editing of *Night of the Living Dead*. His stark sense of light and shadow was greatly influenced by Orson Welles, and the apocalyptic story of survivors holed up in a house was taken from the Richard Matheson novel *I Am Legend*, about vampires on the prowl. Romero didn't want to use vampires again, so he made them deceased cannibals, like the lurching undead from the EC Comics that Romero grew up loving.

Romero insisted the movie take place in real time and that it have absolutely no explanation for why the zombies arrived on the scene. He argued that it would be scarier that way, more real. But as the movie shoot came to a conclusion, this became a subject of controversy among the filmmakers. One of the collaborators and stars, Karl Hardman, spoke up, arguing that this would be too unusual: "All horror films have a reason for the thing and that was a necessary element," he told the entire group. What he was referring to is the standard scene that appears in almost every fantasy film where the scientist explains that he was dreaming of making a spectacular breakthrough that led him to bring in the monster for testing; or when a mystical old woman reveals the legend of a supernatural creature in hushed tones; or when the detective reveals the secret motivation of the killer. This explanatory scene was an essential genre convention. Romero conceded the point, adding a news story about a probe to Venus gone wrong.

Romero did not have the personality of an ego-driven fighter, and he did not want to reinvent the wheel. In fact, he repeatedly looked to the past for inspiration. Even the fact that the movie popularized zombies was an accident. Romero says he didn't even think the flesh-eating undead were zombies. He just thought of them as cannibals. "I didn't even use the word 'zombie' or hear it used until the reviews came out," he says. There had already been a long history of zombies in film, including the 1932 Bela Lugosi movie *White Zombie*, but these tribal figures usually were the victims of some voodoo or trance and looked threatening in the way that ghosts were. You could tell they were bad news, but exactly how was unclear.

Romero cleared this up. You need to be afraid of his zombies for a very simple reason: they wanted to eat you and chew on your bones. More to the point, they wanted to eat everyone. They were going to take over the world. And when they ate, it was messy. One of the original investors in the movie was a meat packer, and the buckets of animal innards that he donated to the production were put to extensive use. The zombies feasted on human flesh with a passionate abandon. They looked like they were in heat, and Romero was very smart in using the extreme gore to punctuate a scary scene. It was a cheap trick, but it gave audiences something to groan about. "Gore to me was a slap in the face. A wake-up, an alarm clock," Romero says. "You're romping through the film and then—whop!—it stops you."

The image of a child feeding on her father and a mob of undead carries obvious political implications, even if it was not intentional. "We were young bohemians, so in that sense we were automatically against authority," Romero says inside his modest Toronto apartment, while flashing a childlike grin that seems at odds with his severe black glasses and intimidating height (almost six and a half feet). "But I didn't think it was that political." John Russo, who wrote the script, is blunter about the suggestion that the movie had a point to make about the times: "All that stuff's bullshit."

So why was *Night of the Living Dead* taken so seriously as a social commentary? It helped that it was shot in black and white, which made it appear arty to certain audiences. Most horror by that time was in color. But the political readings of the movie and its resulting success were mostly due to the fact that it was one of the rare movies of the day with an African American hero. Duane Jones plays the defiant Ben with the dignity of a civil rights leader. Fighting off an army of the recently dead before being gunned down by a white mob, he stands erect and proud in the face of madness. In the original screenplay, the race of the hero was entirely incidental. To the extent that Romero thought about the character in any depth, what was in his mind was a white truck driver, but when Jones auditioned, plans changed. "He simply gave the best performance," Romero says.

Jones may have distrusted Romero's motives, suspecting he was exploiting his race. He insisted on playing a proud man who stole a truck to escape as opposed to a crude truck driver. Romero allowed him to change the script, but they did argue over the scene where Ben slaps the blond Barbara to calm her down. "Duane said: 'You're asking me to hit a white woman. You know what's going to happen when I walk out of the theater?'" Romero says. "We kept saying: 'Come on, it's a new day.'"

Romero reconsidered this argument while inside a Ford Thunderbird convertible on his way to New York to try and sell his movie. He had planned to start with Columbia Pictures, make a tidy profit, and then concentrate on films that he *really* cared about. But his calculus changed after a bulletin came on the radio that reported that Martin Luther King Jr. had been assassinated. Immediately Romero thought about the white men who gunned down his black hero as he considered the fallout of this terrible assassination. The newspapers would be full of headlines about racism and apocalypse and random, senseless violence. As a liberal, Romero was devastated. But as an aspiring director, he thought something else: "Man, this is good for us."

PETER BOGDANOVICH, the critic, cinephile, and aspiring auteur, was sitting at home in Los Angeles watching television when the news broke that Martin Luther King Jr. was dead. Staring at the screen dumbfounded, he figured this was the end of his movie. He had recently finished his debut, *Targets*, which juxtaposes the story of the retirement of a fading horror movie star with that of a Vietnam veteran who randomly guns down audiences at a drive-in. American International Pictures turned it down because the idea of a movie about a sniper at a drive-in seemed like a preposterous thing to screen at drive-in theaters. Bogdanovich sent the reel to Robert Evans, who picked up the movie for Paramount. "[After the assassination] half the studio wanted to kill it," Bogdanovich says, "and the other half wanted to release it immediately."

Paramount ended up releasing it but on only a few screens, adding a self-serious disclaimer about the importance of gun control. After the murders of John F. Kennedy and Martin Luther King Jr., the country was traumatized by the prospect of mysterious killers in the crowd. *Targets*, an almost clinical portrait of a killer that anticipated movies like *Taxi Driver*, did nothing to help people looking for answers. With a chillingly matter-of-fact style, the movie followed the sniper as he bought his bullets, practiced his shot, kissed his mother, cheerily chatted at the dinner table, and went about the mundane task of preparing to commit his heinous crimes. It was not a hit, but *Targets* was a fresh, incisive horror movie that anticipated the future of the genre in some ways even more than *Rosemary's Baby* and *Night of the Living Dead*.

Unlike Romero, Bogdanovich refused to obey the convention to explain the monster. The reason, again, had to do with *Psycho*. Bogdanovich, an admirer of Hitchcock, disliked the end of *Psycho* so much that he revolted against it.

Bogdanovich was one of the great talkers of the movie generation. To him, you were defined not by what you said but by what movies you liked. Or more specifically, which directors you worshipped. He wrote long essays on their work for the Museum of Modern Art and film magazines. "All the great movies have been made," he was fond of saying, a line that found its way into his first movie. As for horror movies, well, they were a way to get into the business, nothing more.

As a child, Bogdanovich was bored by *Dracula* and *Frankenstein*. After attending the first press screening of *Psycho* in 1960, Bogdanovich stumbled out of the midtown theater near noon thoroughly rattled. "I felt raped," he says. Half a year later, he bumped into Alfred Hitchcock and told him that the movie was one of his worst. The master told him that he didn't get the joke. Bogdanovich not only thought horror movies were dumb, but the way they glamorized violence bothered him. "I was convinced that violent movies do have an impact on people," Bogdanovich says. That didn't stop him from doing what so many hungry young exploitable men in a hurry did: he moved to Los Angeles and made a violent horror movie for Roger Corman.

Corman, a trim, perpetually youthful optimist in a business full of dour shysters, may not have been the best moviemaker of the fifties and sixties, but he was almost certainly the fastest. Along with William Castle, a frequent tennis partner, he flooded the American horror market with cheap, quick shockers that exploited the rich vein of anxiety surrounding the teenage years. Castle specialized in a camp sense of humor, and Herschell Gordon Lewis relied on a willingness to show everything. Corman, by contrast, had artistic pretensions, but he usually kept them to himself. His directors were not auteurs. They were hired help, working on a budget. So even though Bogdanovich had made no films, he let him work on a biker picture and then gave him the chance to work on his own movie—as long as he lived up to a few conditions.

First: He needed to use twenty minutes of film left over from a previous shoot of a mostly ignored Boris Karloff movie called *The Terror* (this was eventually trimmed down considerably). Second: Karloff must star, but he could shoot him for only two days. As for the rest of the movie, he had ten days. Bogdanovich gasped. "I've shot whole pictures in two days!" Corman countered. "Are you interested?"

Of course he was. Still, this was a puzzle with major obstacles. *The Terror*, for starters, was one of the most laughable films of all time, mostly notable for its incoherence and the most terrible performance of Jack Nicholson's career. "I remember thinking that Nicholson was a bad actor because of that movie," Bogdanovich says. Mostly, though, there was the problem of the star. Corman underpaid Karloff on *The Terror*, and when his agent complained, he renegotiated, on the condition that he would get two more days of work from the star. Karloff was the most famous horror actor working. But for Bogdanovich, that was a mark against him. Karloff represented the cobwebs of a spooky castle, cheap advertising campaigns, the lurching monster—in other words, the Old Horror. He was reaching the end of a long career with two bad knees and a long, wrinkly face far too familiar to shock anyone.

Although best known as the wordless monster in *Frankenstein*, Karloff's greatest gift as a performer was his baritone, refined after years in radio and on Broadway. As his body deteriorated, he was introduced to young fans in the sixties as the voice of the title character in the cartoon of Dr. Seuss's *How the Grinch Stole Christmas* and the host for the television series *Thriller*. This voice work kept him employed, but it also emphasized how dated his brand of scares was. He sounded spooky, but when the camera pointed toward Karloff, he looked like a dignified, elderly gentleman who had begun to waste away. How would that scare anyone?

"Corman kept focusing on Karloff being a horror character, a scary figure," Bogdanovich says, sitting in a hotel in Los Angeles. "But he was just an old man, and he didn't seem very scary to me." No horror star did. Most of them were either dying (Lon Chaney, Boris Karloff) or fading in popularity (Vincent Price, Peter Cushing). Their day had passed. New Horror would belong to the director, and his challenge, as Bogdanovich saw it, was to figure out how to make an obsolete genre, one that no self-respecting cineaste had any interest in, relevant. Bogdanovich asked himself: "What is *modern* horror?"

Targets begins with a self-conscious joke, a long clip of *The Terror* that showcases the trappings of Victorian horror: a bat, a castle, and a spooky knock at the door. After over three minutes of this film playing during the credit sequence, the screen goes black, and the camera pans to the grim, beaten-down face of a bespectacled Boris Karloff, neatly attired in a formal suit. As Byron Orlok—named for the vampire in *Nosferatu*, the kind of film reference that pleased Bogdanovich—he flashed a look of someone with too much dignity for this job. An aging stage actor, he sighs. Orlok has become the scariest thing possible in Hollywood—out of date.

With this clever opening scene, Bogdanovich, who plays a young director trying to break into the business, found the solution to the problem of how to use Karloff without making a cheesy B-picture. Bogdanovich made a horror movie about the death of horror movies. He took all the elements of the Corman horror movies and reversed them. Corman told his actors and crew that he never wanted to see "reality." The acting should be larger than life and the design always out of the ordinary. Bogdanovich made a rigorously naturalistic horror movie. Corman's Edgar Allan Poe adaptations (usually starring Vincent Price) used pop psychology. Bogdanovich wanted to make a movie about a killer with no inner life. And he would do it by making Karloff, the greatest monster in Old Horror, the hero.

Orlok retires, leaving the young director without a star (he threatens to replace him with Vincent Price). "I feel like a dinosaur," Karloff's character says at one point. "I know how people think of me these days. Old-fashioned, outmoded." This is good dialogue, but it's also fine film criticism. Karloff was troubled by his role, worried that he would be seen as a joke, even asking Bogdanovich if he could tone down some of the character's self-loathing. The director resisted, assuring him that this speech would get the audience on his side. Karloff was worried that the film was making fun of him, but it actually was flattering him with a kind of role that he hadn't pulled off since *Frankenstein*: the misunderstood monster.

Bogdanovich paralleled this fake horror with the real kind: a blond, blue-eyed sniper who kills for no reason. His murders are random and passionless. He buys bullets like other people buy socks. And when he guns down his victims, he doesn't even smile. He goes through the process of his terrible murders, but while the movie closely tracks this character, he remains oddly remote. The narratives of the young killer and the old actor alternate for most of the movie before they intersect at a drive-in theater where Orlok has come to introduce one of his movies. The sniper fires from behind the screen, and Bogdanovich puts the camera in the perspective of the killer. The audience sees the victims through the target. By having them in the crosshairs, the movie puts us in the position of the gun.

The shooter picks off one audience member after another, sitting in their cars, ignorant of the horror surrounding them. It was a metaphor of alienation and the ways that moviegoing can dull the senses. Stuck in their own cars, separated from one another, the audience is the ultimate monster. They cheer the violence on-screen, overlooking what is going on right next to them. And the beauty of this killing, the ping of the gun and the pop of the windows breaking, makes it even more palatable. The gore is kept minimal. *Targets* was an attack on horror as harsh as anything from Fredric Wertham, suggesting that horror movies disentangle moral questions from acts of violence. In an insightful essay in *The New York Times*, Renata Adler called the movie "perhaps the most film-critical film ever made."

Each of the major horror movies of the summer of 1968 was a response to the Old Horror. *Rosemary's Baby* rejected it; *Night of the Living Dead* paid homage. But *Targets* did something that seemed a little rarefied: it provided a eulogy. It had an artificial quality that bothered critics who seemed to judge the film by the standards of a piece of realism. "Why?" Howard Thompson began his mostly favorable review in *The New York Times*. "The invariable question of today's headlines about the random sniper-murder of innocent people is never answered in 'Targets.' This is the only flaw, and a serious one." But why does it need to be answered? The movie wasn't attempting to explain the killer. The horror of the murders was, in part, their randomness.

Penelope Gilliatt was even tougher in *The New Yorker*, arguing that by keeping the character oblique, the movie encouraged a kind of sadism. "It seems to me a fantastically foolish picture," she writes. "How intellectually chaotic to make a gun-control parable that is so empty of any sense of the people in it that the only response left to an audience is to recline with a bag of popcorn and lust after a manly score of assassinations." Neither of these reviews considered the lack of motivation as an intentional choice. They missed what became one of the most important philosophical ideas of the decade in horror film. Being in the dark about evil: that is the real horror.

CHAPTER THREE

BLOOD BROTHERS

Last week was my birthday. Nobody even said
"Happy Birthday" to me. Someday this tape will
be played and then they'll feel sorry.

Pinback, Dark Star

I F YOU wanted to direct horror movies in the late sixties, you could borrow money from your family and friends; beg an independent company to give you a shot; or hope to win the lottery in the studio system. But you almost certainly did not apply to film school. The idea that you needed to go to class to make a monster movie was patently ridiculous.

The USC film school, the more practical-minded alternative to UCLA, was best known for training filmmakers for the army and navy, but by the late sixties, a new breed of aspiring directors were interested in socially relevant drama. The war was raging and student strikes and demonstrations were a part of daily life. The big man on campus was O. J. Simpson, who won the Heisman Trophy in 1968 but was ignored by most of the film students who generally weren't interested in football.

Everyone smoked pot and grew their hair long and hung around commune-like group homes, taking advantage of the new availability of the Pill. One gifted student named Charles Adaire, openly gay and from small-town Georgia, stood out by starting to make a zombie movie. "No one wanted a horror film, but Chuck did something inspired by *Night of the Living Dead*," Dan O'Bannon says. "It was about a woman living alone in a farmhouse who was attacked. He never finished it."

The film program was sober and rigorous, starting first year when students were required to make short, silent films every two weeks. They were screened and critiqued, sometimes brutally, by peer review. In later years, they made longer and more expensive movies, creating a divide between those who could afford to direct and those who needed to join a crew. "It was like a microcosm of Hollywood," said Terence Winkless, who had directed O'Bannon in *Foster's Release*. "Nobody makes it without friends, but everyone is still trying to beat each other."

One required class was film history, taught by Arthur Knight, who invited the most famous directors in Hollywood to discuss their new work. Orson Welles cantankerously informed the students that there was nothing taught in film school they couldn't learn in two weeks in the real world. John Ford was soft-spoken. But Roman Polanski got attention for bringing along his blond wife, Sharon Tate, an actress who had gone topless in *The Fearless Vampire Killers*. The students were impressed.

By 1969, Polanski had transitioned from an art house director to a hotshot Hollywood player and fixture in gossip columns. *Rosemary's Baby* was a sensation among young audiences. The controversy that the movie generated only increased its credibility. But after screening the film for the class, Polanski did not discuss horror or Satanism or the line between fantasy and reality. He had been troubled by the flood of threatening letters he received from people angry about the film's supposed religious message, but the response was not mentioned either. That kind of thing was for journalists.

Polanski focused on the nuts and bolts: lenses, angles, editing. Polanski explained that *Rosemary's Baby* was shot with handheld cameras and on the street, far away from a studio lot. It was important, he said, to keep the shots moving, and to use a wide-angle lens that slightly expanded the faces of his actors and the screen so he could sneak the horror into the corners of the frame. The oddness of this view could be exploited. He also said that he made sure to shoot a little askew. Characters' faces would be cut off. Only half of the action would be revealed, adding to the sense of unease. The scares would hover at the edges. Polanski explained that when using wide-angle there is a certain distance from an actor that still won't distort their face. It was a master class in the technique of horror. "From Polanski I realized," said John Carpenter, a student in the class, "you really have to know what the fuck you are doing to make movies."

Carpenter stood out at school as someone going places, a rising star. It helped that he had a laconic, quiet presence that always seemed a little distant, not in a cold way so much as businesslike. There was a mystery about him. He had a swagger that commanded respect. His melancholy short film *The Resurrection of Broncho Billy*, about a lonely, alienated kid from the city who loved westerns, made his reputation at school. Wasting time in his bedroom wallpapered with posters of heroes from the silver screen, the main character dreamed of riding into the sunset with the damsel he saved from distress. In the final scene, he is beaten up by bullies, but finds salvation in his imagination. It earned praise from teachers, was distributed by Universal on a double bill, and even won an Academy Award in 1970 for Best Live Action Short Film.

Carpenter's roommate Brian Narelle recalls watching the announcement of Carpenter winning the Oscar for best short film at his apartment, where several classmates lived. The student producer delivered the acceptance speech standing next to the head of the film school, Bernie Kantor. "Right now it really doesn't matter that I got a B for this picture. But no hard feelings, Dr. Kantor," he joked. At the commercial break, Narelle walked to the kitchen where, to his surprise, he found Carpenter grabbing a Coke from the refrigerator. What was more startling than the fact that he was home was his cool reaction: "I shook his hand," Narelle said. "He said 'Thank you.' Very calm, cool, and I went back to the bedroom. That's what he's like."

Carpenter was born in Carthage, New York, and moved to Kentucky at age six. He was raised by a whimsical mother who loved movies and a cerebral father who taught him to challenge authority. "You've got to start questioning me," he told his son. "You shouldn't take everything I say as gospel." In his discussions about philosophy and music, Carpenter's father communicated a trust in reason and logic. Everything was fair game. Carpenter loved genre movies since seeing the 1953 adaptation of a Ray Bradbury story, "It Came from Outer Space," in 3-D. He was five.

Three years later, he borrowed his dad's 8mm camera and made his first film, *Revenge of the Colossal Beasts*, the story of giant aliens who land on earth and send mankind into a panic. By the time he was fourteen, he had made several short films with attention-getting titles like *Terror from Space*, *Gorgo vs. Godzilla*, and *Sorcerer from Outer Space*. Carpenter moved to Bowling Green, Kentucky, when his father got a job as a music professor. As a transplant from the East Coast, he felt out of place and sunk himself into his movie obsession, making sure to see the best westerns and monster movies that would show up in theaters. He became increasingly drawn to the manly visions of John Huston, Howard Hawks, and John Ford, who imagined isolated rebels standing stoically against the evil of the world. The rugged all-American image of John Wayne also appealed to him. He wanted to make movies like that. After a year of Western Kentucky University, he transferred to USC.

Young people entering film school had watched the riots on a hot night in Chicago when police clashed with protesters outside of the 1968 Democratic National Convention, and they wanted to make movies that could fight back. Fantasy movies were not popular, and horror was hardly discussed at all. "It was viewed as something that nice girls don't do," Carpenter recalls, explaining in part why a macabre silent

Old Horror star and frequent talk show guest Vincent Price (left) teaches Danny Kaye (right) how to be scary in 1966.

"I told my cast and crew: I never want to see 'reality' ": Roger Corman (far right), on the set of *The Raven* with (from left) Forrest J. Ackerman, Boris Karloff, Sam Sherman, and Hazel Court.

COURTESY OF SAM SHERMAN

Mario Bava (left), invent of the Italian horror subger *giallo*, directs a scene in *Bla Sabbath*, which inspired the name of the band.

GALATEA S.P.A, COURTESY OF TIM LUCAS

"When it came out, *Night of the Living Dead* was powerful shit," said John Landis of the cult hit, advertised on this double bill for a midnight screening.

COURTESY ANDREW JONES COLLECTION

Roman Polanski, on the set of *Rosemary's Baby*, attempted something relatively new: a horror movie for adults.

"Nobody will hit a pregnant woman," Polanski (right) said, defending shooting Mia Farrow (left) in real Manhattan traffic.

To avoid fainting, keep repeating: it's only a movie shoot. Wes Craven, second from the left, directs cast and crew of *The Last House on the Left*, including David Hess and Jeramie Rain on the far right.

"I think something about the way my mother looked at me, behind her eyes was the sense that her son was crazy," says Wes Craven.

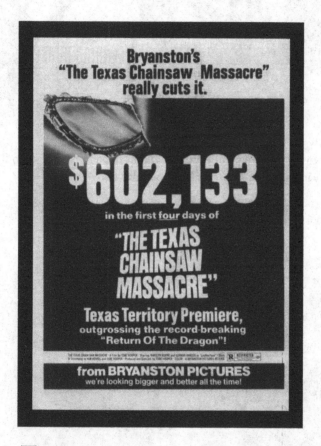

The cast of *The Texas Chain Saw Massacre* thought they hit the jackpot when they saw this ad in *Variety*. Then reality hit them over the head.

Someone's watching: Tobe Hooper zooms in on his star Marilyn Burns in an early scene of *The Texas Chain Saw Massacre*.

"Family dinners can go very wrong. I saw some things growing up that were bizarre," said Hooper, posing on set.

Director Brian De Palma gives a note to actress Nancy Allen under the prom decorations on the set of *Carrie*. They would later marry.

© 1978 Marv Newton/mptvimages.com

Birth of a scream queen: John Carpenter prepares Jamie Lee Curtis to be terrorized in *Halloween*.

© Kim Gottlieb-Walker, www.Lenswoman.com

A*lien* cocreator Dan O'Bannon, left, recruited Swiss artist H. R. Giger to invent a "profane abomination."

Mia Bonzanigo

The Masters of Horror dinner: from left, Ernest Dickerson, Tim Sullivan, John Landis, Larry Cohen, Bill Lustig, Elvis Mitchell, Eli Roth, Joe Lynch, Tobe Hooper, Peter Medak, Stuart Gordon, Armand Mastroianni, Mick Garris, Wes Craven, and Katt Shea.

black-and-white film first captured his attention. *Bloodbath* was Dan O'Bannon's first movie.

It began with a close-up of a young man's eyes darting back and forth. Then a series of shots of a bearded melancholy man smoking a cigarette, slumped over a bed, surrounded by beer cans and trash. He mumbles nonsensically, strung out, coughing, tired of the same old routine, like a character out of Beckett. He grouses about his filthy apartment before drinking his mug of coffee, only to have his cigarette dangling from his lips tumble into it. His glance suggests a "What the hell" exasperation that brought laughs from the students in the screening. This was not a dainty man. "My face looks like an armpit," he said. The voice-over, not the performance, was Dan O'Bannon's. "My mouth tastes like the inside of a locker room."

The audience, perhaps nervous at the strange, offhanded style of the film, continued tittering at the Underground Man–style stream-of-consciousness narration. It seemed like a setup to a dark joke. O'Bannon felt his heart swell. They really liked it—or at least they did up until a point. Instead of a punch line, the bedraggled misanthrope slit his wrists and bled to death inside a bathtub. The students watching became silent, uncomfortable, and even angry. As they filed out, O'Bannon heard one woman shout: "That's not fair!"

Most students saw the turn to violence as a ghoulish shock, a sudden shift from light to dark, but the movie was more twisted than that. The grumbling character cut his wrists by accident, a mistake shaving, then mumbled something about how his veins will just probably close up. Instead he keeps bleeding and bleeding and bleeding until he sits in a bathtub and we see the red liquid swirl down the drain, an echo of the shower scene in *Psycho*, before shifting into an ominous flashback of a towering shadow figure standing under a clear landscape. In the moments before dying, he almost seems to enjoy the warm feeling of blood dripping down his legs. "Mmmm, sexy," he says before dying.

"Most people were like 'How disgusting,'" Winkless recalls. "But for

Dan, he meant it as an entertainment and he was amused and befuddled by the reaction."

Carpenter loved it. He had discussions at school about whether you really need character motivation and personal history at all. He preferred the shorthand of archetypes. "When John Wayne walked on-screen, you didn't need to know who his parents were or what his motivation was," he said. "You knew all you needed to know." This movie achieved its impact through images and a few stray quips. That was enough. In this short film, he saw an artist with a dark point of view who understood the appeal of being scared in the dark. Describing the experience in a magazine interview years later, Carpenter said it was shattering: "I'm telling you, the audience walked out of there shaken, limp."

Carpenter approached O'Bannon after the screening and told him how much he liked the movie. O'Bannon was flattered. Short, bearded, and as insecure as Carpenter was tall, shaggy-haired, and confident, O'Bannon explained the idea for his movie began with the suspicion that blood splattering on white tile could be a beautiful thing. For O'Bannon, a former art student, the horror began with an image, or an interest in exploring the possibilities of the image.

Once they started talking, Carpenter and O'Bannon discovered that they had much in common. They both loved Howard Hawks's movie about a bloodthirsty creature discovered in Antarctica, *The Thing from Another World*, and grew up reading the weird tales of H. P. Lovecraft. They each loved Alfred Bester's futuristic novel *The Stars My Destination*. Alienated and ambitious fantasy fans, they had read monster magazines and as children shared a common fascination with the wonder of outer space. Carpenter proposed making a movie together.

His model was a low-budget science-fiction movie directed by the star of a previous class: George Lucas. He proved that you didn't need elaborate special effects and studio money to create a convincing vision of the future. Lucas's *THX 1138*, a stylish tale in the style of *2001*, employed sleek white backgrounds, an almost abstract visual palette, and a resourceful design that employed household objects to create control panels and vehicles from the future. It won the national Student Film Festival in 1968, and Warner Brothers and Francis Ford Coppola's company, American Zoetrope, released it theatrically in 1971.

Carpenter had seen Lucas at parties, standing in the corner shyly. He admired how he managed to get the attention of Hollywood for a student work. "John had a nose for power," said Nick Castle, who co-wrote *Broncho Billy* with him. "He knew he had to have a film coming right out of film school."

Carpenter had a similar instinct to the one that Robert Evans had with *Rosemary's Baby*: take a popular genre and remake it with a counterculture edge. Set in the twenty-second century, *Dark Star* follows a young space crew flying around the galaxy looking for unstable planets to destroy. Time passes slowly, and the astronauts go about their daily routines in a state of almost lifeless boredom. Echoing some of the reports back from Vietnam of military operations that go bad due to tedium, this group of men in uniform slowly crack up, bickering, wrestling with each other, and accidentally setting off bombs. It's almost as if the violent meaninglessness of the enterprise has driven them mad. Carpenter told O'Bannon it would be *"Waiting for Godot* in space."

Carpenter, O'Bannon, and their friends thought of themselves as rebelling against the realism of the time, as more counterculture than the counterculture. "We were counterrevolutionary," explains their classmate Nick Castle, who worked on *Dark Star*. "The revolution was the new wave and experimental film, but they are all influenced by American genre pictures. We just skipped the step and went right to the source."

BERTHA O'BANNON had gone into labor early in the morning of September 30, 1946. Her husband Thomas drove her to the hospital, helped her to the waiting area filled with pregnant women. Bertha was calm, remarkably so. She had read every baby book, planned on training the baby to sleep alone, and studied feeding times. She took every precaution and knew exactly what to expect. She was ready for motherhood.

One thing she didn't count on was that Thomas would take her calm as a sign that he could leave the hospital to see a matinee movie. The delivery room was no place for men and, well, it was the Marx Brothers. By the end of the movie, Daniel O'Bannon was born and his father rushed to the hospital to meet him. What he found was a room of babies behind a glass window, and he later wrote about the scene this way:

> I looked over the selection of newly-formed humanity in the glass room and picked out the prettiest one I could find. "I'll take that one," I told the nurse who was on duty. "That one," however, had already been spoken for. The only one available was a tiny, wrinkled, red-faced little monster with the crookedest legs I had ever seen. I accepted him.

Thomas O'Bannon was not a *Father Knows Best* type. Hailing from an old Ozarks family that fought in the Revolutionary War and on both sides of the Civil War, he was blind in one eye after an injury sustained in World War II. He referred to his son as "the brat" and had a habit of poking through his personal belongings. But he also had a mischievous streak. One of his favorite pranks was cutting rings in the grass and calling the press to tell them he spotted a UFO.

The O'Bannon family ran a curio shop called Odd Acres in Winona, Missouri, off Highway 60. Near the shop were small cabins that sold themselves to cars driving by as a sideshow featuring large-scale optical illusions including a stream that ran upward. In one, a room was built on a slant so if you took a photo, it could appear that you were hanging off the wall. It sat in front of a sign that announced "IMPOSSIBLE HILL."

Daniel was closer to his mother, a nurse who met her husband taking care of him after the war. She was convinced her son had potential since he scored high on IQ tests. But while she wanted him to read literary classics, he would always sneak science-fiction stories and comic books into his book bag. She called science fiction "an evil substance." O'Bannon didn't have a telephone until he was ten, and since there was no library, he had to send away for books. At his dinner table, movies and art were off-limits. So was religion. The topic day in and day out was money—to be more specific, why they didn't have any. O'Bannon, an only child, didn't need anyone encouraging him to challenge authority. It was plain to him that teachers and parents and the police were not to be trusted. "I was from these origins, but not of them," he says. "They were so wrapped up in their own dysfunction that I think they barely perceived me."

The irony is that Thomas O'Bannon was the first person to fully see the eccentric talent in his son. He also probably nurtured it, in his own cockeyed way. Many kids imagine themselves outsiders misunderstood by their parents, and while it's usually very difficult to know what was in the mind of a father in southern Missouri in the early fifties, Thomas O'Bannon left behind some rather elaborate clues in the form of an eighty-page journal describing the first ten years of his precocious son's development: describing every report card, his interest in art, his relationship with other kids. Written in an irreverent, self-mocking style that despite its occasionally clinical tone betrays a clear affection, the journal shows that he spotted traces of a brilliant imagination that would eventually change the direction of genre movies. He called this document "The Book of Daniel."

> This morning we were discussing green cheese and the man
> in the moon and kindred subjects. During the discussion the
> boy came up with the startling information that the man in the
> moon so loves green cheese (of which the moon is composed)
> that he eats up the whole moon every twenty-eight days or so
> and has to order a new one. So far as I know this little notion
> is original with him. He says he never heard it anywhere. Not
> bad, huh?

Two years later, there is the first mention of the macabre when Danny tells his father that he had an idea for a horror play. "Then nature asserted itself and he had to go to the toilet," Thomas wrote of his son. "I'll tell it to you while I'm on the toilet. Don't tell me when you're not listening. I want to talk on anyhow."

Dan O'Bannon was a chatterbox. His elementary school teachers liked him but with some reservations. Every year, they would praise his intelligence and artistic talents but lament his lack of effort. If he worked hard, Thomas suggested, he would become just like the three or four other top students in the class. "On the other hand, in the role of the bored genius he stands out alone," he wrote of Daniel at ten years old. "As an artist he is the unquestioned head of the class."

It was this need to be alone in the spotlight combined with a paranoid fear of failure that helped define O'Bannon. And while his father saw this early, O'Bannon until the end of his life blamed him for a difficult childhood. "My father was a hillbilly," he says. "And he was unstable."

O'Bannon enjoyed social interaction but was not very good at it. Graduating from high school in 1964, O'Bannon left home for art school, one of many worlds where he discovered that he did not fit in. He hated the teachers, thought the students self-involved and smug. At the school paper, he wrote film and theater reviews, including a treatment of John Frankenheimer's *Seconds* that argued that directors use mocking self-parody to cover up their mistakes. "If you take yourself seriously, you better be good." He also demonstrates interest in the drama of Edward Albee and describes the heroine of *Who's Afraid of Virginia Woolf?* as "disgustingly sexual."

Besides coming to the realization that visual arts would not pay well, O'Bannon had begun looking more seriously at other media. After reading an advice column in *Playboy* that suggested film school, he saw his future more clearly. At USC, O'Bannon was a hippie in style more than substance. Rallies were not his thing; nor was pacifism. When the criminals came to get him, he wanted to be prepared. He sympathized with the protesters at the Democratic convention, but his days as a liberal ended when he discovered gun control. O'Bannon loved his firearms. He considered anarchism.

O'Bannon didn't have enough money to make his own films, so he worked with other directors. First he worked as an editor on a socially conscious movie about race directed by David Engelbach called *Street Scene*, about a white woman whose car breaks down in the ghetto only to see a black man become the victim of bigoted violence. O'Bannon was not impressed. "The story is tendentious, a good example of a political opinion from someone who doesn't know enough to have one," he says. Then he tried to get on the crew for a movie based on Charles Whitman, the sniper who killed sixteen people from the top of a tower on the campus of University of Texas. Its director Nick Castle informed him that all the jobs were taken, so he instead joined Terence Winkless on *Foster's Release*.

Winkless discovered that O'Bannon was so unusual early on, after walking into his room and finding a gun sitting on a stack of porn. That was not the kind of thing that you would expect from a film student in the sixties. Another time, Winkless went to a restaurant with O'Bannon, who ordered a cup of coffee, a tea, and a Coke. The waitress assumed this overdose of caffeine was a joke, and when she didn't bring it to him, he flew into a rage. Dan could be tough to handle.

That's why some of his USC friends were surprised when Carpenter approached him to collaborate on *Dark Star* in 1970. They were very different types. O'Bannon, wound-up and intense, delivered a steady stream of bile, provocations, and paranoid theories. Carpenter was by contrast aloof and easy-going. "John was very subdued and quiet and gentle. He's got this soft Kentucky manner to him," says Brian Narelle, who starred in their film. "O'Bannon was a bit crazed."

Even if they seemed an unlikely team, Carpenter knew what he was doing. "Dan and I initially bonded over science fiction and movies,"

Carpenter says. "We probably learned from each other. Dan had enormous confidence in his own imagination, and I think maybe I learned to have some amount of courage in my own."

O'Bannon, a master at the bull session, had a head full of wild thoughts, sometimes inspired, other times crazy, often both. To take one example, he made his own board game called Poverty, whose object was for a player to get $300 and five gas coupons to escape the ghetto. Once you did that, you were supposed to exclaim, in the style of Yahtzee, "I got it made!" Then there was a riot and everything was up for grabs again. The kind of person who could dream this game up could be very helpful.

An artist with a strong vision, Carpenter also proved to be a natural father figure for O'Bannon. "I didn't have a lot of friends," O'Bannon said. "I needed a friend, a mentor."

O'Bannon and Carpenter both felt out of place. O'Bannon's favorite work by Poe was a poem called "Alone" that begins: "From childhood's hour, I have not been as others were." Carpenter recalls always feeling like an outsider in the South after his family moved to Kentucky, or as he puts it, "a stranger in a strange land." Growing up a little eccentric in conservative small towns, science fiction and horror fans studying in a school that did not value those kinds of films, these young men did not feel part of the zeitgeist. In monsters and mayhem, they saw an escape. They brought a certain shared philosophy that was not the same as the reality-blurring ideas of Roman Polanski. To them, horror was sentimental, even romantic, the stories of outcasts and weirdos managing to survive in a dark world. For them horror was a state of mind.

SIGMUND FREUD wrote an essay in 1919 called "The Uncanny," about a certain psychological category that described a feeling of unease created when something seems familiar and foreign at the same time. Freud was building upon the work of a German doctor, Ernst Jentsch, who thirteen years earlier had explained how the uncanny operated in stories by macabre writers like E. T. A. Hoffmann to create confusion and leave the reader in a terrifying uncertainty. This idea helped shape our understanding of the strange unease and dread evoked by zombies, robots, or even twins. They don't need to be aggressive to make us feel unsettled. Martin Heidegger later approached similar territory in his discussion of "angst" in *Being and Time*. He explained that it was rooted in a vague threat rather than a concrete one. A man chasing you with an ax inspired fear, but the paranoid notion that someone might be around the corner with an ax is angst.

Carpenter and O'Bannon were hardly experts in Freud or Heidegger, but they understood the importance of the vague, elusive power of an unseen horror through another source: the stories of H. P. Lovecraft, the reclusive misanthrope and literary godfather of the modern horror genre who wrote fevered tales with brilliantly self-contained mythologies. His brand of terror he referred to as "cosmic fear." Fear by itself can be unpleasant, but cosmic fear evokes an almost spiritual sense of wonder, of awe that is quite distinct from the shocks of cheap monster movies. Lovecraft made no apologies for horror. In fact, he treated those who didn't see its value with an elitist disdain, a sneering sense that they were too stuck in their regimented worldview to appreciate truly fantastical art.

O'Bannon discovered Lovecraft at the age of twelve when he read "The Colour Out of Space," a story about a meteor falling to Earth sparking an ecological disaster. He was hooked immediately by the overheated imagery, the overblownness of it all. No writer he read had ever communicated that feeling of an incomprehensible madness. His favorite tale was "The Outsider." It gives a first-person account of an unhappy narrator living in a dark, crumbling tower far away from any human contact. How he got there is never explained. Nor is how long he has been there. The story is his escape, climbing to the top of the tower, exiting, and finding a room full of people having a party until they see him, scream, and scatter. Our narrator is the monster. O'Bannon related. He also felt that the world was remote and alien, and usually the conclusion he drew was that he was the strange one. But the mechanics of the tale also made a deep impression. It's a deeply self-pitying story, one that associates death with "the other."

In Lovecraft's stories, humans are powerless and pitiful, bit players in the drama of the universe who "live on placid islands of ignorance in the midst of black seas of infinity." In the face of the overwhelming power of the monster, humanity appears helpless. This misanthropy is reflected in mood more than story. The atmosphere itself is as murky and hard to decipher as a foggy sky in Scotland.

Lovecraft does not summon up an image so much as the lack of one: the tower hanging above the "endless forest" into the "unknown sky." Everything is negative: endless, unseen, incomprehensible, and indistinct. The past is impossible to remember, and the future is a mystery. The portrait in this story is of a mind paralyzed by a world so vast that it's frightening. He would prefer to stay in his tiny room and rot. This is a work of fantasy, but it felt true to O'Bannon. When you are young and green, what you do not know is terrifying. Most horror fiction relies on sudden surprises, men transforming into monsters, dead bodies rolling out of closets. But Lovecraft's stories didn't try to startle so much as to slowly envelop you in a kind of dream. His stories were about awe, not shock.

In his essay on the history of the macabre, "Supernatural Horror in Literature," Lovecraft began with what might be the bedrock idea of the genre for most of the directors who came of age in the sixties and seventies: "The oldest and strongest emotion of mankind is fear, and the oldest and strongest kind of fear is fear of the unknown." Lovecraft went on to place horror in the context of great literature from Charles Dickens, Poe, and Nathaniel Hawthorne and explained how we remember pain and menace much more vividly than pleasure. O'Bannon and Carpenter each found solace in the seriousness with which this writer took his favorite genre. Most people are stuck in the mundane moment-to-moment dreariness of real life, but Lovecraft preached that only the truly sensitive souls can allow their imaginations to wander to the fantastic—and that this must be rooted in realism. "Inconceivable events and conditions have a special handicap to overcome, and this can be accomplished only through the maintenance of a careful realism in every phase of the story except that touching on the one given marvel," Lovecraft wrote.

The virtue of the unknown, the setting of an indistinct mood, and the necessity of rooting the magical or supernatural in a palpable realism—these were powerful ideas that O'Bannon and Carpenter built upon when they made their movie. *Dark Star* began with the mundane. It contrasts the excitement of space travel with banal banter you might hear around a college dorm room. These space travelers are smaller than life. They look bored. They happen to be exploring new planets, but they could just as easily have been a group of kids passing the time at a temp job. This unglamorous portrait of space was a major departure at the time from the romance and heroism of the tight-shirted multi-cultural space travelers of *Star Trek*. Such motley teams would soon become commonplace in movies like *Star Wars* and *Alien*.

The wandering plot followed a spaceship going on bomb runs, and on the second one, an explosive gets stuck in the exterior of the ship and one of the crew has to crowbar it out. O'Bannon immediately saw the possibilities for dark humor and some intellectual gamesmanship. O'Bannon proposed the perfect ending for an absurdist science-fiction epic. "What if it's a talking bomb and he has to argue it out of exploding?" O'Bannon proposed. Carpenter laughed. He thought movies worked best when they are emotional, not intellectual. But it was better than anything else they had, so he agreed.

With a computerized voice that evoked HAL from *2001: A Space Odyssey*, the bomb says it will explode in minutes. Then in a flight of fancy, the crew attempt to talk the bomb out of it, engaging in a duel straight out of Philosophy 101. "How do you know you exist?" Lieutenant Doolittle asks the bomb, trying to undercut the point of exploding. Eventually, the bomb, confused, doubts its own mission and retreats, only to decide for relatively random reasons to explode anyway.

O'Bannon's eccentric satiric sensibility pushed the movie in a more comic direction until it became something closer to a spoof.

At the time, Dan was sleeping with Diane Rasmussen, an irreverent, beautiful, and married blond assistant to a dean at the school. She received plenty of attention from boys at school, even O. J. Simpson, who approached her inside a supermarket with a bunch of friends, tossing a come-on in her direction. When she showed off her wedding ring, the whole group yelled "Awwww!"

Diane was more interested in the film students, partly because she was married to one and occasionally acted in films. Many at USC were a little surprised that she then gravitated toward O'Bannon. "It seemed kind of like he was a vampire taking advantage of this beautiful woman," Narelle jokes. But Diane's marriage was growing distant, and as the daughter of a man who worked at NASA, she was also drawn to the beyond. She was infatuated with O'Bannon's dark sense of humor and loved spending evenings laughing wickedly. One time when they were lounging in bed, Dan took a felt-tip marker and drew a tattoo on her butt that read PROPERTY OF HELL'S ANGELS. She thought it was hilarious and decided as an experiment not to wash it off. "I won't shove it in my husband's face," she explains, "neither will I hide it: let's see if he notices it. Well, the sad fact was he didn't go there, and I knew my marriage was a dead dog."

Another time in bed she recalls O'Bannon discussing his struggles with Carpenter, which often resembled the quarrels of sibling rivals. As they worked together on the script, some tension developed between the two friends. Carpenter and O'Bannon could be competitive. Diane remembers O'Bannon telling a story of sitting at a restaurant with Carpenter with a bowl of hot pepper in between them. O'Bannon picked one up and popped it in his mouth, and despite the fact that it burned, he boasted that it was nothing, challenging his friend to try two. Carpenter did and gasped. That made Dan laugh.

But on set, they worked beautifully. Carpenter played the stoic leader while O'Bannon threw out ideas feverishly, working as a one-man brainstorm and utility man. O'Bannon acted, did sound design, edited, and created the futuristic design with almost no money. He turned a box of Styrofoam into a space suit, ice cube trays into control panels. A tool to learn French pronunciation became a very convincing wheel for the spaceship. Carpenter had an eye for composition and spent much of his time setting up shots. O'Bannon concentrated on making the technology appear real, with sophisticated-looking space controls and even an approximation of official astronaut uniforms. And while they both aimed for an absurdist style, O'Bannon's sense of humor was more offbeat. Carpenter really cared how the shots looked, how the camera moved. He loved wide, sweeping views of space.

O'Bannon played a version of himself in the movie as Pinback, a bitter, angry, bearded eccentric who delivered rambling monologues to the camera in a spirit similar to *Bloodbath*. But he spent most of his time working on the production. O'Bannon loved drawing sketches of spaceships and faraway planets and aliens, but his ideas about what made effective designs evolved due to a friendship with Ron Cobb, a local illustrator at the *Los Angeles Free Press* whom he sought out for help with *Dark Star*. Cobb, a political cartoonist and devotee of Isaac Asimov, fell in love with the space program and believed strongly that science fiction needed real science to remain relevant.

In general, very little effort was made in movies and television shows at this time to approximate what real space travel was like. The consoles in *Star Trek* looked flimsier than the stuff in NASA photos, the rooms too big, and the problems of gravity never figured into the plotlines. O'Bannon and Cobb collaborated on some of the computer-animated displays that managed to give the movie a remarkably high-tech-looking control panel. To get people to believe in the fantasy, Cobb argued, the movie "needs to have a sense of where technology is going. We need to do real science to reclaim a sense of awe and wonder without resorting to the supernatural."

Carpenter also insisted on a level of detail in design. His friends occasionally blanched at the intensity of their two leaders. Winkless, for instance, was recruited to help re-create the starry background of space using a black, shiny paper that unfurls on huge rolls. His crude special effect did not fool anyone; when someone opened a door and a gust of wind flew by, the paper flopped around. Carpenter was furious. "He wouldn't talk to me for years," Winkless said. "I would see him and he would refer to it, needling me."

Carpenter and O'Bannon got along because they were both perfectionists, intensely so, and by the end of the shoot, they were proud of the film. Even if it wasn't *2001*, it could kick-start their careers, which they were both mapping out. They talked about making a similar science-fiction story set in a spaceship where a crew discovers a menacing alien, inspired by *The Thing from Another World*. O'Bannon actually wrote the first half of a script. "While we were in the midst of doing *Dark Star* I had a secondary thought on it," he said. "Same movie, but in a completely different light." This movie was a Lovecraftian vision of space, and O'Bannon would direct. This half-finished screenplay would become *Alien*.

Along with their colleagues, they saw themselves as part of a new movement to legitimize fantasy films. Carpenter and O'Bannon couldn't wait to take what they learned working together and start making movies. "Working with John was a lot of fun. It was a terrific experience. It was afterward that things fell apart," O'Bannon says, adding, "He didn't have disdain for me. It's just that he had no personal interest in me. I was an object—like a toaster. I was someone who was willing to work real hard and then when the toast was done, he was through."

CHAPTER FOUR

ASSAULTING THE AUDIENCE

> I think it's crazy—all that blood and violence.
> I thought you were supposed to be the Love
> Generation.
>
> *Estelle Collingwood*, The Last House on the Left

Wes Craven was convinced he was going to Hell. Growing up in Cleveland, he learned about horror at home. Money was tight. Craven was only three when his father died on a loading dock of a company that made parts for airplanes, and the memory that stuck was of his boiling temper. "It was the first thing that ever scared me," Craven says.

Outside his house there may have been chaos and sin, but inside was a very different story. His mother, Caroline Craven, ran the place like a totalitarian state: information flow was closely monitored, and order maintained through strict rules enforced by the threat of punishment—the eternal kind. A Baptist pessimist with a ninth-grade education, she had a sad, rigid mouth hardened after a lifetime of tough luck and difficult men. Her anxiety found its expression in her constantly twirling thumbs.

Caroline took care of her husband, who drank heavily and left her right before he died. The rest of her family was filled with heavy drinkers, so she was used to taking care of difficult men. She never remarried or even dated, and instead poured all her energy, love, and moral rectitude into her children, including the delicate youngest child, Wes. To him, her watchful gaze was always disapproving. Battling sin was a full-time job—it required vigilance. Suspicion swirled around that house, a sense that Catholics were idolaters and outsiders. No cursing! No sex! Forget the movies! Caroline watched Disney cartoons. That was it.

Dan O'Bannon's father could be scary, too, but he had a wandering, curious mind. The house that Craven grew up in was more constricted. His mother refused to talk about race or sex or politics or anything unpleasant. These taboo subjects, particularly sex, fascinated Craven, but he played the good son and kept quiet. On his mother's insistence, he went to Wheaton College, a strict Christian school that only reinforced his paranoia. Craven stayed away from movies and attempted not to think of sex. He went to chapel every day. In his first year of school, at the age of nineteen, he suffered a viral infection in his spine that temporarily paralyzed him from the chest down. It hospitalized him for two months, and in that time, his life changed.

His plan to enter the army and become a fighter pilot was abandoned, and he started writing poetry and short stories, some with dark themes. He adored Kafka. It was during his hospital stay that he met his future wife, Bonnie Broecker, a redheaded nurse, who shared his fundamentalist background. When entering his room for the first time, she remembers his mother sitting, sternly, with a downturned mouth, thumbs spinning. Craven plucked at a guitar nearby. He looked fragile, her idea of a sensitive bohemian. She could tell, however, that the mother was trouble.

After dropping out of school, Craven began dating Bonnie, a Wheaton alum with a better attendance record. Soon after they began seeing each other, he was accepted into the Johns Hopkins master's program in literature, where he studied under Elliott Coleman, a deacon who told him that he needed a more expanded idea of Christianity. Coleman encouraged Craven's writing, telling him, at one point, that he displayed a "visual" style that would make a great screenplay. Coleman also gave Craven romantic advice, telling him that if he wanted to fulfill his potential, he couldn't let his long-distance girlfriend get in the way. Craven, under his sway, called her and broke up. Weeks later, he realized his mistake and proposed marriage. They had known each other hardly a year.

Craven seemed different from other boys, and different was what Bonnie was looking for after a life steering clear of sin and obeying her parents. If he had problems with his family, she could fix those. The important thing was to get married and have kids. So they eloped.

As soon as he graduated from Johns Hopkins in 1964, Craven found work as an assistant professor of literature in a small town in Pennsylvania, before moving to a similar job at Clarkson, an engineering school in Potsdam, New York. It was a conservative campus, resistant to the kinds of protests that were exploding at big-city schools throughout the country. Still, Craven managed to find a group of like-minded freethinkers: artists, musicians, and poets who were sympathetic to the antiwar movement and dreamed of making it in New York. Most of his friends were students, including Steve Chapin, the youngest of four brothers who would go on to have success in the 1970s in the folk music scene, and David Cameron, an aspiring painter. Craven was the novelist of the group.

Tall and lanky, when he entered the classroom for the first time, he tried to dress the part, wearing corduroy jackets with leather elbow patches, and a loose tie. "He was conservative with fine features," says Chapin, who spent hours smoking pot and jamming on the guitar with Craven. "There was something Englishy about him, like a slightly seedy lord." Craven developed the cultural pursuits of a Europhile aesthete, seeking out films by Bergman and Fellini and plays by Beckett.

His first directing assignment was an intimate staging of *No Exit*, the 1944 play by Jean-Paul Sartre about a cowardly man who discovers the afterlife is nothing more than being stuck in a room with two strangers. Craven had a dark side, but it wasn't something that he always revealed. Continuing to write dark stories and a novel, he told Bonnie that by the age of thirty he wanted to be on the cover of *Time* magazine. That didn't seem to be in the cards. Instead, Bonnie became pregnant and had a boy named Jonathan and then a girl named Jessica. As her family grew, she became increasingly concerned about the culture war simmering inside her marriage. Bonnie was ready for a settled life, but Craven had not exactly grown up yet.

The fact that he even had kids and a wife seemed a little odd. "He always treated it like it was a kind of accident," Cameron says. One time Craven, fascinated by abandoned houses, insisted that they move into one with the kids. Bonnie played along at first, but when she saw that there was a hole in the kitchen and no running water, she refused. Craven went anyway, leaving home for a week.

Craven rejected the ideas of his childhood, but he was still searching for something to replace them with, leading to confusion and dark spells. "I had so much rage as a result of years of being made to be a good boy," he says. "I think when you're raised to be within such rigid confines of thought and conduct, what that does to a person is you think you are terrible if you violate the rules. It makes you crazy. Or it makes you angry. I'm surprised I never climbed to a tower and [shot people]."

Craven stayed in touch with his mother, who would come visit and bring an entire meal, clean the house, and wash all of Wes's shirts. Craven was driven by competing impulses—to make his mother happy and to rebel against everything she stood for. Wes and Bonnie would occasionally visit Caroline's home in Euclid, Ohio, a small house with a white picket fence and a lawn. When Craven entered his old house, his mom would lay into him: "Why do you live in that city, Wesley?" He hated when she called him Wesley. "Why don't you do something different with your life?"

Craven was also becoming frustrated that he was not fulfilling his artistic potential, and his marriage became increasingly strained. "He felt that the atmosphere at Wheaton had really damaged Bonnie," said

Cameron. "He could shake it off and live a bohemian life. But he was aggravated that she could not."

They planned a cross-country trip by motorcycle to patch things up. This was the era of *Easy Rider*, and setting out on the road was the epitome of hipster chic. They left the kids with a friend, jumped on a Honda, and went from Provincetown to Chicago to San Francisco. At one point, they stopped in the desert of Nevada to get something to eat. Waiting by the street, Wes noticed an arrow zip by his ear and a group of three young men in a pickup truck approached, threatening, eyeing his long hair. "We don't like hippies," one shouted. Wes said if they touched him, he would sue. One member of the ragged gang responded that if they wanted to kill him, they could throw his body in the salt mines and no one would ever find it. That stunned Craven; with the vulnerability of an urban kid in the middle of nowhere, he was absolutely terrified. The feeling of weakness stuck with him. So did the idea of being lost in the desert, which found its way into his second (and perhaps scariest) horror movie, *The Hills Have Eyes*.

Becoming a filmmaker was far from Craven's mind, but when a group of his students asked him to supervise a movie they were making, he thought he would give it a try. It was a short spoof of James Bond, but Craven took an active interest, enough to make the head of his department concerned about it being a distraction from his scholarship. He called him into his office for a chat. "It's time to get serious about your work," he said sternly. Instead Craven quit in the summer of 1969 and moved his family to Brooklyn, New York.

His plan was to try to sell his novel, "Noah's Ark: The Journals of a Mad Man," about a sensitive, troubled son of the caretaker at a New York cemetery, and then get into movies. His mother was perplexed. As soon as he launched his next career, it ended almost immediately. Craven couldn't find work. The economy was weak and Hollywood studios were closing, pressured by low ticket sales. With his money running out, he was forced to teach high school and moonlight as a cab driver to support his family. He was starting to feel a little bit like his dad.

Craven wrote a friend from college in May of 1970, saying that he was just aiming for "pure survival." The letter gives a picture of his state of mind, the seeds of his horror movies emerging:

> Summer has settled onto the city. According to the news the carbon monoxide level yesterday passed the unhealthy mark and simply left the edge of the graph. The noise is incredible now. The windows of the subways are all thrown open for air and the screaming of the steel wheels is a knife to the ears. Outside there is a continuous clot of traffic, construction and demolition everywhere with hundreds of drills and jackhammers going like hell all the time.

Bonnie was unhappy. She did not see this as an environment in which to raise kids. Craven moved out, sleeping on couches in the Lower East Side while the bills piled up. His credit cards and driver's license expired. He fell off the grid. Slowly, he even fell out of touch with his mother. "She didn't understand me. She never tried to," he says. "I think something about the way my mother looked at me, behind her eyes was the sense that her son was crazy. The word 'crazy' came up all the time."

Craven had given up the old religion, but Hell still seemed close at hand. He had lost his family and his dreams appeared out of reach. But by the next spring, his life would turn around. It began with a porn film.

ADVERTISED IN NEWSPAPERS as a mainstream feature, *Together*, a sex film under the guise of an educational documentary about sex, featured an ad line that played on anxieties about the generation gap: "Look for yourself! Judge for yourself! See what your children can show you about love!" It was just the kind of soft-edged provocation that Sean Cunningham loved.

Wearing an easy smile that telegraphed a gregarious personality, Cunningham would become a pioneering horror director with the *Friday the 13th* series. But in the summer of 1969 when he met Craven, he had just made the transition to producing drive-in movies. This first collaboration—Cunningham produced and directed, Craven helped with editing—launched careers that would dominate the genre in the following decade.

Charismatic, confident, and always hustling, Cunningham talked a great game. All he wanted to do was scrape up enough cash to make his movies, which he would hand-deliver to the theaters. Craven recognized Cunningham's business savvy. "Sean was somewhere between a mentor and a friend," Craven says. "He was a much more practical guy and had an aversion to putting on any intellectual airs. We're very different."

Cunningham sold his film, which starred Marilyn Chambers, the adult movie star who eventually gained notoriety in *Behind the Green Door*, to Hallmark Pictures, one of the many small exploitation companies littering the film landscape, providing a steady stream of smut and brutality to grind-house theaters. The company owned over one hundred of its own theaters in Boston, giving it a level of independence. Their executives saw potential in Cunningham's movie. "It didn't have hardcore, but it did have one thing that I thought was the key ingredient," says George Mansour, a buyer for Hallmark who made a deal for $10,000. "It had a white woman having sex with a very handsome, extremely well-endowed black man. She was very, very white and he was very, very black and she has a scene in which she traces a flower—I believe it was a dandelion—along the shaft of his dick and it gradually rises. That was the great scene. That sold me. Black dick always sold me."

Hallmark specialized in importing foreign movies and brought some of the work of Mario Bava to the United States market. *Twitch of the Death Nerve*, a giallo in which teenagers are killed in various creative ways near a bay, was one of its great successes. The crucial insight of Hallmark's marketers was that you can get away with anything if you do it in the name of art. And nothing telegraphed artistic seriousness like European cinema.

Hallmark booked *Together* in shopping malls and suburban complexes. Free screenings were held for local police and civic groups. It opened in August 1971 and it ran for thirty-one weeks at the Rialto Theater in New York. By February of the next year, Craven had gone from overseeing a student film to occupying the spot right beneath the new Bond film *Diamonds Are Forever* on the box office charts. *Together* proved that porn could go mainstream, setting the stage for the blockbuster success of *Deep Throat*. Cunningham's goal was to do the same thing with horror.

Cunningham agreed to produce a bloody horror movie that would be shown in only a few theaters. The point was to make a quick buck. Seeing some talent in the college professor who helped in the editing room, Cunningham asked Craven to direct. Craven told him he had hardly seen a horror movie, let alone knew how to direct one. "You were raised fundamentalist," Cunningham assured him. "Use it!"

WES CRAVEN felt the forbidden in society needed to be explored, the sins of the fathers exposed. Cunningham wanted to see lots of blood— up to a point. Their clashing personalities are part of what made *The Last House on the Left* such a strange mongrel: a mix of canny marketing and confrontational art, escapism and provocation, exploitation and political statement. Its dramatic center was an excruciating rape scene.

Rape has long been a theme of horror films, usually lurking right below the surface. At the intersection of sex and violence, the precise spot where the most disturbing horror films operate, anxiety about rape is on the minds of many audience members watching a young woman being chased on a dark night. It has often been a subtext in the vampire genre. By the early seventies, it became more explicit in movies like *A Clockwork Orange*, *Straw Dogs*, and *Deliverance*. Rape is, at least in part, being used for shock, to show off a certain edgy taboo-pushing attitude.

The worst examples aim for titillation, and other dispiriting ones adopt a clinical distance.

In an effort to recapture the youth market that it was losing to exploitation movies in the early seventies, Hammer Film Productions producer James Carreras insisted that a rape scene be added to *Frankenstein Must Be Destroyed*, made around the time that *Last House* was filmed. Hammer had always been known as the tasteful horror company. So in response, Terence Fisher, the most seasoned and respected director of Hammer's stable, walked out. Eventually a compromise was struck, but the assault remained in the film and seems completely out of place in an otherwise standard costume drama. "It was horrifying," says Veronica Carlson, the veteran horror star playing the woman being attacked. "I never did another Hammer movie again."

The original script for *Last House* included rape fantasies and a scene where the killers open up the victim's body and feast on her intestines. The final script follows a gang of escaped killers who abduct two middle-class girls in the woods. They tie them up, spit at them, and, in a scene that lingers, take turns raping one girl before killing them both. In an absurd coincidence, the killers seek shelter with the parents of one of their victims, who discover the identity of their guests and take savage revenge.

BY TURNING toward real-world worries such as real estate, childbirth, and going to the city on your own, the New Horror provides an outlet to indulge anxieties in the anonymity of a dark theater before laughing at your fear on the way home. These movies began with countercultural attacks on authority and a rejection of the frivolity of fantasy, but by the seventies, their sensibility was changing to reflect the darkening tone of youth culture. They reflected the grievances of their time: paranoia about government power and mocking nihilism about the power of the American dream. They invited audiences to distrust authority and, most of all, to steer clear of the outside world. Those aliens are not friendly.

And scientists who want to save the world have ulterior motives. Bad things happen in the city, or the country, or wherever else you do not live.

Horror, many defenders argue, provides a catharsis. You see this argument clarified in extreme circumstances, such as times of great tragedy. Before his second tour of duty in Iraq, an American soldier named Adam Bryant told me that horror movies were particularly popular among the military abroad. He said most of his chain of command owned Eli Roth's *Hostel*, but it's telling how soldiers who had seen the most graphic of terrors in person reacted to torture porn.

> We saw *Hostel* in an air base in Balad when we were I guess
> you would say taking a breather. And we were driving in our
> Humvee and we drove past a kind of makeshift theater that was
> built and I had seen pictures of *Hostel* and read about it online.
> So we stopped off and watched it. During a lot of the torture
> scenes I would look around to see the reactions and a lot of
> people were horrified turning their heads and looking at the
> ground. When the DVD came out we were at the air base and
> naturally I bought it. I brought it back to the [Forward Operat-
> ing Base] that night and a friend of mine came in during the
> scene when the girl got her eye cut out. He covered his mouth
> and walked out. This is the same guy who has seen a lot of shit
> over there.

As Bryant describes it, the soldiers were visibly disgusted by the movie and then they went out and bought it. "We know what's real and what's pretend," he explains. And since in the real world, a good soldier is not supposed to panic and turn away when confronted by death, the movies provide catharsis. This position assumes the audience identifies with the victims, but Hitchcock famously puts the audience on the side of the killer in *Psycho* and repeatedly in the position of the voyeur. He was hardly the first.

If audiences were identifying with killers, then how does that change our understanding of horror? One disturbing conclusion that received a boost with the popularizing of Freudian analysis of dreams is that scary movies allow audiences to express their repressed sinful thoughts through the monster. We like movies about killing because on some subconscious level we want to kill. If that is the case, then these films indulge sadistic tendencies.

The tension between the sadistic and masochistic appeals of horror was reflected in the divide between Cunningham and Craven. The producer saw *Last House* as an escape, an outlet for some dormant pain. As it happens, he also knew that allowing the audience to feel like a monster could make some money. But Craven, raised in an evangelical household, had a much deeper feel for the allure of self-sacrifice, of seeing abuse and brutality as transcendent. When people went to church, they were not merely escaping pain. They were brave enough to confront it, and that gave them a certain feeling of triumph. The trick was to find what scares could trigger a response from a secular audience looking for the pleasure of masochism. *The Last House on the Left* challenged one of the most basic assumptions about the relationship between the audience and the filmmaker—namely, that people go to movies to enjoy themselves.

Craven ruthlessly held down costs by keeping salaries low and staying, along with the young cast and crew, at Cunningham's mother's house in Connecticut. Inspired by documentary films of the day, Craven did not object to his star David Hess's method-style brutality as Krug, the heartless leader of the criminal gang. Hess performed with a coiled, maniacal aggression that was as terrifying as it was unsettling to watch. On the set, it was equally uncomfortable, which he readily admits. "I was very mean to the girls, so when it came to the rape scene [Sandra Cassell] didn't have to act," he says, referring to the costar who played one of the victims. "I told her, 'I'm really going to fuck you if you don't behave yourself.' They'll just let the camera run."

Craven was fascinated by the philosophy of cinema verité—the increasingly popular documentary form that insists you never turn the camera away from the action. But his movie was far too haphazardly made to stick to one style for long. A strange subplot about local law enforcement bumbling around to a sound track out of a three-ring circus reveals a silly sense of humor at odds with the rest of the movie. Horror films often use comedy to release the tension, but that's not what was going on here, mostly because Craven was blissfully unaware of the conventions of the genre. "I had no background in horror," he says. "I didn't even know what a horror film was—in some sense, I kind of made it up as I went along."

The story was a spin on Ingmar Bergman's *The Virgin Spring*, hardly the usual source material for exploitation films. No director connoted European artistic seriousness as much as Bergman. Made only two years after his classic *The Seventh Seal*, *The Virgin Spring* is based on a medieval ballad about a virginal girl abducted in the woods on her way to church. She is raped by three goatherders after her half sister invokes a pagan curse. Craven begins with the same story but instead of going to church, the young girls head to a kind of secular church for young hipsters, a rock concert in the East Village. The band performing was called Bloodlust. Craven ups the ante on the violence by making the film less about assault than about a kind of beastly humiliation.

The killers don't just rape the girl. They make her friend watch. *Last House* focuses on the faces of the victims with an unbearable realism. The killings in this film are not suspenseful or elegantly shot. They are amateurish, designed to maximize the most horrible primal fears. At one point, Krug forces his victim to pee on herself. The next year a little girl does the same thing in *The Exorcist*, a movie that would reach (and upset) far more people. "I had sensed that it was one of the most humiliating things that happens to people," Craven says. "There's a really deep shame in peeing on yourself. To have someone make you do that, I knew it would be chilling, and when you do something like that, you are announcing: This is not your parents' Pontiac. This is about nastiness on a very deep level."

Cunningham says the in-your-face violence was a reaction to movies like *Straw Dogs* and *Dirty Harry* that use bloodshed to titillate. Precisely shot storms of bullets and blood are romantically choreographed to reveal a minimum of suffering. Not only are murders clean and quick, but they are accompanied by a variety of moral loopholes. Dustin Hoffman guns down invaders, but he is standing up for his wife; Clint Eastwood's vigilantism is at the expense of criminals.

Craven, by contrast, claims the graphic murders were a response to the media's delicate treatment of the Vietnam War. Since *Night of the Living Dead*, horror films often showcased a political subtext. Craven, like Romero, was not an overly political artist, but because of the radicalism of the counterculture, such themes were unavoidable. *The Virgin Spring*, adapted for the Bergman film by a Christian writer named Ulla Isaksson, was a more meditative movie, somber and discreet and littered with religious imagery. The father, yawning in church, seems barely interested in Christian religion. When he learns of the murder of his daughter he questions his faith. His brutal killing of the three rapists is presented as a traumatic act for the entire family. He is redeemed in the final scene when he returns to the place of the original crime and promises to build a church. When a spring bubbles up over the dead girl, we see Christian redemption.

There is no such miracle at the end of *The Last House on the Left*. In a godless world without redemption, it includes no struggle with faith. Instead, the senseless evil inspires just more senseless evil, adding up to a nihilism that invites no happy endings.

The movie contrasts the savage, criminal gang with a bourgeois civilized family and reveals that they share more in common than you think. The marauding criminals began as a kind of parody of a parent's worst nightmare, but in these early scenes, Craven makes a point of showing us the dynamics within the gang to humanize them. Krug's son Junior desperately wants his attention, and he appears stunned by his cruelty. When the family of misfits enters the well-appointed house of the Collingwoods, the parents of the victims, they immediately sense the limitations of their class. They don't know proper etiquette at the dinner table. They are uncomfortable. Craven generates a sneaky sympathy for the killers.

The movie ends with more of a question mark than an exclamation point. We are left wondering what the director was exactly trying to say. *Night of the Living Dead* is a movie about a survivor battling hordes of zombies that ends on a note of nihilistic defeat. What made *Rosemary's Baby* such a radical break from the past was that unlike almost every other film about the battle with the Devil, there was no fight to the finish at the end. Who knows what happened to the survivors of the zombie attack or to Rosemary after the movies end? What's clear is that things are more uncertain than they were in the science-fiction movies of the 1950s. What connects *Last House* to the terror of *Night of the Living Dead* and *Rosemary's Baby* is moral ambiguity. That point was made emphatically in the final scene.

Once they discover the terrible crime, the Collingwoods do not do the civilized thing and call the police to get the killers arrested. Instead they take the law into their own hands, attacking and killing each member of the gang in increasingly brutal ways. A character is slashed to death by an electric boat fan. One of the most humiliating scenes in *Last House on the Left* features the victim's mother, played by Cynthia Carr, castrating one of the killers while giving him a blow job. Carr had it written into her contract that she would not actually have to perform fellatio on-screen.

The movie winds down to the climactic face-off between Krug and the victim's father, the battle of the patriarchs. Craven imagined Krug to be killed with a scalpel, since the father was a doctor. Cunningham disagreed. With perfect exploitation instincts, he insisted on a chain saw. After killing Krug, the father slumps to the ground, stunned, shocked at the extent to which he had gone to avenge the death of his daughter. If the movie appears to invite the audience to revel in vigilante justice, this final shot, according to Craven, complicates it. The respectable parents have become what they most despise. The insanity of the criminal family was not so different from that found in the normal one. The original script of *Last House* started with this quote from Yoko Ono: "Violence is just one of those feelings that come when you're unable to communicate. Art is communication."

Most audiences who first saw this movie thought they were going to see a trashy good time, a few dead bodies to laugh at. But they discovered that this was a movie that was very difficult to enjoy without guilt.

To Craven, the revenge at the end of *Last House* was designed to leave audiences disgusted, not exhilarated. It was the reverse of the morally cleansing conclusion of *The Virgin Spring*. The revenge was evidence that we all have a savage side and there was nothing to learn from that but that violence begets more violence. Not everyone bought this interpretation. Most critics saw this violence as merely appealing to the basest dreams of teenage male thrill-seekers. Part of the reason for this tension lies in how the movie was made. Cunningham thought it was too angry, disturbing, and difficult to enjoy. Horror, to him, is "a roller-coaster ride." When you design a roller coaster, you want something sturdy, tested, and reliable. It has to scare people but not so much that they won't feel safe. "In [Craven's] mind, the parents had become that which they were trying to eradicate," Cunningham says. "I'm not so sure. I think for most people it was just revenge."

Cunningham was concerned about exhibitors rejecting the movie. When it started getting picked up by theaters, moving from city to city in short runs, he tried to cut out some of the more disturbing scenes to satisfy local theaters unhappy about the content of the movie. "Sean had very different opinions about the movie in general," Craven says. "Once it was made, Sean thought it was disgusting and that we shouldn't have done it."

Craven stood by the film, defending it among friends. But he wasn't always sure of himself. "It's not an easy place to be—to write a horror film," he says. "It's hard. You go down the stairs to the dark to find these characters. It's not a place that anyone can go, and sometimes it's not a place that you want to go." More than any other director of the era,

Craven returned to this dark basement again and again, not just kicking off his career in horror, but building one in it.

The Last House on the Left shifted the horror movie away from children's entertainment and toward extreme adult scares. It was treated as a genre movie, but it was something much more personal. It's probably a good thing that Caroline Craven never saw *The Last House on the Left*, or, for that matter, any of the rest of her son's scary movies. "For all her genuine love toward me, I never felt like she loved who I really was," Craven says, looking back, glassy-eyed. "Maybe *Last House* was just flying in the face of my mother's judgment. You want to see violent? You want to see *sick*? Here it is!"

Reviewers were apoplectic and often didn't treat the movie as horror at all. In the early seventies, the most disturbingly violent movies belonged to other genres. Sam Peckinpah's highbrow rape-revenge movie *Straw Dogs* and John Boorman's survivalist tragedy *Deliverance* were dark dramas that did not traffic in the fantastic but suggested that the essence of man, in extreme circumstances, reverts to something beastly.

There were very few prints of *The Last House on the Left*, and it traveled from town to town, leaving controversy and splenetic reviews in its wake. The *Hartford Courant* called it "a horrible, sick film." The critic from *The Boston Globe* didn't even show up. The *New York Times* reviewer walked out. "We even had a bomb threat," Cunningham says. "'This film was so violent that we're gong to bomb your theater.'"

When Craven told people what movie he had directed, cocktail party conversations abruptly ended. Even his cast was embarrassed: Jeramie Rain recalls seeing the movie and thinking it "was the worst movie ever made." David Cameron, Craven's old student, refused to see it. After Harry Chapin, the brother of Steve, read the script, he called up Bonnie and asked: "All I want to know is this: what was your sex life like?" Bonnie was herself deeply horrified. Later on, she would go to a college reunion after she and Craven had divorced and the question she heard from an old boyfriend, a missionary, rankled her: "What was it like to be married to Wes Craven?" She had no response, but her son did. "I remember in school a kid making fun of me because my dad was on a double bill with *I Drink Your Blood*," Jonathan Craven says. "But I thought it was cool."

The only major critic who detected a seriousness of purpose was Roger Ebert. Early in his review of the movie, he clings to a notion of horror inextricably tied to the world of ghosts and goblins. "I don't want to give the impression, however, that this is simply a good horror movie," he writes. "It's horrifying, all right, but in ways that have nothing to do with the supernatural." In his mind, what made this something new was Craven's uncompromising intent to go as far as he possibly could. "The violence in 'Last House on the Left' is not exhilarating," he wrote. "It does not act as a catharsis. It is not escapist . . . it is just there, brutal and needless and tragic. I still believe 'Last House on the Left' is a movie of worth, of a certain dogged commitment to its unsavory content."

Despite his praise for *The Last House on the Left*, Roger Ebert did not always embrace horror. In a story for *Reader's Digest* in 1970, he wrote that he had not seen a horror film in a decade, revealing just how peripheral the genre was to the cultural menu. He goes on to describe a matinee performance of *Night of the Living Dead* as a parent's nightmare. Children screaming and crying, families walking out. "I don't think the younger kids really knew what hit them," he wrote. "They were used to going to movies, sure, and they'd seen some horror movies before, sure, but this was something else. This was ghouls eating people up—and you could actually see what they were eating. This was a little girl killing her mother. This was being set on fire. Worst of all, even the hero got killed."

The condescension and indifference to horror by the rest of the mainstream press opened up a market for smaller publications catering to a small circle of fans, with circulations in the hundreds or thousands of dedicated readers. But the impact of these publications turned out to be much greater than their readership would suggest. *Cahiers du Cinéma* regularly covered low-budget horror for cineastes, but its American counterparts were read by fans, some of whom turned into future directors. These little obsessive publications were the connective tissue that brought together the budding artists of horror. None was more influential than Forrest Ackerman's *Famous Monsters of Filmland*.

As a kid, George Romero stayed up nights in New York curled up in bed reading old copies. George Lucas was a dedicated reader, and even Steven Spielberg has said that the magazine helped get him hooked on movies. Rick Baker, the six-time Oscar winner and titan of Hollywood makeup, describes learning from the magazine that makeup artists were real creative forces behind the great monster movies. John Carpenter has said getting the letter from Ackerman asking for fifty copies of the fanzine he wrote was the "high point of his career."

In an age before the Internet and video, *FM*, as it's called, helped fans find the hidden gems and publicize small-scale cult hits like *The Last House on the Left* and *Night of the Living Dead* long after they opened. It was the bible of fantasy films throughout the sixties. It also was perhaps the most innocent of the fantasy publications, steering clear of politics or harsh reviews. It was a magazine for the Old Horror. Besides publishing adoring, pun-filled profiles of Boris Karloff, *FM* demystified the movies with secrets revealed about the makeup and special effects of the most popular monsters of Hollywood.

FM was founded in 1958 when the old Universal films began to be shown on television. James Warren, an editor, saw an opportunity. After he returned from a science-fiction convention in London where he took a jaunt to Paris and saw a monster magazine, Ackerman, then an agent for fantasy writers, told Warren that he could do something similar for an American audience. Over blueberry pancakes, Ackerman told Warren that he could use the photos from his collection of 35,000 stills, boasting that he had seen every fantasy film since 1922. Warren thought he would try one issue. The original title was *Wonderama*, evoking the suburban bowling palaces of the day.

Distributors were cool to the idea at first, but a story in *Life* magazine about the new horror craze aimed at teenagers renewed interest.

Warren instructed Ackerman to start the magazine with one instruction: "I'm an eleven-year-old. Make me laugh."

So he did. To be precise, it was an eleven-year-old with a weakness for goofy jokes and aging stars. "Monsters are good for you" was the title of the opening article. It argued, half-seriously, for the cathartic value of horror films: "A vampire a day keeps the doctors away." As directors started making a more realistic and political brand of horror in the late sixties, *FM* lost ground to less sentimental rivals. Leading the way was the obsessive *Castle of Frankenstein*, which started publishing in the sixties, featuring a stable of cerebral fantasy writers including Joe Dante, who would go on to become a director of films such as *Gremlins*. Its editor, Calvin Beck—a man widely rumored to be the inspiration for the character of Norman Bates (his overbearing mother accompanied him everywhere, even midnight movies)—saw his readers as educated, engaged fans, who cared about more than just movies. That opinion was tested when Beck started attacking Nixon and his policies in Vietnam. "Please leave the social commentary to Walter Cronkite," wrote one fan from Minnesota. "The world of fantasy is just that: fantasy. And I don't want to read your views on Nixon especially when it interferes with my excursion into another world."

Beck did not back down, arguing that commentary on current events has been at the center of many of the most important films of the genre, singling out *Night of the Living Dead*. He argued that apathy in the face of political monsters is what brought us Hitler. Still, Beck made sure to say that he understood the reader's complaint, defending escapism: "There's no doubt that total 'escape' into a world of fantasy and whimsy is not only normal but a safety valve in order to cope with reality."

Castle of Frankenstein slowly grew in circulation, but remained a shoestring operation and was soon eclipsed by *Cinefantastique*, an even more sober publication that premiered in the fall of 1970. Frederick Clarke, its editor, also went further in articulating a vision of the new kind of grittier, more serious horror film that would have more in common with the work of D. A. Pennebaker than James Whale. Its first issue began with a photo of the moon and an essay titled "How's Your Sense of Wonder" that could be a manifesto for the New Horror: "*Cinemafantastique*. Pretty pretentious for a monster film magazine, isn't it? Hah!" it began. "You think so! Well good, because we intend to tackle the subject with our pretensions intact." The essay, penned by Clarke, goes on to attack the mainstream press for ignoring these films. "Those poor mainstream critics. Their brains have turned to marble. They haven't entertained an original thought since high school. Their sense of wonder has atrophied."

On the cover was *Catch-22*. Inside were critical reviews of Fellini's *Satyricon* alongside stories about exploitation pictures like *Scream and Scream Again* and *Eugenie . . . the Story of Her Journey into Perversion*. This expansive coverage made the argument that even people who didn't think they were horror fans actually were. What stood out was the respectful tone afforded films that were dismissed by all other publications as cynical trash. Soft-core porn received lines such as "Taken on its own terms . . ." In the third issue, Clarke launched a theory of the New Horror that proposed Ebert's dismissal of *Night of the Living Dead* as what was wrong with the current coverage of the genre.

Clarke wrote that Ebert completely missed the movie's intent. The kids weren't scared of the graphic violence, but of "its humorless realism, its austere mood and the tone of absolute authenticity." Clarke goes on to explain how the undead represent the anonymous majority that is the face of authority in our society. The fear of death, the usual bogeyman of the horror film, has been replaced by the fear of society. This zombie movie is not trying to escape society; it's trying to portray it as it really is.

The classic horror film serves a healthy, cathartic purpose: to purge us of our fear of death. We confront it in the safety of the movie theater, shudder, and then realize it was fake. Clarke argues that this is the kind of thing we do for kids. Adults must face up to the ugliness of the world. Ebert may be worried that the film will disturb people, he argues, but that is the point. "What makes 'Night of the Living Dead' so remarkable, and so artistically beautiful, is that in its concluding scenes," Clarke writes, "it bypasses its purging function as fantasy and moves into a mode of heightened realism."

This passionate intellectual defense of a then fairly obscure movie represents a major shift in thinking about horror. In a time of war and cynicism and political unrest, resorting to fantasy was not just old-fashioned. It was a kind of surrender. Even though Romero was inspired by films from the fifties and had no intention of responding realistically to the issues of the day, that didn't matter. Meanwhile, you would never know from reading FM about the assassination of Martin Luther King Jr. or the race riots in Watts or Woodstock or Watergate or any of the other seismic shifts in the culture. That was part of the point. For Ackerman, horror meant evil and the bizarre and monsters, but then the lights went on and you had a good laugh at yourself.

"Monsterism," Ackerman wrote in his fiftieth issue in 1968, "is not exactly at the peak of popularity . . . but we plan to carry on." Ackerman held firm to his vision of good clean fun; but in the cult underground theaters, the New Horror imagined a wholly different kind of world. These were darker movies, and they fit the spirit of the times. Ackerman, for his part, continued manfully through the seventies, with dwindling readership. FM suffered from increased competition by the end of the decade, notably from a vigorous rival, Fangoria, that combined obsessive coverage and a punched-up style and passionate commitment to gore that Ackerman generally steered clear of. On the cover of Fangoria was usually a close-up of some hideous gash-filled face or half-eaten zombie. The modest consideration of Cinefantastique and the child-like wonder of FM had given way to a sticky new aesthetic. The monster wasn't merely the misunderstood soul anymore. He was a drooling killer who would rip your arms off and serve you for dinner.

Ackerman knew something was changing in the late sixties when he saw Night of the Living Dead for the first time. He didn't care for it, but what really captured his attention was not the undead gnawing on human flesh. It was the sight of small children watching the movie, cowering at this shocking violence. It baffled him. He had built an entire career on understanding what makes little kids tick, and this proved to be a complete mystery. After the movie, Ackerman, always friendly, walked up to a child, who was maybe eight years old, and asked what he thought. "I loved it!" he said, running out the door, thrilled. Ackerman stood there, truly horrified.

CHAPTER FIVE

SHOCK OR AWE

What an excellent day for an exorcism!

Regan, The Exorcist

IVE YEARS after Norman Bates interrupted a perfectly good shower, another unfriendly exchange took place at the Bates Motel. It occurred during the final episode of the weekly television series *The Alfred Hitchcock Hour*, an anthology of mysteries and scary stories hosted by the director playing an even more archly droll version of himself. It was shot on the set made famous by *Psycho*. The teleplay for the episode, "Off Season," was written by Robert Bloch, author of the novel that was the basis for the movie. That it included a creepy, sinewy character running a motel seemed like an in-joke. This time, however, the manager stayed on the periphery of the story, while the focus remained with a policeman, who, after prematurely shooting and killing a small-time burglar, is dismissed from the force, forcing him to start a new life. After moving to another town, his demons follow.

Hitchcock had almost no role in the episode, outside of lending his name and filming the wry introduction that made him one of the most famous personas in the world, with a more recognizable silhouette than Elizabeth Taylor. Running the show was Norman Lloyd, the veteran actor whose career languished after he was blacklisted in the fifties before reinventing himself as a television producer. For this episode, he took a chance on a new director, William Friedkin, who would go on to make *The Exorcist*, which revolutionized the horror genre less than a decade later. Friedkin had never been on a soundstage or worked with a script. His entire career was in nonfiction films and commercials. What he did know about making a thriller was largely from watching the movies of Alfred Hitchcock. While he hoped to meet the master, Hitchcock stayed off the set, but did make one appearance to shoot his narration. Arriving with a phalanx of men in suits, he was brought over to meet the young director. Hitchcock was dressed in formal wear, his customary suit hugging his rotund physique. He approached daintily holding out his arm. Friedkin shook his hand. It felt clammy.

"Mr. Friedkin," Hitchcock said, dragging out the vowels. "Usually, our directors wear ties." At first, the younger man thought it was a joke, but when he heard no laughter, Friedkin mumbled something about forgetting his at home. Hitchcock promptly turned and walked away. That slight stuck with Friedkin, but the chip on his shoulder did not begin with this exchange. Growing up in a one-room apartment on the west side of Chicago, Friedkin was brash, ambitious, occasionally difficult, and a natural fighter. That aggressive quality rubbed some people the wrong way, but it also helped land him the most important job of his career.

Shortly after working on *The Alfred Hitchcock Hour*, he interviewed for a job on a movie adaptation of the *Peter Gunn* television detective series. It was at the Paramount commissary and Blake Edwards, who cowrote the movie with William Peter Blatty, asked the questions. Blatty, who wrote the novel and the adaptation of *The Exorcist*, recalls being surprised at how confident this young director was in criticizing the movie he was trying to be a part of. At one point, Friedkin attacked the script in harsh terms, arguing that a dream sequence that Blatty had written clashed with the style of the rest of the movie. Edwards disagreed, fighting back, but Friedkin did not back down, arguing the point long after it was clear he wouldn't change anyone's mind. "He wouldn't stop, so he didn't get the job," Blatty says. What turned off Edwards, however, piqued Blatty's interest. "When it came time to select a director for *The Exorcist*, I wanted the guy who wouldn't lie to me, so I wanted Bill."

WILLIAM PETER BLATTY discovered the mysteries of a higher power for the first time at the age of three. It had been a difficult year: his father, a Lebanese immigrant, left home, leaving his mother to raise two children by herself in New York. She peddled jelly on the street for extra money and taught her children that God was looking after them. She took her son William to twelve different churches on Holy Thursday. Unlike Wes Craven, Blatty embraced the religion of his youth.

Blatty first heard about exorcism in a theology class at Georgetown University, when a priest discussed a 1949 case about a boy who had been possessed in Mount Rainier, Maryland, not that far from campus. To a young, searching Catholic, this was more than a spooky anecdote. If a demon was real, he thought, why not an angel? Blatty tracked down the priest who performed the exorcism and tried to convince him to write about it, to no avail. When Blatty finished school, he started writing frothy screenplays for Blake Edwards such as *A Shot in the Dark* and *What Did You Do in the War, Daddy?* But the exorcism story weighed on him. In a meeting with his agent, Carl Brandt, in the mid-sixties at the Oak Bar of the Plaza Hotel in New York, Blatty broached the subject. Brandt balked: "Bill, when are you going to write something *really* good?"

Blatty thought he could turn the exorcism into a compelling story, but since most mainstream movies were reflexively hostile or gushingly sentimental about religion, he put it out of his mind. That changed after he took his wife to Mann's Chinese Theater in Hollywood to see *Rosemary's Baby*. Blatty loved how Polanski kept you guessing, but thought the ending that suggested Rosemary would take care of the baby was a joke. Many people felt the movie's question mark of a coda was an anti-climax. Ray Bradbury even wrote a story for the *Los Angeles Times* mapping out an alternative ending that involved Mia Farrow running into a church to pray. Instead of taking this struggle with faith seriously, Blatty felt that the movie just became another horror show. The ambiguousness didn't impress him. "All of a sudden the eyes turn into some contact lenses," Blatty said. "It was schlocky."

To Blatty, the Devil was not a set of glowing eyes. It was real, and in allowing him to succeed, the movie was not only in bad taste, but lost its moral bearings. Still, *Rosemary's Baby* remained an inspiration. Polanski had found a way to turn issues of God and the Devil, of belief and doubt, into major, crowd-pleasing entertainment. "That's the kind of book I'd like to write," he said to his wife on the way out of the movie theater. "I could do something like this."

He would have his chance after pitching the idea to Bantam Books' editor Marc Jaffe at a New Year's party. Jaffe decided to buy it right away for a $25,000 advance. Originally, Blatty saw the plot as a supernatural detective story, most of which takes place in a courtroom, where a child who killed a man claims demonic possession as a defense. But when he sat down to write it in his home in Encino, California, taking uppers to stay awake for sixteen-hour workdays in an attempt to complete the novel in ten months, he wrote something darker and more aggressive to really evoke the evil of the Devil. He struggled to come up with the most brutal and shocking assaults on this girl. He had her masturbate with a crucifix, scream "cocksucker" and "faggot" and other obscenities. This was a different kind of religious novel, not gentle and heartwarming, but something modern, intense, and angry. It was religion with teeth.

The appeal of horror always overlapped with that of religion. German theologian Rudolf Otto's 1917 study *The Idea of the Holy* defines the unknowable essence of faith as fascinating and terrifying at the same time. Horror inspires devotion in part by putting people in the position of feeling in awe, shocked by their own helplessness. Religion helps you cope with this feeling. Horror exploits it.

Blatty's timing was perfect. By the end of the sixties, the band Black Sabbath, whose name was taken from a Mario Bava horror film starring Boris Karloff, formed and launched a brand of macabre heavy metal music. Young people moved from the sweet, bubbly songs of the Beach Boys and the early Beatles to the bluesy mysteries of the Rolling Stones, whose album *Beggars Banquet* began with "Sympathy for the Devil," a samba-infused song told from the point of view of a wealthy prince of darkness.

The song played a large role in *Gimme Shelter*, a concert movie that captured the madness and intensity of the last stop of the Rolling Stones' 1969 American tour at Altamont Speedway. Directed by the Maysles brothers, the documentary, described by *The New York Times*' critic Vincent Canby as "an end of the world movie," portrays the murder of an audience member by Hell's Angels working security. Mick Jagger, looking like a man possessed, sends the crowd into a frenzy with a version of "Sympathy for the Devil" right before the murders are committed. As a counterpoint to the peace and love evoked in the documentary *Woodstock*, the movie reveals how quickly the sixties spirit of chaos and freedom could turn into mob violence.

One of the biggest sellers in the publishing industry of the decade was Hal Lindsey's *The Late, Great Planet Earth*, a tract that compared end-time prophesies with current events. It became one of the first of such books to break out of the Christian market into the mainstream. Bantam released it three years after it was published in 1970, and it went on to sell nine million copies. Satan was hot. "If I had been writing fifteen years earlier," Lindsey said in an interview, "I wouldn't have an audience."

Suddenly a book about the possession of a young girl was of the moment. In Blatty's novel, the Devil's main target is not the girl. She's merely the vehicle for his assault on the priest, Father Karras, who is struggling with his faith. At the end, Karras completes the exorcism and throws himself, along with the demon, out the window in an act of sacrifice. In Blatty's original draft, the little girl Regan, played in the movie by Linda Blair, explains to her mother Chris MacNeil that Father Karras killed himself to prevent "the animal" from harming them. The publisher suggested that this passage was unnecessary and Blatty took it out. But it began a debate about how explicit the religious message of the story should be that would continue for years, and that heated up when Warner Brothers optioned the book for a movie adaptation.

Blatty, who also wrote the screenplay, saw the drama and terror in the evil of the Devil. Blatty was better positioned than anyone in the history of the horror movies to convince people that a macabre story about the Devil was not just silly fantasy. Roman Polanski clearly didn't believe in the Devil, but to Blatty, his story was no horror show. It was how it really was. But director William Friedkin, who, like Polanski, was an agnostic Jew, didn't believe in possession. The old morality tale wouldn't spook out anyone. Friedkin thought of *The Exorcist* as a movie about evil, but he knew it needed to shock and terrify before it made you think about heaven and hell. The movie was the product of a clash of these two visions.

The central battle on the set of most Hollywood movies rarely involves the writer, because, really, what's the point? The job of writers, especially the young ones, is to deliver a script, keep quiet, and then complain to his friends about how his carefully chosen words were changed. Due to his combination of savvy, pugnacity, and belief in the message of the movie, however, William Peter Blatty proved to be an exception.

He started with several advantages, including that the director owed him his job. Friedkin was not the first choice, however, since the studio pursued Stanley Kubrick, Mike Nichols, and others who turned it down. Blatty himself pressed the book into the hands of Peter Bogdanovich as he walked into a screening. He opened the cover and saw a note from Blatty that read, "This is a movie you must direct. It won't get made without you." Bogdanovich turned it down, too. It was just another horror film.

The studio wanted Mark Rydell, but Blatty pushed for Friedkin.

The success of Friedkin's first real hit, *The French Connection*, helped convince Warner Brothers, but Blatty was also a ruthless negotiator. When Paul Monash, who had produced *Butch Cassidy and the Sundance Kid*, approached him with an offer of $400,000 and a percentage of the profits, Blatty suspected a deal had already been cut and saw an opportunity. After hearing from Monash's secretary that there had been communication between Warner Brothers and Monash about the script, he went to his office on a day that Blatty knew Monash wouldn't be there. Blatty asked the secretary if he could use the phone in his office. She agreed and, like a spy, Blatty searched for evidence. "I lunged at the file drawers. Locked. I went back to the desk and slipped open the top drawer and there was the key. A key," he says. "Then I tried the key, it worked and I found the original of the letter in which Monash made the deal with Warner Brothers. He made a deal!"

The agreement he found completely reshaped his script, got rid of the priests, changed the occupation of the actress, and moved the setting out of Washington, D.C. Blatty made a copy and sent it to his agent, who called Frank Wells, a vice president at Warner Brothers. Blatty's agent told Wells that he had evidence that Monash was providing false representation, that he was saying he was a buyer when in fact he was a broker. "We sent Paul the letter and then Paul was out," Blatty says. "That's how I became producer. Crime does pay."

Rarely has a novelist had more power over his material in an adaptation for a major studio. And yet, in the era of the auteur, the least prominent director still wields more power than the most powerful writer. Friedkin, blustery and foul-mouthed, was not exactly known as a pushover. The first gauntlet was thrown right away. After reading the adaptation of the novel for the first time, Friedkin told Blatty he wouldn't work on it. It was, he said, "the worst piece of shit I've ever seen." He needed a rewrite. In the transition from the novel, Blatty had taken out the masturbation and the profanity in an attempt to make the material palatable. Friedkin said that he had sanitized the story and destroyed its essence. It was also a way for the director to show the writer who was boss. Blatty made the changes, returning to something closer to the original book.

To Friedkin, the essence of the movie was the mystery of faith. Just as Polanski maintained ambiguity about whether the Devil was merely in Rosemary's head, Friedkin wanted to keep the audience guessing whether this girl was possessed by a demon or suffered from an unknowable disease. Regan's mother searches for a cure, first in traditional medicine and psychiatry, before consulting with Father Karras, who despite his initial skepticism helps her find an experienced exorcist. When Father Merrin arrives in her bedroom, Regan curses at him, levitates, and eventually kills him, before Karras challenges her, yelling "Take me!" He then tumbles out the window, with the demon. The ending never made sense to Friedkin. Why would the demon jump out of the girl and into Father Karras just because Karras ordered him to? "I thought that was weird, but I justified it, thinking it might be, he became crazed and kills himself because of the death of Father Merrin," Friedkin says.

The tension between Friedkin and Blatty centered on this question: Why did the Devil choose this girl? Blatty spells this out quite explicitly in the book, and it appears in the original screenplay in a few places, as in a monologue spoken by her mother saying that her daughter is not the target. It was to make everyone in the house, and in particular the fallen priest, despair and think that even if there was a God, he could not love us. "That was the moral context," Blatty explains, "and it would allow the audience to not hate itself for liking what it was seeing on-screen."

Another scene between the two priests includes speculation that the possession was a test from the Devil of one man's belief. Blatty saw Karras making the ultimate leap of faith for his God, but Friedkin preferred to leave his motivations mysterious, as well as those of the Devil. To him, the randomness of the possession was what made it compelling. Friedkin cut the explanatory scenes and Blatty balked: "Without these scenes," he angrily told Friedkin, "then why is it this girl?

What is the point here?" Friedkin replied: "I'm not doing a commercial for the Catholic Church."

This disagreement was not just about religious conviction. It was also about aesthetics. Blatty was slightly more conventional artistically. Like Carpenter and Romero, Friedkin rejected the simple explanations of most genre movies, but he found inspiration from an alternative model of horror: the theater.

SOME OF the most terrifying entertainments for adults in the 1960s were onstage. In some ways, *Who's Afraid of Virginia Woolf?* by Edward Albee anticipated the fright of *Rosemary's Baby* and *The Exorcist*, and while it is not thought of as horror, that says more about the lack of respect afforded the genre in the theater than anything else. Truth and illusion are at war, and the central source of the dysfunction in the central relationship between an unhappy academic and his lacerating wife is the baby that may or may not be real. Albee gave each of his acts an evocative title: "Fun and Games," "Walpurgisnacht" (a mystical centuries-old European holiday that Lovecraft once described in a story as "when the blackest evil roamed the earth and all the slaves of Satan gathered for nameless rites and deeds"), and "The Exorcism."

When the movie was released in 1966, its fury and profanity were a revelation, loosening the standards for obscenity for the next generation of Hollywood dramas. In the same period, the plays of the Angry Young Men of English theater and the absurdist school of drama were increasingly popular. They were nihilistic, violent, and brutal. Plays like Eugène Ionesco's *Rhinoceros* (about a world where everyone turns into animals—think *Invasion of the Body Snatchers*), Edward Bond's *Saved* (featuring the senseless stoning of a baby), and Samuel Beckett's *Happy Days* (a play about a woman stuck in a mound of dirt) were more horrifying than anything at the drive-in. These dramas were rooted in stylized language, turning small spaces into tormented portraits of cracked minds. Friedkin, like Craven and Carpenter, was drawn toward this brand of drama. But more than Albee or Beckett, he was inspired by the crisp poetic plays of Harold Pinter, especially after seeing a San Francisco production of *The Birthday Party*.

Pinter's first produced play tells a story of psychological menace about a man hunted down in a boardinghouse by two interrogators for no understandable reason. They attack him, insinuate betrayal, and level criticism that approaches coherence but never quite gets there. When they drag him off, it's not clear what happened. Melding the madness of Kafka with the absurdism of Beckett, Pinter introduced a new dramatic and ambiguous style. Who were these interrogators? They seemed like comic caricatures, and yet there was a sense of foreboding about them. They chattered away, but what was left unsaid seemed most frightening, hiding something truly awful, like the monster waiting at the other side of the door.

The cryptic language worked on Friedkin's imagination. "It was like listening to Stravinsky's *The Rite of Spring* for the first time. It was something completely different and powerful and emotional," he says. "When I saw *The Birthday Party*, which was way before I read *The Exorcist*, it prepared me for an ambiguous kind of storytelling as being more powerful than nailing things on the nose."

It also inspired him to adapt the play, and in translating it to film in 1968, he worked closely with Pinter. The impact of stage drama on the great directors of scary movies of the sixties and seventies remains vastly underrated. In her review of *Jaws*, Pauline Kael quoted an unnamed older director who said of the lean, cinematic style of Steven Spielberg: "He must have never seen a play." That was simple snobbery. However well versed in Molière and Ibsen the young director might have been, after developing close working relationships with Tony Kushner (who worked on *Munich*) and Tom Stoppard (*Schindler's List*) arguably no Hollywood studio director has relied more on great dramatists.

Howard Sackler, who won the Tony and the Pulitzer Prize for his production of the boxing play *The Great White Hope*, helped rework the screenplay of *Jaws*. The cast was also filled with stage veterans, and so was that of *The Exorcist*, which starred Lee J. Cobb, the original Willy Loman, as the detective and Jason Miller, the writer of *That Championship Season*, as the priest. But no playwright had a greater influence on horror than Pinter.

Friedkin says Pinter's key insight is the virtue of not explaining away the mystery of a scene. When actors would ask the playwright about motivation or speculate about character history, Pinter responded with stony silence. All that mattered, he told them, was on the page. He told Friedkin his inspiration was Hemingway's "The Killers," a short story about two hit men that never resolves why the victim is being targeted. This had a profound impact on Friedkin and gave him the conviction that the scariest scenes withhold information. In particular, this stuck in his mind in the battle over the crucial final scene of *The Exorcist*.

In the screenplay, the priest defeats the Devil by throwing himself out of the window, and then there's a coda that serves the same reassuring purpose as the one in *Psycho*. Detective Kinderman and Father Dyer, a friend of the deceased Karras, talk about seeing a movie together in the bright glow of daytime. But when the movie came in at 140 minutes, Friedkin cut it, leaving a much more abrupt conclusion—one of the last shots is of a dead man at the bottom of the stairs. Blatty hated it, arguing that the trimmed-down version opened up the possibility that Satan might have actually won, transforming his material from a sympathetic take on faith into a nihilistic tragedy with an apocalyptic shock. "My ending was meant to tell the audience that everything is all right. Everything is cool. What was left is a melancholic look on the priest's face," Blatty said. "Let's face it: the message was adroitly snipped out of the film."

Blatty called up John Calley at Warner Brothers and complained about losing the original explanatory scenes, but got nowhere. Calley liked the new editing, no doubt in part because the length of the movie could have had an impact on ticket sales. Rumors started flying about a rift between Blatty and Friedkin. Industry trade publication *The Hollywood Reporter* reported that there had been a fight over the dismissal of the composer Lalo Schifrin, which was not true. In reality, their split had more to do with a squabble over credit, since Friedkin wanted to scrap opening titles. Blatty agreed, but after talking to Mario Puzo and learning that he was lobbying to have his name above *The Godfather*, he changed his mind. This set off a feud, but the underlying dynamic was established earlier.

Blatty's vision of the movie as something that could support the faith of believers proved naive. Instead, Friedkin turned the final scene into an old-fashioned gross-out. Regan is tied down and tortured, spewing vomit and swiveling her head until it moves around 360 degrees. And when the demon enters the soul of the priest, some awkward makeup transforms his face into sinister features. When he jumps out the window, it's shocking, but to what end? If *Psycho* ties up the psychological ends neatly, this movie tangles them even more, leaving a chaotic heap. Many audience members thought the Devil had won. Even people involved with the film did. After seeing the final cut of the film, Blatty had dinner with Frank Wells. "Can you believe that people think Satan won?" Blatty asked. There was silence before Wells confessed: "That's what I thought happened."

THE SITUATION was summed up aptly by *Newsweek* in a cover story that began this way: "On December 26 a movie called *The Exorcist* opened in theatres across the country and since then all Hell has broken loose." Audience members were fainting and vomiting, screaming at the screen. One woman had a miscarriage and another suffered a heart attack. Police were called in to stop riots in Kansas City and New York. One man saw a demon in Berkeley. The hysteria over *The Exorcist*, which opened over the holidays in 1973, fed on itself, generating more outbreaks of panic and anger, leading to reports on the evening news and newspaper stories soberly noting that a team of psychiatrists gave this social disease a name: cinematic neurosis.

The Reverend Billy Graham called it a "dangerous and strange situation." But the people who really became unhinged were the movie critics who could not find enough hyperbole to describe what they were seeing. They used terms like "thoroughly evil" and "religious porn." Pauline Kael attacked the Catholic Church for allowing its faith to "be turned into a horror show."

The overheated reaction to the movie reflected its story rather neatly: a girl (or a country) becomes possessed with some strange, religious-seeming force and while authorities (scientific, intellectual) are consulted, the mystery remains. The phenomenon was unprecedented. Not only was *The Exorcist* the highest-grossing blockbuster of all time, it was one of the rare horror movies that became part of the national conversation. It was a movie you needed to have an opinion about.

The Exorcist actually was different. Its stars were trained actors of European cinema and Broadway, and its tone and style had a solemnity that was out of place in the world of Vincent Price *and* Wes Craven. The poster was understated. Its mood of dread was as modest as it was eerie. The colors were somber. This was a film that took itself seriously. That doesn't mean it didn't resort to traditional horror tactics.

Regan's head spinning made no sense (how would it not pop off?) but was so startling that few critics cared. The sexualizing of a twelve-year-old girl pushed taboos. This movie mixed shock and awe. William Castle and Herschell Gordon Lewis would have approved of the publicized reports of fainting in the aisles and audience anger. At the same time, Warner Brothers sold the supernatural drama as an unblinking portrait of real life which itself was a familiar strategy of low-budget horror producers.

The Exorcist was a marvel of coordinated message marketing. The first deeply reported feature article about the making of the movie set the tone for the coverage. It appeared in *The New York Times* after the first day of shooting began in a hospital on Welfare Island in New York. The flattering piece highlighted extensive quotes by William Friedkin meant to frame the movie as something, anything, other than a work of fantasy. He emphasized this was not just a silly movie about the Devil.

It was based on a real story in a fiercely modern style. The writer played along. The father of the possessed child was described as a member of the Ku Klux Klan (shorthand for evil, of course) before converting to Catholicism. He even describes a conversation with the aunt of a boy (Blatty changed the gender of the child for the novel) by telephone; she tells of a levitating bed. "I intend to do it very realistically," Friedkin said. "It's a realistic story about inexplicable things and it's going to take place in cold light with ordinary people on ordinary streets."

Friedkin stayed on message for the rest of the publicity campaign, which included talks with horror movie magazines, interviews with authors for books, a college speaking tour. He built up a series of minor deceptions and exaggerations to increase the hype of the movie, promoting the idea that the set was haunted, describing strange tragedies hitting cast members and designers. Much was made in the industry press about a fire that burned down a set and a death in the family of the star Max von Sydow, who played Father Merrin. Of course when you consider that the production took over an entire year, such tragic events seem less like examples of a sinister curse than the ordinary accidents and tragedies of life, but that didn't stop the speculation.

The director obfuscated when asked about the artifice of the moviemaking. Friedkin said that Linda Blair, who played the child Regan, did all the vomiting scenes, which eventually led to a suit by the teenager who performed as her double. He also told a horror movie magazine that the levitating girl hung in the air because of "magnetic fields" rather than special effects. In fact, cutting-edge makeup artists Rick Baker and Dick Smith were producing some of the most revolutionary effects in Hollywood history, replacing trick camerawork with latex contraptions to allow Regan's head to spin without any cutaway shots. The movie inverted the old exploitation formula. Instead of selling the shocks and delivering the same old tricks, *The Exorcist* sold tasteful, moody drama, and hit you over the head with brutalizing special effects.

Some perceptive critics who had read the novel noticed that the context for the possession, the explanation that the Devil was targeting the skeptical priest, was deleted. *Rolling Stone*'s Jon Landau wrote that the morality of the book had been removed and replaced with a single-minded fixation on gore. There had been such on-screen violence before, but not in a major blockbuster. It was so far ahead of its time technically that it prompted one daily paper reviewer to comment that it was a "new low for grotesque special effects." A new high in grotesque special effects was beyond the writer's comprehension. In interviews, Blatty and Friedkin explained that they showed violence to confront the audience and to comment on the real world. This enables the movie to indulge in graphic gore while maintaining the moral high ground, a strategy pioneered by Wes Craven in *The Last House on the Left*. The difference is that this time, actual men of God were doing the public relations. "It shows that obscenity is ugly," said Father O'Malley, a priest who worked as a consultant on the movie, in the *Times*. "Not acceptable ugly like 'Goldfinger' but vicious ugly like trash and the Vietnamese news."

The Exorcist made studio executives rethink their attitudes about horror. The movie was not previewed for critics and opened in only thirty theaters. Warner Brothers didn't think it would be such a huge hit. *The Exorcist* didn't open in South Central Los Angeles, but the movie proved to be incredibly popular in the African American community. "We didn't anticipate that," says Joe Hyams, who handled publicity. "That created a problem for Warner Brothers because it's playing in lily-white theaters in Westwood and all of a sudden the merchants are seeing huge numbers of African Americans coming to their enclave. We needed to open up theaters in black neighborhoods."

The broad appeal of the movie had an impact on the artists in Hollywood as well. Up until *The Exorcist* became the must-see movie of 1973, stars generally avoided horror movies unless, that is, their careers were failing. Serious directors also went to great lengths to explain that their scary movie was anything but a horror film. That soon changed as producers moved quickly to capitalize with elegant films like *The Omen*, which returned to the theme of a woman who gives birth to the Antichrist. *Abby* gave the possession movie a blaxploitation spin before Warner Brothers pioneered the now inevitable horror sequel. This had yet to become standard practice. *Rosemary's Baby* had no sequel at the time. There was no follow-up to *Night of the Living Dead* or *Targets* or *The Last House on the Left*. American International Pictures and Hammer pumped out endless movies with Dracula and Frankenstein's monster, but these small operations were the exceptions.

The Exorcist II opened in 1977 and makes a forceful claim to the title of the worst movie ever made. Richard Burton hammily played the role of a tortured priest hired by the church to figure out what really happened on that fateful night to Regan, now all grown up and weirdly chipper. John Boorman, who directed *Deliverance*, stages these scenes leadenly, not helped by his actors reciting their windy dialogue with little care about sense or sensibility. An awkward Linda Blair makes the line "I was possessed by a demon" sound like she's talking about the weather. In another subplot, James Earl Jones, who had recently finished *Star Wars*, put his Darth Vader voice to use playing a Satanic character who at one point dresses up in a bee suit.

Friedkin and Blatty refused to have anything to do with the movie. The sequel indulged in more gore and special effects than the original. But its beefed-up plot ended the mystery of what happened to Regan. Any trace of Pinter vanished. Much of the first half hour of the movie features speculation and debate among priests and religious figures over the true source of, as Burton puts it, "eeeeevil." The $14 million production bombed, but it proved that Hollywood was committed to horror. William Castle's prediction of the genre's death seemed like a lifetime ago. Now every studio wanted to get in on the action.

It's TEMPTING to argue that bad times translate into good horror films. The classic Universal films opened during the Depression. And the classic horror releases in 1968 have been attributed to the tumultu-

ous era framed by the Vietnam War. But the emergence of modern horror in mainstream culture that began with *Rosemary's Baby* and reached
its first major breakthrough with *The Exorcist* had as much to do with
the changes in the movie system, including the loosening of standards.

The original Production Code, the industry guidelines that set the
limits of sex, sin, and violence in most studio releases, was established
in 1930 with the following provision: "No picture shall be produced
which will lower the moral standards of those who see it. Hence the
sympathy of the audience shall never be thrown to the side of crime,
wrongdoing, evil or sin." As soon as the Code office began to make a
few exceptions, the entire system broke down. By 1966, only 59 percent
of films released in the United States carried the Production Code seal.
Church groups were outraged. The threat of local ratings boards apply-
ing their own rules for exhibitors worried many directors, and culture
wars broke out around obscenity and violence after every controversial
movie. In an effort to prevent more government intervention, the major
studios created the MPAA ratings board. To some, this sounded like a
curtailment of free expression, a new power given to a secret committee
to determine what was appropriate for children. In fact, it had the opposite effect. The ratings board helped movies like *The Exorcist* reach a
much larger audience.

By making an effort to police themselves, the studios won some
goodwill from their critics, and the nuts-and-bolts debates about content moved from the public square to the private rooms of Manhattan
and Hollywood. The original idea was spelled out by the MPAA Dec-
laration of Principles, which introduced the original four ratings: G,
M, R, and X. These were supposed to operate as guideposts to help
parents decide what was suitable for their children. The head of the
ratings committee became a new power broker in the movie industry,
shaping debate and putting a face on the decisions of the board. He
never directed a movie, designed a ghoulish special effect, played a serial
killer, or produced an exploitation film. But no one had his finger-

prints on as many horror movies in the early seventies. "By creating their own rating system, the studios keep the decisions away from the government. I thought it was a very intelligent thing to do," Roger Corman says. "It was the best of the bad solutions."

The new ratings and the horror film grew up together. The earliest version of the system was enacted at the same time that George Romero was putting the finishing touches on *Night of the Living Dead*, and the film was often used as an argument for why ratings were necessary for protecting children. After its initial run, *Night of the Living Dead* returned to a New York engagement at the Waverly Theater on a double bill the following summer with *Slaves*, a blaxploitation film starring Ossie Davis leading a slave uprising. In a pan in *Variety*, a critic wrote, "Until the Supreme Court establishes clear-cut guidelines for the pornography of violence, 'Night of the Living Dead' will serve nicely as an outer-limit definition by example."

How to lobby to get the rating you wanted became a preoccupation of anyone looking to make a horror movie. Many newspapers and exhibitors refused to show any films rated X, so such a rating would send directors back to the cutting room. And since producers needed to get an M (which would become a GP and PG) to not lose any young ticket buyers, directors had to cut back the sex or violence in the editor's room. According to estimates of several people involved with the ratings board, as much as one third of the films submitted to the MPAA in the early seventies were recut to get a new rating—and surely the proportion is greater for horror. The major problem was deciding what qualifies as too violent or sexual for an R rating (or more to the point, what was not too violent or sexual to receive an X). The ratings board grappled with the same question as those making the horror film: what scares us the most?

Aaron Stern, the head of the ratings board in the early seventies, had very strong feelings about sex. He recommended that the rating for *Midnight Cowboy* be changed from R to X. *Woodstock*, which featured music and free love and lots of nudity, got the same rating. In *The Movie*

Rating Game, Stephen Farber, a member of the ratings board for a short stint before leaving and becoming a journalist, wrote that Stern suggested that films rated G or GP should only show sex "in the context of a loving relationship."

Violence, well, that was something else. The prevailing opinion of the ratings board was that horror was harmless because it was fantasy and therefore not imitable, the unofficial critical standard. No child would suck blood, but they might want to have premarital sex, so that was a more pressing concern. *The Exorcist* tested this view, since it showed the sexualizing of a twelve-year-old girl. The Devil communicates through her by making her masturbate with a crucifix. The purpose here was clear—to use the sexuality of a prepubescent girl to unsettle a modern audience. Nothing like this had ever been seen in a mainstream movie. Friedkin wanted more blood and gore than had been seen in Hollywood before, but he also wanted a huge audience. That meant that the film needed an R rating. In a rare move, Stern watched the movie before the other members of the board and called Friedkin personally to tell him that he would release it without any cuts. Stern, the first person from outside the production to give the director feedback, said it was an "important" movie. So he gave it an R.

If a film that shows a child masturbating with a crucifix doesn't get an X, what would? Theaters in Washington, D.C., and Boston simply ignored the MPAA and rated the movie X. The movie brought the fairness of the MPAA into doubt. "If 'The Exorcist' had cost under a million or had been made abroad, it would almost certainly be an X film," Pauline Kael wrote in her review. "But when a movie is as expensive as this one, the MPAA ratings board doesn't dare give it an X." In *The New York Times* in February of 1974, MPAA president Jack Valenti defended himself, writing that the film had "unwavering morality."

Only a few years after they were instituted, it was clear that the ratings had little effect in protecting children from violent studio films. They served the industry that created them but only hurt the other parts of the movie business. What they did quite effectively was put pressure on independent producers, like Herschell Gordon Lewis, who couldn't exactly make the argument that his movies were artistically or politically important. "When I saw what [the studios] were getting away with, I realized I can't match that. The MPAA killed me," he said. "My little spot in the film world was gone."

Some independent producers and distributors learned how to game the system. William Immerman, the lawyer for American International Pictures, describes the process as a kind of horse trading. We'll take out a gory nipple if you let us keep a severed head, what do you say? "With Stern, you were always negotiating," he says, singling out the 1970 movie *Count Yorga, Vampire*, a modern spin on the vampire myth.

After the first screening, three members saw *Yorga* as part of the tradition of violent escapism led by *Frankenstein* and *Dracula*. They argued for an R rating. The other three, led by Farber, argued that this movie represented something different, a mixing of sex and violence that could be very disturbing. "The others looked on it as something totally unreal. But the people on the board were old-timers, carryovers from another era. The things that came out in the sixties were Vincent Price films or the Hammer movies. That was their frame of reference," Farber says. While everyone on the board wanted an R or an X, AIP had other ideas. They played for time, asking for more screenings every time they tinkered around the edges, snipping out violence, adding some back in. Sure enough, after six screenings, the studio got the rating it wanted: a GP.

Some movies did not win the argument, but they were invariably counterculture films that offended sensibilities about sex. This lenience afforded horror started to run into conflict with the concerns of audiences worried about escalating crime rates. Jack Valenti sought to change policy in 1974 with a new chairman of the MPAA ratings board.

A thoughtful academic who shuttled between the university and his public television studio, where he hosted the interview program *The Open Mind*, Richard Heffner was hired to crack down on violence. He took over in the wake of the blockbuster buzz over *The Exorcist*, when criticism was mounting. When he arrived in Los Angeles for an interview, his soon-to-be predecessor Aaron Stern met him at the airport and drove him to his house in Beverly Hills in his Mercedes-Benz and explained the job. "He kept saying I had to watch out because the lifestyle is very seductive. He had a gorgeous white house. I didn't like him a damn," Heffner said. "He thought of himself as an editor from an aesthetic point of view." After spending a week watching how the board operated, Heffner asked to see the films whose ratings had been controversial. One of the first ones he screened was *The Exorcist*. He couldn't believe what he saw. "How could anything be worse than this?" he thought. "And it got an R?"

Heffner made his first stand the following year with the movie *The Street Fighter*, a low-budget Japanese martial arts film starring Sonny Chiba as a mercenary who delights in literally ripping the flesh from his victims' bodies. In one of the gentler moments in the film, he yanks the Adam's apple from someone's neck. In another scene, he kills a rapist by ripping out his genitals. It was an easy target. An article in *The New York Times* about Heffner's war on violence singled out this movie as the first film to receive an X rating due to violence.

Giving *The Street Fighter* a strict rating, Heffner let the movie industry know that he would apply more scrutiny to violence. Then again, no one in Hollywood much cared about the box office of an Asian fighting movie. Such films did not have the clout of *The Exorcist*. Change in Hollywood movies was not easy. There may have been too much money at stake not to inspire a serious lobbying effort by studios to protect the carnage that would sell tickets. Heffner's big test came in June of 1975 when Universal Pictures released a terrifying new film called *Jaws*. Steven Spielberg's thriller hardly showed any on-screen violence, in part because the mechanical shark didn't operate properly. At the end, Spielberg showed a man gulped almost whole by a giant shark. The studio won again. The movie received a PG rating. This made a bigger mockery of the ratings board than *The Exorcist*.

There was an outcry by some critics and an assumption around

Hollywood that Lew Wasserman, who ran Universal Studios and was friends with Jack Valenti, secured the rating. Small companies began to fight back. The Committee on Small Business in the House of Representatives invited Heffner to testify in response to complaints from independent production companies that the MPAA favored big studios over small ones in its handling of the ratings. The film that inspired the hearing was a scrappy little exploitation film called *Dogs*, a canine version of *Jaws* in which man's best friend becomes a ravenous killer, with the help of the training of the United States Army.

In a letter to the producer sent July 6, 1976, Heffner explained why it received an X rating: "Dogs are not after all seldom-seen denizens of the deep or of the wilderness that children encounter only in fictional situations. They are household pets." This made all the difference in the world to Heffner. Zombies or vampires were firmly in the realm of fantasy, but taking a figure from ordinary American life and turning it into a symbol of fear and anxiety was of more concern. The key question for Heffner was this: how close to home does this film hit? The problem with *Dogs*, he said, was not the violence but that it made children think about "Rover and Spot at home."

This hearing provided a rare peek at the standards applied by the secretive ratings board to distinguish benign violence from the more dangerous kind. Heffner's stated goal was to reflect the prejudices of parents of the day, but in drawing the line between harmless violence and the more dangerous kind, he was also reflecting attitudes about horror among directors and fans of the time.

Since 1968, the most effective horror movies were injecting terror into stories about ordinary people. Romero put zombies in Pittsburgh. Polanski brought the Devil into a Manhattan high-rise. Wes Craven made your parents the monster. For Friedkin and Blatty, it was their kids. These artists may have disagreed with Heffner about the dangers horror posed to children, but most of them shared the sense that the most disturbing monsters were those that seemed absolutely real.

CHAPTER SIX

THE MONSTER PROBLEM

> Things only seem to be magic. There is no
> magic. There's no real magic ever.
>
> *Martin Madahas*, Martin

J ACK HARRIS didn't think much of the unkempt filmmakers sitting in his office on Sunset Boulevard. John Carpenter was quiet and needed a haircut, and Dan O'Bannon talked too much. At one point, O'Bannon took out an illustration he drew of a flying saucer. Harris wasn't interested.

Harris was a vaudeville promoter who worked his way up to the status of a B-movie producer. His great success was *The Blob*, a science-fiction story from the 1950s about a pile of goo that destroyed a town. He specialized in picking up student films for next to nothing and releasing them theatrically for a tidy profit. John Landis, whose movie *Schlock* was produced by Harris, took him to see a screening of an unfinished version of *Dark Star*.

The Philosophy 101 dialogue bored him and he thought there were slow spots, but Harris saw something to exploit. As the buzz around *The Exorcist* grew louder, Carpenter and O'Bannon were having no luck selling *Dark Star*. It particularly aggravated O'Bannon, who marveled at the fuss made over *The Exorcist*. It was a nice movie, sure, but it didn't quicken his pulse. "It didn't seem scary to me," he says. "It was just about a little girl peeing and cursing. So what?" John Carpenter was impressed by the music. And they both were in awe of its impact on audiences. People clearly wanted to see it. You couldn't say the same thing about *Dark Star*. Big studios turned them down as quickly as the little ones.

As young directors like Francis Ford Coppola and Martin Scorsese were making gritty dramas about the real world, movies about the future seemed like the distant past. Exploitation houses were pumping out crime films set in the urban jungle and Hollywood was celebrating *The Godfather*. Nobody wanted an absurdist comedy in space. Carpenter and O'Bannon thought they might have invested their money and energy in the wrong project. They were hungry, desperate, and willing to do anything to get their careers off the ground—just the kind of people Jack Harris liked to do business with.

The first scene, Harris barked, was too long and boring. "For seven minutes, you hear snoring and farting," he said. "Get rid of that." He also wanted more sex appeal. "How about adding some women in bikinis on a beach?" he said, peering down his nose. Carpenter sat quietly. O'Bannon stewed. If it seemed that Harris was talking down to them, that's because he was. In his office, the guests sat on small chairs dwarfed by what looked to O'Bannon like a huge throne. Dealing with this man was not something they learned about in film school. O'Bannon mounted a defense of the parts of the movie that Harris didn't like before getting abruptly cut off. "I'm not trying to win an argument about originality," he said in a gravelly bellow meant to intimidate. "This is my deal."

He offered O'Bannon and Carpenter the money to finish the film in exchange for 75 percent of the profits—if they made the changes he wanted. Carpenter and O'Bannon took the money. "This was a real turning point, for both of us, I believe," O'Bannon says. "I disliked Harris and wanted to get away. If this was the way the game is played, I wanted no part of it, but John concluded he had to learn how to play."

Dark Star began small and kept growing, expanding, slowly mutating into something very different from what it was originally. It started as a forty-five-minute film. This was too long for a collection of shorts that could play at festivals and too short for theatrical release. To fill it out, Carpenter and O'Bannon decided to add a monster. That also seemed like the commercial thing to do. But in introducing an alien that chases O'Bannon playing Pinback through an elevator shaft, the philosophy of rooting fantasy in something real ran up against the limits of special effects. It's one thing to put together a control panel using garbage, but how do you make a scary creature from the beyond that would not look like a silly man in a rubber suit? This was not just a problem of resources.

The toughest challenge of every monster movie is making the appearance of the creature live up to expectations. It's what everyone is waiting for. If you do not show the fifty-foot woman or the blob or the human fly, the audience will be disappointed. Then again, the giant man-eating rat under the bed will always be scarier than the one in front of your face. This is simply how the mind works. No matter how monstrous the giant rat appears, it is never as big or as vile as the rat you dreamed up inside your brain. This is the reason that most horror movies fall apart soon after the monster appears. O'Bannon and Carpenter agreed that the scariest parts of their favorite horror films were in the waiting. But the audience would also feel cheated if they never saw the monster. That presented the critical challenge of the horror movie. Call it "The Monster Problem."

"The majority of horror and sci-fi films were not badly made," director John Landis says about the monster movies of the fifties and sixties. "They are not badly written, badly acted, or badly made—until the monster shows up. And then it's some guy in a stupid suit. The monsters are stupid and the plot is smart. That changed in the seventies when the plots became stupid and the monster smart."

The best horror films of the seventies came up with clever solutions to the Monster Problem. In *Rosemary's Baby* and *The Exorcist*, the monster stays offscreen almost entirely. *Carrie* turns the victim into the monster. *Targets* preserves the mystery of the monster by keeping its motivations unclear. But the greatest monsters of the decade, the ones dreamed up by Carpenter and O'Bannon in *Halloween* and *Alien*, had their roots in H. P. Lovecraft.

Lovecraft's stories solved the Monster Problem in the ineffable quality of his prose. Even after he described the monster, it remained out of focus. You got a sense of its claws or teeth but not the whole. In "The Outsider," for instance, when the narrator notices his reflection in a pane of glass, seeing what he actually looks like for the first time, Lovecraft writes a dense paragraph of description that says everything and nothing at once.

> I cannot even hint what it was like, for it was a compound of all that is unclean, uncanny, unwelcome, abnormal and detestable. It was the ghoulish shade of decay, antiquity and desolation; the putrid, dripping eidolon of unwholesome revelation; the awful baring of that which the merciful earth should always hide. God knows it was not of this world—or no longer of this world—yet to my horror I saw in its eaten-away and bone-revealing outlines and leering, abhorrent travesty on the human shape; and in its moldy, disintegrating apparel an unspeakable quality that chilled me even more.

This characteristic paragraph contains the germs of almost every monster in the modern horror film. It hints at the decay and uncanny of the zombie, the abnormal of the freak, the unwholesome and leering nature of the Devil, the sloppy, dripping repulsion of the alien, the appetite of the cannibal and the exposed bones of its victims. What it adds up to, however, is a vague history of monsters more than any specific one. It actually tells you almost nothing.

Dario Argento, who loved Lovecraft as a child, explains, "Lovecraft describes horrors but doesn't explain exactly what they are. I like that." Guillermo del Toro, the director of *Pan's Labyrinth*, says that the genius of this tactic was how it worked on the imagination of the reader: "Lovecraft had a gift for making everything specifically ambiguous," he says. "He would say 'the leering face loaded with madness' or 'the evil perverse entity of unnamable,' everything was 'unnamable,' 'indescribable.' When you're reading you go 'Whoa!' and your brain fills those spaces. For every creature, everyone has a secret mental image of what those creatures look like."

In "The Outsider," the thing is not a thing, but a compound, and in that, we see the idea of a creature of horror straddling two worlds. There is also the suggestion in this story that if being different is monstrous, then it is a rather normal quality for humans. "My first conception of a living person," says the narrator, "was that of something mockingly like myself."

Lovecraft could pull off this feat, making his monster sound human and foreign, grotesque and too familiar, extreme and yet vague, because of his particularly literary style. As a visual medium, however, film demands the concrete. That's why O'Bannon's original idea for *Dark Star* was to build an old-fashioned monster. He bought a rubber costume from a rental house in Hollywood. The seams showed. It looked fake. This turned their wry philosophical comedy into a lame joke. So they continued brainstorming. Inspiration struck when O'Bannon and Carpenter were lounging around the set and saw someone carrying a beach ball, revealing his feet underneath, making it look like it was walking. Carpenter and O'Bannon fell down laughing. "We realized we couldn't do real, so how about going for funny?" O'Bannon says. In a way, the randomness of the object evokes nothing specific, just like Lovecraft's description.

Carpenter had a less absurd sense of humor than O'Bannon, but he liked the idea, in part because he thought that it would enable him to get around the tediousness of explaining the killer. A beach ball could not be psychoanalyzed. O'Bannon spray-painted it red, put some rubber reptilian feet at the bottom, and they were done. Their friend Nick

Castle, who would go on to play Michael Myers in *Halloween*, manipulated the puppet.

Carpenter mapped out this chase very carefully and with an eye to horror. The ball didn't skip or bounce around. It just sat at one end of a hallway staring. Turn away and it would disappear. The camera glided across the body of the victim, with the ball showing up in the least expected moments, to pulsating computerized music composed by Carpenter. It began in a closet, moved down a dark corridor and ended up at the top of a very high and brilliantly lit elevator shaft, where it attacked Pinback, played by O'Bannon, grabbing at his back while the elevator descended on his head. To Carpenter, the silent scene was the "old-fashioned high and dizzy," the kind of thing Hitchcock pulled off in *North by Northwest*.

The corridor seemed to go on forever, like the designs of the ships in *Alien*. And the stalking had the economical suspense of *Halloween*. The scene would become a blueprint for these later works, but its greatest impact might be the injury sustained during the shoot. O'Bannon spent three days of shooting on his back, inside the sweltering corridor, pretending to be fighting the pull of gravity. The illusion that his character was hanging in an elevator shaft was achieved by simply turning the camera on its side. During this sequence O'Bannon developed an excruciating pain in his side that stole his appetite and sent him to the hospital days later, for the first time in a lifelong struggle with a bowel condition that would eventually kill him.

Harris bought *Dark Star* but he didn't keep it for long. He was mired in a divorce proceeding and money suddenly became an issue, so he sold the film to Bryanston Distributing, a small, mob-run company that bungled the release, sending it to over forty theaters in Los Angeles without doing a proper marketing campaign. On opening night, Carpenter and O'Bannon went to a theater in Hollywood and asked the ticket taker: "How's the audience?" He said, "What audience?" What upset O'Bannon even more was their reaction: they sat silent, no laughing. In his mind, they missed the point. This was supposed to be funny, absurdly so. No one got it.

Soon after the movie was made, O'Bannon began telling their friends that he did so much work on the film that it was misleading for Carpenter to call himself the director. He said that he was as responsible for what was on-screen as Carpenter was. Carpenter knew the value of being seen as the auteur, and when word got to him about what O'Bannon was saying, he wasted no time clearing it up. He took O'Bannon out to a restaurant, told him that he was the director and no one else, and then said that they needed to stop working together.

"This really stunned me," O'Bannon recalls. "John taught me a lot about human nature. People will do terrible things to other people in order to grab all the cookies and run away with it. Up to that point, I had a naive notion that if you're real good friends with someone, you will be loyal forever. Not based on much, mind you. John taught me it's not true. Some people will just cut your head off, run away, and not look back."

Dark Star was not a hit in 1974, but it was still an effective advertisement for two upcoming talents. Carpenter moved on to writing scripts and O'Bannon also struck out on his own, but without a directing credit to his name or the help of any producers. Harris found work for Carpenter, but when the ambitiously experimental director Alejandro Jodorowsky (*El Topo*) contacted the producer because he was so impressed with the special effects of *Dark Star* that he wanted to hire O'Bannon for his new adaptation of *Dune*, Harris resisted, saying he would only give him his number for a price. Jodorowsky found another way to get to O'Bannon. *Dune* included some money up front, and an opportunity to work with some of the most talented artists in the world, so O'Bannon left town and flew to Paris for one of the happiest periods in his young life.

Dune was one of those storied projects that quickly developed a reputation among fantasy fans as the greatest movie never made. The director began with the idea of finding the most talented visual artists in the world, putting them in the same room, and letting the best ideas win. He signed up Salvador Dalí, added the French artist Moebius (Jean Giraud), the British illustrator Chris Foss, the Swiss surrealist H. R. Giger, and then traveled to America to recruit Ron Cobb and O'Bannon. Most of them sat in that room (Dalí stayed away) hashing out designs in a chaotic creative environment that O'Bannon found quite instructive. Here was how movies should be made, he thought, starting with design and artistry—not meetings of producers looking for something to sell.

It was thrilling for this Missouri native not only to live in Paris for a few months but to get treated as a VIP, staying in fine hotels and sending assistants on missions to find him bottles of Coke. Writing letters back home to his old girlfriend Diane, he described himself as a giant in a city of small rooms, portions, and side streets. In the manner of a novice tourist, he explained the mundane differences in culture as something much more macabre and uncanny.

> Everything is distorted, unfamiliar and disorienting. You can't understand what anyone is saying, and the walls are closing in. Sensory overload. And, like acid, you can't come down. Incidentally, the women here—Les Parisiennes [sic]—are all ugly. I don't know why everybody is always yelling about how beautiful French women are. They don't look a bit like Bridgette [sic] Bardot. They're funny looking.

Along with these observations, O'Bannon was bursting with enthusiasm over the designs of Foss, Giger, and Giraud. "Apparently doing 'Dark Star' wasn't such a bad idea after all," he writes, adding, "I feel like I've breached some kind of barrier." The only less than gleeful note of the entire message was when he mentioned that he heard Carpenter was working on a low-budget movie. "So he's got Winkless working on it, has he? Chummy . . ."

In general, however, O'Bannon's crankiness was gone. On *Dune*, there were no limitations, few discussions of money, and lots of brainstorming about design. It was a free-flowing creative bull session. Moreover, the quality of the artists impressed O'Bannon. Of all the work he saw in Paris, what stood out most were the slithery industrial designs of Giger.

Ever since his childhood in the mountainous region of Chur, Switzerland, Giger took his early phobias (snakes, worms) as inspiration for his nightmarish drawings and sculptures. After the suicide of his girlfriend around Easter of 1975, his work darkened even more. He painted grotesque, sexually aggressive monsters with bodies that looked like skeletons with giant phallic heads. O'Bannon was fascinated by these images and upon meeting Giger found common ground in an appreciation of H. P. Lovecraft.

But brilliant designs couldn't save *Dune*, which collapsed due to money problems, sending O'Bannon back to Los Angeles. He slept on the couch of his friend Ron Shusett and talked about collaborating on making a new monster movie. Studios turned down O'Bannon and Shusett's early script for *Alien* (then called "Star Beast") because they couldn't figure out the special effects, so O'Bannon went back to a second similar script with more modest ambitions. The monster was a parasite in space and would attach itself to a crewmember of a ship exploring the universe.

O'Bannon was sidetracked again when he received a call from George Lucas, who wanted help with computer graphics on *Star Wars*. For three months, O'Bannon designed some of the animation for the movie, a crude early form of computer-generated special effects that included the display that reveals how torpedoes will enter and destroy the Death Star. O'Bannon built on similar work he had done in *Dark Star* and would repeat again later in his career. While it paid the bills, he received very little notice for it.

At the same time, John Carpenter was working steadily in and out of Hollywood, penning a script for John Wayne and the thriller *The*

Eyes of Laura Mars. He also started shooting *Assault on Precinct 13*, his first film since *Dark Star*. His success was not lost on O'Bannon. In his crowded galaxy of resentments, red-hot fury at Carpenter was the Sun. At film school O'Bannon didn't just respect him, but there was something more emotional as well. He was in awe of his confidence, his ability to charm girls, the ease with which he went through life. O'Bannon kept a close eye on what Carpenter was doing, and was torn when Carpenter invited him to a screening at a theater in Hollywood of *Assault on Precinct 13*. O'Bannon ended up attending reluctantly.

Assault was in the style of classic westerns like *Rio Bravo*, but refashioned into urban warfare. It told the story of good guys and bad guys joining forces to defend a police station. The bad guys resembled the violent mobs of *Night of the Living Dead* but with gang members standing in for the zombies. The intruders, an ethnic mix of bedraggled toughs, were unstoppable and indistinguishable. Putting the ideas about character and monsters that he had discussed at USC into practice, Carpenter created a chaotic world, dominated by an unexplainable evil. In its most notorious scene, a gang member takes out a pistol and shoots an angelic blond girl holding a vanilla ice cream cone in front of a white truck for no reason, except that she was there. The audience surely expected the kid to get away with a brief scare, since killing random children seemed impossible. Frighten them, even possess them, but in the end, they must survive. Not this time.

O'Bannon was disgusted by the movie, and he told Carpenter so. In its casual disregard for the humanity of its characters, he saw a reflection of the coolness that Carpenter displayed toward him. It reminded him of how easily their friendship was discarded. "His disdain for human beings would be serviced if he could make a film without people in it," O'Bannon said. "Even though he stabbed me in the back, I grudgingly thought he may be a bad person but at least he has a lot of talent. How could I fool myself over the years? He ain't Orson Welles. He ain't Howard Hawks. He's somewhere below Wes Craven."

. . .

IF CARPENTER'S *Assault* owed a debt to *Night of the Living Dead*, it wasn't alone. Romero's film kept running at midnight screenings in cities through the country and its reputation only improved. But instead of leaving for Hollywood, Romero attempted to stay true to his roots and make films cheaply and collaboratively. At first, he tried to leave the horror genre. His Pittsburgh-based group of collaborators never had any intention of becoming merely genre mavens. Since they wanted to show their range, they followed up *Night of the Living Dead* with a coming-of-age romance in the spirit of *Goodbye, Columbus* and *The Graduate*.

Once again set in Pittsburgh, *There's Always Vanilla* is about a young man discharged from the army who has an affair with an older woman whom he accidentally impregnates. She goes to get an underground abortion under dangerous-seeming circumstances. The movie was the kind of socially conscious drama that was then in vogue and, unlike *Night of the Living Dead*, it addressed politics directly. Shooting dragged on due to disputes over the script, and since abortion was legalized before the movie was released, it seemed dated by the time it opened.

Romero also didn't like the script penned by Rudy Ricci, who played a zombie in *Night of the Living Dead*. He went ahead shooting it and in the rush to finish, didn't get everything that he needed, meaning that he had to add a voice-over at the end to fill in the gaps. "We wanted to show the world that we weren't limited to horror," John Russo says. "That's when ego problems set in and eventually the group split up."

After *Vanilla* and then *The Crazies*, a sharply edited survival movie about the impact of a biological weapon on a small town that also failed to become a hit, George Romero tried to move in a more realistic direction with *Martin*, a fascinating spin on the vampire genre that quite self-consciously ridicules the use of the supernatural in horror. Focusing on an alienated kid who has been convinced that he is a vampire by the movies and his ranting family, the movie's central tension is the question of whether or not he's a real vampire. When he goes to sleep, his dreams are shot like old Universal movies, and these expressionistic images of gothic horror are pitted against the unvarnished realism of his real world. Vampire movies in the 1970s set out to leave the past behind, placing the bloodsuckers in modern times in movies like *The Satanic Rites of Dracula*, *Dracula* A.D. *1972*, and David Cronenberg's *Rabid* (in which vampirism is a kind of virus). But *Martin* takes this a step further, using its own unblinking, grainy realism to question the supernatural. Martin drinks blood, but he doesn't have fangs. And while his family talks about their curse, can you really trust your family?

Martin, sensitive, lonely, and surrounded by terrible relationships, appears harmless compared with the ugliness that besets ordinary people in the dying industrial city of Pittsburgh. Women are harassed on the street. Cars are crushed into metal for cash. The radio shows are filled with confessions of sad people. To keep himself entertained, he dresses up in a Dracula costume to scare his uncle. "It's only a costume," he says. Throughout the film, Romero mocks the conventions of the Old Horror movie as betraying any sense of reality. "That's the other thing the movies get wrong," says Martin, much more anxious than the suave, seductive killer in *Dracula*. "The beautiful women . . . In real life, you can't get people to do what you want them to do." In another scene, a liberal priest, played by Romero, makes fun of *The Exorcist*. *Night of the Living Dead* may have introduced a new political subtext into horror, but it was also a love letter to the genre. *Martin* has a very different spirit; it's trying to break free of the strictures of the genre. It's a vampire flick that doesn't really believe in vampires.

When it was picked up at the Cannes Film Festival in 1976, it made only a small impact, especially compared with a new film by the hot young director of the moment. "John Carpenter at Cannes wiped us off the face of the earth with *Precinct 13*," Romero said. "Right from the scene when the little girl gets blown away, I was blown away." Nothing gets people's attention like killing an innocent blond girl. To get an R rating from Heffner, John Carpenter submitted *Assault on Precinct 13* to the board without the scene of the girl getting killed, and then put it back in when he released it to theaters—common practice in low-budget film. "I actually started to panic," Romero said. "I realized that the stakes were getting higher and higher. Smaller distribution companies were disappearing. Screens were monopolized by big product."

Martin opened to mostly glowing reviews and disappointing ticket sales. Romero needed to adjust. He did so with the help of Italian director Dario Argento, who by the 1977 release of *Suspiria*, the elaborately designed giallo about killings at a dance studio, had supplanted Mario Bava as the king of Italian horror. He got his start working on *Once Upon a Time in the West* for Sergio Leone and began his career with a relatively conventional detective story, *The Bird with the Crystal Plumage*. It betrayed the hallmarks of Bava's giallos albeit with perhaps less of a wry humor. "Bava has a much more ironic style," Argento says.

Argento developed his own distinct cinematic voice in movies like *Deep Red* and *Suspiria*, which departed from the more standard whodunit plots into dense, textured, often incoherent stories built on dream logic. The new movies were bloodier and also moved the giallo into more supernatural territory, but their most distinctive contribution was their bold and ravishing use of primary colors. Faces would split in half, one side deep red and the other bright green. The palette was lush and dramatic. The more literal-minded American movies had nothing like it.

Argento had been an early fan of *Night of the Living Dead*, and held screenings for his friends in Europe and championed it to anyone who would listen. For him, it was a movie about revolution, a radical political statement. He reached out to Romero through an Italian distributor, and the two men met in New York and talked about making a zombie movie together. Argento told him he could help find financing for a sequel to *Night* and would fly him out to Rome, give him an apartment where he could work.

They made an odd couple. Romero was gentle and all-American, almost disappointingly wholesome, while Argento looked the part of a horror director, with hooded eyes and a skeletal frame. Romero wrote *Dawn of the Dead* in five weeks. The movie is clearly a Romero picture, but while Argento was only credited as a "script consultant," that doesn't reflect his contributions. Their deal was that he had final cut of the version released in Italy—where it opened in September 1978—while Romero had the cut for the American film that came out half a year later. The movie doubled its investment in over five weeks. So when the producers ran into trouble with the MPAA, which gave the movie an X rating, they did not cut down the gore but were confident enough in its commercial potential to release the movie unrated.

Romero embraced the political reputation of *Night of the Living Dead*. It was hard enough to have a hit movie, so why complain? If people thought he was making a statement, he would give them that. The zombies this time prowl a shopping mall and are comments on the rampant consumerism of American capitalism. The movie suggests the living shoppers are more brain-dead than the zombies.

Romero applies a mercilessly satiric touch. The politics in *Night of the Living Dead* was an accident, but *Dawn of the Dead*'s political statement was not. "Because of the critics, I knew we can't do a zombie movie for the fuck of it," Romero says. "It has to talk about the times, have a social point."

While *Night of the Living Dead* maintained a somber tone of nihilistic doom, *Dawn of the Dead* laughed at itself merrily. The cannibalism and ripping of limbs was disgusting, knowing, and outrageously over-the-top. It was actually a much closer reflection of Romero's sensibility than the grim dread of *Night of the Living Dead*. He was not a gloomy guy. For the European version, Romero said that Argento took out jokes that he thought wouldn't work with an Italian audience. But the real noticeable change is the look of the movie, the black-and-white severity of the earlier zombie movie replaced by garish and bold hues. The Vietnam veteran and makeup guru Tom Savini assisted on the effects, but the bloody fingerprints of Argento are all over the movie.

The reviews were the best of his career, and a stark contrast in tone with the notices for Romero's last zombie film. Roger Ebert, who was so dismissive of *Night of the Living Dead*, called the new movie "brilliantly crafted, funny, droll, and savagely merciless in its satiric view of the American consumer society. Nobody ever said art had to be in good taste."

Notice the use of the term "art." By making a second political zombie movie, Romero proved that *Night* was no fluke. He was an auteur with a vision, except his particular one involved the ripping off of limbs. The fact that both movies were deeply collaborative and that the idea that Romero was the sole author distorted as much as it illuminated did not change his reputation. Romero would be a master of horror for the rest of his career. *Martin* remains his favorite movie. As for *Dawn of the Dead*, he just laughs at the acclaim. "People thought it was such a subtle commentary," he says, "but I don't know what they were talking about. It was a pie in the face."

CHAPTER SEVEN

THE DANCE OF DEATH

I just can't take no pleasure in killing. There's
just some things you gotta do.
Old Man, The Texas Chain Saw Massacre

SEVERAL SECONDS of blackness are broken up by a flash of light revealing a photo of the grimy yellowing fingernails of a corpse. Then one of a gooey limb, rotted white teeth, and an early daylight close-up of the head of a decaying body sitting on a gravestone. The camera retreats slowly, a vast and cloudy blue Texas landscape growing in size, and interrupted by gusts of smoke. Credits run alongside undulating deep red splashes of color on a dark background that looks like the rough draft of a doodle by an abstract expressionist. This disorienting opening sequence, filled with death and unlikely beauty, ends with a glowing full moon and an armadillo lying upside down on the side of the road. Welcome to a cracked world.

Watching *The Texas Chain Saw Massacre* for the first time can feel like trying to understand traffic zipping by on a highway. Who is that dead body? What are those red images? Who knows? After presenting this grotesque, surreal opening, the movie transitions to a tiny van. A band of kids from Austin is visiting a graveyard. Sally Hardesty, the pretty blonde, is looking for the home of her grandfather. The director,

Tobe Hooper, pauses to show images of local hicks and cows milling about. One lovely bright day on the road, the young kids pick up a greasy-haired hitchhiker with a lopsided grin. Within a few minutes, he masochistically cuts his hand, drawing blood, lights a fire, and relates some disgusting stories of his family's work at the slaughterhouse. It's an odd scene that operates like a warning out of a fairy tale delivered in the rough language of a home movie.

"[*The Texas Chain Saw Massacre*] looked like someone stole a camera and started killing people," says Wes Craven, who saw it in a grimy Times Square theater. "It had a wild, feral energy that I had never seen before, with none of the cultural Band-Aids that soften things. It wasn't nice, not nice at all. I was scared shitless."

What many described as a reckless and raw assault on the senses was also, however, a rather nuanced (for horror) portrait of a dysfunctional family and a disappearing class of people. Not the victims from the van; they were not terribly interesting. But the killers who live in the house they stumble upon looking for gas are the real heart of this intense movie. They are cannibals and maniacs but also victims themselves. Laid off from their jobs at the slaughterhouse when the air gun replaced the sledgehammer as the preferred way of killing animals, they are casualties of technological innovation. They are country folk left behind in a modern world. This bizarre family is the reason that if you polled current horror directors about the scariest movie of all time, *Texas Chain Saw* would win the most votes.

Since the success of the movie, Hooper has said his interest in horror peaked when his first dramatic film bombed and he realized that he needed to do something outrageous to get attention. He has explained that the idea of the killer's mask comes from Greek tragedy, which is sort of like John Carpenter claiming that *Medea* inspired *Assault on Precinct 13*. Doing publicity for the movie, Hooper also claimed that it was really about Watergate. This was all nonsense.

Hooper did not have the cerebral streak of Wes Craven or the art-film ambitions of Roman Polanski or the business savvy of Herschell

Gordon Lewis. What he brought to the project was an unadulterated love of the genre, a talent for editing scenes of intense violence, and a deep understanding of the pleasure of being scared. That proved to be more than enough.

The Texas Chain Saw Massacre was not the first movie to play upon urban paranoia about backwoods hicks. Nor was it the first to explore the terror of the family dinner table (Bob Clark's Vietnam zombie film *Dead of Night* did that quite well), exploit the rumbling terror of a chain saw (*The Last House on the Left*), or include eating flesh (*Night of the Living Dead* and its imitators turned that into old hat). But after the first five minutes, the movie begins working like a highly addictive mind-altering drug, and nearly four decades later it remains as potent as ever.

The Exorcist proved that scary movies could be respectable enough to win Academy Awards. *The Texas Chain Saw Massacre*, which opened the following year, announced itself with its title as a down and dirty exploitation film designed to shock. Both films, however, were equally important in turning horror movies into mass entertainment, but it was *The Texas Chain Saw Massacre* that elevated the trashy, violent pleasures of making audiences gasp into something approaching high art—just approaching, though, since getting there would ruin the movie's other pleasures.

Just as George Romero did not set out to make a movie about civil rights and William Peter Blatty surely wanted to avoid the ambiguous ending of *Rosemary's Baby*, Tobe Hooper was hardly thinking that the print of his movie would end up in the Museum of Modern Art. As a matter of fact, its success might be the most preposterous story of the entire decade in scary movies. It was possible because of an unlikely collaboration between a few underemployed small-town actors, the governor of Texas, and members of a major Mafia family in New York.

By most accounts, the tale began the same way that the movie ended: with an obsessed man chasing a beautiful woman. The cinematic pursuer was a hulking, retarded psychotic cannibal twirling around while swinging a chain saw. The one in real life was a producer. But they were following the same woman: Marilyn Burns. She was a knockout: long blond hair, tall, shapely figure, and a certain charm that drew attention. Having starred in a few school plays at the University of Texas, Burns really wanted to be in movies, and found a way in after meeting Bill Parsley, a middle-aged attorney who had recently left the Texas legislature for a job as the vice president of development for Texas Tech. Parsley was already married. Handsome with thinning hair, he had an accent, but no Texas twang. He would never be caught in a pair of jeans.

Parsley had investments in oil, ranching, farming, and, increasingly, movies. He met Burns while she was working as a waitress and told her about funding two exploitation movies, including one about a black Hugh Hefner, and they struck up a friendship. Texas had long had its share of rich men chatting up young aspiring actresses. But in the early seventies, the allure of Hollywood glamour seemed less far away than it once was. The movie industry was becoming decentralized, and producers were looking for cheaper places to make films. Go-getters like George Romero were avoiding the studios altogether and making movies in their backyards.

Warren Skaaren, an aide to the governor of Texas, saw a potential new market after noticing that New Mexico had success luring Hollywood companies by assisting in finding locations, cheap places to stay, and permits. With the support of the governor, who owned a chain of theaters, he set out to bring business to the state by creating the Texas Film Commission. As the first head of the commission, Skaaren convinced Columbia Pictures to shoot their new movie *Lovin' Molly* in Austin. The Sidney Lumet film about life in cattle country starred Anthony Perkins, Beau Bridges, Blythe Danner, and a handful of locals. This was the first exposure to a major movie shoot for several of the future actors of *The Texas Chain Saw Massacre*, including Burns, who worked as a stand-in for Danner.

Getting a Hollywood director and movie stars down to Texas was a coup for Skaaren, but he wanted to build something homegrown. Ron Bozman, his old roommate at Rice University, introduced him to a young writer, Kim Henkel, who worked as a grip with Bozman on a biker movie shot in Houston called *The Windsplitter*. Hooper starred as the heavy. Henkel met Skaaren and handed him a script he wrote with Tobe Hooper called "Head Cheese," and Skaaren called his friend Parsley and told him it was sure to make some money. Skaaren wasn't thrilled about the title, but he thought it might have commercial potential. Parsley knew just the girl to star as Sally, the only survivor.

Parsley agreed to put down two-thirds of the original $60,000 budget, raised the rest, and through his corporation M.A.B.—Marilyn Burns's initials—owned 50 percent of the movie. He also made Burns a partner in the company, giving her one-sixth of the ownership. He denied romantic involvement with her, but at the very least, the perception was widespread. Hooper and Henkel, both of whom were from Texas, owned half. The rest of the cast—local university students, veterans of a dinner theater called Theater Unlimited, and various unknowns working in the punishing heat of August—took home a few points of the profits in lieu of salary. They didn't understand that their stake shrank again after Parsley found more financing, but it's hard to imagine they would have protested. After all, this was a horror film made in a few weeks in a dusty corner of Texas. No one imagined this movie would make anyone rich. Most of the actors would be delighted if their friends merely saw it.

With its peculiar origin story shaped by strange bedfellows, *Texas Chain Saw Massacre* inspired various theories, rumors, and speculation around the Texas film world—all of which were vague, and many of which were shifting or contradictory. In what is nothing more than hearsay, Henkel claims to have heard that Parsley financed the movie because he feared that if he didn't give Burns the role, she would expose him for mishandling state funds. Others had less conspiratorial notions. Ron Bozman, who worked as a production manager on the film, called Parsley a "major league hound," adding that he never believed the rumors about financial shenanigans. Although he could point to no firsthand knowledge, Bozman said, "It seemed pretty clear to me and others that it was a Texas version of the Hollywood tale of older guy, younger actress, bankrolling her path to stardom while putting the stones to her." Bozman's speculation went beyond how the movie itself got made: "Another friend who knew her at [the University of Texas] film school recounts that she had a preternatural maturation of her mammary glands during her senior year. We all assumed that Parsley had bankrolled that, as well."

TOBE HOOPER didn't know much about business, and he didn't care. He just wanted to make a movie. And he knew it ever since his transient childhood, much of which was spent traveling to different hotels in Texas and Louisiana since his mother was in the business. He understood the lonely roads of Texas and remembered the constant bickering inside a car between his parents, who got divorced when he turned eight. "Those family dinners can go very wrong," he later recalled vaguely. "I saw some things growing up that were bizarre and weird."

He spent most of his time by himself, reading comic books and dreaming about monsters. The stories of domestic turmoil in EC Comics spoke to him. So did the misunderstood creatures of classic Universal horror. When not at the theater, Hooper corralled a group of three friends to help him re-create the Hammer versions of *Frankenstein* and *Dracula* on an 8mm camera. On the weekends, he headed to the library, where he looked up old issues of *Famous Monsters of Filmland*. The principal at his school expressed concern, telling Hooper to stop making films and concentrate on his studies. He responded by leaving home to live with his dad and attend a new school. After graduating from high school, Hooper attended the University of Texas in Austin, but he spent more time making movies than in class. He dropped out early and started making a name for himself locally directing trailers, commercials, and industrial films. During this early stage of his career, Hooper first saw someone die.

He was shooting footage in an emergency room for a documentary for premed students, focusing on a prominent Texas doctor. What he saw was a sweaty, injured victim struggling to stay alive after a bullet shot leveled him right above his eyes. The man squirmed and struggled. As he seemed to be nearing the end, Hooper did something that he would later come to believe was quite remarkable. He zoomed in on the action.

As a team of doctors worked, swirling around the table in a frenzy of activity, the director did not flinch, keeping focus documenting the tragedy as clearly as he could. And he did so, calmly, in one take. The sound of the wounded man in pain got softer until it finally faded away altogether. Hooper turned the camera off, left the hospital, and went to dinner with a few friends, where he discussed the experience from a remove, almost as though he hadn't been there.

The next day, he took a look at the footage, and it made him sick. He vomited suddenly. Hooper learned that the impact of violence depends completely on where you sit. What disturbed—and fascinated—him was that he had a much stronger reaction to seeing death as a viewer the next day than to watching it happen right in front of his eyes. That was strange. "There's something about looking through that plate of glass that separated me in a way that was clinical," Hooper says. What he saw while filming was an interesting subject, something dramatic, exciting.

Hooper, who spoke with a laid-back stoner's affect, was a pacifist and hated the Vietnam War, but would much rather document a war protest than participate in it. His first feature, *Eggshells*, was a 1969 psychedelic trip about a commune that aimed to capture the drugged-out ethos of the time. Aimless and dedicated to capturing what it was really like to be young, it was billed as "An American Freak Illumination: A Time and Spaced Film Fantasy." But instead of making the Texas version of *Easy Rider*, Hooper dug deep into his roots as a young horror fan, adding a ghost to haunt the young hippies. In one scene, a nude man sets fire to a car and then races down the street half-crazed.

The actor was Kim Henkel, and while the movie opened and closed right away, receiving very little notice, their friendship blossomed, leading to discussions on how to make a movie that would really sell tickets. Taking a look at his resources and his expertise, Hooper knew it had to be horror.

Hooper and Henkel, who worked days as an illustrator for an educational company, met every night at Hooper's house and talked over ideas. They watched the original *Frankenstein* together as well as *Night of the Living Dead*. Hooper, building on the loves of his childhood, immediately thought of a dreamlike tale about the supernatural. "We referred to the way we put the story together as 'nightmare syntax,'" Henkel said. Hooper liked this idea, but also wanted the movie to be funny, in a dark, satiric way, a twisted spin on ordinary life. He had recently seen *A Clockwork Orange* and was drawn to the comic incongruity of the moral ugliness on-screen being played to the music of Beethoven and *Singin' in the Rain*. The beautiful, thought Hooper, can often be found in the horrible. He wanted the movie to be about how easy it is to shut off your conscience when stuck in extreme circumstances.

Henkel suggested they build upon the story of Hansel and Gretel, an inspired choice of source material for a horror film. After all, the Brothers Grimm fairy tale begins with abandonment and moves on to kidnapping, imprisonment, suggestions of cannibalism, and finally a happy ending: the burning of an old woman. Hooper picked up the thought and brought it closer to *Night of the Living Dead*, borrowing the idea of being trapped in a remote house away from the rest of the world. Growing up in various small towns in Texas, he understood how eerie that kind of separation could be, and how it could serve as a useful metaphor. What remained was the inevitable Monster Problem. Hooper originally imagined a troll under a bridge. Henkel hated that idea.

"I had a visceral response to that kind of thing as being a little, I don't know . . . The underlying social motivations get stripped out, if it moves in that direction, if you go with the supernatural," he says. "I had never seen horror films and wasn't particularly interested, not because I had any negative attitude toward them. It's the tools they employ—the tension, the suspense—I didn't care for that, still don't."

Henkel proposed that they should try something closer to home. He raised certain questions again and again: What would make someone turn into a killer? Why would a human being commit violence? Drawing on their own experience in Texas, they came up with the idea of a family of redneck Luddites who saw their way of life under threat. Like many people they knew, these uneducated locals had been laid off, made expendable because of changes in industry. Their quiet southern town was falling apart, and they blamed it on the modern world and took it out on the poor teenagers visiting from out of town. To be sure, Henkel was talking about crazy people, but not so crazy that they weren't recognizable. Unlike many of the makers of New Horror, he began with the question of how to psychologically motivate the killers.

For a Texas redneck feeling under threat, Henkel, who spoke with a thick drawl, thought the idea that they would kill innocent outsiders didn't seem *that* outrageous. You needed something more grotesque. So he added the fact that these killers eat people. Hooper thought it was a hilarious idea and took it a step further. It was not only about the terror of finding yourself in the middle of nowhere confronted by a savage monster. It was about feeling so different, so alienated that it seems you *are* a savage monster. Drawing on his love for the sentimental aspects of classic Universal horror movies, in particular how the monster in *Frankenstein* earned your sympathy, Hooper set out to make a monster who was unloved and bullied himself.

By the seventies, the werewolf had gone out of fashion in the movies, and the Frankenstein monster grumbled angrily less often than he once did. Zombies were multiplying, and the occasional ghost haunted a creepy house with a squeaky floorboard. But the most compelling monster of the era was the serial killer, a term invented by the FBI in the mid-seventies.

The serial killer became much more prominent in the popular imagination on August 8, 1969, the day that Joan Didion, in *The White*

Album, explained was considered by some to be "the end of the sixties." As soon as the murders at the house of Roman Polanski were reported, whispers about the director spread through Hollywood. The national press presented him as a bizarre, promiscuous European stranger with a thick accent, long hair, short stature, a taste for violence, and a tragic family history. Most of all, there were those weird movies. "It was a scene as grisly as anything depicted in Polanski's film explorations of the dark and melancholy corners of the human character" was how *Time* magazine described the murders.

Early newspaper stories emphasized that Polanski was abroad during the murders but that he was cracking jokes at a Broadway show before a killer was apprehended. Polanski added to the suspicion by visiting the murder site for the first time with a photographer who took shots that were widely publicized. It made a terrible crime look like another act of self-promotion. Law enforcement focused on Polanski as the first suspect in the case, and he was brought in to talk to the police. The investigators asked why his wife would be targeted. At the time, they were searching desperately for some kind of motive. Polanski had a telling suggestion. "The whole crime seems so illogical," he explained to the detective during a polygraph test. "If I'm looking for a motive, I'd look for something which doesn't fit your habitual standard, with which you use to work as police, something much more far out."

He was talking in private to the police, but this was an answer that he could have also delivered to film critics looking to know where future monsters of the horror genre would come from. In the New Horror, clear motives and obvious metaphors were replaced by a more general sense of confusion. The murders of Sharon Tate and her friends were so bizarre and random and spectacular that for many people they almost didn't seem real. The situation only became murkier when the world learned about Charles Manson. Details trickled out about this other strange little man and his virulent cult, and they didn't add up to a coherent picture. He was described as a hippie but also as someone who hated hippies, a nihilist and a race warrior, an idiot and a genius, starved for fame and completely indifferent to it. None of these explanations made more sense than Polanski's original speculation. Manson was simply far out.

By the early seventies, as his multiple insanity trials received blanket press coverage, Manson became an antihero for a segment of the counterculture. It emerged that he was a budding musician who had worked with the Beach Boys and had seduced a harem of beautiful women to opt out of their bourgeois society. The yippie Jerry Rubin praised him, and members of the radical group the Weathermen celebrated him as a kindred spirit. As for his violent methods, well, that was simply by any means necessary.

For the other side of the generation gap, Manson represented the danger of the hippie movement and the out-of-control youth culture protesting the war, rioting in the streets, and generally ignoring their parents. He stood in for the nagging anxiety of parents who didn't understand why their kids were dressing and talking like that. In the age of the silent majority, the media ran with this narrative. Accompanying a tight photo of his face, the cover of *Life* magazine proclaimed Manson "the dark edge of hippie life." One hitchhiker told *The New York Times* that in the wake of the Manson murders it was impossible to hail down a ride: "If you're young, have a beard, or even long hair, motorists look at you as if you're a 'kill crazy cultist,' and jam the gas."

Manson was not the first mass murderer, nor was he the first celebrity psychotic, but the impact he had on the culture in the seventies was seismic. Devilishly charming gurus showed up in many movies. It might not have been a coincidence that Polanski's next movie was one of the bloodiest, meanest, most unforgiving adaptations of Shakespeare ever put on-screen. *Macbeth* is a youthful, dour version of the play partly financed by Hugh Hefner. As in *Rosemary's Baby* and *Repulsion*, Polanski employs subjective point-of-view shots and long, lingering silences to create an atmosphere of dread, but, surprisingly, the style is more graphic and realistic. A shot of a severed arm opens the movie and a rolling head ends it. The order-restoring speech of the new King Malcolm that ends the play is cut, replaced by a suggestion that the cycle of violence will continue, as always.

Roger Ebert called it one of the "most pessimistic" movies ever made and argued that Polanski made Macbeth like Manson (Ebert shuddered at Shakespeare's image of a baby ripped untimely from a mother's womb) but put us on the side of the murderous king of Scotland. As part of the promotion for the film, legendary British theater critic Kenneth Tynan, who wrote the adaptation, published a diary in *Esquire* that captures a portrait of Polanski at home, lounging around his house surrounded by a gang of submissive women reading magazines. Barking out orders, he comes off as a bully with no patience for anything less than total fealty. It's almost as if Polanski had become what his original critics always suspected. Or perhaps he was playing a role. When Tynan questioned Polanski about using so much blood and excess carnage in the scene at Macduff's castle, after the murder of his children, the director responded bleakly: "You didn't see my house in California last summer. I know about bleeding."

After the Manson murders, the press treated killers like Ted Bundy and David Berkowitz like celebrities. Responding to the attention, the FBI promoted the importance of catching serial killers, which gave them a reason to expand. As urban blight and crime soared during the decade, the population of maniacs increased in the press and on movie screens. At times, the killers, the government, and the movies seemed to be working together. In one of his final letters to the police in 1974, the notorious Zodiac killer, the Southern Californian who eluded the police for years in a case that remains unsolved, took time out to review *The Exorcist*, calling it "the best saterical comidy [*sic*]" that he had ever seen. Reports that Ted Bundy, perhaps the most famous serial killer of the era next to Manson, was inspired by Bob Clark's sorority house horror *Black Christmas* led NBC to cancel the film from its schedule. The press added glamour to these characters, making them objects of fascination that the movies picked up on.

. . .

THE TEXAS CHAIN SAW MASSACRE introduced horror audiences to the masked serial killer. Of course, criminals had covered their faces in movies for generations. The Italian giallos have a long tradition of killers in form-fitting white cloth masks. But while the masks for these maniacs served a functional purpose, to disguise, the masks for American slasher antiheroes were more about character—or lack thereof. The mask of Michael Myers in *Halloween* or Jason Voorhees in *Friday the 13th* did not hide an identity; it created it. The mask was their uniform.

Leatherface, the hulking man-child responsible for killing victims before feeding them to his family, wore the skin of his victims on his face, a costume choice inspired by the Wisconsin serial killer Ed Gein. He also set the standard in fashion in accessories (meat hook, chain saw) and personality (little to none) for a generation of serial killers.

Leatherface has a simple goal: make dinner. When we first see Leatherface, played by Gunnar Hansen, he knocks one of the kids in the van looking for gas on the head with a hammer. It is one of the most high-impact introductions in the history of horror. The scene, less than a minute long, takes place in a dark, claustrophobic corridor adjacent to a staircase. The young Kirk opens a screen door, tentatively, the brilliantly blue sky behind him. After a few steps into the hallway, he trips, falling deeper inside the house when the bearish masked man appears. Hooper said he cast Hansen because "he filled up the door," and you can see how it pays off here. The walls are outfitted by designer Robert Burns in cowhide skins with a lightweight metal door at the end that slides open, revealing a red background showcasing a mounted skull. Hansen is a heaving mass of a man who raises his weapon slowly, in an almost formal way, like he was royalty raising his sword to knight a warrior. The camera approaches to show us the movement, but recedes when it gets put to use.

Hansen knocked the actor over his head with a mallet so hard that he broke blood vessels in his eyes. He fell to the ground, shaking epileptically. Hansen did not drag him away so much as flip him up like a pancake and catapult him to the next room. He slammed the door and in no time was gone. This is the hunt. It took very little time, and the scene was made even quicker by jump cuts, and while the theatrical door slam may have been unnecessary considering the remote house, it announced that a Grand Guignol monster had entered this ordinary Texas landscape. The next kill was even more flamboyant. Despite its reputation for grim fly-on-the-wall realism—stoked by its announcement at the start of the movie that it was an account of "one of the most bizarre crimes in the annals of American history"—*Chain Saw* was not shot in the verité style of *Last House*. The camera glided and the story was often told through editing of shots. For instance, audiences regularly remember the second kill when Leatherface mounts a victim on a meat hook as bluntly graphic, but it actually never shows any flesh being abused or even a drop of blood. You see a close-up of the hook, then Leatherface, but when he mounts her on it, there's a cut to a close-up of her agape mouth croaking in pain.

The real revulsion is what follows. Hooper shoots the victim's face and chest on the hook and then pans down to a bucket, allowing the audience's imagination to connect that the purpose of the bucket is to collect blood, that it will drop, even though it does not. It's a credit to the direction that fans think they see more than they do.

The next time Leatherface appears he is in cooking mode, wearing an apron and a dress. In his final appearance at the dinner table, he is wearing his finest drag outfit, clown makeup, and wig. The meal is served. In the original production notes, Hooper said that he wanted to make a film "about meat," and the structure of the scare scenes is a profile of our food industry, with people cast as the animals. As played by the bearish Hansen, Leatherface doesn't communicate in words, just grunts and growls. Inarticulate, masked, brutal, it's understandable that most critics and audiences saw nothing more than a killing machine. But Leatherface is not that simple. He is as much victim as monster. There is something in his eyes that brings us to his side: fear. Leatherface is bullied by his brother to get dinner and tries to appeal to his father. Like Norman Bates, he struggles with his identity and plays dress-up.

The movie doesn't merely take the side of the young kids. The usual interchangeable teenagers are pointedly annoying. As the kid in the wheelchair, the actor Paul Partain whines gratingly. And while the script asks you to sympathize a little bit with Leatherface, it doesn't exactly make you see the world through his eyes. At least, not in the way that Hitchcock did with Norman. Most of the time Hooper's point of view remains neutral. Before heading into the house for the first kill by Leatherface, the roaming camera sets up behind a blond girl on a swing. As she stands up and walks toward the house, it stays at a distance, showing us neither her perspective nor that of the killer inside the house. The insect-eye shot emphasizes the scale of the rickety two-floor building. We follow this victim, but at a distance. We are not getting assaulted here. With his camerawork, Hooper argues that the most frightening thing is to see terrible violence happen and know there is nothing you can do about it. Drawing upon his experience in the emergency room, Hooper puts you in the position of complete, mystifying helplessness.

HOOPER COULDN'T have picked a more uncomfortable time to shoot his movie. It was shortly after dawn on July 15, 1973, when the filmmakers gathered for the first time at an isolated farmhouse in central Texas, dressed in T-shirts and jeans. It was around 100 degrees, and there was a dead horse on the side of the road, which somehow didn't make its way into the movie. The cast worked sixteen-hour days and spent much of the time covered in Karo corn syrup, widely used on horror movie sets to simulate blood, and real bruises. Cattle bones were strewn all over the unventilated room. Everyone was miserable. "Let me put it to you gently," says Edwin Neal, a veteran who played Leatherface's maniacal brother. "I moved troops through the jungles of Vietnam, and it wasn't as bad as making this film."

Parsley hovered around the edges of the set throughout the shoot, entertaining Burns and irritating the director and writers with worry and skepticism. At one point, when he found out from Burns that his money had been used to buy beer, Parsley came down hard on the crew, earning some resentment toward Burns from the rest of the cast that might have helped the scenes in which the family of cannibals tortures her. This is not to say that he didn't play an integral part in creating the film. Parsley insisted that Hooper get an R rating, and that is part of the reason Hooper was forced to come up with more creative ways to showcase violence. "I was hoping to get a PG rating believe it or not," Hooper says. "I called the MPAA and asked, could I get a rating when a girl gets impaled on a hook? At first, the answer was 'You can't.' What if you show no contact? What if you cut the blood out? What then?" The result is a movie that is actually far less bloody than its reputation.

The worst day of shooting was a twenty-six-hour marathon that captured the notorious family dinner scene, the climax of the film. It had to be filmed in one day because some of the makeup for the grandfather of the cannibals had a short shelf life. It was designed and applied by a local plastic surgeon, and after a few hours, the plastic started to melt. Tensions were high. Heavy blankets were put over the windows of the room to make it darker. Cattle and chicken bones strewn over the table stank almost as bad as Hansen, who had not washed his clothes throughout the shoot. "They refused to let me wash the costume for twenty-eight days because they were worried about it changing color," Hansen says. "By the end, my pants stood up and I smelled so bad that when we broke for lunch they wouldn't allow me in the food line. I also couldn't take off the mask because they were scared it would rip. It smelled so bad I felt nauseous."

He was hardly the only one. "We used syrup for blood so we had flies coming in from Belgium," Neal says. Parsley didn't help matters.

He complained that the scene was not working and his interference led Hooper to ask him to leave the set.

The movie starts at a leisurely pace, but once Leatherface arrives, it moves quickly from shock to shock. It captures your attention, but unlike most horror, it uses this advantage to take a risk—a long, slow, meandering scene, a portrait of a twisted family tormenting Burns's Sally Hardesty that reveals relationships between the characters that are much deeper than you expect. Burns is tied up watching nearby. Leatherface sits quietly after serving the meal. The crazed imbecile son encourages his grandfather, who appears barely alive, to hit their guest, but the best he can do is swing his hammer with a pitiful flop. The family respects the father but he is cold to them.

Henkel wrote a piece of gothic realism, inspired by his own colorful, dysfunctional family dinners. And Hooper kept the actors playing the killers separate from Marilyn Burns on the set to try and spook her into a shattering performance. It worked. The intensity of her desperation and fear was not entirely simulated. It was in part due to the limitations of low-budget moviemaking. Exhausted, overheated, and frustrated by a tube of fake blood that wouldn't spurt, Hansen, filming a scene of torture during the dinner scene, cut Burns for real, just to get the scene over with. A calm, gentle man, Hansen was exhausted and borderline delirious by the end of shooting this scene, recalling himself going a little mad watching the Hitchhiker threaten Sally with a hammer. "He turns to her and says: 'Kill the bitch.' And I remember thinking: Yes, kill the bitch," Hansen says. "It was the one moment when I lost it and became Leatherface."

Burns remembers it as physically grueling. "I got a black eye that day," she says, "and I remember getting beat up by everyone while Tobe was standing nearby saying, 'Hit her harder! Harder!'"

The scene is as perverse as it is ridiculous, but you can't really laugh because there is poor Sally desperately crying in the corner. Burns had a piercing yelp that never wavered, a steady sonic backdrop to the last third of the movie. When she finally escapes the basement and runs into the street trailed by Leatherface, galloping after his screaming heroine who jumps onto the back of a passing pickup truck, the camera jumps to a close-up of her wet eyes and then her face with a shocking quickness. The last look on her face sums up the spirit of the New Horror: crying, exhausted, and terrified, she stares at the monster from the back of a pickup truck. As he recedes into the distance, she laughs, an out-of-control, involuntary chuckle of madness. On the other end of the chase is the monster. Raising his buzzing chain saw to the sky, Leatherface, wearing a jacket and tie, spins around under the blazing sun, thrilling to the madness of the moment. The golden glow of the sun peeking through the clouds of the empty landscape provides a stunning backdrop to this odd frenzy of activity.

She got away, but what about Leatherface? He is stuck back home with his family. He does not escape, and staring at his prey, he might even be jealous. On the other hand, he did have an impressive record of destruction and fright, nothing for any psychotic redneck to be ashamed of. The ambiguous and oddly poetic final moments—and it's notable that the movie ends with the killer—offer the possibility of a very bizarre happy ending. His twirl in the sunset looks a little like a rock star vamping in front of a crowd. Instead of a guitar, he's swinging a chain saw, but the brutal, triumphant dance could be a celebration.

AT THE END OF THE SHOOT, there was no cast party and few expectations. Hooper thought he had some good footage, but he knew he hadn't figured out a compelling beginning to the movie and the editing was going badly. By the summer of 1974, Skaaren started shopping it around to distributors. Columbia Pictures proposed an advance, then rescinded the offer a week later when its board of directors balked at buying such a gruesome movie. No other studio made an offer. Skaaren helped set up several screenings for independents, including American International Pictures. But the most interest came from a New York company,

Bryanston Distributing, that offered $225,000. Bryanston was best known for distributing the porn blockbuster *Deep Throat*, but there were whispers that made their way to Texas that it was involved in organized crime. The producers could not be picky.

Skaaren, Bozman, and their lawyers took a flight to New York to visit the offices of Bryanston in the art deco Film Center on Ninth Avenue. Bozman recalls seeing a large Cadillac that looked to be a few years old right outside the building, with a large Italian man in a suit leaning on it. Bozman was nervous. After leaving the elevator, they walked into the office, where they were met by two men in dark suits behind a round table, surrounded by an antipasto feast. The atmosphere was jovial.

Louis "Butchie" Peraino was a Brooklyn made man who was the grandson of a Sicilian Mafioso who immigrated after escaping prison in the early twentieth century. He helped move the family into adult films, which proved to be a profitable business decision. With a little taste of the movie business, he was looking to branch out. He greeted his visitors warmly, shouting: "We loved the movie. We're going to make a lot of money on this." He knew the lawyer who accompanied Skaaren, Arthur Klein, because he had represented Joey Gallo. At one point, the meeting was interrupted when a man entered with a briefcase and placed it in front of Peraino. He opened it. Diamond bracelets gleamed. These were the options for a gift for his wife. Peraino picked one, flashed a grin, and then returned to the meeting. It was not much of a negotiation. Bryanston had already decided what it would offer and had a precut check. Bozman and Skaaren agreed quickly, shook hands, and left. They were happy to get out alive, but they thought they had a good deal. At least they had a deal.

The opening weekend took in more than $600,000. The movie made $20 million in its first two years and proved to be a stalwart crowd-pleaser at midnight showings. It was banned in England and Australia. And when it opened at Cinema Village in New York in the middle of 1975, Michael Wolff described the scene in an article for *The New York*

Times: "It was a cultural experience but an acquired taste. Pot smoke was in the air. Young couples were chuckling in the corner. A bored theatergoer shouted at the screen: 'So cut her head off already.' "

Almost overnight in the winter of 1974, Gunnar Hansen went from being an unknown actor in a small town in Texas to an unknown actor seen in photos throughout the country. His anonymity did not change because the guy swinging the chain saw in posters, photos, and advertisements was wearing a mask. But Hansen knew. And since he owned a piece of the movie, he was getting very excited. Days after the October opening of *The Texas Chain Saw Massacre*, Bryanston bought a page in *Variety* to trumpet its popularity. It boasted: "$602,133 in the first four days." Imagine the riches! When Hansen discovered his first check in the mail about two months later, his heart started beating a little faster. After ripping it open, his smile flattened: $47.17.

The great horror movies made by small companies almost always ended in bad feelings and empty pockets. George Romero and his original twenty-six investors saw hardly a dime from the proceeds of *Night of the Living Dead*, since they never registered the title with a trademark. No star of *The Last House on the Left* made more than $1,000. Roger Corman, American International Pictures, and Hammer Studios may have sent more checks, but their movies didn't exactly make you filthy rich. *The Texas Chain Saw Massacre* was such a hit, however, that the stakes seemed higher, which led to years of litigation. But by the time a suit for breach of contract was filed against Bryanston, the company had sold off the rights to *The Texas Chain Saw Massacre* to pay back a vendor, which violated a contract, leading to more suits. There was an out-of-court settlement, but no one who worked on the movie was happy about it, least of all the men who played the killers.

Hansen remained the most even-keeled. At the other end of the emotional spectrum was Ed Neal, the Vietnam veteran who played the crazed brother of Leatherface with a worrying persuasiveness. He was furious at Tobe Hooper and threatened physical violence in an article in the *Los Angeles Times* about the financial troubles of the movie. It seemed as if the monsters were turning on the man who gave them life. "He was scared to death," Neal says of Hooper. "I had one of my kids call him and say if my daddy wanted you dead, you would be dead."

Hooper was an obvious scapegoat, especially since he left Austin for Hollywood soon after the movie became a hit. It was the same old story. The actors and production team received almost no money and little credit, while the director was hailed as a visionary. The auteur theory was responsible for the end of hundreds of friendships.

But Hooper had little notion of what was going on with the business end of the film. He was less concerned with money than with his future. He even accepted an invitation from Lou Peraino to meet about following up *Chain Saw* with another horror movie. They met in an Italian restaurant in Manhattan and sat in a private area in the kitchen. "Lou was talking about his new pool table," Hooper recalls. "He wanted me to do another movie like *Chain Saw*—but this time, set on an island. The script was impossible, just bad. It was the same thing. Of course now I've learned that that's what you do—on the second picture, you do the same thing."

Then something strange happened, unprecedented in the history of horror films. *The Texas Chain Saw Massacre*, a movie bankrolled by a businessman looking to impress an actress, made by amateurs in Texas, and distributed by members of the mob using money made on the most notorious porn film of all time, suddenly became—believe it or not—respectable. Consider that George Romero refused to see this movie because the title seemed too tawdry. George Romero! Times had changed since *Night of the Living Dead* became an underground hit. After submitting a print to the collection of the Museum of Modern Art, a cagey marketing strategy, Bryanston rereleased the film nationally accompanied by large newspaper ads proclaiming endorsement by the venerable museum. This captured the attention of the major international festivals.

The Berlin Film Festival screened it and passed, but Cannes included the movie in its new directors series two years after it was originally released. Prominent critics started taking it seriously. Rex Reed raved. Roger Ebert called it gruesome but described it as "well-made, well-acted, and all too effective." Even *TV Guide* praised it. As was usually the case in the seventies, the horror press had the assessment that would later become the common wisdom. "The movie extends the boundaries of cinematic terror and revulsion to the point where we are forced to redefine the term 'horror film,'" wrote Paul Roen in *Castle of Frankenstein*. "I consider myself a hardened observer of horror films, but this one reduced me to a pale and quivering hulk."

Part of the success must be attributed to the title. It manages to grab your attention and lower expectations at the same time. Every word resonates. "Texas" has always had a cachet, meaning anything beyond the mundane. "'Chain saw' is the kind of thing that you put in a room and you don't have to say 'Run!'" Henkel says. "If we called it 'The Iowa Chain Saw Massacre,' it wouldn't be the same."

The other major reason for its crossover success was stylistic. Despite its gritty ramshackle design and the lean storytelling that didn't waste time on backstory, the movie actually reverts back to an older style of expressionist horror, mixed with a new age Texas vibe. The stark noir color scheme juxtaposes the black basement with the burning morning sun. The extreme camera angles bring to mind gothic horror. And the final whimsical spin by Leatherface is like something out of Luis Buñuel. Hooper took his time making this movie, over a year, and much of the impact of the opening and closing sequences was created in the editing room. Like *Frankenstein*, the movie didn't cut out development of character. It was possible to find the family of killers eerily familiar. These were monsters you could almost relate to.

Universal signed Hooper and Henkel to a three-picture deal, and they moved to Los Angeles and promptly got to work in an office on the same lot with Steven Spielberg. Hooper was thrilled to be invited to talk with William Friedkin, still high on the success of *The Exorcist*. "He told me, 'Hey, kid, the film's really good. You have a sensibility. That will come in handy,'" Hooper remembers. "'But let's get down to the important stuff—the bullshit.'" By that he meant a career in Hollywood.

The backlash was inevitable, appearing most forcefully in, of all places, *Harper's Magazine*. The left-wing magazine with a literary pedigree rarely covered horror films, let alone low-budget ones emerging out of small-town Texas. But Stephen Koch took exception in an article titled "Fashions in Pornography" that began, "'The Texas Chainsaw Massacre' is a vile piece of sick crap." It got worse. The article reads like the last desperate protest against the introduction of brutal violence into the entertainment diet of mainstream America. For one thing, the sloppy description of the movie suggests that the author spent more time grinding his teeth than paying attention. Repeatedly, he refers to the movie as "pornography," as if it showed an endless, unblinking amount of gore. As evidence, he describes the movie as reveling in necrophilia (wrong, cannibalism), chain saws killing multiple women (nope, just one), and the self-immolation of a character (huh?).

The setting, he says, is the Texas Panhandle and the carefully managed pacing, which especially in the final third moves deliberately slowly, is called "hysterical." At one point, Koch compares the movie to snuff. At another he says it's so imagistic that it makes no sense. "André Breton said the simple surrealist act would be to take a revolver into a crowded street and fire at random," he writes, with this dismissive quip. "They seem to have read Breton down in Texas." But the real target of this attack was not the movie or its supposedly cynical producers, but the community of intellectuals who allowed it to flourish.

Expanding his attack to what he calls the movement of "film buffery," Koch blames a wider snobbish and amoral obsession with movies for missing the obvious degradations of *The Texas Chain Saw Massacre*. He singles out Peter Bogdanovich as "King Buff" and the journal *Cahiers du Cinéma*, a booster of Romero and Craven, as leading the charge. This new intelligentsia, he argues, in battling the self-seriousness of high art, prized style over all else, encouraging the moral corruption of the genre.

As wrong as he was about so many things, Koch did accurately capture one thing. The New Horror was always described by its critical defenders as a radical attempt to shock its audiences with visions more graphic and confrontational and real than had been shown in the past. This ignored just how connected the genre is to the past, how self-conscious these new directors were. Hooper, Bogdanovich, Polanski, Carpenter, and Romero were making movies that were as much about movies as they were about monsters. They were sold as honest and frighteningly real, but these films were made in a film language that was either referencing or dialoguing with the movies of the past. *Targets* and *Rosemary's Baby* pointedly included cameos by Boris Karloff and William Castle to underline the engagement with the Old Horror. And Craven and Romero flat-out stole the plots of their movies, and part of their fun was in deciphering the conversation between the past and the present. The two most common shots in the horror films of this era are the shaky camera that shifts your point of view and a close-up of an eye, watery and stretched open. Both of these images emphasize the act of watching, making connections between the victim of violence and the act of taking in a movie. Nothing so much as the ad campaigns makes this self-consciousness more obvious. They told audiences that what they were seeing was real or reminded them, with fake reassurance, that it was not. It made you wonder.

CHAPTER EIGHT

HE LIKES TO WATCH

Nobody was really surprised when it happened,
not really, not at the subconscious level where
savage things grow.

Stephen King, Carrie

VIVIENNE DE PALMA attempted suicide over the Christmas
holidays after discovering her husband was having an affair.
Anthony De Palma, an emotionally remote orthopedic surgeon, promised his wife that he would stop cheating. But she didn't
believe him. The tension in this upper-middle-class Philadelphia family
exploded into full-fledged melodrama. Their son Brian was the only
one of three precocious sons still living at home, and he felt responsible
for doing something to help his mother, a charming woman with a
depressive streak. He had always felt she had favored his older brother
Bruce, a brilliant student who went to MIT. Brian was also troubled by
the impact their parents' troubles were having on his other brother,
Bart. He decided to take action.

De Palma had a curious mind drawn to solving puzzles. He once
found a way to sneak a microphone into a girls' sex education class in
high school and caught the teacher on tape. This pleased his parents
much less than when he won the gold medal at the Delaware Valley

Science Fair for a paper called "The Application of Cybernetics to the Solution of Differential Equations." Film was not an obsession of his at this point, but science and technology were. So when his mother told him that she needed documentation of an affair to get a divorce, he knew how to build a high-tech trap. He recorded his father's phone calls in early 1958 and followed him to work, snapping photos outside his window. Then he made his move, breaking into his father's office, where he found what he was looking for: a nurse in a slip.

The De Palmas got divorced, and Anthony married the nurse. Spying worked. It was among other things a learning experience. "I was the only son strong enough to get her out of the marriage," De Palma says, describing his youth in the language of a movie pitch. "Bruce was the genius. Bart was the artist. I was the public relations man. I could get things done." He described his dad as "the heavy."

The first profile of Brian De Palma in *The New York Times* begins with a quote from the director saying the outside world doesn't matter to him and what he really cares about is film. Like almost every story that profiles De Palma, this view, expressed in 1973, went unchallenged, and was even burnished with hyperbole. *The Times* called De Palma the "coldest hot young director in town," and the image of the cerebral formalist stuck. His critics dismissed his taut scary movies such as *Carrie, Dressed to Kill, Blow Out,* and *The Fury* as formulaic, derivative rip-offs of Alfred Hitchcock, more style than substance. His admirers argued that his meticulously storyboarded suspense scenes outdid Hitchcock and that De Palma's genre tweaking ingeniously blurred the lines between horror and comedy.

Everyone agrees that De Palma approached the world of his films at a distance and through jaundiced eyes. Unlike his friends and contemporaries Martin Scorsese and Francis Ford Coppola, he was not a personal artist. He was a cineaste who spent more time in dark rooms memorizing shots than digging deep into his feelings or family history. De Palma himself has probably done more than anyone to give credence to this take on his work. He has said that his content *is* his form, and when asked about where the inspiration for his macabre subject matter comes from, he prefers to talk about movies, especially those of Alfred Hitchcock. Despite varied opinions on De Palma, this view of his work as cool and impersonal is widely shared and has hardened into a common wisdom. It is also wrong.

The familiar story about the artistic awakening of Brian De Palma, retold in countless profiles, begins with a description of him as a science-obsessed kid whose father brought him along to work to show him the bloody business of surgery. At the time, he was not interested in horror or even particularly curious about movies. That would change, as De Palma has said many times, when he moved to New York, spending days and nights at movie houses watching, studying, and laying the groundwork for his film education. His epiphany came in 1958 when he saw *Vertigo*. As he described it, the movie did not just engage his creative imagination. It worked on his practical side as well. "I'd look and I'd say, okay, now how do you do that?" he said. "Like when I was a kid, I'd look at machines and say, let's figure out how to do this."

What he learned from Hitchcock was a film vocabulary. He discovered how to build suspense, how to trick audiences by making them identify with a character, and the singular usefulness of a shot from the point of view of a character. De Palma clearly borrowed from Hitchcock, but he also went much further with sex and violence, and he rebelled against him as much as his peers did. You can see this in the movie that began his most fertile decade of films, *Sisters*, released in 1973. Bernard Herrmann composed the music. After De Palma explained how he wanted the title sequence to be silent, Herrmann told him bluntly that would be a mistake: "Nothing horrible happens in your picture for the first half hour. You need something to scare them right away," he insisted. "The way you'll do it, they'll walk out."

"But in *Psycho*," De Palma responded, the eager student, "the murder doesn't happen until forty . . ."

"You are not Hitchcock. He can make his movies as slow as he wants in the beginning. And do you know why? Because he is Hitchcock and they will wait."

Herrmann was passing along advice that was similar to the instruction he did not follow from Hitchcock himself. In effect, he told De Palma that he needed to consider the expectations of the audience, exactly what he did not do, according to Hitchcock. De Palma understood he was right, so he agreed to have Herrmann write an eighty-second piece of music.

These artistic dialogues about technique and style are the stories that De Palma and his critics focus on. De Palma has long said he worked in the highly cinematic horror genre to teach himself how to tell stories using the camera. But that's only part of the story. De Palma is indeed a brilliant manipulative technical director, but to reduce him to only that misunderstands his work. *Vertigo* was a crucial inspiration, but in the same year, several months earlier, he had recorded his father having an affair. Hitchcock may have given him a language, but to understand why he expressed what he did, you need to look away from the movie theater. His best movies are deeply personal and filled with the raw material of his own life.

Many of the childhood homes of the great horror directors are filled with forceful mothers, absent and remote fathers, and the unsettling tension of marital discord. The early scars of a parental slight or lack of support fade from memory, but for most artists looking to scare an audience, they never truly go away. They harden into lore, retold again and again, migrating into the movies where they speak to viewers who then use the standard story of an ignored and misunderstood childhood to understand their own lives. Discovering his father's affair is a scene that has emerged in De Palma's movies, directly or indirectly, throughout his career. It's no accident that when he left home in the fall for college, De Palma told one friend that the photos were his "first film."

After moving to New York to attend Columbia University, De Palma's attitude toward the dissolution of his parents' marriage was not tragic or melancholy, but philosophical. "Maybe it was bravado," says William Finley, a close friend and star of many of De Palma's early movies. "It was all like a joke." Later on, his first wife, Nancy Allen, who met him while acting in *Carrie* in 1975, said he stewed over the infidelity. "He was furious about it. I thought parents do the best they can. He thought they had more responsibility," she says. "In Brian's mind, he was being his mother's hero. He protected her."

De Palma looks back at his detective work fondly. What still bothers him, however, is that he didn't do anything sooner to help his mother or brothers. After decades of deflecting questions about the content of his thrillers, he more recently concluded that the helplessness and anguish he felt as a young man were key ingredients of his movies. "As the smallest of three brothers and seeing Bart upset over my mother being torn up and being too small to do anything about it, that had an impact on me," De Palma says. "I realized that's why I always have characters who can't save people. That's me trying to save my brother. I didn't see that then, but now I do."

The voyeur-hero is a star of most of his major horror movies. In *Sisters*, Grace Collier (Jennifer Salt) sees a murder through a window, but even after hunting down the killer, she is left knowing less than when she started. The young science nerd (Keith Gordon) turns into a Peeping Tom to solve the murder of his mother (Angie Dickinson) in *Dressed to Kill*. In *Blow Out*, a Philadelphia soundman, Jack (John Travolta), accidentally stumbles upon evidence that an accident was murder, but his search for the truth ends in confusion and the death of the sweetly naive actress Sally (Nancy Allen) whom he tries to save.

Like Tobe Hooper, De Palma focused on the horror of the helplessness of the observer. But De Palma was not interested in building a better monster. What scared him was the prospect of losing control. You can see this in his characters, who are carried away romantically, psychically, or in the weeds of a conspiracy. They respond, as De Palma did, by watching, spying, and developing conspiracy theories. Voyeurism is the theme that unites his entire career, one that includes genres such as science fiction, gangster, action, comedy, and in his most artistically fertile period, horror. His movies are filled with shuffling, sneaky doctors, young boys futilely playing savior, dangerous sexuality, and horrible acts seen through windows. After catching his father in the act, Brian De Palma did not let go.

DE PALMA came of age when the romantic image of an aspiring auteur was not the cigar-smoking Hollywood player. It was the antiestablishment outsider (think Godard) poking holes in the artifice of it all. De Palma has one foot in the world of European art cinema and another in exploitation. But he was also firmly entrenched in the New Hollywood clique of whiz-kid directors along with peers Steven Spielberg, George Lucas, Martin Scorsese, and Francis Ford Coppola. There is a remarkable consistency in his themes and characters and story lines throughout his career. The same notes hit again and again: taboo sexual desire; a skeptical, even paranoid worldview; and the horror of being on the outside looking in. His perspective on horror was that of the younger brother: helpless, overlooked, confused, and lost in the shuffle.

Whatever insecurities he might have had, De Palma projected confidence in public, and his friends at Columbia recall his sardonic wit and charm. He was drawn to performers. Finley, a sensitive actor with a talent for playing oddballs, was more of the loner. By contrast, Jared Martin, a dashing leading man in some of De Palma's early work who was also his roommate, was social, liked to drink, and had the defiant politics of the counterculture. De Palma shared the same ideas and avoided the draft, but he was not a joiner by nature. Confident and sarcastic, he was too much of a wiseacre for slogans. Occasionally he grew a beard, but then he'd shave it off. His clothes were as unpretentious as his taste in movies. He got into show business for the same reason most awkward young straight men do: to meet girls. "I remember directing a scene in college," he says, "and it was on a bed with a girl and for a moment, I stopped and thought to myself: This is the most beautiful girl I have ever been this close to."

Columbia had girls, but no theater department. Sarah Lawrence, however, had a theater department *and* girls, and since it was single sex, they needed male actors. So when he was invited to act in a play, De Palma gravitated toward their campus in Westchester County, New York, and their young professor Wilford Leach, a director from the South whose calm, steady style had a huge influence on De Palma. Leach, who would win a Tony Award in 1981 for his staging of the musical *The Pirates of Penzance*, cast him in a production of Jean Giraudoux's *Ondine*, a romance involving a knight and fairies from early twentieth-century Paris that blends fantasy and the real world.

De Palma made his first short films while avoiding class starting in his sophomore year. They were sketches, quick ideas fleshed out without much concern for character or narrative. The actress Tina Shepard recalls him spending two days in the school auditorium at Sarah Lawrence trying to figure out a way to simulate a shot from the point of view of a man lying in a grave being buried alive. "He finally came up with the idea of shining a rectangular light on the ceiling to give the impression of a grave," she says, impressed with his focus on getting this one visual idea accomplished. This image would eventually play a crucial role two decades later in *Body Double*. His obsession with the spectator was there from the beginning.

De Palma made the act of watching transparent with send-ups of other movies and joking winks at the audience. His 1965 documentary *The Responsive Eye* chronicles the 1965 exhibit of art using optical illusions at the Museum of Modern Art, but instead of the conventional strategy of concentrating on the walls, De Palma had two cameras focused on the patrons. The museum also happened to be one of De Palma's favorite New York pickup spots. Martin explains that De Palma, analytical even about girls, had a theory "about better yield potential at MoMA than someone met huddling under a park bench in a rainstorm."

Their excursions inspired the famous silent seduction scene in *Dressed to Kill* where Angie Dickinson follows a man in a gallery, a pursuit that leads to her murder.

From the beginning, De Palma placed details of his life quite explicitly in his movies. *Murder à la Mod*—a 1968 movie that was De Palma's first to get a theatrical release, albeit a brief one at the Gate Theater in New York—is a racy movie funded by an exploitation company about the making of a racy exploitation movie. Its producer, Ken Burrows, plays the producer. De Palma, the director, plays the offscreen voice of a director who told models that they needed to take their clothes off because that's what got the film made. There's a reference to the woman who funded an early movie of De Palma's, *The Wedding Party*, and the production company of the film within a film is Ondine Films.

Its intricate plot moves backward in time, constantly shifting point of view and style, showing a murder first as a kind of soap opera, then as a Hitchcockian suspense, and finally as a silent comedy. Every new scene reveals the deceptions of the previous one. Despite all its formal tricks, at its heart is a story about a young director trying to make serious and commercial work by any means necessary who tells his girlfriend he's ashamed to be making an exploitation film. "I was reflecting the people who were making the circumstances that I was working under, like *Contempt*," De Palma says about Jean-Luc Godard's move into commercial filmmaking in 1963. "If the [producer] asks to see Bardot's ass, that's all you show."

By the late sixties, he was no longer a novice, but he wasn't a Hollywood success either. His most abrasive, accomplished work was a fake documentary inside his comedy *Hi Mom!* (starring Robert De Niro in one of his first film roles) that satirized angry political art of the blossoming Off-Off Broadway movement. Unlike the rest of the movie, which was in color, this was shot on sober 16mm black-and-white. De Palma regularly attended happenings and fourth-wall-breaking shows at Judson Memorial Church and La Mama Experimental Theater. In the show within a movie within a movie, African American actors teach white audiences about oppression by painting them with black-face, stealing their belongings, and even raping one woman. Having barely survived the show, the patrons rave about it on their way back to their taxis. In an interview before the movie came out, De Palma revealed his almost nihilistic point of view: "It's a film that says that the only way to deal with the white middle class is to blow it up."

This play was also built on experience from his life, since he had just finished making a documentary of the Performance Group's landmark environmental theater piece *Dionysus in 69*. When he saw the modern update of the Greek tragedy *The Bacchae* by Euripides, which juxtaposes the rigid square Pentheus with the wild Dionysus, De Palma was overwhelmed by its energy, violence, and flamboyant sexuality. As Dionysus, William Finley, who had fallen out of touch with De Palma, inspires a gaggle of women to strip off their clothes and pour a basin of blood over themselves before dancing into the crowd in an orgiastic fever, spilling into the audience.

The production put the audience in the round surrounding the actors, who then moved into the crowd. To capture the important role the spectators played in the show for his documentary, De Palma employed a split screen for the first time. It would become a trademark that he insisted on using in many of his greatest suspense scenes, even though his longtime editor Paul Hirsch didn't love the device. "It distances you from the people in the film," Hirsch said. De Palma enjoyed this kind of theatrical alienation. By showing two scenes side-by-side, he better captured the spirit of environmental theater. Not only could you reveal twice as much information, and juxtapose one scene with another, but this technique forced the passive viewer to make a choice.

The unpredictability of mixing actors and audience members carried a possibility of danger. It has the vibe of a party that could go very wrong, and sometimes did. Actors were harassed, and once even abducted, putting a stop to the show. On a night De Palma attended, a fight broke out in the audience that had a major influence on his career. An audience member who perhaps didn't approve of nude women gyrating in ecstasy loudly protested and began to walk out. A man at the opposite end of the theater saw this, and in a gesture that was meant to suggest "Good riddance," tossed some coins across the stage. De Palma became distracted by this drama unfolding and turned his attention away from the play. The coins didn't reach their target, instead hitting an actress, who interpreted it as a grave insult. "She thought he was calling her a whore or something, so the actress charged the person in the audience," De Palma recalls. "She went after her. I watched the whole thing unfold. It was intense." De Palma credits this offstage scuffle as the inspiration for the most revealing moment of the most famous scene he ever directed: the operatic prom massacre in *Carrie*.

BY THE TIME *Carrie* was released in 1976, De Palma had made three features about directors of sex films (*Murder à la Mod, Greetings, Hi Mom!*), one about a nervous groom (*The Wedding Party*), and others about a disillusioned businessman (*Get to Know Your Rabbit*), a murderous Siamese twin (*Sisters*), a rich man guilt-ridden over the death of his wife (*Obsession*), and a disfigured musician who sells his soul (*Phantom of the Paradise*). His interests were decidedly bohemian, urban, and adult. *Carrie*, however, was about your average American high school angst. It turned the prom, the quintessential rite of passage of normal teenagers throughout America, into a perverse horror show. This was not De Palma's idea. The credit goes to a novice author whose three previous books had gone unpublished.

When he wrote *Carrie*, Stephen King was a married teacher and father of two living in a trailer in Hermon, Maine. His interest in the dark side began from a discovery in a dark attic with creaky floorboards above his uncle's garage. Rifling through a box of his father's belongings—his father, Donald, left home when his son was two years old, never to return, adding to the list of absent fathers of horror artists—he found a book called *The Lurking Fear and Other Stories* by H. P. Lovecraft. What struck him first was the cover—a creepy picture of red eyes peering out from beneath a tombstone. The mystery of those eyes fascinated him. He took the book downstairs carefully, knowing that his aunt would not approve, and started reading. What he discovered was that horror was not silly kids' stuff. "[Lovecraft] wasn't simply kidding around or trying to pick up a few extra bucks," King wrote in his excellent explication of horror, *Danse Macabre*. "He meant it."

So did King. *Carrie* was rooted in his experience teaching high school and his childhood anxieties about sex, puberty, and the popular crowd. The novel follows a fat, ugly outsider, Carrie White, with uncontrollably violent psychic abilities to make objects move through the power of her unease and anger. As it happens, she has cause to get upset. Her mother is a dominating religious scold, and her classmates are impossibly cruel, mocking her for bleeding on herself when she has her first period. After the gym teacher chastises the class for cruelty, one of the girls, Sue Snell, gets her boyfriend, Tommy, to ask Carrie to the prom. Less charitable classmates use this as an excuse for more hazing, fixing the election of prom queen for Carrie and then dumping a bucket of pig's blood on her head after she accepts the honor onstage. King invites you to identify with Carrie and be vicariously thrilled when she destroys the school and everyone in it. It's a vigilante revenge fantasy that anyone who felt like an outsider in high school could indulge in.

While many girl readers surely sympathized with Carrie, King has written quite candidly that he was reacting to the rise of feminism in the early seventies. Battles over the Equal Rights Amendment and abortion rights were heating up, and the increased popularity of the Pill was giving women more power and making some men nervous. King described this anxiety as "an uneasy masculine shrinking from a future of female equality." In the novel, Carrie repeatedly jots down lyrics in her notebook from Bob Dylan's song: "Just Like a Woman," a sardonic attack on a powerful woman from the perspective of a bitter ex-lover. If the unknown is the scariest thing, as King learned from Lovecraft, what's more esoteric and thus unsettling to a young man than the blossoming sexuality of a teenage girl?

White men have always dominated the horror genre, and coming of age in an era when the women's movement challenged traditional gender roles was a source of anxiety for many directors. In his novels *Rosemary's Baby* and *The Stepford Wives*, Ira Levin was the exception in locating the horror in traditional gender roles. More often, the terror derives from fear of a shift away from tradition. One articulate example from the same era is *Duel*, Steven Spielberg's 1971 debut, which began as a television movie before being released in theaters. Adapted from a short story that appeared in *Playboy* magazine written by Richard Matheson, another of King's major influences, the movie imagines the American highway system as a wild Darwinian struggle. On this battle-field, a simple narrative plays out of a truck stalking a beleaguered sales-man in a much smaller car. You never see the driver at the wheel of the truck. The point of view stays with the victim, and in the film, the subtext of this cat and mouse game is the challenge to the protagonist's masculinity.

David Mann (notice the name) is an ineffectual worrier who goes to work before his wife wakes up. On the radio, in between baseball scores and a weather report, a talk show host chats with a caller who describes himself as a member of the silent majority. He appears flummoxed by the question by a member of the Census Bureau: "Are you the head of the family?" He responds, "I lost the position as head of the family. I stay at home and she works. I stay at home and do the housework and take care of the babies. I'm really not the head of the family, and yet I'm the man of the family." At this point, Mann's face appears for the first time in a reflection in the mirror. The anxiety of the talk show, we later learn, reflects his nervousness. He's been having trouble in his marriage. This is the face of the terrified man who doesn't know his place in the world.

Four years after this man-versus-car story, Spielberg gave us the man-versus-fish version in *Jaws*, and his friend Brian De Palma visited the set on the first day of dailies. At the time, a killer shark was B-movie territory, the kind of thing William Castle exploited, but not a major production by Universal Pictures. But the movie business was changing, and *Jaws* went on to gross more than *The Exorcist*. De Palma and Spielberg were young guys coming up in the business at the same time. They were buddies, helping each other out with girls, scouting locations together, and relying on each other for business advice. De Palma wrote a screenplay adaptation for the book *Cruising*, but it was offered to Spielberg, who spent an evening with De Palma doing research with Margot Kidder hanging out in gay clubs of New York. The movie ended up directed by William Friedkin. When *Jaws* became a blockbuster, De Palma got a new sense of what was possible in the horror genre.

De Palma hoped that *Carrie* would be his *Jaws*: turning the traditional stuff of lowbrow horror into a middlebrow blockbuster. After the first screening of the complete movie, budgeted at nearly $2 million, De Palma huddled with Spielberg to talk business. "Spielberg wanted to talk about box office," says Lawrence Cohen, who cowrote the script.

But while the book was located in ordinary suburban America, the movie envisioned a much less mundane world. King, who has a moralistic streak, imagines Carrie as something of a sympathetic monster in the tradition of Frankenstein and Leatherface. De Palma never cared about vampires or werewolves or monsters. He also knew that audiences didn't want to see an ugly duckling, so he transformed Carrie from a chubby outsider into a beautiful outcast. King had admitted that he never really liked Carrie. De Palma made you love her, but also lust after her.

CARRIE OPENS with a high crane shot of a volleyball game where the bird's-eye view aggressively plunges downward, heading directly toward the paralyzed, trembling Carrie. When she misses the ball, her classmates mock her cruelly. The camera then swoops into the locker room as we enter a male sexual fantasy. In languorous slow motion, nude girls snap towels and cackle unself-consciously. The Dionysian revel has moved to high school. Even the actors in the scene, who were shown the dailies by De Palma, didn't expect it to be this explicit. "Brian told us it would be a beautiful dream, so we're thinking it's ethereal and very smoky," says Nancy Allen, who played the nastiest girl, Chris Hargensen. "So when we saw the dailies, it was a surprise. It was beautiful. And you saw pretty much everything."

When Carrie gets her first period, screaming in surprise at the blood racing down her leg, Chris leads the girls in mocking her. The camera zooms in again on Carrie as she folds up her naked body, hiding from the cruel world. Sissy Spacek played Carrie as an odd and confused victim, but she was also a sex object: awkward to the point of paralysis, uncomfortable in her own skin, and yet still the kind of girl men wanted to stare at. Her chief defender was Miss Collins, the gym teacher played by the Broadway star Betty Buckley, who had briefly dated De Palma after doing some voice work for him in *Phantom of the Paradise*. She even once recorded a scream in a studio for a movie, just as Nancy Allen's character would eventually do in a crucial scene in the 1981 De Palma movie *Blow Out*.

After Miss Collins punishes the girls who were cruel to Carrie with detention, warning them that failure to attend would mean they would miss the prom, Chris challenges her teacher, loudly protesting. In response, Miss Collins slaps her in the face, hard. This shocking moment lets the audience know that this was a strange kind of high school even before students started dying. Buckley was a brassy theater star from Texas. "I had a brash attitude. He thought that was interesting," she says, adding that De Palma would use her fierceness to evoke emotions in the rest of the cast, especially when he needed the girls to loathe Miss Collins. Amy Irving for one was annoyed when De Palma asked Buckley to get a response out of her off camera to prepare for an emotional moment. The director did the same thing with Allen.

Her character needed to strike Allen, but the way the scene unfolded, it appeared that De Palma wanted to create a real sense of the violence of this attack. When Buckley lightly slapped Nancy Allen, De Palma pushed her to do it harder. And then many more times, at least a dozen, probably more, until Allen's ear was bruised and her face red. "He told me to do it again and again. I told him I might hurt her. 'Slap her!' he said," Buckley says. Afterward, Allen asked De Palma why she had to endure such brutality. He told her he was looking for a spontaneous response. Why not just tell me what to do, she thought to herself.

The slap was dramatically important, since it was designed for the audience's approval, an echo of what was to come. Chris is the kind of bully who is easy to hate, so having the audience feel good about her getting hit prepares them for the much grander assault at the end. The prom, like the locker room, looks like a dream. When Spacek enters the dance at the end of the movie, De Palma films her from below with decorative stars hanging in the background. From this point forward, De Palma shows why Steven Spielberg calls him the "most experimental director of our group." To give the event a fractured, poetic lift, he uses slow-motion, split-screen (which he eventually scaled back, after protesting from the studio), and a highly manipulative score that pushes the romance in loud, lilting music and then gets quieter in moments of horror. Miss Collins shares a tender moment with Carrie, telling her a story about her own prom that Buckley improvised. Though the movie was meticulously storyboarded, De Palma built in these moments of spontaneity. It's the kind of thing few horror movies make room for, but slyly fool an audience into a state of relaxation. For a few moments, it looks like everything will work out for Carrie. Tommy (William Katt), her date, charmingly convinces her to dance. De Palma films this romantic twirl in a complicated shot, putting the actors on a rotating platform and spinning the camera around in the opposite direction to create the effect of dizziness. Cohen recalls being worried. "When he said he wanted to do a 360 shot for the prom, I wanted to throw up," he says. "Too show-offy."

Every directorial decision, however, had a purpose: the world of the film shrinks down to two people losing control of their emotions, illustrating how the thrill of engaged, involved love puts you in a precarious position. De Palma is slowly setting us up, and when Tommy and Carrie win the Prom King and Queen, his camera pans from the bucket above her to the rope connecting it down to Chris holding it, ready to let it go. This is where he begins his most dramatic shift from the book. Inspired by the fight in the audience at *Dionysus in 69*, De Palma boldly shifts perspective away from Carrie and the crowd. He's building tension, but that's not all he's doing.

The clapping of teachers and students becomes silence when Chris pulls the rope and the bucket of blood falls. There's a close-up of Sue Snell anxiously noticing the disaster about to unfold. Then Miss Collins sees Sue charging the stage and thinks she wants to harm Carrie. She races to save Carrie. Here is a classic De Palma move, shifting focus away from the stage and toward the observers who both have good intentions. They both try to save the day and fail miserably. The gym teacher violently grabs Sue and drags her out of the room. The blood falls, and Carrie begins killing everyone.

Unlike in his real life, where De Palma quite enjoyed overhearing conversations in coffee shops and staring through telescopes or binoculars at strangers, his attitude toward voyeurism is much more ambivalent on film. *Carrie* encourages its audience to cheer for these killings. To emphasize the point, De Palma gives us Carrie's cracked perspective with a screen of cackling faces and her mother's warning echoing in her head: "They are all gonna laugh at you." So when kids go flying and the room becomes engulfed in flames, it relieves the tension. It's what we've been waiting for. But De Palma doesn't let the audience off the hook so easy.

In the book, King lets Miss Collins survive the bloodbath, and since she is one of the few compassionate figures in the book, this helps the reader enjoy the spectacular revenge. In a departure that is often ignored but is perhaps the best clue to the essence of the director's vision, De Palma strays from the script. Carrie, through the force of her psychic powers, sends a basketball backboard flying to the floor, chopping Miss Collins in the torso. Carrie doesn't just kill the one adult who tries to help her. It's probably the most viscerally brutal death in the movie. Miss Collins is sliced in half, the division right around her crotch. Before filming her reaction to getting sliced, De Palma's note to Buckley was simple and to the point: "Squirm like a bug on a pin."

Horror movies often give audiences license to indulge their sinful desires. That's what King intended. De Palma, however, imagines a much more ambiguous, troubling moral universe than a vigilante fantasy, one where the sympathetic outsider kills the one person who most tried to help. Miss Collins wanted to be a voyeur-hero, but came up short. So she was destroyed. After inviting the audience to identify with Carrie, De Palma confronts them with their own bloodlust. In this regard, *Carrie* is like *The Last House on the Left*. It also assaults the audience. And in so doing, De Palma reveals his own conflicted feelings about the voyeur. Even when you succeed, you fail—and get punished.

How the decision to make this key plot switch was settled on is something of a mystery. De Palma says he doesn't recall. Nor does Cohen. What everyone agrees is which of the lead characters would die was an open question for most of the shoot. Amy Irving recalls learning during filming that only one major character would live and it would be either hers, Sue Snell, or Buckley's Miss Collins. Buckley, a forceful personality, actively lobbied De Palma for her character to live. Toward the end of the shoot, De Palma, Spielberg, Buckley, and Irving were having dinner at Trader Vic's at the Beverly Wilshire Hotel. Irving, who would eventually marry Spielberg, remembers the conversations between Spielberg and De Palma as funny before becoming quite technical. "They were wisecrackers," she said. "But I also remember being terribly bored."

That evening, Buckley was pressing her case to live more forcefully than usual. "I told him, just teasing, that she lives in the book," Buckley says. "He got real annoyed." Irving says that Buckley's argument was actually at her expense. "She said that she should live because she was a more expressive actor than me," Irving recalls. Buckley denies she made that particular argument. Adding to the tension was the fact that both actresses wanted a part in *Close Encounters of the Third Kind*, to be directed by Spielberg, which would begin shooting in 1976. Buckley's debating tactic clearly didn't work, since De Palma responded by walking out of the restaurant, leaving a very awkward moment behind. Spielberg diplomatically tried to smooth things over, telling Buckley that it takes a lot to make a movie. Buckley jokes: "[De Palma] killed me probably because I annoyed him so much."

The book aimed for a kind of gothic realism, including diary entries, newspaper articles, and commission reports to give the story an element of authenticity. It also had Carrie's mother die of a heart attack. De Palma dispensed with the device and refused to entertain the notion of such a banal finish. Carrie kills her mother by sending a series of knives flying at her, in an homage to Akira Kurosawa's *Throne of Blood*. Then he finishes with a dream. As Sue Snell walks toward Carrie's grave, the hand of the title character sticks out of her grave in the final shock. Snell wakes up shaken. This scene was so effectively eerie—De Palma shot it backward to give it an uncanny look; you can even see a retreating car in the distance—that this surprise coda became an entrenched part of the horror formula. "After *Carrie*," Wes Craven says, "everyone had to have a second ending."

As *CARRIE* returns to the bird's-eye view of the opening shot right before the credits, Bernard Herrmann's shrieking violins from *Psycho* can be heard. Herrmann was going to compose the music for the movie, but he died over the holidays in 1975 right after finishing the score of *Taxi Driver*. Replacing him was Pino Donaggio, whose work De Palma admired on the thriller *Don't Look Now*. He went on to write a score with echoes of Herrmann, and even included a strategically placed Herrmann quote when Carrie rises out of the grave in the movie's coda. De Palma paid his respects to the man who taught him that he couldn't simply ape Hitchcock. Carrie wasn't the only one returning from the dead.

In *Carrie*, and the rest of his work, dreams don't seem like interruptions so much as continuations of an already surreal style. The movie is too seemingly contradictory and strange for simple realism: meticulously planned with moments of incredible comic improvisation; cruelly manipulative with emotions that run deep; a horror movie spiked with jokes. Brian De Palma said the most frightening thing in the world is a nightmare, more than life itself. *Carrie* was proof.

It was an instant hit, grossing close to $34 million domestically and earning Oscar nominations for Sissy Spacek and Piper Laurie, who played her mother. Pauline Kael, who had championed De Palma's work, praised its unusual mixture of heart and adolescent eroticism. "No one else has ever caught the thrill that teenagers get from a dirty joke and sustained it for a whole picture," she wrote. Others saw its operatic style as camp, including *The New York Times*'s Richard Eder, who called the movie "overwrought" and "inappropriately touching."

While the prom and its aftermath became iconic, the movie was too eccentric and leering to become a blockbuster like *Jaws*. The hero of that movie is an ordinary guy struggling to protect his town. Carrie is much stranger, an alluring beauty, pitiful victim, and horrifying monster. Spielberg played to the middle, while De Palma took the perspective of the outsider, but without becoming cool or disengaged. *Carrie* moved audiences even when it insulted them. De Palma had arrived. He now had clout, control, and what he wanted in the first place: the affections of a really beautiful actress.

NANCY ALLEN was as sunny and friendly as De Palma was intense and remote. She had the blond, effortlessly stunning look and wide smile of a California girl, but she was raised in New York, by a policeman, and was savvier than she looked. As one of the last actors cast in *Carrie*, she had less experience than seasoned performers like Betty Buckley and Piper Laurie, or even her young scene partner John Travolta. De Palma was looking for unknowns, and he shared casting calls with George Lucas, who was looking for actors for *Star Wars*. Very conscious of her luck in getting the part, Allen kept a low profile on the set. She said little. Closely watching De Palma, she noticed how isolated he seemed, eating sunflower seeds by himself going over a shot in his head.

"He was the first person I ever met who liked being alone," she says. The thought that he was interested in her romantically never entered her mind until John Travolta mentioned it to her. She still didn't believe it, in part because of one hostile exchange. At a pause in shooting, De Palma and several actors were sitting around a table. Allen remained quiet. He started asking her questions, and she found some off-puttingly aggressive. The break over, she started working on the scene with P. J. Soles on top of a ladder but found her concentration lost. De Palma called a break and took her aside, and she told him what she thought of his interrogation. "You are a mind-fucker," she said.

De Palma had always had a wry, ironic sense of humor, but with success, he became slightly more guarded, his gregariousness saved for certain people. He didn't talk about his parents and the affair to just anyone. And in his personal life, he seemed to many like a mysterious, reticent figure. He dated Allen for a few months after the shoot. It was a tempestuous relationship. His old Columbia friend Jared Martin suggested that for De Palma, voyeurism might be a substitute for intimacy, an observation Allen calls "astute." De Palma claimed that work made personal relationships more difficult. And yet they stayed together, on and off. In November of 1978, he surprised her with a wedding proposal out of the blue. He was estranged from his father and didn't want his family there, or a big ceremony. How does a man who hates being the center of attention get married? Another puzzle. De Palma came up with a solution.

When inviting guests, De Palma said it was a going-away party for Allen, who was moving to Los Angeles to star in Steven Spielberg's *1941*. But when the guests arrived at their Greenwich Village apartment, instead of being greeted with hugs and hellos, the door opened to a surprise. There was Brian De Palma holding a film camera pointing right at them. He said nothing and pointed to a slip of paper taped to the wall. What was this all about? Then each of the guests took a closer look. It was a marriage certificate. The names on it were Brian De Palma and Nancy Allen. A moment or two passed as it became clear that this was not a going-away party at all. It was a wedding, a very odd kind of wedding, one where the groom doubled as the photographer.

They had officially been married earlier in the day by a Unitarian minister. Allen's parents didn't know what to think about this strange trick. Their worries about their daughter getting involved with someone who made movies were confirmed, but then again, this was a very happy event. So there were shouts and congratulations and kisses all around. De Palma, for his part, looked thrilled. He studied the problem, hatched a plan, figured out the trick all by himself, and it worked to perfection. Allen recalls him as thrilled, saying, "He was pleased and delighted to be surprising everyone."

While staying behind the camera in his personal life, De Palma was pushing himself more in front of it in his movies, using his new clout to make increasingly autobiographical films. *Dressed to Kill* told the story of a remote science geek, Peter Miller (Keith Gordon), who tries to solve the murder of his romantically unhappy mother, Kate (Angie Dickinson), who is killed going out alone after her son cancels their date to work on a science project. You don't need to look hard to find De Palma's guilt about helping his mother. Critics focused on the *Psycho* references (another shower scene) and the brutal violence against women.

De Palma, who always dismissed his use of the female victim as simply a convention that works, surely invited charges of sexism by having his female characters in this movie be a bored housewife who gets killed after cheating with a random stranger, and a high-priced hooker, played by Nancy Allen. It's probably De Palma's most controversial movie because Kate is murdered after sleeping with a stranger, making it seem like a classic case of punishing the woman for having sex. But this is a case where De Palma's personal obsessions came into conflict with his pure cinema technique.

Looked at in the context of the rest of his career, Kate is just another voyeur-hero—except the person she is trying to save is herself. Her husband doesn't satisfy her. Her shrink remains cold to her. And when she sees a man at a museum, she becomes interested and does what comes naturally to De Palma characters: she watches him. Throughout these scenes, the movie takes her side. Kate is a deeply sympathetic character. She's even ignored by her son, who would rather tinker with computers than spend time with her. If anything, his decision is the one that is punished. But some critics read the movie differently. She pursued a stranger, slept with him, so she was killed.

Her wordless chase of the man in the sunglasses in the museum is rightly celebrated as a master class in suspense. It originally featured an interior monologue that explained her feelings of irritation, desire, and awkwardness. This put you in her point of view and made her pursuit less taboo than deeply human. Always looking for how to tell a story through images, De Palma cut the narration, preferring to let the camera explain what happens. Aesthetically, it's a brilliant choice—the scene remains elegantly simple even though it's incredibly complicated in terms of the multitude and variety of shots—but it also perhaps makes the director's point of view less articulate. By the time she dies, the audience might not be that invested in Kate, as a character, as much as a sex object. "If you read the script to that movie, the first part really reads like it's from her subjective point of view," Gordon says. "It's almost first-person. It's clear [De Palma] empathizes with her, that he is not hoping to punish her. But what he perhaps didn't realize is that this convention is so powerful that the audience would read it in that light."

Still, in telling a story about a young technically oriented kid who tries to save his mother through spying, De Palma was becoming more biographical in his movies at the same time that he was increasingly discreet in his private life. Before he made *Dressed to Kill*, De Palma made a highly unusual move for a director at the peak of his powers. Instead of moving further into the mainstream the way his friends did, he recruited George Lucas and Steven Spielberg to help raise the money to make a cheap independent movie as part of a class he taught on filmmaking at Sarah Lawrence. *Home Movies* cost only $400,000, but it was an attempt to escape the thriller genre. This was a comedy in an antic tone, but in a somewhat apt twist, De Palma perversely used the silly style to make his most brazenly confessional work.

"Everyone is the star of the movie of his own life," the Maestro (Kirk Douglas) tells an earnest young aspiring filmmaker, Denis Byrd (Keith Gordon, again playing the De Palma stand-in). Denis, ignored by his mother and overshadowed by his brother, and at his mother's urging, films his father having an affair with his nurse. During the shoot, Gordon at one point confided in Allen that while he liked the movie, he wondered if the spying and filming of the father was plausible. Would he really record his own father cheating? Allen thought, You have no idea, but kept that to herself.

De Palma had always made personal movies, but when he put his life on-screen with the least amount of disguise, the result was a flop. The movie had a wobbly style, an odd brand of humor, and not enough suspense for fans of *Carrie* and *Dressed to Kill*. It sat on a shelf for years, and when it opened, critics dismissed it as a minor effort and audiences hardly showed up. At that point, they had come to expect scares from De Palma and instead he gave them whimsy and quirkiness, with dark, confessional anguish lurking underneath the surface. It might be his most obscure movie of the seventies and yet, also, the most nakedly revealing. "My movie stunk. So did my life," Byrd says at one point, confused about what to do with his life. "I never did anything heroic or exciting except for spy on my father." Then it hit him: he needed to put that into a movie.

CHAPTER NINE

THE THING IN-BETWEEN

I met this six-year-old child, with this blank,
pale, emotionless face and the blackest eyes,
the devil's eyes.

Dr. Sam Loomis, Halloween

EVEN AFTER *The Exorcist*, *Jaws*, and *Carrie*, many successful directors remained uncomfortable with being pigeonholed inside the horror genre. "Never seemed like a horror film to me," Brian De Palma says about *Carrie*. "Horror films are Hammer films— vampires and Frankenstein." As for *The Exorcist*, William Friedkin rejected the label.

Critics held on to their prejudice as well. The reviews for *Jaws* were glowing, but what was telling was how few of them called *Jaws* a horror film. In the *Chicago Sun-Times*, Roger Ebert deemed it an "adventure movie," and Vincent Canby wrote in *The New York Times* that it was "at heart, the old stand-by, the science-fiction film." The week before it opened, *Time* magazine ran a cover story about the movie that in its over 3,300 words, never mentioned the word "horror." Of course, the movie had the suspense scenes, the violence, the point-of-view shots, and the *bum-bum, bum-bum* sound track, but still it didn't qualify. Pauline Kael got close to giving horror credit, calling *Jaws* a "cheerfully perverse scare picture," but fifteen years after *Psycho*, the idea that a horror movie could be respectable and artistically worthy remained a stretch.

It was becoming increasingly hard to ignore the fact that horror, the genre that long called the drive-in theater home, was the driving force behind the dramatic expansion of the reach of Hollywood. Just as opportunities for horror were opening up, the low-budget directors who pioneered the genre were looking elsewhere. Studios didn't trust them with a large budget, but many of these artists also wanted to make different kinds of movies. After getting wounded by the critical and personal attacks on his debut, *The Last House on the Left*, Wes Craven briefly swore off horror and tried working on the kinds of movies that his mother would not be embarrassed by. He wrote a naturalistic drama about a divorced father and his kids, a comedy about beauty contests, and a liberal historical drama about an attorney general court-martialed from the army for reporting American atrocities. There were no takers.

Estranged from his wife and on his own, Craven languished, crashing with friends, working intermittently, dabbling in writing jokes for a nightclub act, driving a cab, and quickly going broke. He had had a taste of success, even though it was a strange kind, and he wanted it again. The pressure increased when Peter Locke, an old friend, approached him with the idea that he should take advantage of the popularity of *The Texas Chain Saw Massacre* and *The Exorcist*.

Craven's second horror movie, *The Hills Have Eyes*, which opened in 1977, places a lost family in the middle of the desert, where they are abducted by a mutant gang of maniacs. For those who suspected that the extreme elements of *Last House* were coming from a personal place, the film provided some confirmation, or at least evidence of continuity of interest. It shared the same central themes as *The Last House on the Left*—in which the sins of the father haunted the children of dysfunctional families (the original title was "Blood Relations") and the most civilized among us have the potential for barbaric violence. And there was the same cynicism about the lies that good people tell themselves.

The movie was inspired by a story of the Sawney Bean family, a cave-dwelling Scottish clan who, legend has it, robbed, killed, and ate travelers in the seventeenth century. Craven read accounts of their exploits in the newspaper archives of the New York Public Library. *The Hills Have Eyes* also displayed his new awareness of the conventions of the horror genre. Craven borrowed a plot device from *Rosemary's Baby* (the trick of a phone call to the protagonist that looks reassuring but is actually a fake) and an aesthetic from *The Texas Chain Saw Massacre*, hiring Tobe Hooper's set designer, Robert Burns. Shot in the California desert, the movie looks even more scruffy and barren. Craven was no longer a novice. His camerawork was polished and deliberate and the style integrated with the storytelling. But inevitably, the shock of something new was gone.

By their second or third movies, directors were expanding their artistic reach, but they were also becoming more defined by the conventions of the genre, in part because they had helped create them. Craven and Romero made their first movies on instinct and passion, but now they were engaged in a much more conscious dialogue with the expectations of a horror fan. That's not to say they approached those expectations the same way. Craven, for instance, loved the grittiness and authenticity of *Chain Saw* while John Carpenter, never as interested in the realism of horror, responded to its comedy, ignored by most audiences, who were too terrified to laugh.

Carpenter, who marveled not at the reality but at the shameless artifice of the dinner scene, understood that Hooper was mixing horror and slapstick, because that was what he and Dan O'Bannon had done with *Dark Star*. He was so impressed that he contacted Hooper, told him he admired the film, and asked if he would be interested in directing a screenplay that he had first written in a few quick sittings in 1971. Called "Hillbillies from Hell," it followed a group of city girls driving out to the country. They take a detour and meet up with a family of cannibals, one of whom is a huge, unstoppable madman in a mask who chases the girls around with a knife. After a few discussions, the collaboration fell apart. "There were complications," Hooper said. "The deal didn't work. [It was] about money. I regret not doing that," Hooper said. But he didn't really understand the extent of what he missed out on until two years later in 1978, when he went to see John Carpenter's new movie, *Halloween*. As soon as the adult Michael Myers appeared on-screen, Hooper thought to himself: There he is!

HALLOWEEN IS a ruthlessly simple story of a virginal babysitter living in the fictional suburban town of Haddonfield, Illinois, running from a large man with a knife who kills off her more promiscuous friends one by one. A doctor named Sam Loomis is on his case. This is another movie about movies—or the act of watching movies. It is one thing that John Carpenter is passionate about. Carpenter, who wrote the movie with his then girlfriend Debra Hill, intended it as something of a love letter to suspense, which is apparent from his early ideas about casting. For the role of Dr. Loomis, Carpenter pursued Hammer stars Christopher Lee (who played Dracula many times) and Peter Cushing (Dr. Frankenstein). After they turned him down, he offered the part to Donald Pleasence, then a veteran performer who had appeared in Lucas's *THX 1138*. Debra Hill argued that they should cast Jamie Lee Curtis, the daughter of Janet Leigh of *Psycho* fame, as Laurie Strode, the girl pursued by the stalker on Halloween. Carpenter concurred, thinking it would generate needed publicity.

Curtis connected the movie to Hitchcock's classic—and so did the name of Pleasence's "Dr. Loomis," a reference to John Gavin's character in *Psycho*. But instead of the baby-faced killer standing out in the creepy surroundings of an empty motel, Carpenter inverts Hitchcock's conceit. *Halloween* begins with a decidedly normal, safe environment, an idyllic middle-class suburb of Illinois that looks less like the 1970s than an idealized vision of the 1950s. You see the same strange evocation of that more innocent decade in the first scene of *Night of the Living Dead*. Romero and Carpenter had different ideas about danger. But when they thought of safety, they both imagined the well-manicured lawns from the movies of their childhoods.

None of this was new. There had been movies made about movies. And there had been homages to 1950s horror. And while John Carpenter's economical shocker is often celebrated for its meticulousness, this is also slightly misleading. *Halloween* is riddled with errors, big and small. Shadows from the camera enter the screen. While set in a midwestern suburb, the palm trees in the background give away that Carpenter shot near Sunset Boulevard. Jokes fall flat. The famous point-of-view camera shot of the young version of the killer in the first scene is far too high to be from the point of view of a six-year-old.

These missteps are standard for a quickly made exploitation movie. *Halloween* is a stalker film built around the murders of teenage girls. But it is also one of the more enduring and innovative horror movies ever made. The reason can be boiled down to a few brilliant elements. First, there's the music. Carpenter paid special attention to the score, composing a piano melody himself. He says he did this because he couldn't afford a composer and an orchestra, but the stripped-down notes and propulsive, unstoppable 5/4 meter lodged in the minds of the viewer. The music in *Jaws* told you something was coming. The music in *Halloween* made it clear that it was never going away.

Then there is the bravura opening tracking shot, the most influential in the history of the horror film. It begins outside, shaking, constantly on the move, and then goes around the side of the suburban house and inside where we see a teenage boy leaving in a hurry while his girlfriend is up in her room. They have clearly just had sex. The camera takes the perspective of an unseen character. He walks up the stairs into the bedroom. Sitting there naked, the girl turns her head. It's clear from the look on her face that she knows the person she's seeing. She calls him Michael. Then from the side of the screen the killer, obscured so far, shows us his knife. At this point, Carpenter shifts the camera toward the knife so the audience can have a better look. Then he jabs it into her chest, she falls over, the synthesizer music swells, and the camera goes down the stairs and out the door just as a car arrives and two parents walk out to find a little boy in a Halloween costume holding a bloody knife.

From the point of view of film logic, it makes no sense for the young killer to look at his knife. Why would he when his focus is on the girl? The answer informs you exactly how to read this movie: Carpenter cared less about the motivation of the killer than in telling the audience where to look. The shifting point of view tells its own story. While Hooper puts the audience in the position of the innocent bystander, Carpenter makes us see through the eyes of the predator and then the victim and then back again. By showing us the knife, Carpenter reminds us that our perspective is not the same as that of the killer. The killer is after the girl. The audience cares about the knife, or at least what the knife will do to that girl. But of course, it's not so simple. Most audience members didn't notice this break in logic because they kept their eyes on the girl. It's not always easy to look away from a naked girl. Is Carpenter implicating his audience here or is he making fun of how easy it is to trick them? Stop salivating over the girl, he seems to be saying, look at the giant knife! The arm of the young Michael Myers is that of Carpenter's girlfriend and cowriter Debra Hill, a convention also found in the movies of Dario Argento, who always shot his own hands killing victims.

This scene would lead many critics to psychological theories. The movie has been attacked for using violence against women to satisfy a sadistic male fantasy. Alternatively, since Myers kills women who had sex, some critics charged that Carpenter was making a statement about the dangers of promiscuity. There is some undeniable truth in the charges. After all, they called these movies "exploitation" for a reason. Carpenter has long denied any connection between sex and violence in *Halloween*, outside of the fact that women having sex make for good victims because they are distracted. So why are women always getting chased in movies like this one? De Palma, who has fielded more of these attacks than just about any horror director, explains it this way: "There is just something about a woman and a knife." But what is that something?

Some directors argue that women read as more vulnerable on-screen, and, in a genre that depends on a huge imbalance of power between the monster and the victim, a female victim can be much more potent. There is also a long tradition of movies about women in trouble: it has become the kind of convention that formula movies rely on. Some react against them. Yet still, grappling with traditions helps manipulate the audience's expectations. And these movies have also been given feminist readings that argue that the pleasures of horror are more masochistic than sadistic, and in the case of *Halloween*, and most of its imitators, the female hero triumphs at the end.

The sex-obsessed readings of the movie miss part of the point. Carpenter did care about genre conventions but he had no interest in exploring politics in his action and horror movies—and there has never been a portrait of a serial killer less interested in psychology. And that gets to the great innovation of *Halloween*: Michael Myers himself. Since he has been imitated so often, it's easy to forget that he was actually a rather radical, even experimental character, an entirely new kind of monster.

The monster has traditionally been a stand-in for some anxiety, political, social, or cultural. But Myers doesn't reveal anything. He wears a mask, but there is nothing of importance under it. Emerging out of an idyllic suburb, Myers is evidence that evil wasn't the result of urban blight or the Vietnam War. Myers doesn't represent the cold calculus of scientific progress (see *2001*) or a religious conception of evil (*The Exorcist*).

Unlike past killers, Michael Myers didn't scamper or cower or express any human emotion. He moved as fluidly as a ghost, calmly, with no agitation. Michael Myers doesn't jump into the screen, and while he certainly attacks with a variety of knives, he is at his most threatening standing still, just looking. This is when his perspective is most unsettling. "There was a movie called *The Innocents* made in the sixties where ghosts were standing across a pond, just looking. Doing nothing but looking," Carpenter recalls. "There's something arresting about that. It stuck in my mind when making *Halloween*."

When Myers killed, it was not a crime of passion. There is no suggestion that Michael Myers kills for sexual pleasure, or any other type, for that matter. Nor does he do it out of dysfunction. Carpenter's firm belief, developed reading Lovecraft, watching *The Thing*, and in long discussions with classmates at USC, was that explaining ruins a good story. Influenced by the terror of Samuel Beckett, he wanted an empty space at the heart of the movie, where the answers usually are. The absence of meaning defined him. It wasn't that Myers didn't fit into the categories of cinematic killers with which audiences had become familiar. He didn't fit into any category. The mystery about this strange killer remained. In the credits, he was called simply "The Shape." He was not supernatural, but not human either. He was the thing in-between.

"We tried to strip out the plot devices of horror films that had come before, because they didn't matter," Carpenter said. "All you are dealing with is something that's pure evil. We strip everything down to a purity. He's not wearing anything distinguishable. It's an outfit at a gasoline station. But it could be anything. He's a blank. We stripped away the particulars, the details. I had never seen that."

What we do know about Michael Myers comes from Dr. Loomis, who seems utterly convinced that nothing will stop him. "I was told there was nothing left. No reason, no conscience, no understanding," he explains about Michael. "Even the most rudimentary sense of life or death, good or evil, right or wrong." Hovering at the corners of the frame, Myers appears and disappears suddenly, giving the audience an anxious sense that he could be anywhere. And when Laurie asks the doctor about who the killer was, Dr. Loomis does not attempt to give a religious and medical explanation. Those movies have been made. He simply tells her, "It's the bogeyman."

Of course, it is also true that Carpenter came up with this character at least in part to save money. You didn't need a great screenwriter to waste time figuring out motivation or a talented actor to work on the performance. Practically speaking, Myers was easy. But make no mistake: the character was rooted in a conceptual idea that the scariest thing in the world is something you can't understand. By emptying out all the details from the character, Carpenter solved the Monster Problem. But it took him a while to figure out how. Michael Myers was the result of a lifetime of experimenting with monsters.

THE THING FROM ANOTHER WORLD was one of Carpenter's favorite movies—and there is a direct reference to it in *Halloween* when we see Laurie Strode watching the movie on television. The Howard Hawks movie was based on a short story by John W. Campbell. Campbell was an influential science-fiction writer who edited the fantasy magazine *Astounding* in the early twentieth century, nurturing the careers of writers like Arthur C. Clarke, Isaac Asimov, and others who believed that fantasy fiction should be rooted in real science.

The Thing told the story of an air force crew dispatched to Alaska, where there were rumors of a crash nearby. Inside the ship, they discover a flying saucer with a creature frozen in ice that looks like a human and survives on blood. This low-budget picture became an unexpected hit in 1951, helping launch the monster movie craze of the decade. Romero has said that it was the first movie that really scared him. Dan O'Bannon said he never forgot seeing *The Thing from Another World* for the first time at one of the two theaters in his town when he was only five years old. It had an even bigger impact on Carpenter, who adored the monster and the music. It was one of the first science-fiction movies to use the theremin and had a major influence on the scores of his own movies.

Loving *The Thing* sent Carpenter back to the original novella, a much purer expression of fantasy fiction, darker, paranoid, and gruesome. The monster in the original story assumes the shape, memories, and personality of any person it devours. When they were together at USC, O'Bannon and Carpenter talked about this shape-shifting alien. They would solve the Monster Problem by never showing the audience exactly what it wants to see. The transformations preserve an element of anxiety, increased by the ambiguity about who exactly is to be trusted. When everyone might be an alien, no one can be trusted. That worked.

After graduating from film school, Carpenter worked on a series of screenplays attempting to achieve similar results. Some of them were turned into movies, others shelved, but most of them since *Dark Star* had struggled with the Monster Problem. In a script originally titled "Eyes," which was eventually changed to *The Eyes of Laura Mars* when it was released in 1978, Carpenter imagined a woman who had a psychic experience that gave her the ability to see through the eyes of a serial killer she doesn't know. This allowed the movie to be told through the eyes of the maniac, giving Carpenter an excuse to make the audience see the acts of murder but not the person committing them. After accessing this power, which first seems like a mental breakdown, the woman has no idea whose body she is seeing through. To stop these horrible visions, she contacts a detective who helps track down this man. But the killer also seems to know he's being followed and is on her trail, creating a double chase that leads to a climactic scene in which the woman sees herself being assaulted as it happens.

After Carpenter showed the script to Jack Harris, Harris gave it to the producer Jon Peters, who loved it, proposing it as a vehicle for his then girlfriend Barbra Streisand. He gave Carpenter $20,000 to adapt and direct, with the instruction to tailor the script to the talents of Streisand. That meant setting the film in New York and adding the backdrop of the fashion industry. Manhattan was alien to Carpenter, so he needed to bone up, studying the plays of the fashionable dramatist Neil Simon to get a handle on the right urban sensibility. It was an odd match, and the script he came up with was not perfect. After getting some feedback, he reworked it and brought it to the studio. This began an excruciating process of death by a thousand cuts, and while many of the changes were superficial, the major one was that Carpenter was told that the star needed to have a relationship with the killer.

He couldn't be an unknown. There had to be motivation, psychological depth, a real character. "In Hollywood, there's an old saying: 'The better the villain, the better the movie!'" Carpenter has said. "That's not necessarily the case in the sense of what's scary. What's scary is something that's random, that's unknown. The unknown killer that walks up to you for no reason is utterly terrifying because you are defenseless."

Carpenter despaired. It showed in his work, and he was replaced. Streisand backed out of the project, and Faye Dunaway eventually starred. But what Carpenter took from this experience was that keeping control of the final cut was essential. He knew that would only happen outside the studio system. It was not easy to get films finished independently either. So he kept working as a screenwriter, in the process meeting new directors throughout the seventies who gave him ideas. One of the most important influences was the director Bob Clark.

In the early seventies, Clark had made several horror movies in Canada, including *Children Shouldn't Play with Dead Things*, a spoof of zombie movies, and *Dead of Night*, an excellent piece of antiwar agit-prop. But his most notable effort was *Black Christmas*, the first horror movie to truly capitalize on the use of a holiday in the title. It began with a point-of-view shot at night from the killer outside of a peaceful house. *Foster's Release* had such a shot from the window of the side of the house. But this was straight on. Fairly new for its time was the casual sexuality and coarseness of the female characters in *Black Christmas*. As played by a spunky Margot Kidder and Olivia Hussey, these teenagers were sexual, funny, sometimes vulgar, the prototypes for the friends of Laurie Strode in *Halloween*. Hussey's character becomes pregnant and decides to have an abortion. Her boyfriend, who wants her to have the child, is a suspect. Of course, the sorority setting allows for male audiences to enjoy the voyeurism of the film, but it's not too much of a stretch to conclude that the director's interest is not merely exploitation. "One of my main objectives was to show how sexual girls are, how often they used the f-word, because people simply hadn't done it yet, they were still doing *Beach Blanket Bikini*," Clark said in an interview with *Fangoria*.

Just like in *Foster's Release* and Bava's *Black Sabbath*, Clark organized several suspense scenes around crank calls and a buzzing telephone, an idea copied at the end of the seventies in the Carol Kane hit *When a Stranger Calls*. What really made *Black Christmas* stand out was the killer, who, despite all expectations to the contrary, the audience never actually sees—except for one shot of his eyes peeking out of the crack in the door to the attic. We know he's up there and that he occasionally comes downstairs to butcher people, but we never know when.

The movie ends with his identity still unclear. Carpenter liked *Black Christmas* and he recommended that Warner Brothers hire Clark to direct his script "Prey," about a killer from Tennessee. Carpenter and Clark scouted out locations, and even started casting before the project collapsed. In the process of working on the script, Carpenter asked Clark if he ever thought of making a sequel to *Black Christmas*. Clark said no. Carpenter pressed him about the possibility, and Clark, as he said in a few interviews before he died in a car crash in 2007, explained an idea that had occurred to him. "Later on, it turned out the killer had been caught and he had been institutionalized and he escapes," Clark told him. "It's Halloween, and he comes back to the sorority. I was going to call it *Halloween*."

In *The Exorcist* and *The Texas Chain Saw Massacre*, two artists challenged each other and developed a movie through struggle and compromise. *Halloween* was a different kind of collaboration. Carpenter had been sponging up ideas throughout the decade. When he got the chance, he picked the best ones and had very little interference since he was the director, cowriter, and music composer.

Carpenter denies that he borrowed from *Black Christmas*, but he does concede that the project was not his idea. It was the brainchild of Irwin Yablans, a distributor who worked with Carpenter to produce *Assault on Precinct 13*. Yablans had quit his marketing job at Paramount a few years earlier, after his brother Frank climbed the company's career ladder—all the way to president, releasing such movies as *Chinatown* and *The Godfather*. Irwin envied his brother's success and was looking for his own movie. He wanted to be a player, too. When boarding a transatlantic flight, he was thinking about ideas for horror. He had recently seen *The Exorcist* and wanted to make a similarly suspenseful picture. As soon as he got off the plane in Los Angeles, he called Carpenter and told him what he had in mind: a scary movie, about a babysitter in peril, that takes place on Halloween. Carpenter cut him off. "Don't tell me any more," he said. "I know exactly what to do."

HALLOWEEN MAY have taken a lifetime to dream up, but it was shot in four weeks. Since he had Donald Pleasence for only a short period of time, Carpenter filmed the movie out of sequence and gave Jamie Lee Curtis a "fear meter" to let her know the level of terror for each scene. Nick Castle, Carpenter's old colleague on *The Resurrection of Broncho Billy* and *Dark Star*, played Michael Myers and improvised a tilt of the head after killing one of his victims, almost as if he was amused and mystified by the death. Carpenter insisted on simplicity: "Just walk. Don't lurch. Don't be a monster," he told Castle. "Just walk. I wanted to simplify things so you read into what's there."

At the end of the film, Laurie escapes and Dr. Loomis shoots Michael Myers six times until he falls out of the window onto the grass below. When the doctor looks outside, Myers is gone. Carpenter turns to a reaction shot, and instead of a shocked look, Pleasence's face barely changes, as if he knew all along that this man would never be there. Then the movie ends on a series of eerie shots of empty spaces, quiet exteriors, and shadowy rooms while the famously propulsive, unstoppable synthesizer beats quickly ahead, repeating itself over and over again. We are left with nothing. Michael Myers is nowhere and yet he seems everywhere at the same time.

Yablans invited all the major studios to see the film, but none of them showed up for the press screening. Before its domestic release in October of 1978, Yablans, working the connections he had made through his years at Paramount, took the movie to Milan, where the reaction was strong. He made over $800,000 in foreign sales, which allowed him to more effectively promote the movie, with a carefully planned rollout starting in Kansas City, far away from the media on the coasts. It moved to Chicago, where it sold out four drive-in theaters, and then throughout the Midwest.

Some of the early reviews of *Halloween* described just another "woman in trouble" horror film. In a glib review in *The New Yorker*, Pauline Kael wrote that the movie lacked rhythm and "may satisfy in a childish way that more sophisticated horror films do not." But it didn't take long for mainstream critics to catch on that this was a uniquely frightening movie made by a director in love with his craft. Roger Ebert singled it out on his popular television show *At the Movies*, arguing that it proved that horror films did not have to be immoral and crass.

A turning point was a rave review by Tom Allen of *The Village Voice* that called it "an instant schlock horror classic," putting it alongside *Psycho* and *Night of the Living Dead*. Allen also was insightful enough to distinguish that Carpenter, working with warm colors and sleek tracking shots, was breaking away from the "realistic school" of horror. Almost a decade after he talked with Dan O'Bannon about making fantasy movies when social drama was in vogue, Carpenter had made a new scary movie for a mass audience. It was the beginning of an artistic trend, and the end of a business model.

Halloween took most people in Hollywood completely by surprise. Most crossover horror movies were based on bestselling books. The classic movies (*Frankenstein*, *Dracula*) as well as the popular new ones (*The Exorcist*, *Rosemary's Baby*, *Carrie*) had a literary pedigree that gave the audience the excuse that the cheap thrills were somewhat respectable. But this one was slapped together. There was no popular title or famous actor or star to exploit. There was just a great title and word of mouth. *Halloween* was actually the result of years of hard thinking about monsters, but its real accomplishment is how Carpenter made it seem as if all you needed to make a great horror movie was a girl, a big killer, and a knife. He made it look so easy. The studios saw that a movie made for next to nothing could bring in almost $100 million in box office. They wanted in. The exploitation horror movie would never be the same. *Halloween* proved that cheap horror could be big business. Yablans saw a change was coming, and explained it to a meeting of local distributors.

"They congratulated me, but I told them: Fellas, it's over," Yablans said. "When the studios see how much money you can make with this kind of film, they are going to want to get in on the action and then you will be finished, and that's what happened."

One of the first people to see the potential for exploitation was Sean Cunningham, who had not produced a hit since *The Last House on the Left*. After seeing the movie, he immediately called his friend the screenwriter Victor Miller. They had been struggling to come up with an idea for a crossover hit. They had written a family-friendly movie about a bunch of orphans who start a soccer team, a knockoff of *The Bad News Bears*. No one cared. Money was running out. Miller had donated blood to earn some cash to feed his family. He was sitting in his home in Stratford, Connecticut, when Cunningham called to tell him that he had an idea that would change his life. "*Halloween* is making a lot of money," Cunningham said. "Why don't we rip it off?"

CHAPTER TEN

STOMACHING IT

I can't lie to you about your chances, but you
have my sympathies.

Ash, Alien

AT USC's FILM SCHOOL, John Carpenter may have been most likely to succeed, but Dan O'Bannon was the resident genius. A mad, gloomy, dysfunctional genius, to be sure, but still, it was widely agreed by their classmates that his imagination simply worked faster than everyone else's. He knew this, too, and that was part of why his series of failures during the decade when fantasy films went mainstream frustrated him.

Dark Star, the movie he hoped would launch his career, closed soon after it opened. After a year away in Paris, *Dune* collapsed and he returned to Los Angeles to find that his old girlfriend Diane, then dating a doctoral candidate at USC, was no longer responding to his advances. That stung. "We weren't exactly on good terms," Diane explains, spelling out his attitude: "'Okay, I'm back now. Drop everything.' I don't think so."

Then he started to notice how Carpenter was being celebrated as a hot up-and-coming director even before *Halloween* opened. That burned. "Carpenter would call me up and got a big boost over rubbing it in my face that he threw me overboard and he was doing just fine," O'Bannon says. "It was sheer cruelty."

But what really made Dan O'Bannon miserable was not jealousy or resentment or disappointment, but rather the awful, wrenching pain right below his navel where he could sense something terrible was stirring. O'Bannon's stomach had become a source of suffering that took up much of his attention. At first he thought it was a passing illness. Then a doctor convinced him it was appendicitis. But surgery didn't stop the pain. It wasn't diagnosed correctly as Crohn's disease until 1980, but for years the incurable condition disrupted the normal process of digestion, inflaming his bowels, shortening his gut, cutting off the transit of food through his body.

The simple act of eating terrified him, and a trip to the bathroom meant potentially hours of arduous and humiliating pain. The digestion process felt like something bubbling inside of him struggling to get out. This made O'Bannon very nervous about travel or even being far away from a bathroom. Stress made it worse. He thought about his stomach all the time. He kept his disease quiet and worried privately to friends that it would ruin his career. What he didn't realize back then was that this lifelong struggle would actually be the inspiration for his greatest idea.

WHILE WAITING for *Dark Star* to be released, O'Bannon and Carpenter conceived of a script inspired by *The Thing from Another World*, about predatory, shape-shifting alien insects found in an archaeological dig. When their working relationship broke up, Carpenter agreed to give O'Bannon the idea. O'Bannon wrote the original script for "Star Beast," later renamed *Alien*, with his writing partner Ronald Shusett, who had invited him to sleep on his couch after returning from Paris. Shusett had been thinking about another idea for a film about a B-17 bomber over Tokyo that gets sidetracked, and part of that plot found its way into the script. O'Bannon imagined it as a $500,000 monster movie. He tried to sell it to studios, but was told it would be too difficult to pull off because of the limitations of special effects. So O'Bannon simplified the creature. Instead of bizarrely shaped arachnids, he envisioned one human-shaped monster that could fit in a cheap rubber suit. In its original conception, it's a step backward to the monster movies of his youth. But as is true with *Targets*, *The Texas Chain Saw Massacre*, and so many of the movies of this era, the directors started with the past and then introduced a dialogue with the future.

The story shared the outer space exploration plot with the fifties science-fiction drive-in hit *It: The Terror from the Beyond*, and also resembled Mario Bava's *Planet of the Vampires*. "I don't steal from anybody," O'Bannon would often say. "I steal from everybody." In any event, *Alien* followed a crew of male astronauts returning to Earth who are sidetracked by a message from a remote planet. It begins with mundane chatter among ordinary working-class types. This was in outer space, but it could have been at a truck stop. In the style of a film student well versed in Isaac Asimov, the dialogue works against the glamorous adventure slogans. "Time and space don't mean anything out here," said one member of the crew in the original screenplay. "We are living in one of Einstein's equations."

After hearing reports that there may be an alien life form on a nearby planet, three members of a team stop and land to investigate. They find an ancient-looking, abandoned spacecraft. After walking through its corridors, they find a room of egglike shells, and a spidery beast leaps out of one and grabs on to the face of an astronaut. Building on O'Bannon's idea of an insect monster from *They Bite*, Shusett imagined that the creature would operate like a wasp that latches on to a spider and uses it as a host to plant an egg. But the life cycle is accelerated, allowing for the monster to change shape after it enters the ship. O'Bannon mulled over this idea when he went to sleep and woke up in the middle of the night. He walked over to Shusett's bedroom and proposed what would become the most shattering horror scene since a bewigged Norman Bates pulled open the shower curtain. "The monster," O'Bannon told his friend, "bursts out of his stomach."

O'Bannon went on to explain that the alien not only lays its egg inside the man, but grows inside and emerges as a baby, splattering flesh and blood everywhere. The idea of an alien violently bursting out of a stomach was of course very personal for O'Bannon; that's what his sickness felt like. He could also see that this would be a potent metaphor for childbirth. Increased access to birth control pills and the rise of abortion as a political issue in the seventies made reproduction a source of much paranoia.

Rosemary's Baby popularized the pregnancy horror films, but that movie remained fairly psychological and distant from the gruesome possibilities of giving birth. Director David Cronenberg led a more visceral approach to the horror of reproduction in movies such as *Rabid*, *Shivers*, and *The Brood*. His movies focused on the physical aspects of mortality, showing gooey, off-putting images that inspired disgust. Cronenberg shared a similar background with Wes Craven. Born around the same time in the late thirties in towns far away from Hollywood—Cronenberg hails from Toronto and made his movies there—they were both cerebral writers who watched their fathers die early and dabbled in academia before striking out to make angry horror. They respected the genre as a serious art form and felt it needed to move away from escapist silliness. Cronenberg described his strategy by saying George Romero plays on anxieties of childhood, while he investigates the anxieties of adults. He called his movies "films of confrontation."

Craven's inspiration stemmed from his religious upbringing. Cronenberg rooted his movies in a rational view of the world. As outrageous as his plots were—filled with viruses and psychic powers and twin gynecologists—they were based in science, or at least a twisted version of it. Cronenberg and William Peter Blatty both believed that the supernatural in horror opens up the possibility of a belief in God, but

Cronenberg is an atheist. "To me an act of murder is the act of total destruction, it's absolute," he said in an interview. "There's no comeback, there's no going to heaven, that's it."

He uses his lack of faith as a justification for not making light of death. In his films, there is always the looming threat of complete annihilation, manifesting itself in the decay of the human body. His movies moved the heart of horror from the limits of the mind to the decline of the body, and they were working on some of the same nerves that O'Bannon did with *Alien*. Cronenberg's masterwork, *The Brood*, a revenge fantasy begging for Freudian analysis, released the same year as *Alien*, turned the sentiment that children are the product of love upside down. In an institute run by a mad scientist, a mother channels her rage to give birth to killer children to take revenge on her enemies. In one spectacularly sickening scene, a bloody, disgusting baby emerges from an egg attached to her body. She picks him up and licks the blood off of him.

In 1973, Larry Cohen imagined a killing spree taking place inside a birthing room in *It's Alive*, a monster movie with music by Bernard Herrmann about a father who wants his wife to get an abortion but instead she goes through with having the baby—to disastrous results. Early on, right after the delivery, the hospital room is a crime scene, dead nurses and doctors everywhere. The baby attacked. Cohen, a New York–based director, said he got the idea for the movie from watching a child's tantrum. "I'd never seen anything so violent in my entire life," he says. "Pure id."

The most surreal parenting nightmare of the decade was surely *Eraserhead*. David Lynch's debut is far too bizarre to fit neatly into any genre. After an eerie prologue riffing off of *2001*, the movie shrinks to a human scale inside a dingy, poorly lit room where the roar of a radiator and the mewling cry of a baby haunt two fragile new parents lying apart on a squeaky metal bed. This is not a normal premature baby, more like a mix between a watery dumpling and a swaddled little calf stripped of its flesh. The kid is sickly, vomiting pools of blood. The parents try to love it, but its unceasing cries and slithery skin disgust the father, who dreams its grotesque head replaces his in a disturbing sequence. Lynch apparently was inspired by the fears of being a new father, but also, like Cronenberg, he centers his horror on repulsion of the body.

O'Bannon loved that stuff. If you couldn't scare an audience, the next best thing, he thought, was to disgust them. As a teenager, he loved practical jokes, the grosser the better. Once he tried to impress a young woman at a party by surprising her when she came out of the bathroom. He grabbed his stomach, looked ill, and pointed at a pile of rubber vomit. This seduction strategy didn't work, but in the first kill of *Alien*, you might say that O'Bannon tried again, with better results.

As soon as he knew how the monster would emerge, O'Bannon thought the victim should be a man. He wanted to take the convention followed by Carpenter and break it. "Having the victim in a horror film always be a woman was a cheap shot," O'Bannon said. "I always imagine the director jerking off, 'Oh, I can't wait to see that woman get chopped to pieces.' No, I want to see a *man* get it because I knew it would make the men uneasy."

Alien features a strong female protagonist, but that was not how O'Bannon originally imagined the part. It began as a movie about a group of guys. Horror in the seventies was already filled with women taking revenge on their attackers. After *The Last House on the Left*, an entire genre called "rape-revenge" movies told stories of empowered women fighting back, the most controversial example being *I Spit on Your Grave*, a ferocious portrait of a New Yorker who is raped in the country and then spends the rest of the movie seeking vengeance against her attackers. Roger Ebert called it "one of the most depressing experiences of my life." The movie also has its defenders, who claim that the graphic rape displays evidence of a feminist impulse willing to show the real ugliness of sexual violence. *Alien*, as it was originally planned, avoided the woman in distress, pointedly.

O'Bannon was not interested in the sadism of identifying with the man chasing the woman or the fantasy of getting even, so much as he was looking for the best way to assault his audience, who, he expected, would be mostly young men. He figured that making the alien burst out of the man added a new Lovecraftian horror to an old anxiety. Childbirth may terrify some women, but after going through it once, it becomes less mysterious and potentially less daunting. To men, the suffering of childbirth is, by its very nature, alien. It's unknown in a way that even Michael Myers is not. O'Bannon imagined the men in the audience looking at their own stomachs, wondering what was going on inside.

O'Bannon's second crucial decision was taking the leap of faith to pick H. R. Giger to design the creature. Giger had never worked in Hollywood. He hardly spoke English. His sexually grotesque paintings, melding the look of cold industrial machines with vulnerable human flesh, looked nothing like any other movie monster. That O'Bannon fought for the creator of such obscene and off-putting art was a direct result of his background. Unlike the rest of the great horror directors of the day, O'Bannon originally wanted to be a visual artist. He went to art school, and his understanding of design not only informed his aesthetic of horror but added up to a philosophy of fear that he described this way:

> In certain types of horror movies, you find yourself contemplating a spooky old castle or a piece of dramatic landscape. What's going on there? Why do we need to be scared to appreciate scenery? Fear is like salt—you know. Salt opens up your taste buds so meat tastes meatier. Fear sensitizes you so you become very alert. This is true on a basic instinctual level. Animals who feel secure and happy are dopey and relaxed. But as soon as the animal senses he is under threat, he becomes alert. Fear makes you much more alert to what happens in front of you. That makes your enjoyment of scenery more intense.

By the late seventies, the aesthetic of most horror movies was marked by ragged and chaotic clutter, the dirt and grime of a madhouse mixed with a dive bar. Craven proved that this rough design could be employed to bolster the authenticity of a scene. Hooper learned from that and added gothic elements, decorating the dinner table with animal skin and flesh and skeletal remains. On the opposite side of the spectrum was the work of Polanski and Carpenter, who preferred clean lines and empty spaces with plenty of room for scary things to jump into the picture. O'Bannon liked how Giger mixed styles, blending dark high-tech with a more flamboyantly fantastical design. He understood the horror of the in-between.

In the middle of writing the script, O'Bannon called Giger and had a thirty-minute conversation in which he slowly explained in overly articulated English the general outlines of the movie. He sent a package the next week that included a check for $1,000, some sketches by Ron Cobb and O'Bannon, and a list of elements to be designed (in English and German). What was clear from his early descriptions of the movie was that O'Bannon from the beginning had a very specific vision that featured mythic, primal scares. He described the temple where the ship held the alien egg as "ancient, primitive and cruel," and the spore-pods arranged around an "altar." O'Bannon told Giger he wanted to see the alien in three different forms, at various stages of growth.

The first emerged out of the egg as a "small, octopoidal creature," as O'Bannon described it in the letter to Giger, and he sent along a very crude drawing of a round egg with a small shape popping off the top. O'Bannon says the least about the second, the one that busts out of the body. And the third, the full-grown beast, is simply called a "profane abomination." The producers suggested an oversized, deformed baby. O'Bannon wrote Giger to tell him about that idea, but added that the Swiss artist should feel free to follow his own inspiration. O'Bannon understood that he couldn't just have the usual monster for this movie. Since the idea of a shape-shifting creature had been downsized to a man in a costume, O'Bannon knew that the monster, more than any other part of this movie, needed to stand out, to horrify, to be a work of innovation.

With that freedom, Giger designed something that had not appeared in a movie before. The slithery, metallic-colored beast flashes mouths of teeth inside other mouths of teeth jutting out of a sharp, protruding skull resting on a grotesque body filled with vaginal crevices and lines of ribs. It was obscene and impossible to classify. It looked crustacean and reptilian, human and machine, a cross between a dinosaur and a snail. In the spirit of a monster from Lovecraft, it had elements of everything but the whole seemed completely original.

After getting the artists on board, O'Bannon, with the help of Shusett, finished the script and sent it to Roger Corman. The producer made what was for him a generous offer: $750,000. O'Bannon was thrilled. But Shusett argued that they should shop the movie around. *Star Wars*, the summer blockbuster of 1977, had just opened. It shifted the interest of fans from horror to science fiction, and the fact that Corman offered to buy it so quickly made him think that others would, too. Shusett was right. At 20th Century Fox, Alan Ladd Jr., who green-lit *Star Wars*, was looking for another space epic.

Ladd hired a trio of seasoned filmmakers—David Giler, Gordon Carroll, and Walter Hill—to come up with a darker science-fiction story, one that married spaceships with the ominous terror of horror. Carroll, twenty years older than his partners and friends, was the canny producer with an eye on the balance sheet, while Giler and Hill brought enthusiasm and a certain buzz. Giler was a comic television writer transitioning into film. Hill was more accomplished, with exciting, hard-edged screenplays of movies such as *The Getaway* and *The Drowning Pool* already to his name. Known as a crafter of economical stories with tough-guy dialogue, Hill believed in men of action and he shared John Carpenter's interest in keeping character mysterious.

"Look at the western," explains Hill. "A guy comes into town, a stranger, seems to have a purpose. He is incredibly interesting. As soon as you understand his purpose, he becomes vastly less interesting. By the end of the film, he's bland, a nice man."

Hill and Giler sold themselves to Fox as writers who could give a script some punch and get rid of all the filler. They had their chance to deliver when Mark Haggard, a USC friend of O'Bannon's, paid Hill a visit in his office at Fox to hand him the script for *Alien* and ask him to direct. Hill had never heard of these novice screenwriters. They had no agents or lawyers. But he was looking for a science-fiction story so he took it home and, on a hot day, with Jimmy Carter drawling his speech at the 1976 Democratic convention in the background, he got a quarter through the script before calling Giler. He told him it was terrible but there was a great scene where an alien incubated in a person and then exploded out. That, he thought, was truly unique.

Hill revered Howard Hawks and subscribed to one of his principles: "Have three good scenes and the rest of the time don't offend anyone." That one scene was worth building upon. Giler mocked the errors in logic. If the alien's blood was made of acid, then why didn't it burn through his flesh? His father was a screenwriter and knew how Hollywood looked down at science fiction. "I remember Giler saying, 'It's the science-fiction writers, the studio executives don't want to go to dinner with these loony guys from Topanga or whatever,'" Hill says. "They want to go to dinner with Billy Wilder."

Giler and Hill knew how to talk to studio executives, and Hill made the argument to the president of 20th Century Fox, Alan Ladd, that if they dressed up this B-movie material with A-movie production values they could fool the audience. "This was a cruder story than *Planet of the Apes* or *Fantastic Voyage*," Hill says. "This was B-movie by its nature. You had to make it better. We could do that. That was our deal, we made things better." The blockbuster success of *Star Wars*, another Fox production, surely helped their case. The studio made an offer, with one caveat. *Alien* needed to be bigger, more than $10 million. Just as when Robert Evans argued that for *Rosemary's Baby* to be taken seriously it could not look like a William Castle production, Ladd decided that even though this was Roger Corman material, it could not look like that. It had to be a blockbuster.

No one could believe how fast the tiny monster movie—a man in a rubber suit!—transformed into a $10 million event. For O'Bannon, selling his script was not just good for his career; it was essential for his health. The year 1977 had been a terrible one for his stomach ailment, sending him in and out of the hospital. The studio gave him a screenwriter credit and he negotiated for a say in the look of the film, immediately bringing on his old coworkers from *Dune*: Chris Foss, Jean Giraud, and Ron Cobb. Still, a pessimist at heart, O'Bannon was sure that his good fortune could not be for real. They were going to change the script, kick him off the set, and attempt to prevent him from using Giger's designs. He was right about almost everything. It didn't take long for executives to get nervous—and they had good reason. The movie had no real stars, it had unproven writers, and Giger's designs were not exactly family-friendly. How were parents who took their kids to *Star Wars* going to embrace a monster with a head that looked like a black penis? "Alan Ladd thought his stuff was too sexual and disgusting and no one would see it," Shusett said. "We kept making the case and they told us to shut up about it until we stopped."

Fox also had a director problem. Hill turned down the job eventually when he realized that it was going to mean dealing with lots of special effects. "That stuff always bored me," he said. Several other directors turned Fox down. Eventually a newcomer named Ridley Scott took the job. He was known for a sharp visual sense as a talented stager of commercials, but was unproven. He had made an art film called *The Duelists*, a melodrama set during the Napoleonic wars that gained notice for its elegantly flashy aesthetic. He took the job and the lobbying began. "Dan took me aside, like he was showing me a dirty book," Scott recalled. "It was Giger's book. My eyeballs nearly fell out." Scott promised to make the case to the studio.

That Ladd would be convinced by the enthusiasm of a relatively inexperienced director sounds dubious. But that's what Ladd says too. Shusett has a different story, saying Ladd told him what happened while riding in a car to the premiere. In this version, the studio, having trouble finding a director, was losing interest fast until Steven Spielberg, one of the many directors who got sent the script, read *Alien*. He liked it so much that he called Ladd to tell him that he couldn't make the film due to conflicts with his schedule (he was making *Close Encounters of the Third Kind*) but that Ladd had to make the movie right away. "He told him it would be huge," Shusett says. "He had a huge hit with *Jaws*. So Ladd made the movie."

Dan O'Bannon's vision for *Alien* was, in a way, to re-create the process of *Dune* on a bigger scale with a room full of great artists trading ideas. The plan was for Ron Cobb to design the spaceships as high-tech contraptions, using the latest in cutting-edge science. This would be like the space travel in *Dark Star*, except with a budget that didn't have to use egg cartons for set design. Cobb imagined the surfaces of the cramped ship as dirty, industrial, and rusted. This spaceship would look as glamorous as a high-school locker room.

Giger's alien's head had the hard shell of the hood of a truck, and its spidery legs and fleshy skin made an odd match. The phallic protrusions and vaginal crevices brought to mind a collection of sexual parts mass-produced in a factory from the late nineteenth century. It breathed and drooled and squirmed. It was a vulnerable thing. Cut it and it bled— only the liquid that spilled out was acid that could destroy just about anything.

Most horror movies concentrate on the dead eyes of the killer. Think of the close-ups through Leatherface's mask or the glassy stare of the sniper from *Targets*. The monster in *Alien*, however, has no eyes, and yet it has no trouble seeing, just the kind of discrepancy that a designer interested in science would grapple with and Giger didn't bother worrying much about.

O'Bannon encouraged this clash of styles between Giger and Cobb, but since working on *Dark Star*, he was more comfortable with the notion that the surreal could benefit from realistic science. His spaceships in *Dark Star* and *Star Wars* were full of buttons and gadgets and hard geometric shapes. He loved Giger's otherworldly designs, but even he occasionally worried about the science of them.

Giger was not interested in elegant triangles, ovals, or squares, preferring squishy monsters with curved tails and watery eyes and tender skin. As he became more comfortable on set—he helped build the creatures himself—he also started expanding his influence. Giger drew a sketch of the derelict ship that was emptied out by the monster. This was not his responsibility—Cobb had already made a sleek design. But in a flurry of early-morning activity, Giger had an idea, and he drew a curved horseshoe of a shuttle with phallic horns jutting out that blended in with the eerie mountainous landscape. This new ship integrated into the landscape, making the design appear fully formed rather than cobbled together. O'Bannon complained that it wasn't technical enough. It looked too much like the world around it as opposed to a piece of scientific innovation.

Ridley Scott made the case for the design, but later a producer told Giger to make a new one. It blended too much into the landscape. It was a short-lived victory for O'Bannon, whose influence waned as he became embroiled in a variety of petty disputes with Scott and the producers. Trouble started in the weeks before the shoot, which took place in London. Walter Hill thought that O'Bannon's script needed trimming. He didn't like the smarty-pants grad-student dialogue—his taste ran more toward Hemingway—and he cut it out. He also changed the names of the characters and turned the protagonist into a woman. Scott was fine with these changes, but he asked O'Bannon to take another look. "So I went through and repaired some of the damage," O'Bannon says, "but because I had been ordered not to go back to the original, some of the best moments were lost. It was a sad degrading of my screenplay. I was convinced the picture was ruined."

O'Bannon made his unhappiness known, which rubbed Hill the wrong way. "I always thought Dan and Shusett were unsophisticated guys," Hill said, chuckling with more than a note of condescension. "They didn't understand how the movies worked. I remember Ron telling me about coffee enemas once, that it would clean out your system. You know: science-fiction writers!"

O'Bannon hung around the set, poking into everyone's business and occasionally giving orders. The direction seemed misguided. He imagined a fast-paced comic book style, but Scott established a leisurely, atmospheric pace. O'Bannon worried about boring the audience. He even earned the ire of Scott, yelling "Too slow!" after watching a daily. Scott took him aside and said that such criticism would be more helpful in private.

O'Bannon made suggestions, offered criticisms (the X-rays of the alien should be in black and white, he insisted), none of which earned him goodwill, but neither did it get him kicked off the film—that is, until he thought his typewriter was stolen. O'Bannon dictated all his ideas to a secretary who typed them out, but when he entered his office and found it missing, he stormed into a meeting attended by Scott and the producers and found the machine right there. His temper exploded. Scott told him to calm down, that they had borrowed it, but O'Bannon, who had difficulty settling down once he got into a fury, raged on. He was kicked off the film within days and was back in the United States. Far away from the set, he considered the worst. They would ruin his movie and take the credit. His stomach ached.

Before he returned home, O'Bannon did contribute his last crucial idea, a piece of advice. Scott was no expert in horror and was fairly indifferent to the intense low-budget exploitation movies of the era. O'Bannon thought it was important that *Alien* not be merely a science-fiction mood piece. It had to deliver shock value as well, in a way that the monster movies of his childhood did. "I was concerned that Ridley didn't understand the horror genre. It was important to bring him up to speed," he said. So before shooting the first kill, O'Bannon set up a screening for Scott to watch *The Texas Chain Saw Massacre*. "I told him you are not going to like this film but just see it," O'Bannon says. "It was important because that showed him what he had to do. This couldn't be a discreet thing."

Scott saw *Chain Saw* in a small screening room at 20th Century Fox. Early on, Walter Hill walked in and asked what he was looking at. The producer had a Coke and a hamburger. They watched together right until the end. When the credits rolled, the food had not been touched. Scott was ready to shoot the big scene.

Unlike most terrifying horror sequences, the entrance of the alien, shot with five cameras, was bathed in bright light. Scott wanted you to see this abominable creature clearly, and it was a sign of the confidence he had in Giger that the design would hold its own without elaborate tricks and shadows. At first, the frame, gliding around a tight, white-walled room, focuses more on the onlookers than on the victim struggling on his back on a table. We see their shocked faces. The perspective reproduces the position of the innocent bystander, and lingers on the faces of the crew when the alien emerges, the helplessness on their faces magnified by the fact that none of the actors (save John Hurt, out of whose stomach the alien emerges) knew what was going to happen in the scene. The surprised expressions were actually genuine.

When the alien bursts out, something strange happens; the camera stops. The bright lighting does not darken. The audience gets a straight-on look at the monster. It is grotesque: bloody, slippery, and obscene. Once it appears, the monster looms in the center of the frame, while the crew freezes, gaping at this bizarre, freakish creature, unable to turn away. They don't run or hide. They are fascinated. Like us, they are an audience, helpless, frightened, and too curious to realize they are in danger. For the first time in history, revealing the creature is not an anticlimax.

IF HITCHCOCK's *Frenzy* makes the argument that not seeing the horror is scarier than having it shoved in our face, *Alien* counters persuasively. Once we see the monster, it cannot shock us in the same way again. But it can do something else: tap into another powerful feeling almost as intense as fear. The alien makes us sick to our stomach. What we are faced with in this movie is an elevated kind of disgust of an even more visceral and irrational kind than Craven aims for in *The Last House on the Left*. Let's face it: part of the horror is that the alien looks ugly, freakishly so.

More specifically, the alien manages to be both gross and gorgeous at the same time. Being truly beautiful is another kind of freakishness—and that is part of the reason beauty fascinates: it's so different from what we expect. The sleek look and overt sexuality captivates your attention. As Emily Dickinson put it in a poem about horror, "'Tis so appalling—it exhilarates." Audiences couldn't stand looking at the alien, but they returned again and again.

Lying low in Hollywood after being kicked off the set, O'Bannon bought a ticket and attended opening night at Mann's Chinese Theater with Ronald Shusett. Nervously eyeing the long line, O'Bannon was convinced that the movie would be terrible. They had surely messed up his script, simplified it, and the movie must be compromised beyond recognition. But when the credits rolled, he noticed how silent the audience became. They were engaged, inching forward in their seats. Sitting in front of him was Shusett, who couldn't wait for the alien to emerge. When the thing popped out of John Hurt, the screams in the audience were deafening. And they continued, roaring along with another odd sound from behind him, a man weeping. Shusett turned around and saw O'Bannon in tears. He couldn't believe it: they actually liked his movie.

Alien became a quick hit, the fourth-highest-grossing movie of the year. It also picked up two Academy Award nominations, winning the Oscar for Visual Effects. Dan O'Bannon didn't attend the ceremony, received some poor notices for the script, which was knocked by some critics for being thin, and generally never received the credit he deserved. David Giler diminished his contributions in the press. The studio even took his (and Ronald Shusett's) name off the poster but was forced to put it back after arbitration.

The bad press over the dispute and the fact that O'Bannon didn't show up in the movie's considerable self-promotion almost certainly hurt his career. It also meant that he was not invited to work on any of the sequels. Even closer to home, he still could not find any validation. He traveled to St. Louis to see the premiere of *Alien* with his mother. As O'Bannon recalls, she passed along these words of advice: "Just because a person's successful doesn't mean he can't fail."

John Carpenter also told journalists that his old friend merely ripped off *It: The Terror from Beyond Space*. He called the movie stylish but more repulsive than scary. Carpenter went on to make his own repulsive movie in his 1981 remake of *The Thing from Another World*, which broke ground in special effects and spared no sensibilities, showing severed arms and gooey body parts in a paranoid, Lovecraftian style that departed from the sunny optimism of the original film.

O'Bannon didn't think much of Carpenter's work either. "*Halloween* is a very simple movie," he told me. "You can make that in a weekend with some teenagers. It's kind of nifty in a minor key. *Halloween* was okay, okay."

Halloween and *Alien*—the most significant horror movies of 1978 and 1979—couldn't be more different in process (do-it-yourself exploitation, studio blockbuster), worlds portrayed (familiar suburbia, mysterious space), and brand of terror (sleek suspense, bloody repulsion). Comparing the two movies, a cover story in *Newsweek* about the popularity of the horror genre locates the distinction by describing the audiences yelling "ick" at *Alien* and stunned into hushed silence at *Halloween*. It's the difference between graphic violence and suggestion, a drooling alien and an empty house. But just like their monsters, these movies scrambled stereotypes. *Halloween* proved that low-budget exploitation movies shock audiences through discretion rather than gore, and *Alien* dispelled the idea that the gross-outs of the grind-house theater couldn't be studio art.

The culmination of the most fertile decade in the history of the genre, these movies were, in some ways, just a continuation of one of those long conversations at USC. You could see the origins of both movies in *Dark Star.* Their differences rested on top of shared assumptions. Each film told a spare story of a relentless killer that projected an enveloping sense of evil. They were inspired by the same lineage: the weird tales of H. P. Lovecraft, the shape-shifting monster of *The Thing from Another World,* and the stylized indirectness of absurdist theater. They dispensed with old forms of representation—thinning out character and plot, which Stephen King called "a means to an end"—in favor of something more vague. They moved the genre away from the realism that was in vogue at the beginning of the seventies and back to its natural home: the fantastical. But they treated this subject matter with a seriousness that movies had generally avoided. These landmark films shared a confident vision that pushed the monster movies of their childhood toward something that looked like high art.

The central question that most directors of the era struggled with was not how to build the greatest monster, but how to avoid showing the monster at all. Polanski and Castle argued about it. The dilemma manifested itself in debates about motivation in movies like *Night of the Living Dead* and *The Exorcist,* where the New Horror perspective argued for increased ambiguity. *The Texas Chain Saw Massacre* showed us the monsters, but from the point of view of a very confused onlooker. When the monster does appear in these movies, it is relentless, powerful, and barely motivated, if at all.

The New Horror was darker than earlier movies. The gloomy ending became common. The settings of these New Horror movies were familiar: the beach, the hospital, the bedroom, the prom, the highway, right next door. But the ordinary turns into something ambiguous, confusing, and repulsive. Middle-class suburbia is the home of unexplainable evil. The most civilized minds contain barbarism. Even though the cynicism of the counterculture and anger at the Vietnam War played a role in shaping the sensibility, anyone can find a subtext if they look hard enough. The central message of the New Horror is that there is no message. The world does not make sense. Evil exists, and there is nothing you can do about it.

As it happens, the movies sometimes did not make sense either. They were put together quickly and often did not have the money to reshoot. Even the big-budget movies such as *Alien* had glaring errors, like when the monster emerges from John Hurt's belly, why does it run away, as opposed to every other instance in the movie when it attacks? Similarly, Michael Myers seems to violate the laws of physics. But these details don't make you question these movies in the same way that your suspension of disbelief can be destroyed in other films. In part, that's because when you are scared, you are willing to ignore almost everything else. While grasping the arms of your chair in fright, logic isn't your first concern. But since horror movies tap into hidden anxieties, average audience members read them the same way that psychiatrists do dreams. The inexplicable sits next to the explicable in your nightmares. Questioning the logic may be beside the point.

There was perhaps no more striking illustration of the artistic triumph of the New Horror genre than at the end of the decade, when Stanley Kubrick announced that he was going to make what he called "the ultimate horror film." When Carpenter and O'Bannon were at USC, such a boast would have appeared to be setting sights pitifully low. Critics did not call *A Clockwork Orange* a horror movie, even though it was one of the most violent and disturbing movies ever made. Since then, Hollywood had realized that horror sells.

Based on the novel by Stephen King, *The Shining* told the story of a writer going mad. John Calley, the executive who worked on *The Exorcist* for Warner Brothers, sent the manuscript of the novel to Kubrick, who was attracted to its balance of psychological and supernatural horror. While the book is a ghost story, the movie is slightly different. You get the sense that Kubrick never truly believes that his hero, the writer Jack Torrance, was haunted.

Critics fixated on the scenery-chewing performance of Jack Nicholson and, for that reason, *The Shining* is often viewed as a great anomaly—the one Kubrick movie where the director was overshadowed by an actor. But Nicholson's over-the-top performance was no less "real" than Michael Myers. As Jack Torrance, the novelist hired to maintain the Overlook Hotel during one long winter with his wife and child, Nicholson goes theatrically mad for no reason whatsoever. The book had elements that explained the haunting, that signaled that the alcoholism of Torrance led, at least figuratively, to his demons. King struggled with alcoholism. Kubrick, who collaborated on the script with a novelist, Diane Johnson, eliminated this theme and much of the backstory of the characters. King famously disliked the adaptation, calling it "a great big beautiful Cadillac with no motor inside."

Kubrick hollows out the explanations, as was then the custom in New Horror, and what was left was a mood of unease, a world of gapingly empty spaces, slow-paced scenes, and strange silences. An unmotivated killer surrounded by senseless images, Nicholson was like a monster from a fairy tale. When he breaks down the door, he tells his wife: "I'm going to huff. I am going to puff and blow this house in." And when he chases his son Danny through a life-size maze, the child, to escape, retraces his steps just like Hansel and Gretel.

By the end of the 1970s, after *The Exorcist*, *The Texas Chain Saw Massacre*, and *Halloween*, the conventions of horror had become so familiar that audiences became scared as soon as they heard the first note of music or saw a shaky point of view or a knife rack. Horror meant something very specific and everyone knew what that was. "New horror cultivates not merely horror," Ron Rosenbaum wrote in 1979, "but the horror of horror itself, the horror of being driven into madness by sheer horror."

The New Horror movies are often celebrated for their raw documentary feel, their relevance to the times, how they reflect the national insecurities, but by the end of the seventies, they had transcended such limited descriptions. They were well known even by people who had never seen them. They had become modern myths.

CHAPTER ELEVEN

THE FEAR SICKNESS

How do I define horror? It's affirmative action
for the writing-impaired.

Sean Cunningham

WHY IN THE WORLD would you want to watch those awful movies?

Most horror fans have at some point struggled to answer this question. Those trying to convince a skeptic often argue how seeing fake violence allows audiences to grapple better with the real kind. The advantage of this explanation is that it doesn't just excuse horror movies; it argues that they are good for you. That will do at a cocktail party and might make a mother feel better about her son watching *The Texas Chain Saw Massacre* for the seventh time. But let's be honest: most of us don't watch scary movies for the artistic or emotional sustenance. Some of us simply enjoy being terrified or watching characters get terrorized. Others thrill to the pure sensory excitement. There is simply something irresistible about being scared. But where does that strange pleasure come from?

Pauline Kael understood the answer better than any other critic in the era of New Horror, even though she was brutally tough on many of its best movies. She didn't like *Rosemary's Baby* or *The Exorcist*, referred to *Alien* as a "haunted-house with gorilla picture set in outer space," and insulted *Halloween* as a movie "stripped of everything but dumb scariness." She also described the camerawork of *The Shining* as "like watching a skater do figure eights all night."

It's a testament to her analytical acuity and masterful style that Kael was the greatest critic of her generation despite serious lapses in taste (she hated *The Birds* and loved *The Exorcist II*). Still, she often described the impact of horror movies more accurately than her more generous peers. Early on, she grasped how Carpenter resisted psychological motivation in *Halloween* and that Kubrick wanted to mystify his audience in *The Shining*, but she also understood that the reason audiences are drawn to horror movies is decidedly not to make sense of a frightening world. In a tangent in a review of *The Long Goodbye* in October of 1973, she expands on the point:

> It is said that in periods of rampant horror readers and moviegoers like to experience imaginary horrors, which can be resolved and neatly put away. I think it's more likely that in the current craze for horror films like "Night of the Living Dead" and "Sisters" the audience wants an intensive dose of the fear sickness—not to confront fear and have it conquered but to feel that crazy, inexplicable delight that children get out of terrifying stories that give them bad dreams. A flesh-crawler that affects as many senses as a horror movie can doesn't end with the neat fake solution. We are always aware that the solution will not really explain the terror we felt; the forces of madness are never laid to rest.

For Kael, the art and pleasure of movies, not just horror, were inextricably connected to the forbidden, the taboo, and a hint of the disreputable. It's confusion, not catharsis, that draws us in. Easy answers and cheap comforts belong in school. We sit in the dark at the theater for other reasons. It's too simple to boil down the appeal of horror to one reason, but it is undeniable that many adults like these movies not because they are good for them, but precisely because they aren't. The roots of this attraction may be found in the innocence of childhood. Adults forget just how vulnerable they once were. Kids are constantly reminded of their own helplessness and dependence on others, and they are willing to believe in the most preposterous notions and all manner of mysterious creatures. The surprising newness of everything is not just shocking, but also gives them the purest kind of enjoyment. Just observe a child playing peek-a-boo or jack-in-the-box, often their first games, and you will know what I mean.

It's easier for children to be scared. Kael understood the implication of this for adults. In "Trash, Art, and the Movies," her most fully articulated statement of aesthetic principles, published only a few months after *Night of the Living Dead* opened, she argued that when you are young you can find something to enjoy in almost any movie. Once you have seen the same genre conventions many times, however, it becomes more difficult. Her argument builds to an optimistic conclusion as aging audiences then raise their sights to work of greater ambition. "Trash," she announces in a twist of a final line, "has given us an appetite for art."

It's a nice thought, but if Hollywood in the 1970s taught us anything, it's that trash actually gives us an appetite for bigger and better trash. *The Last House on the Left* didn't send hordes of audiences to the art houses to see *The Virgin Spring*. Many people also love horror movies precisely because they want to see the same conventions over and over again. The ritual is what satisfies. What Kael means by terms like "trash" and "art" is often hard to pin down, and the same thing is true of the best horror movies. They straddle the line between art and trash, occasionally leaning one way or the other, always one wrong move from toppling over to the other side. The scariest New Horror movies are in-between.

. . .

WHY WE want to watch those awful movies remains a tough question to answer, but the New Horror gave us more reasons to do so than ever before. *Rosemary's Baby, The Texas Chain Saw Massacre, Carrie, Halloween*, and *Alien* belong in the top tier of American horror, followed close behind by *Jaws, The Shining, The Hills Have Eyes*, and *Dawn of the Dead*. A few of the movies discussed in this book are more influential than great (*The Last House on the Left, Dark Star*), and others have lost some of their potency with age (*The Exorcist, Night of the Living Dead*), but considered together, they make a powerful argument that this is the greatest golden age of horror.

Some of these movies surely responded to or reflected anxieties about Vietnam or Watergate, but their timing was important for other reasons as well. Made between the end of the Production Code and the dawn of the special-effects revolution of the 1980s, these movies, which benefited from a weak studio system and a growing independent scene, opened during a transitional period when technology and budgets were limited enough that most of the creative energy was not concentrated on the technical challenges. While they were not as driven by one visionary director as most journalistic accounts would have it, the growing power of the auteur did give more room for artists to bring something fresh to old formulas.

Directors worked hard on the Monster Problem. In an evolution from the rigid debate that Vincent Price lost on *The Mike Douglas Show*, they made sure that their movies were not either real or fantasy. They melded the two, or used one to improve the other. The New Horror was defiantly modern, rejecting costume drama and fusty conventions, but it was also not limited to being merely topical. The best horror movies are like fairy tales, tapping into something more universal than fear of racism or shark attacks. The central challenge of the modern genre is this: How do you scare adults so much that you make them feel like kids again?

The way that Roman Polanski and Dan O'Bannon and John Carpenter and Brian De Palma did this was to try and summon the "inexplicable delight" of the fear sickness. Their embrace of ambiguity of motivation and morality, the resistance of neat resolutions and happy endings, and the blurring of lines between dream and reality are what unifies them. These directors always maintain an element of the unknown. That's also why straddling the line between art and trash works so effectively, because these are movies that refuse to be put neatly into familiar categories.

Rosemary seems to be living in both a fantasy and real life. The zombies are halfway between dead and alive. Michael Myers and Giger's alien seem to defy easy definitions. *Carrie* is a revenge fantasy that sneaks some guilt into its thrills. The killers in *The Texas Chain Saw Massacre* are also victims. These are movies that want to confuse you, in part because getting lost focuses the attention on the terror of uncertainty.

That's something we can all relate to, because we were all children. As you get older, it becomes harder to access that shock of being lost, that feeling of helplessness that is as attractive as it is upsetting. But it's not impossible. These deeply disorienting horror movies are proof, and while they will never be quite as scary as they are the first time you see them, they can still give you the shivers decades after they were made. They endure, like great art does.

THE STRANGE thing about the New Horror is that it started declining just as most critics and reporters thought it was taking off. Its death, perhaps appropriately, looked like its birth. In the eighties, there were more scary movies, with bigger budgets and larger audiences than ever before. Hollywood executives were throwing money at horror, and it produced a flood of unnecessary sequels, bland PG-13 shockers, formula slasher movies, and also some very good movies. Yet none of the popular hits of the eighties matched the intensity of *The Texas Chain Saw*

Massacre, the cultural impact of *The Exorcist*, or the artistry of *Alien* and *Halloween*.

The common explanation for this is that the genre went mainstream, and imitation replaced invention as the central motivating factor. "They just wanted me to make *Halloween* again. The same movie," John Carpenter says. "They want me to do the same movie again. No. There's no more story. Sorry. It's over. It was over when I finished with the first one. There's nothing left to say. Michael goes away and he comes back and kills someone. Oh, please. Stop! Stop! Stop! Stop! Stop!"

Originality, however, has always been overrated in genre movies. Ripping off your predecessors is a noble tradition, and, for the audience, spotting these cinematic quotes is part of the fun. Where studios went wrong was not in copying the movies from the seventies, but in learning the wrong lessons from them. The monsters stopped hiding in the shadows. They became the stars, known by their first names, like Freddy, Chucky, and Jason. Children dressed up like these maniacs for Halloween, and fan clubs worshipped them. Michael Myers started as the bogeyman, but the *Halloween* series followed the same conventional path as that of *The Exorcist* sequels. In *Halloween II*, Jamie Lee Curtis's Laurie Strode asks that terrible question: "Why me?" It is revealed that Michael is actually her biological sibling, and before long, the mysterious noncharacter becomes familiar, even vulnerable.

In the 1980s, there were a few serial killers whose motivation was shrouded in mystery in movies like *The Stepfather* and *Henry: Portrait of a Serial Killer*. These movies remained cult hits in a time when horror was reaching a mass audience. Just as the killers seemed increasingly ordinary in mainstream horror, the victims in the most popular horror movies became completely interchangeable, forgettable blank slates. This shifted the audience identification radically. People rooted for the killers and saw their victims as irrelevant casualties.

Many saw this flaw in moral terms, but there was also an aesthetic issue: it shrank the horror movie down to size. Emotional involvement is dramatically valuable for many reasons, but one of them is that it can be used as an effective distraction, like the magician who tells a joke to keep our attention away from what he's pulling out of his sleeve. If the audience didn't care about the victims at all, then it was more difficult for a director to manipulate their responses. As a result, horror fans regularly outsmarted these movies. They anticipated the kills, shouted back at the screen, and had fun at the dumbness of it all. These movies still made audiences jump, but the scares did not linger. They allowed you to sleep well.

The most popular franchise of the era was *Friday the 13th*, a well-made stalker movie with frequent kills and just enough naked flesh to satisfy young male audiences. Director Sean Cunningham had already changed the genre in the 1970s by producing the underground cult movie *The Last House on the Left*, but after deciding to copy the success of *Halloween*, he set his sights on a larger audience. He was always more interested in pleasing the crowd than Wes Craven was, and he found the perfect project to do it in. It had the right title, some attractive unknown actors, and most important, Jason. This iconic modern villain was deformed, mute, and able to hold his breath for long periods of time. He makes only a cameo in *Friday the 13th*, leaping out of the water to grab his teenage victim. By the second installment of the series he became the focus, clearly inspired by Michael Myers. He walked just like him, wore similar clothes, and also pursued nubile, promiscuous teenagers.

Many of the scariest scenes in the original *Friday the 13th* were shot from the point of view of the killer, accompanied by a propulsive musical hook (*cha-cha-cha-cha-cha*) that served the same purpose as the theme written by John Carpenter for *Halloween*. Almost everything about the *Friday the 13th* series was derivative of the movies of the seventies. The setting (by the water) and some of the kills (the skewering of the couple like a shish kebab) were taken from Bava's *Twitch of the Death Nerve*. Jason's mask belonged to a long line of killers from movies like *Halloween* and *The Texas Chain Saw Massacre*. The shock endings were straight from the playbook of *Carrie*. Even Cunningham concedes that the movie was hardly original, calling it "interesting maybe as a social document, in historical terms of what can happen in the movie business at a particular point in time."

Cunningham tried to copy *Halloween*, but the elements he stole were not those that made the movie truly unique. He added lots of gore and made the connection between sex and death even more direct, but missing was the truly radical character of Michael Myers. The plot was a fairly simple mystery: someone was killing teenagers at the recently reopened Camp Crystal Lake, which shut down two decades earlier after a pair of counselors were killed. One year before the double murder, a young camper named Jason drowned, hinting that the ghost of this boy was haunting Crystal Lake. But the killer actually turned out to be his mother, angry that the counselors abandoned her son to drown because they were occupied having sex. So she killed more counselors. And when she died, that made Jason angry. Instead of a horror movie about the bogeyman, this story was about just another lunatic with mommy issues.

Then came 1981: the year everyone's head exploded. Nazis' faces melted in Steven Spielberg's *Raiders of the Lost Ark*, and the splattered skull of a pompous panel member in David Cronenberg's *Scanners* looked like a pumpkin dropped from a skyscraper. In *The Fury*, which premiered three years earlier, Brian De Palma destroyed the entire body of John Cassavetes, his head popping off and rocketing into the sky (Roman Polanski surely approved). Technical advances pushed the genre in new directions, as sophisticated uses of liquid and foam latex, as well as primitive animation, allowed audiences to see the body distorted and destroyed with a new level of detail. While movies like *The Exorcist* and *Alien* did include some trailblazing special effects, the explicit on-screen violence of movies like *The Texas Chain Saw Massacre* and *The Last House on the Left* was discreet compared to the carnage of the following decade. This was because effects back in the seventies were expensive and what was possible was limited.

The rise in the stature of effects had a huge impact on horror, and that was most clearly apparent in the evolution of the werewolf movie, the classic horror subgenre that perhaps depends most on special effects, since the transformation from man to beast is crucial. The full moon metamorphosis typically takes place in darkly lit rooms, and the sequence connected shots together—first the hand, then the feet breaking out of the shoes, and ending with the roaring yell of the beast. Hammer Productions emphasized sexual repression and romance in its early sixties remake *The Curse of the Werewolf*, but you never saw the monster, who remained almost entirely offscreen until the end. But in the 1981 hit *An American Werewolf in London*, John Landis staged the scene in a brightly lit room with an immobile camera hanging up high, like a shot from a blimp observing the madness with a cool distance. The horror moved into the light. Michael Jackson loved the movie, and two years later hired Landis to make the landmark fourteen-minute music video *Thriller*, starring Vincent Price as the narrator. It was in the style of *Night of the Living Dead*. It included an elaborate on-screen transformation. Today's werewolves inevitably employ computer-generated imagery (CGI).

A little freedom can be a good thing, but too much can paralyze. John Carpenter composed his memorable propulsive synthesizer score for *Halloween* because he didn't have the money to hire an accomplished composer. If Romero had more resources, he said he would have made an art film instead of *Night of the Living Dead*.

Part of the reason that Spielberg kept the shark in the water in *Jaws* was logistical. The mechanical monster never worked. The crazed, sweaty faces in *The Texas Chain Saw Massacre* reflected the reality that shooting a cheap movie in Texas in August is a horror in itself. *The Last House on the Left* captured a documentary feel by using handheld cameras, because Wes Craven didn't know about dollies. There was an element of innocence about the business in the low-budget films of the seventies that allowed the directors to do things differently, to take chances and try crazy ideas. "I remember reading Charles Lindbergh's biography. He said that once they started flying by instruments, something important was lost," Craven said. "That sense of just going with it is important. All of us made our first films that way."

Scaring remained a priority, but not the only one. Sam Raimi's *Evil Dead* and Wes Craven's *A Nightmare on Elm Street*, each of which inspired franchises, mixed in elaborate visual gags and one-liners to make the carnage go down easier. As Freddy Krueger, the child molester/killer in *Nightmare*, Robert Englund became the biggest star of the genre since Vincent Price, mainly on the strength of his charm. Unlike Jason or Michael, Freddy had personality, a weakness for catchphrases ("better not dream and drive"), dopey word play ("Feeling tongue-tied?" he asks a victim tied to a bed by tongues), and a predilection for a certain word that makes him sound like a catty teenage girl ("Bon appétit, bitch"; "Welcome to prime time, bitch," etc.). He sells his material with an admirable professionalism—and by the fourth or fifth sequel, he became the Jay Leno of serial killers.

"I always thought all horror is comedy," said Joe Dante, who directed the *The Howling* and the wildly popular *Gremlins*. There were many more such darkly funny movies made, but eventually the laughs started drowning out the screams, and critics and audiences stopped taking horror seriously. This is also how the first golden age of horror ended: with the classic Universal monster movies forced to meet Abbott and Costello.

The ironic sensibility of *Scream* took hold of the genre in the late nineties with movies like *I Know What You Did Last Summer* and inevitably grew tiresome, inspiring much broader satires such as Keenen Ivory Wayans's 2000 hit *Scary Movie*, which sent up dozens of horror movies, including *Scream*. It was a spoof of a spoof. But while *Scream* and some of its imitators tried to be scary, they didn't always go for the jugular like the movies from the 1970s. They followed the rules of the New Horror, but not the spirit. The jokes and the slyness sometimes got in the way of the dirty work of making you shudder. Horror became family-friendly. Many of the studio efforts were not even rated R.

This led to another backlash in the late nineties led by bloodthirsty young film geeks who wanted to push the limits of good taste again. Some of them believed that the essence of horror was not in jokes and coddling audiences. "I hate when people say horror is a roller-coaster ride," says Rob Zombie, who directed *The Devil's Rejects* and the remake of *Halloween*. The next cycle of horror included gruesome movies such as *Hostel* and *Saw*, which stripped out the comedy and concentrated on gore and vile, ugly exploitation—except this time, with huge budgets. The result was what critic David Edelstein called "torture porn," a description that didn't give enough credit to the ambition of these films, but did capture how they tried to reclaim the sense of forbidden that the movies had when audiences saw them in dirty theaters in Times Square.

Eli Roth makes the same argument that Wes Craven did about his movies' extreme gore—that these scenes are widely misunderstood and that they are actually antiviolence. Updating this political argument, he claims that the subtext of movies like *Hostel* is the anger about the Iraq War. Some critics agree, but George Romero doesn't. "I don't see it about any collective angst," Romero says. "I go to these conventions. There are gore clubs, gore magazines—that's where this torture porn grew out of."

In many ways, the gore clubs grew out of the endless popularity sparked by *Night of the Living Dead*, but Romero doesn't see himself as connected to torture porn. It may sound like Romero has become like one of the critics who slammed him many decades ago for too much on-screen violence, but his experience tells him that the political meaning of these movies is often grafted onto the movies after the fact. It's notable that the directors of his era are far more squeamish. Craven himself likes *Hostel*, but he does draw the line at movies that seem to revel in the torture. He walked out of *Reservoir Dogs*.

"There was something about putting this music to this guy cutting his ear off," Craven said. "It just made me angry. It's funny, because I left the theater in Spain and this guy jumped in front of me and said: 'What do you think?' He said, 'I can't believe I scared Wes Craven.' That was Quentin Tarantino."

The horror cycle is still spinning. It never stops. Hollywood has become dependent on these movies, and in particular those made in the seventies. The meta-horror comedies and the torture porn represent opposite sides of the genre, but they grew out of the same tradition, one flexible enough to inspire self-conscious love letters to the movies and visceral assaults on the senses. That artistic pool is deep, and directors keep returning to it. Serial killer movies are still building on the formulas of *Halloween* and *The Texas Chain Saw Massacre*. The postmodern horror made fun of those same movies, and the more ghastly new movies stole ideas and shots from the seventies in the same way that directors from that era took from Hitchcock. Horror scenes in Asia and Europe have exploded in the past decade, providing new spins on seventies horror in movies like the Japanese romance-turned-horror *Audition*, and French stalker gems like *High Tension* and *Them*. Other subgenres are taking horror in completely new directions with a revival of interest in the ghost story in Asian horror and an emphasis on scary movies based on found footage sparked by the success of *The Blair Witch Project* and *Paranormal Activity*.

The New Horror has been so successful in expanding the genre that it's helped bring about a revival of the Old Horror. Hammer Film Productions has returned and is producing again. William Castle, who died in 1977, is celebrated in art house theaters. The actor Denis O'Hare has said his portrayal of the flamboyant vampire king on the hit TV series *True Blood* was inspired by Vincent Price. In perhaps the most striking sign of the times, Roger Corman won a lifetime achievement award at the Academy Awards.

In Hollywood, the most dominant trend, besides the timeless popularity of the vampire movie, may be the proliferation of remakes. Just as Broadway producers have revived almost every decent musical ever made, producers in Hollywood are constantly looking to recycle. With a few exceptions, the directors from the golden era did not return to their own material. Studios often wanted to hire younger talent to give a fresh spin on *Texas Chain Saw* or *A Nightmare on Elm Street*. But for many artists who came of age in this freewheeling era, a remake seemed like a betrayal of their accomplishment. John Carpenter and Brian De Palma both turned down the job of directing *Fatal Attraction* in part because the movie was too similar to Clint Eastwood's 1971 stalker film *Play Misty for Me*. So they certainly were not going to repeat the movies they had already figured out.

Since the studios often cared more about exploiting the brand than creating a compelling scare, the directors of these remakes rarely attempted to dramatically refashion the material. Not only are the new remakes often conservative and safe, but even when trying to be faithful, they usually miss the point. The glossy new production of *The Texas Chain Saw Massacre* replaced the ramshackle aesthetic with a slick, hyperactive sensibility that makes the teenagers in the backwoods of Texas look like soap opera stars. *The Last House on the Left* was in part a comment on the corruption of violence, but the remake, which ends with a scene of sadistic violence, cheers on the parents when they take revenge. Any tension in the movie between the adrenaline rush of violence and the ugliness of it is erased. The dirty, documentary feel has been replaced by something slicker, filled out by a cast of young, cute actors.

When Rob Zombie made his ferocious, entertaining new version of *Halloween*, he not only took Michael Myers out of the standard suburban middle-class environs and into a more specifically working-class milieu, but explained away the horror with a litany of tedious excuses. He was bullied as a kid; his parents were cruel to him; he was shy. This was a common tactic. Often, the first thing every remake screenwriter adds is backstory. In the original *Black Christmas*, you never see the killer, but the remake goes back in time to figure out who he really was.

The best examples today of classic New Horror scare tactics are outside the genre, and the finest horror scenes are in prestige movies. The 2010 critical hit *Black Swan* may be a lavishly shot portrait of the world of New York ballet with an A-list cast, including Natalie Portman, that is led by one of the most ambitious art house directors of the day, Darren Aronofsky. But it's also a nasty little horror movie that uses the conventions of classic fright films. The psychologically fragile heroine, whose dream life keeps interfering with her real one, is straight out of *Repulsion* or *Rosemary's Baby*; the tactile gore is the stuff of *Eraserhead* and *The Brood*; and the thematic preoccupations (doubling, voyeurism, sexual control) are firmly in the tradition of *Carrie* and *Dressed to Kill*. The trash of the sixties and seventies has become the art of today.

Look at the movies that show up at the Academy Awards. *The Silence of the Lambs* is not the only highbrow horror movie about a serial killer to win an Oscar for Best Picture. *No Country for Old Men*, which won the Oscar in 2007, tells the story of an unstoppable bogeyman who calmly strides through the movie killing his victims without revealing any motivation or psychology at all. It's more faithful to *Halloween* than its remake. *The New Yorker*'s David Denby was one of the few critics to notice how the killer here is a figure out of a horror film, but he meant the comparison as an insult. Among the nominees for Best Picture in 2009, for instance, were a movie that owes a debt to the *Alien* series (*District 9*, for its rusty near-future aesthetic), a revenge fantasy whose finale is an elaborate homage to the prom scene in *Carrie* (*Inglourious Basterds*), and another cryptic Coen Brothers movie that is the scariest take on religion since *The Exorcist* (*A Serious Man*).

Winning Best Picture was *The Hurt Locker*, Kathryn Bigelow's brutally violent war movie that dramatically articulates an idea that is a major theme of most of the great horror movies of the seventies: how easy it is for otherwise peaceful people to become addicted to the thrill of violence. In its penultimate scene, the veteran returning home from Iraq tells his child that you only really love one or two things in life, and explains why he needs to go back for another tour of duty. Like horror fans, he's hooked on the fear sickness. The movie suggests that the roots of this desire are deep and planted early. After all, as the soldier looks bored at home, his son plays with a jack-in-the-box.

· · ·

ONE NIGHT during the final months of finishing this book, I came home to find an e-mail from a Hollywood producer asking me if I had any good ideas for a horror movie. This was bizarre. I had never written a single screenplay. The producer, whom I had never met, made some of the highest-grossing scary movies in history. He is the kind of person from whom screenwriters dream about hearing.

He contacted me after reading a *Vanity Fair* story I wrote criticizing the revered screenwriting guru Robert McKee for misunderstanding horror. The producer said he was looking for the next big thing in horror and wanted to see if I knew what that would be. I had no clue, but knew enough to realize that I should rustle up an answer fast. I looked over some of my interviews with William Friedkin, Wes Craven, and Dan O'Bannon, imagined what it would be like to walk down a red carpet, and got to work mapping out an idea that I thought could scare a mass audience. Here it is.

Start with a very pretty, slightly pregnant female victim. Think Mia Farrow in *Rosemary's Baby*, but instead of dreaming of domesticity, she is a modern career woman who has it all: the rich husband, the bustling career, the baby on the way, and the hot younger man. In the first third of the movie, she loses everything. Her husband leaves her, her career falters, and the affair grows cold when the other man discovers that she's only interested in his body. Then there's a pain in her stomach, sending her to the hospital where the doctor tells her she's had a miscarriage. She is given two options: invasive surgery to remove the fetus or waiting for it to flush out on its own. Choosing the latter, she retreats to a spooky old family home where she waits alone, literally and figuratively dying inside. Her state of mind fraying, and the perspective shifting inside her head, she hears strange childlike sounds and pitter-pats on the stairs while a stalker enters her home. At the same time, the fetus starts to come out. Throughout the scene, the question lingers: Is what she's seeing real or imagined?

Just like in the seminal horror movies of the seventies, the source of the horror, the fetus, is unknown and stuck in a strange in-between. There is confusion about what is real and an ambiguous ending. The victim is similar to the fragile but passionate isolated women of Polanski's horror films of the sixties, and the miscarriage taps into the reproductive anxieties that gave us *Alien* (the horror of the stomach again). I refined it down to a three-minute pitch and met the producer at an elegant bar in Beverly Hills where Adam Sandler, wearing black sunglasses and long white shorts, was shooting a movie out front. I sold the idea with gusto, lingering on the scares of the empty house and the trauma of the doctor's office but mostly the creepiness of waiting for this mysterious thing to come out of you. He listened patiently through the entire pitch, occasionally nodding his head and never seeming as distracted as the short-attention-spanned executives in movies. When I was done, he said politely that the idea would never work in Hollywood.

"First off, you break an ironclad rule: the female hero cannot have an affair," he said with the calm of an analytic philosopher pointing out an error in logic. That was not nearly as surprising as his second issue. "And the miscarriage, you know, it's just too unpleasant."

The horror genre has come a long way since the seventies. It's hard to imagine anyone working in exploitation movies in the seventies suggesting that a script's main problem is that it's too unpleasant. The most unpleasant thing possible is what Wes Craven and Dan O'Bannon and John Carpenter were trying to put on-screen. That was the point. As the audience has grown, the tactics of the genre have completely changed, which is to be expected. They are not appealing to young men in trench coats anymore. That's not always a good thing.

EPILOGUE

They're selling postcards of the hanging.

Bob Dylan, "Desolation Row"

T HE TWENTY or so men—and one woman—sitting around a long table in a Hollywood restaurant have blood on their hands. Buckets of it. In fact, they are responsible for hundreds of the most violent and disgusting deaths of all time. They do it for money, fame, and a kind of pleasure that many Americans find perverse. They are horror directors. The semiregular get-together, referred to as "Masters of Horror," is mostly just friends with a common interest making small talk over dinner. It briefly evolved into a macabre television series with episodes directed by many of the party guests, but when Mick Garris, a journalist and director of several Stephen King adaptations, organized the event, he was not thinking about anything more than hanging around and talking shop.

As soon as directors arrive, they break up into cliques. Eli Roth, director of *Hostel*, wearing a tight black T-shirt and a sly smile, chats animatedly with Robert Rodriguez, who directed *From Dusk Till Dawn* and *Sin City*. They discuss the success of the latest Hollywood remake, censorship, and the idiocy of the press. Tan, groomed, and outgoing, Roth has the swagger and ease of the captain of the football team. He is surrounded by an older generation who look more like members of the debate club. These directors are for the most part out of shape and painfully shy, talking toward their Converse sneakers.

"It's not as easy as it looks," says Joseph Zito, who directed *Friday the 13th: The Final Chapter* (which was, of course, far from it). He refers to slitting a woman's throat. William Lustig, whose cult hit *Maniac* revealed a talent for chopping scalps, nods his head in agreement. They discuss the special-effects maven Tom Savini, who used his experience as a veteran of the Vietnam War to re-create the look of dead bodies with an impressive veracity. Less interested in the science of makeup and special effects is Larry Cohen, the director of *It's Alive*. Like a Borscht Belt comic, he joked about starting a Masters of Horror summer camp. "Every year we could kill one camper," he says.

Nearby, working on their salads, are Wes Craven and Tobe Hooper. They are quieter than most of their peers, who are clearly happy to be in their presence. The younger directors grew up on their movies, back when you couldn't see them on cable television or in clips on YouTube. As Roth explains, the way that kids first learned about horror movies in the seventies and eighties was usually from unreliable sources such as the big brothers of your friends who reported back about every grisly act of cannibalism and head chopped off. Hearing about these movies secondhand gave them the power of legend even before they had become popular cult hits. Roth says he hates the term "torture porn."

Hooper smiles somewhat bashfully when a discussion breaks out about the first time the directors saw *The Texas Chain Saw Massacre*. Don Coscarelli, who straddles these two eras and made the splendid 1979 hit *Phantasm*, describes seeing the movie as a spiritual epiphany. "[They] created the horror film, and we're all copying them," says Tim Sullivan, the director of *2001 Maniacs*. "They should be talked about like Scorsese and Coppola." Minutes later, Roth stands up to make a toast. "I want to thank you," he said, looking toward his elders, "for providing so much material for me to steal."

. . .

TALK TO most of the directors of the classic horror movies from the sixties and seventies and you might detect a weary look on their faces. They appear to be tired of their early hits. They rarely topped them. In fact, most of them didn't even come close. New Horror movies were supposed to be the start of a great career, not what fans would still be talking about four decades later. When asked what he's most proud of in *Night of the Living Dead*, Romero, who left Pittsburgh in the first decade of the twenty-first century and is sitting in a modern apartment in Toronto, sighs and looks straight ahead, saying: "Honestly, it was just finishing the movie. That's what I was happy with." Problem is: he will never be finished. New audiences keep returning to it, and every few years when he's promoting a new zombie movie (*Land of the Dead*, *Diary of the Dead*, *Survival of the Dead*), he's asked repeatedly about the original zombies.

The 1980s should have been a great time to be Tobe Hooper. *The Texas Chain Saw Massacre* had become cultural shorthand for a certain glamorous depravity. In the opening shot of Martin Scorsese's *Taxi Driver*, a yellow cab drives through the smoky streets of Times Square while the voice of the title character thanks God that the rain has washed away the grime and corruption of the city. It's an iconic portrait of dirty, hellish New York. Amid the porn dealers and liquor shops and sex trade is a movie theater. On the marquee it promotes in capital letters: THE TEXAS CHAIN SAW MASSACRE.

Hollywood was suddenly interested in the directors who made the scariest movies of the seventies. They had devoted fans and young critics on their side. And yet, many of the artists who made the influential New Horror movies stumbled in the following decade. Hooper had long felt that his audience didn't appreciate the humor in *The Texas Chain Saw Massacre*, so when he made the inevitable sequel, he added jokes that alienated his audience. His career was also potentially damaged after his biggest break: getting the job as the director for *Poltergeist*, produced by Steven Spielberg. It was one of the most anticipated horror releases of the decade. Soon after shooting began, however, rumors began flying that Spielberg took control of the project. The *Los Angeles Times* suggested that Spielberg was directing scenes. Hooper says the reporter showed up on a day when Spielberg was helping shoot some minor footage for establishing shots. The story reported that it was difficult to tell who was directing. Hooper claims that he was involved with every aspect of the film, and his stamp is certainly on some of the scares. Nevertheless, the perception stuck, and Hooper, whose political skills were never that able, could not change that. "I'm still learning from that experience," Hooper says, pausing to collect his thoughts in an empty lobster house in Encino. "I'm really not sure. I'm not ready for that just yet. In politics, when you say something it can't be retrieved. Once it's out there, you're through."

Hooper struggled through a few scripts. He was replaced on one project and after *Poltergeist*, made an outer space flop, *Lifeforce*, penned by Dan O'Bannon. He dropped out of several films before shooting started. He signed up to direct a zombie movie written by some of the makers of *Night of the Living Dead* before abandoning it. The troubled production, which had undergone several transformations, eventually landed with O'Bannon.

In the wake of the success of *Alien*, O'Bannon became preoccupied with the idea that someone was trying to kidnap him. He stayed out of the public eye and kept photos of his face scarce. With the money he made, he bought a house in Santa Monica, but then spent an extra $75,000 on a security system. His gun collection grew. O'Bannon remained the alienated pessimist, certain of the evil outside his door. If anything, he became even more like the monster in Lovecraft's "The Outsider," cloistered in his tower, resentful to the point of rage.

In *Return of the Living Dead*, he made his directorial debut, a zombie comedy. It was 1985. Along with pushing the potential humor of the undead further than it had ever gone before—when one zombie ate a paramedic, he famously radioed back, "Send . . . more . . . paramedics"—the movie pioneered the fast-moving zombie that would become standard by the twenty-first century. While it developed a cult following, the movie remained more obscure than it should be. The next year, producers David Giler and Walter Hill put together *Aliens*, the sequel to *Alien* that helped launch director James Cameron into the top tier of Hollywood directors. O'Bannon was not invited to play any role. Nor did Hollywood give him another chance at a big science-fiction movie. He made one more movie, *The Resurrected*, an adaptation of a story by Lovecraft. Despite being one of the most influential minds in genre movies, he had only two directing credits, and is overlooked in discussions of the major figures of horror.

But he did find balance in his personal life. After *Return of the Living Dead*, he reconnected with his old girlfriend from USC, Diane, then single, and they started dating and fell in love all over again. She provided ballast to his occasional madness. And he was fascinating to her. She had stayed away for years, since he never seemed like the kind of man to settle down. She even purposely didn't see *Alien*. When she reconnected with him after *Living Dead*, she found him a changed man, calmer, surer of what he wanted. "Dan could say out loud everything I wanted to say, but didn't have the nerve," she explains. "[I had] a ringside seat to brilliance, adventure."

O'Bannon passed away in 2009, ending his three-decade battle with Crohn's disease mere hours before the opening of James Cameron's *Avatar*, a $400 million blockbuster whose ambition, expense, and seriousness of purpose are, in a way, a direct tribute to the success of O'Bannon's passionate lifetime commitment to science fiction. O'Bannon, still an unsung hero of fantasy films, was living in a modest home in Culver City with Diane, their son Adam, and a closet full of old papers, cassettes, and screenplays. Sigourney Weaver didn't attend his memorial. Nor did John Carpenter. There were few Hollywood people among the fifty or so friends and relatives. The first person to speak was an old friend from USC who told a story about working on a Roger Corman film in the seventies and being surprised at how impressed the special-effects team was when he told them that he knew Dan O'Bannon. "You know who one of those guys was?" the former classmate said. "It was James Cameron."

In all his explorations of the undead, George Romero never quite matched the triumphs of his first two zombie hits, despite remaining consistently productive, finding more success in a blend of gore and comedy than in true terror. He had trouble with the transition from low-budget movies to Hollywood, although he made several movies, like *Creepshow* and *Monkey Shines*, that were pleasing entertainments with occasional moments of fright. But even he admitted these didn't entirely work as exercises in terror. "The only really scary movie I made, I think, was *Night of the Living Dead*," he says. After a decade without a Living Dead movie, he made another small comeback with a series of zombie movies on low budgets that found a new generation of cult fans.

At a recent horror convention in New York, sponsored by the magazine *Fangoria*, Romero and most of the original cast of *Night of the Living Dead* fielded over an hour of questions. The crowd asked the actor Russ Streiner to recite lines from movies made over four decades ago. Streiner gamely played along to cheers. Other cast members dutifully told stories with which they had been regaling convention crowds for years. It sounded like work. The audience wanted to hear from Romero the most, but he was fairly quiet, letting the others bask in the glory. When the inevitable questions about the politics of the movie were asked, he chuckled to himself and said that he didn't care about it much.

It's tempting to say that classic low-budget movies like *Night of the Living Dead* and *The Texas Chain Saw Massacre* were flukes, happy accidents that could not be repeated because part of their secret was their novelty. But that's not quite right. These were the product of a brand of moviemaking that encouraged collaboration. Hooper needed Henkel to ground his monsters in reality, and Romero built his scripts with the help of collaborators. When Hollywood embraced horror, the outsiders became insiders. "What happened is that kids who grew up with our horror movies, they're now running studios and writing reviews," Craven says. The next generation saw the New Horror as the classics; scary movies in the eighties and nineties were actually much more reverent to the movies of the past. The younger artists didn't look to cinema verité and Pinter and Bergman. They borrowed from Craven, Hooper, and Romero.

De Palma distanced himself from horror, moving into gangster movies, comedies, and more mainstream action. He had a few huge hits (*Scarface*, *The Untouchables*, *Mission: Impossible*) and a couple of spectacular bombs (*Bonfire of the Vanities*, *Mission to Mars*). While the themes he explored did not change very much—he remained focused on voyeurism—his movies started to seem more impersonal, in part because they were larger productions that were sometimes based on material that could not be toyed with. His most fertile artistic period remained the dozen or so years he made taut thrillers about knife-wielding stalkers and the creeps who spy on them. *Blow Out*, a 1981 movie, returns to all his old obsessions: exploitation movies, conspiracies, split screens and 360-degree shots, a voyeur-hero searching to save the girl and find the truth. John Travolta plays a soundman from Philadelphia embarrassed about his work and fascinated with re-creating the horrible tragedy that he thinks he overheard. In one scene, *Murder à la Mod* plays on the television. Nancy Allen is a beautiful prostitute who gets killed.

Offscreen, De Palma and Allen's marriage was falling apart. Allen lost a child, an incident that she pinpoints as the beginning of the end of the relationship. De Palma says he has learned that there are problems inherent to a relationship between actors and directors. "You go into show business to hang out with pretty girls, but when you get involved it can affect your work," he says in a phone conversation from his home in Greenwich Village, adding: "Problem is you start to feel like a manipulative mind-fucker and you are not helping the material. The director has to stand behind the camera."

Of all of his peers, Craven had the most enduring success within the genre, growing into the most commercially successful director in horror. He managed this by staying ahead of trends and reinventing the genre in three different decades. In fact, his career mirrors the major shifts of the genre, beginning in the era of New Horror, when he ushered in an angry, assaultive, realistic style with *The Last House on the Left* and *The Hills Have Eyes*. In *A Nightmare on Elm Street*, the nightmares were more surreal than what happened in the mundane suburbia and noirish campsites of earlier serial killer movies. Craven, fascinated by dreams, felt that horror needed to be not just "about fighting the monster but about the framework of reality itself," so he built the blurring of reality and dreams into the architecture of the story, borrowing from Polanski's *Repulsion*.

As the sequels kept coming, however, Freddy action figures, and a Freddy rock album with songs such as "Do the Freddy," went on the market. The selling of this character was truly remarkable when you consider that Craven originally imagined him as "the ultimate bad father," whose name derived from the rapist Krug in *The Last House on the Left*. Craven renounced the movies and quit the series in the late eighties, but he paved the way for the commercialization by making a killer that was easier to relate to. Freddy told jokes. His name was kind of fun. He didn't wear a mask. And by 1990, those knife fingers would become a source of sympathy and eccentricity in Tim Burton's romantic ode to sentimental monster movies, *Edward Scissorhands*, starring Johnny Depp (whose debut was *A Nightmare on Elm Street*) and Vincent Price.

The self-consciousness of the genre presented another opportunity for the resourceful Craven, which he exploited in *New Nightmare*, his 1994 meta-movie that used the Freddy franchise to comment on the state of horror. Craven played himself struggling to come up with a new installment of *Nightmare on Elm Street*. He dug even deeper into the now-established architecture of the horror film two years later with the incredibly popular *Scream* series that packaged the brutality of serial killer movies with the critical acumen and wit of an episode of *The Simpsons*. The subject of these movies was the conventions of 1970s horror—or at least the conventions established by movies like

Halloween. The knowing winks at past horror movies are actually nothing new. *Halloween* itself was a movie about horror movies, and another decade earlier *Targets* was an insightful essay disguised as a horror movie. But *Scream* went further than any other movie in singling out how the "rules" of the horror film were primarily established by the New Horror.

In his screenplay for *Scream*, Kevin Williamson has the character Randy (played by Jamie Kennedy) spell out the horror formula like a true fan. Repeating the criticism of countless critics of *Halloween*, he explains: "There are certain rules that one must abide by in order to successfully survive in a horror movie. For instance, number one: you can never have sex." There are nods to the trick ending from *Carrie* and a further exploration of the frightening possibilities of a ringing telephone. But the most intriguing recurring joke in the screenplay concentrates on an extended debate about the question of motive.

At the end of *Scream*, Randy says motive is incidental. When the killer, whose ghostly frowning mask became the most famous horror accessory of the 1990s, makes his final appearance, he spells out the most valuable insight of the New Horror: "It's a lot scarier when there's no motive." Craven not only made a movie that brought the low-budget horror films of the seventies into the mainstream; he, and Williamson, turned the debates among the makers of those films into the subject of the blockbuster. In so doing, Craven earned enough clout to escape the genre. He was even able to make a gentle, sensitive, entirely not scary drama starring Meryl Streep as a violin player, *Music of the Heart*.

It was the first movie of his that his mother came to see, and horror fans, not surprisingly, didn't love it. Craven kept his career alive in horror by continually challenging the genre that he helped establish, but ask him about his role in horror and he will tell old stories about being shouted at in cocktail parties for making disgusting films and being derided by family members. Craven maintained his sense of being an outsider, even when he wasn't one. Asked about revolutionizing the genre, surrounded by posters of his movies in his spacious office in

Studio City, Los Angeles, he sighs. "All I am doing," he says, "is re-arranging the curtains in the insane asylum."

AT THE time of the release of *The Exorcist*, William Peter Blatty stopped speaking to William Friedkin because he felt that the director had turned his religious story into a morally indifferent shocker. They later reconciled. Friedkin refused to produce a remake, but in 2000, he agreed to rerelease the original movie with ten minutes of cuts restored that added the explanation of why the devil haunted that house. What was a story filled with ambiguity and mystery became what Blatty had always wanted: a religious morality tale.

Sitting in the backyard of his palatial Maryland home, Blatty smiles like a man who had lost the battle but won the war. He describes the rerelease as a major improvement. "It has a meaning more than a horror show," he says. "Demons are real." With Rush Limbaugh's baritone booming on the radio inside his house, he talked about how George-town University, where he first learned about the story that inspired his movie, had lost its way. "I thought it was a Catholic institution," he said. "There are demons running all over that campus. It's pro-abortion."

The new *Exorcist* is longer, and since it lacks some of the ambiguity of the original, its success at scaring depends to a larger degree on how frightening you find the prospect of the Devil. The special effects, es-pecially Regan's head-spinning, look a little dated. After all these years, Friedkin still refuses to call the movie horror. "It won ten Academy Award nominations," he says. "How can that be horror?" He describes the fights he had with Blatty and says that he changed the rereleased movie as a favor. "I put it back in because I didn't think it was that bad, and the film made so much money, why shouldn't Bill have the movie he wants," he says, sitting in the Plaza Hotel in New York, while in town to work on an opera, a new career for him.

Friedkin has changed, too. Once an agnostic, he initially rejected

Blatty's attempt to explain the horror with a religious message. But Friedkin softened his stance. Since the movie opened, he became more interested in Christianity and now sees the virtue in a different vision of *The Exorcist*. He calls the new cut of the movie a "gift" to Blatty.

At the end of a two-hour discussion about the movie, he raises the question that people have been asking him for over four decades. Why did people care so much about this movie? Friedkin pauses dramatically, as if he is about to reveal a secret that he has kept to himself for many years, and in a way, that is true. "It's the mystery of faith," he says grandly. "Why do bad things happen to good people? That's the question." Then he continues his point with what seems like a tangent, but actually is not. He raises the question of what motivated Adolf Hitler.

With an impressive command of detail that suggests he has done considerable research into the subject, Friedkin proposes a myriad of answers, giving a short history lesson on World Wars I and II, and an account of anti-Semitism in Germany. He speaks in historical and psychological terms and muses about the role of economic forces. After about fifteen minutes of this informed explication of possible motives for the most notorious real-life monster of twentieth-century history, Friedkin becomes very quiet. "You can look at all those reasons, but none of them explains the death of six million Jews. You know what does?" he asks, leaning forward in his chair and adopting a conspiratorial tone before offering an explanation in complete earnestness. "Demonic possession. The entire race of Germans possessed by demons. The Germans followed Hitler straight to Hell."

Friedkin pauses to register how his revelation is being received and then smiles. When he started working on *The Exorcist*, Friedkin did not believe in God or demons or the Devil. But like all those audience members fainting and having seizures in the theaters, the movie's impact may have startled even him. It changed his life. In discussing the root of evil today, Friedkin reveals something about why the movies of the golden age of modern horror were so terrifying. When trying to figure out what could possibly have motivated the most notoriously evil dictator of the twentieth century, there was only one thing he refused to consider: that Hitler could not be explained. That was simply too much to bear. It's enough to make your head spin.

ACKNOWLEDGMENTS

The first movie that seriously shook me up was *Henry: Portrait of a Serial Killer*. I saw this grisly slice of life when I was about twelve in the basement of a friend's house and still recall how its matter-of-fact staging of violence made my body tense up into an almost paralyzed state. Leaving me unsettled for days, the movie was revolting, gruesome, and morally suspect—and I loved it. Since this book began as a way to better understand one of my favorite things, what happened in that basement was like, to use the language of classic horror, the moment when the mad scientist shouts: "It's alive!"

I explored the horror genre first in a feature story for *Vanity Fair* that Michael Hogan commissioned, guided, and championed. His invaluable editing helped me understand the scale of the story and strengthened my book proposal, which was deftly handled by my agent Farley Chase. Jane Fleming bought it for The Penguin Press, and when she left the publishing house, Laura Stickney took over, providing an incisive, meticulous, and tough-minded edit that vastly improved my manuscript. I am grateful to her for that. Bill Picard and Bob Gutowski, who assisted with fact checking, saved me from more embarrassments than I would like to think about.

I greatly benefited from many editors who have worked with me on articles about the genre, including John Swansburg at *Slate*, Julian Sancton at *Vanity Fair*, and Scott Heller, Stephanie Goodman, Andrea Stevens, and Lorne Manly at *The New York Times*. John Williams, who runs the excellent book review site The Second Pass, also published my writing about horror and has been an excellent sounding board for ideas. Webster Younce, a gifted book editor, has consistently guided me through the wilds of the publishing industry, and Jeremy Dauber, Jon Fasman, James Ryerson, Steven Boone, Michael Schaffer, Tony Timpone, Natalia Antonova, Brett Martin, and Livia Bloom generously offered wisdom and advice.

Hundreds of artists, family members, journalists, and producers took the time to talk to me about their work and the genre. Most of my reporting took place in Los Angeles, which for a New Yorker who doesn't drive means that I relied on a battalion of drivers numbering too many to mention. An equal amount of gratitude goes to Misha Collins and Daniella Meeker for giving me beds to sleep on. Jeff Gramm and his parents Phil and Wendy kindly offered me an apartment at a critical moment when I needed a quiet, isolated room to bear down and finish. During this period, my wonderful in-laws Jacques and Dominique Dunogué picked up the slack with child care.

My loving family has been an essential support system and huge influence throughout my career. As a kid, it always struck me that my mother never walked out of a play or a movie and quickly changed the subject to what's for dinner. She analyzed and debated and employed preposterous amounts of hyperbole, which was fun to listen to and very good training for a future critic. My father was more likely to argue about sports or politics, but he inadvertently planted the seeds of my interest in the fantasy genre in first grade by patiently reading C. S. Lewis's Narnia books every night before I went to sleep. That was a tremendous gift.

The most irreplaceable help on this project came from two literary-minded lawyers. My old friend Nick Joseph was the first person to teach me about the highbrow pleasures of lowbrow art as well as the lowbrow pleasures of highbrow art. His taste and intellectual rigor had an impact on me in high school and were invaluable in editing an early draft.

The person I depend on most, however, is my wife Agnès Dunogué, who, besides being the love of my life, thinks deeper and faster than anyone I have known. She has provided critical counsel at every stage of the book, talking through ideas, giving advice and perspective, and finally, a crucial edit. She has done it all happily despite not particularly liking horror movies at all. The poor woman has sat through more vampire slayings and zombie beheadings than anyone who doesn't care for that kind of thing should. Yet she never complained, not even when only weeks before giving birth to our daughter Penny, I insisted on rewatching *Alien* and *The Brood*, movies perfectly engineered to traumatize a pregnant woman. Clearly, I am very lucky.

NOTES

INTRODUCTION

2 *Cunningham didn't know:* Author interview (hereafter "AI") with Sean Cunningham; David A. Szulkin, *Wes Craven's Last House on the Left* (Godalming, UK: FAB Press, 1997).

2 *He hardly seemed to fit:* AI with David Cameron.

2 *"Tough stuff":* AI with Chapin.

2 *"Are you allowed to do this in America?":* Ibid.

2 *"Don't worry: it's just a joke":* AI with Craven.

4 *"Cutting was at times":* AI with Terence Winkless.

4 *"I just don't have his kind of money":* Ibid.

6 *Rules about obscenity:* Mark Harris, *Pictures at a Revolution: Five Movies and the Birth of the New Hollywood* (New York: Penguin Press, 2008).

6 *The "Midnight Movie":* J. Hoberman and Jonathan Rosenbaum, *Midnight Movies* (New York: Da Capo Press, 1983).

6 *Many of the adventurous mainstream directors:* Peter Biskind, *Easy Riders, Raging Bulls: How the Sex-Drugs-and-Rock 'N' Roll Generation Saved Hollywood* (New York: Simon & Schuster, 1999).

8 *"Steve King says":* AI with George Romero.

8 *Horror, he argued:* Ron Rosenbaum, "Gooseflesh: The Strange Turn Toward Horror," *Harper's*, September 1979.

CHAPTER ONE

11 *Castle had directed:* William Castle, *Step Right Up! I'm Gonna Scare the Pants Off America: Memoirs of a B-Movie Mogul* (New York: Pharos Books, 1976), pp. 185–86.

12 *Put the whole thing in 3-D:* Christopher Sandford, *Polanski: A Biography* (New York: Palgrave Macmillan, 2009).

12 *"Even if they ban it"*: Castle, *Step Right Up!*, p. 187.

13 *Of the four proposed endings:* AI with Pat Cardi.

13–14 *He made movies:* AI with William Immerman, Roger Corman.

14 *But Evans knew:* AI with Robert Evans.

16 *"I direct* **Rosemary's Baby**": Castle, *Step Right Up!*, p. 192.

17 *Robert Evans sold him:* AI with Evans.

17 *In a short appreciation:* Carlos Clarens, *An Illustrated Guide to the Horror Film* (New York: Paragon Books, 1967).

18 *In July: The Mike Douglas Show,* June 12, 1967.

18 *In other interviews:* Victoria Price, *Vincent Price: A Daughter's Biography* (New York: St. Martin's Griffin, 1999), p. 275.

19 *After he testified to Congress:* David Hajdu, *The Ten-Cent Plague: The Great Comic-Book Scare and How It Changed America* (New York: Farrar, Straus and Giroux, 2008), pp. 274–318.

19 *Tired of playing:* Price, *Vincent Price*, pp. 337–39.

20 *He had been strongly influenced by:* James Marriot, *Horror Films* (London: Virgin Films, 2004), p. 135.

21 *As such, Polanski told his crew and actors:* AI with William Fraker.

22 *Polanksi loved* **Waiting for Godot**: William Hutchings, *Samuel Beckett's* Waiting for Godot: *A Reference Guide* (New York: Praeger, 2005), p. 18.

22 *"He has exactly":* Kathleen Tynan, ed., *Kenneth Tynan: Letters* (New York: Random House, 1994), p. 339.

22 *"I want realism, Bill":* Castle, *Step Right Up!*, p. 207.

22 *"Blood is phony":* Ibid.

22 *"Nobody will hit a pregnant woman":* Mia Farrow, *What Falls Away: A Memoir* (New York: Bantam Books, 1998), p. 109.

23 *Levin had to confess:* Stephen King, *Danse Macabre* (New York: Berkley Books, 1981), p. 296.

23 *"We were trying":* AI with William Fraker.

24 *"Roman wanted the focus":* Ibid.

24 *After he called a meeting:* AI with Evans.

24 *He served her divorce papers:* Farrow, *What Falls Away*, p. 112.

25 *In this final passage:* King, *Danse Macabre*, p. 299.

25 *Castle pleaded:* Castle, *Step Right Up!*, p. 210.

25 *This is going to be big*: AI with Evans.

25 *On August 8:* UPI, "Vermont City Bans Rosemary's Baby," *Los Angeles Times*, August 8, 1968.

26 *"Only a director":* No byline, "'Rosemary's Baby' Given a 'C' Rating by Catholic Office," *The New York Times*, July 21, 1968; Stanley Kauffmann, "Son of a Witch," *The New Republic*, June 15, 1968.

26 *"Having paid my critical respects . . . believe anything"*: Charles Champlin, "'Rosemary's Baby' on Crest Screen," *Los Angeles Times*, June 14, 1968.

26 *Simply, for a horror movie:* Charles Champlin, "Toward a Definition of Good Taste in Movies," *Los Angeles Times*, July 7, 1968.

CHAPTER TWO

28 *"The audience is very different"*: Jack Sullivan, *Hitchcock's Music* (New Haven, CT: Yale University Press, 2006), p. 278.

28 **The New Yorker** *described* **Vertigo**: John McCarten, "The Current Cinema," *The New Yorker*, June 7, 1958.

28 *But the image of him:* François Truffaut, *Hitchcock/Truffaut* (New York: Simon & Schuster, 1984).

30 *This murder took one week:* David Thomson, *The Moment of Psycho: How Alfred Hitchcock Taught America to Love Murder* (New York: Basic Books, 2009), p. 58.

30 *John Carpenter cast Jamie Lee Curtis:* AI with John Carpenter, Irwin Yablans.

30 *Tobe Hooper patterned the madman:* AI with Tobe Hooper.

30 *"It's unique to cinematic storytelling"*: AI with Brian De Palma.

31 *"You mean* **fromage"**: AI with John Landis.

31 *"Most intelligent people"*: AI with William Friedkin.

32 *"Psycho* **was kind of restrained"**: AI with Wes Craven.

33 *"We didn't care"*: AI with Herschell Gordon Lewis; Joe Bob Briggs, *Profoundly Disturbing: Shocking Movies That Changed History!* (New York: Universe, 2003), pp. 86–99.

33 *But Lewis took this tongue:* AI with Lewis.

34 *"Anyone under thirty-five"*: Ibid.

34 *"A blot on the American film industry"*: Kevin Thomas, "'Blood Feast' Grisly Boring Movie Trash," *Los Angeles Times*, May 2, 1964.

34 *"He got more directly"*: AI with Lamberto Bava.

35 *The same year that* **Blood Feast**: Adam Rockoff, *Going to Pieces: The Rise and Fall of the Slasher Film, 1978–1986* (Jefferson, NC: McFarland, 2002), pp. 30, 31.

36 *"It didn't matter"*: AI with Immerman.

36 *"Murdering mannequins . . . grammar-school histrionics"*: A. H. Weiler, "Blood and Black Lace," *The New York Times*, November 11, 1965.

36 *"Bava is simply"*: Carlos Clarens, *An Illustrated History of the Horror Film* (New York: Paragon Books, 1967), p. 158.

37 *"When the law enforcement"*: AI with Landis.

37 *At around the same time:* AI with Craven, Carpenter, Dario Argento.

37–38 *The influential French film journal:* Daney Serge, "Night of the Living Dead," *Cahiers du Cinéma*, April 1970.

38 *"It was legit":* AI with George Romero.

39 *"You got to respect":* Ibid.

39 *"That left horror":* AI with Russ Streiner.

39 *Romero and nine:* Paul R. Gagne, *The Zombies That Ate Pittsburgh: The Films of George A. Romero* (New York: Dodd, Mead, 1987), p. 29.

39 *"Possibly the scariest":* AI with Romero.

40 *"All horror films":* AI with John Russo.

41 *"I didn't even use the word 'zombie'":* AI with Romero.

41 *"You're romping through":* Ibid.

41 *"All that stuff's":* AI with Romero, Russo.

42 *"He simply gave":* AI with Romero.

42 *"Man, this is good for us":* Ibid.

43 *"[After the assassination]":* AI with Peter Bogdanovich, Robert Evans.

43 *"All the great movies":* Aljean Harmetz, "Peter Still Looks Forward to His Citizen Kane," *The New York Times*, November 14, 1971.

44 *"I felt raped":* AI with Bogdanovich.

44 *"I was convinced":* Ibid.

44 *"Are you interested?":* AI with Roger Corman, Bogdanovich; Peter Bogdanovich, *Pieces of Time: Peter Bogdanovich on the Movies* (New York: Arbor House Pub, 1973), pp. 18–20.

45 *"I remember thinking":* AI with Bogdanovich.

46 *"What is modern horror?":* Ibid.

46 *Corman told his actors:* Roger Corman, *How I Made a Hundred Movies in Hollywood and Never Lost a Dime* (New York: Da Capo Press, 1990), p. 81.

46 *Karloff was troubled:* AI with Bogdanovich; Gordon B. Shriver, *Boris Karloff: The Man Remembered* (Baltimore: PublishAmerica, 2004), p. 132.

47 *In an insightful essay:* Renata Adler, "One Does Not Want This Sniper to Miss," *The New York Times*, August 25, 1968.

47 *"This is the only flaw":* Howard Thompson, "Two Case Histories of Horror Are Joined: Boris Karloff Stars in Gripping 'Targets' Film by Bogdanovich at 46th St. Embassy," *The New York Times*, August 14, 1968.

48 *"How intellectually chaotic":* Penelope Gilliatt, "The Current Cinema," *The New Yorker*, September 7, 1968.

CHAPTER THREE

50 *"It was about a woman":* AI with Dan O'Bannon.

50 *"Nobody makes it":* AI with Terence Winkless.

51 *"From Polanski I realized":* AI with John Carpenter.

52 *"That's what he's like":* AI with Brian Narelle.

52 *"You shouldn't take everything I say":* Giles Boulenger, *John Carpenter: The Prince of Darkness* (Los Angeles: Silman-James Press, 2003), p. 62.

52 *Carpenter loved genre movies:* Frederick S. Clarke, "Roots of Imagination: Carpenter's Boyhood Dream Was Making Horror Films," *Cinefantastique*, Summer 1980.

52 *He wanted to make movies like that:* AI with Carpenter.

52 *"It was viewed as":* Ibid.

53 *"That's not fair!":* AI with O'Bannon.

53–54 *"But for Dan":* AI with Winkless.

54 *"You knew all you needed to know":* AI with Carpenter.

54 *"I'm telling you":* Jordan R. Fox, "Riding High on Horror," *Cinefantastique*, Summer 1980.

54 *Carpenter proposed making a movie:* AI with Carpenter, O'Bannon.

55 *"He knew he had to have":* AI with Nick Castle.

55 *"We just skipped the step":* AI with Castle.

56 *"I looked over . . . accepted him":* Thomas S. O'Bannon, unpublished document, "The Book of Daniel"; Daniel O'Bannon's unpublished autobiography was also useful in his family background and the background of his birth.

56 *It sat in front of a sign:* AI with Diane O'Bannon; O'Bannon,"The Book of Daniel."

57 *"They were so wrapped up":* AI with O'Bannon.

57 *"This morning . . . Not bad, huh?":* O'Bannon, "The Book of Daniel."

58 *"I want to talk on anyhow":* Ibid.

58 *"As an artist":* Ibid.

58 *"And he was unstable":* AI with O'Bannon.

58 *He also demonstrates interest:* Dan O'Bannon, "Movie in Reviews" columns about *Seconds* and *The American Dream*, before publication.

58 *After reading an advice column:* AI with O'Bannon.

59 *"The story is tendentious":* Ibid.

59 *Another time, Winkless:* AI with Winkless.

59 *"O'Bannon was a bit crazed":* AI with Narelle.

60 *"Dan had enormous confidence":* AI with Carpenter.

60 *To take one example:* Nick Castle at Dan O'Bannon's memorial.

60 *"I needed a friend":* AI with O'Bannon.

60 *O'Bannon's favorite:* Ibid.

60 *Carpenter recalls:* AI with Carpenter.

61 *A man chasing you:* Stephen T. Asma, *On Monsters: An Unnatural History of*

Our Worst Fears (New York: Oxford University Press, 2009), p. 186. Asma deftly explains how Freud, Heidegger, and Lovecraft, while very different thinkers, were trying to articulate a similar kind of oblique, irrational experience.

61 *His favorite tale was "The Outsider":* Joyce Carol Oates, ed., *Tales of H. P. Lovecraft* (New York: Ecco, 1997).

62 *"The oldest and strongest emotion":* H. P. Lovecraft, *Supernatural Horror in Literature* (New York: Dover Publications, 1973), p. 12.

63 *"What if it's a talking bomb":* AI with O'Bannon.

64 *"Awwww!":* Ibid.

64 *"It seemed kind of like":* AI with Narelle.

64 *"Well, the sad fact":* AI with Diane O'Bannon.

64 *That made Dan laugh:* Ibid.

65 *"We need to do":* AI with Ron Cobb.

66 *"I would see him":* AI with Winkless.

66 *"Same movie":* AI with O'Bannon.

66 *"I was someone":* Ibid.

CHAPTER FOUR

67 *"It was the first thing":* AI with Wes Craven.

68 *It hospitalized him:* AI with Craven, Bonnie Chapin.

68 *Coleman encouraged:* James Freedman, "Director Wes Craven Reflects on His Time at Homewood," *The Johns Hopkins Newsletter,* January 31, 2008.

69 *Coleman also gave:* AI with Chapin.

69 *"There was something Englishy":* AI with Chapin, David Cameron.

70 *Continuing to write dark stories:* AI with Bonnie Chapin.

70 *"He always treated it":* AI with Cameron.

70 *"I'm surprised I never":* AI with Craven.

70 *"Why don't you do":* Ibid.

71 *That stunned Craven:* AI with Craven, Bonnie Chapin.

71 *"It's time to get serious":* AI with Craven.

72 *"Summer has settled . . . all the time":* Letter from Craven to David Cameron. April 1970.

72 *"The word 'crazy' ":* AI with Craven.

73 *"We're very different":* Ibid.

73 *"Black dick always sold me":* AI with George Mansour.

73 **Twitch of the Death Nerve:** David A. Szulkin, *Wes Craven's Last House on the Left* (London: FAB Press, 2000), pp. 127–34.

74 *By February:* Szulkin, *Wes Craven's Last House on the Left*, p. 31.

74 *"Use it!":* AI with Craven.

75 *"I never did":* AI with Veronica Carlson.

76 *"We saw* Hostel . . . *shit over there":* AI with Adam Bryant.

77 *The tension between:* AI with Craven, Cunningham; Szulkin, *Wes Craven's Last House on the Left*, p. 113; Peter Bracke, *Crystal Lake Memories: The Complete History of Friday the 13th* (London: Titan Books, 2006), p. 16.

77 *"They'll just let":* AI with David Hess.

78 *"I didn't even know":* AI with Craven.

78 *"This is about nastiness":* Ibid.

79 *Cunningham says:* AI with Sean Cunningham.

80 *Carr had it written:* Szulkin, *Wes Craven's Last House on the Left*, p. 39.

81 *"I think for most people":* AI with Cunningham.

81 *"Once it was made":* AI with Craven; Bracke, *Crystal Lake Memories*, p. 16.

81 *"It's not a place":* AI with Craven.

82 *"Here it is!":* Ibid.

82 *The* **Hartford Courant:** Editorial in *Hartford Courant*, September 3, 1972.

82 *The critic from:* Szulkin, *Wes Craven's Last House on the Left*, p. 136.

82 *The* **New York Times** *reviewer:* Howard Thompson, "Last House on the Left," *The New York Times*, December 22, 1972.

82 *"'This film was so violent'":* AI with Cunningham.

82 *Jeramie Rain recalls:* AI with Jeramie Rain.

82 *"All I want to know":* AI with Bonnie Chapin.

83 *"But I thought":* AI with Jonathan Craven.

83 *"I still believe":* Roger Ebert, "In Defense of a Violent Movie That Makes a Statement Against Violence," *Chicago Sun-Times*, December 1, 1972.

83 *"Worst of all":* Roger Ebert, "Just Another Horror Movie—Or Is It?," *Reader's Digest*, June 1969.

84 *John Carpenter has said:* AI with George Romero, John Carpenter, and Forrest Ackerman; David J. Skal, *The Monster Show* (New York: Penguin Books, 1993), p. 268–74.

85 *"Make me laugh.":* AI with Ackerman.

85 *"A vampire a day":* Forrest Ackerman. *Famous Monsters of Filmland, Collector's Edition* (New York: Imagine, Inc, 1986), p. 17.

85 *"And I don't want":* Letters, *Castle of Frankenstein*, Summer 1973.

86 *"Their sense of wonder":* Frederick S. Clarke, "How's Your Sense of Wonder?," *Cinefantastique*, Fall 1970.

86 *Clarke wrote that:* Frederick S. Clarke, "Sense of Wonder," *Cinefantastique*, Summer 1971.

86 *"What makes 'Night' "*: Ibid.

87 *"Monsterism," Ackerman wrote:* Famous Monster of Filmland, Collector's Edition, p. 147.

88 *Ackerman stood there:* AI with Ackerman.

CHAPTER FIVE

90 *It felt clammy:* AI with William Friedkin.

91 *"When it came time":* AI with William Peter Blatty.

91 *"Bill, when are you":* Ibid.

92 *Ray Bradbury even wrote:* Ray Bradbury, "Science Fiction Writer Ray Bradbury's New Ending for 'Rosemary's Baby,'" *Los Angeles Times*, January 26, 1969.

92 *"It was schlocky":* AI with Blatty.

92 *"I could do something":* Ibid.

92 *Jaffe decided to buy:* AI with Marc Jaffe.

93 *Directed by the Maysles brothers:* Vincent Canby, "Making Murder Pay? Gimme Shelter," *The New York Times*, December 13, 1970.

93 *"If I had been writing":* Lucretia Marmon, "Hal Lindsey Says the Wave of the Future Is Armageddon, and 14 Million Buy It," *People*, July 4, 1977.

94 *"It won't get made":* AI with Peter Bogdanovich.

95 *"He made a deal!":* AI with Blatty.

95 *"Crime does pay":* Ibid.

95 *It was, he said:* Peter Travers, *The Story Behind* The Exorcist (New York: Crown Publishers, 1974), p. 24; AI with Friedkin.

96 *When Father Merrin:* AI with Friedkin.

96 *"That was the moral context":* AI with Blatty.

96 *"Without these scenes":* AI with Blatty, Friedkin. *The Story Behind* The Exorcist, pp. 26–39.

97 *"I'm not doing":* AI with Blatty, Friedkin.

97 *a mystical centuries-old:* H. P. Lovecraft, *The Dreams in the Witch House and Other Weird Stories* (New York: Penguin Classics, 2004), p. 309.

97 *When the movie was released:* Mark Harris, *Pictures at the Revolution: Five Movies and the Birth of the New Hollywood* (New York: Penguin Press, 2008), pp. 183–85.

98 *"When I saw* The Birthday Party*":* AI with Friedkin.

98 *"He must have never":* Pauline Kael, "The Current Cinema," *The New Yorker*, November 8, 1976.

99 *He told Friedkin:* AI with Friedkin.

99 *"Let's face it"*: AI with Blatty.

99 *Industry trade publication*: *The Story Behind* The Exorcist, pp. 129–30.

100 *Blatty agreed*: AI with Friedkin.

100 *"That's what I thought happened"*: AI with Blatty.

101 *Pauline Kael attacked*: Elizabeth Peer, "The Exorcist Frenzy," *Newsweek*, February 11, 1974; James Marriot, *Horror Movies* (London: Virgin Books, 1997); James Baldwin, *The Devil Finds Work* (New York: Laurel, 1990); Travers, *The Story Behind* The Exorcist; John Kenneth Muir, *Horror Films of the 1970s, Volumes 1 and 2* (Jefferson, NC: McFarland, 2002); Pauline Kael, "The Current Cinema," *The New Yorker*, January 7, 1974.

101 *It appeared in* **The New York Times**: Chris Chase, "Everyone's Reading It, Billy's Filming It," *The New York Times*, August 27, 1972.

102 *The director obfuscated*: *Castle of Frankenstein*, January 23, 1974; Travers, *The Story Behind The Exorcist*; AI with Blatty, Friedkin, Joe Hyams.

103 **Rolling Stone's** *Jon Landau*: *Rolling Stone* review reprinted in Travers, *The Story Behind* The Exorcist, pp. 158–62.

103 *"Not acceptable ugly"*: Chase, "Everyone's Reading It, Billy's Filming It."

103 *"We needed to open"*: AI with Hyams.

105 *"Hence the sympathy"*: Stephen Farber, *The Movie Rating Game* (New York: Public Affairs, 1972); Jack Valenti, *This Time, This Place: My Life in War, the White House, and Hollywood* (New York: Crown, 2007); Wayne Warga, "MPAA Film Ratings Go Into Effect," *Los Angeles Times*, November 1, 1968.

106 *"It was the best"*: AI with Roger Corman.

106 *The earliest version*: *Variety*, October 16, 1968.

106 *In a pan in* **Variety**: Roger Ebert, "Just Another Horror Movie—Or Is It?" *Reader's Digest*, June 1968, p. 128.

106–7 *In* **The Movie Rating Game**: Farber, *The Movie Rating Game*, p. 88.

107 *In a rare move*: AI with Friedkin.

107 *"But when a movie"*: Pauline Kael, *For Keeps: 30 Years at the Movies* (New York: Penguin, 1994), p. 537.

107 *In* **The New York Times**: Jack Valenti, "Letter to the Editor," *The New York Times*, February 24, 1974.

108 *"My little spot"*: AI with Lewis.

108 *"With Stern"*: AI with Immerman.

108 *Sure enough*: Farber, *The Movie Rating Game*.

109 *"And it got an R?"*: AI with Richard Heffner.

109 *An article in*: Gerald Jonas, "The Man Who Gave an 'X' Rating to Violence," *The New York Times*, May 11, 1975.

110 *"They are household pets"*: AI with Heffner.

CHAPTER SIX

111 *As the buzz:* AI with John Landis, Jack Harris.

112 *"So what?":* AI with Dan O'Bannon.

112 *"This is my deal":* AI with Harris, O'Bannon.

112 *"If this was the way":* AI with O'Bannon.

113 *No matter how monstrous:* Stephen King, *Danse Macabre* (New York: Berkley Books, 1981), p. 110. I learned an immense amount about horror from reading the thoughts of King, but in particular, my understanding of the Monster Problem was clarified by his account of a speech by William F. Nolan at the 1970 World Fantasy Convention. He describes how opening a door to find a ten-foot-tall bug is scary but not as much as hearing the same beast scratching at the door. The reason, he explains, is that the viewer, once seeing the bug, thinks, "I was afraid it was going to be a hundred feet tall."

113 *"That changed in the seventies":* AI with John Landis.

114 *"I cannot even hint . . . even more":* Joyce Carol Oates, ed., *Tales of H. P. Lovecraft* (New York: Ecco, 1997).

115 *"For every creature":* AI with Guillermo del Toro, Dario Argento.

115 *Inspiration struck:* AI with O'Bannon, Carpenter.

115 *"We realized":* AI with O'Bannon.

116 *To Carpenter:* AI with Carpenter.

117 *"Some people will":* AI with O'Bannon.

118 *Most of them sat:* Ben Cobb, *Anarchy and Alchemy: The Films of Alejandro Jodorowsky* (Clerkenwell, UK: Creation Books, 2006).

118 *"Everything is distorted . . . They're funny looking.":* Letter from Dan O'Bannon, July 12, 1975.

118 *"Chummy":* Letter from Dan O'Bannon, September 10, 1975.

120 *"He's somewhere below Wes Craven":* AI with Dan O'Bannon.

121 *"That's when ego problems":* AI with John Russo.

123 *"Screens were monopolized":* AI with George Romero.

123 *"Bava has a much more":* AI with Dario Argento.

124 *So when the producers:* AI with Romero; Maitland McDonagh, *Broken Mirrors/Broken Minds: The Dark Dreams of Dario Argento* (Minneapolis: University of Minnesota Press, 1991).

124 *"It has to talk":* AI with Romero.

125 *"Nobody ever said":* Roger Ebert, "Dawn of the Dead," *Chicago Sun-Times,* May 4, 1979.

125 *"It was a pie in the face":* AI with Romero.

CHAPTER SEVEN

128 *"I was scared shitless"*: AI with Wes Craven.

130 *He would never:* Joe Bloom, "They Came, They Sawed," *Texas Monthly*, November 2004; Stefan Jaworzyn, ed., *The Texas Chain Saw Massacre Companion* (London: Titan Books, 2003); Ellen Farley and William Knoedelseder, Jr., "The Real Texas Chain Saw Massacre," *Los Angeles Times*, September 5, 1982. Author interviews with Rob Bozman, Kim Henkel, Ed Neal, Gunnar Hansen, Marilyn Burns, and Tobe Hooper.

132 *"We all assumed"*: AI with Ron Bozman.

132 *"I saw some things"*: AI with Tobe Hooper.

133 *"There's something about looking"*: Ibid.

134 *"We referred to the way"*: AI with Kim Henkel.

134 *"It's the tools"*: Ibid.

135 *But the most compelling:* David Schmid, *Natural Born Celebrities: Serial Killers in American Culture* (Chicago: University of Chicago Press, 2005), pp. 77–101.

136 *"end of the sixties"*: Joan Didion, *We Tell Ourselves Stories in Order to Live* (New York: Everyman's Library, 2006), p. 212.

136 *"If I'm looking"*: Vincent Bugliosi and Curt Gentry, *Helter Skelter: The True Story of the Manson Murders* (New York: W. W. Norton & Company, 1974).

137 *As for his violent:* Ibid.; Ed Sanders, *The Family* (New York: Thunder's Mouth Press, 2002); Dial Torgerson, "Tearful Polanski Tells of His 'Truly Happy' Life With Wife," *Los Angeles Times*, August 20, 1969. I watched many documentaries and read scores of newspaper and magazine articles about the Manson murders and the fallout, but coverage in the *Los Angeles Times* (particularly columns by Joyce Haber) published in the immediate aftermath was particularly helpful.

137 *"the dark edge"*: Paul O'Neil, "The Monstrous Manson Family," *Life*, December 19, 1969.

137 *"If you're young"*: Bugliosi, *Helter Skelter*, p. 298.

138 *Roger Ebert called it:* Roger Ebert, "Macbeth," *Chicago Sun-Times*, January 1, 1971.

138 *"I know about bleeding"*: Kenneth Tynan, "Polish Imposition," *Esquire*, September 1971.

138 *Reports that Ted Bundy:* Anthony Timpone, "Screamography: Bob Clark," *Fangoria*, August 2007.

138 *The press added:* David Schmid, *Natural Born Celebrities: Serial Killers in American Culture* (Chicago: University of Chicago Press, 2005), pp. 105–38.

139 *"he filled up the door"*: AI with Hooper.

142 *"I moved troops"*: AI with Ed Neal.

142 *"What then?"*: AI with Hooper.

142 *"It smelled so bad"*: AI with Gunnar Hansen.

142 *"We used syrup"*: AI with Neal.

143 *"It was the one moment"*: AI with Hansen.

143 *"Harder!"*: AI with Marilyn Burns.

145 *At least they had a deal*: AI with Bozman, Hooper, and Henkel; Farley and Knoedelseder, "The Real Texas Chain Saw Massacre."

146 *"'So cut her head off'"*: Michael Wolff, "So What Do You Do At Midnight? You See a Trashy Movie," *The New York Times*, September 7, 1975.

146 *"$602,133 in the first four days"*: Jaworzyn, *The Texas Chain Saw Massacre Companion*.

146 *$47.17*: AI with Hansen.

147 *"I had one of my kids"*: Farley and Knoedelseder, "The Real Texas Chain Saw Massacre."

147 *"Of course now I've learned"*: AI with Hooper.

147 *Consider that George Romero*: AI with Romero.

148 *"well-made, well-acted"*: Roger Ebert, "Texas Chainsaw Massacre," *Chicago Sun-Times*, January 1, 1974.

148 *"I consider myself"*: Paul Roen, *Castle of Frankenstein*, June 25, 1975.

148 *"If we called it"*: AI with Henkel.

149 *By that he meant*: AI with Hooper.

149 *This new intelligentsia*: Stephen Koch, "Fashions in Pornography: Murder as an Expression of Cinematic Chic," *Harper's*, November 1976.

CHAPTER EIGHT

152 *He described his dad*: AI with Brian De Palma; Julie Salamon, *The Devil's Candy: The Anatomy of a Hollywood Fiasco* (New York: Da Capo Press, 1990).

152 *The Times called*: Charles Higham, "My Films Come Out of My Nightmares," *The New York Times*, October 28, 1973.

152 *Everyone agrees that*: A. O. Scott, "Say Brian De Palma, Let the Fighting Start," *The New York Times*, September 17, 2006. To get a sense of the polarized opinions about De Palma, start here.

153 *"Like when I was a kid"*: Susan Dworkin, *Double De Palma* (New York: Newmarket Press, 1984), p. 141; Laurence Knapp, *Brian De Palma Interviews* (Jackson: University of Mississippi Press, 2003); Michael Bliss, *Brian De Palma* (Metuchen, NJ: The Scarecrow Press, 1983); Laurent Bouzereau, *The De Palma Cut* (New York: Dembner Books, 1988).

154 *"Because he is"*: Brian De Palma, *"Village Voice*, March 1973.

154 *It's no accident*: AI with Jared Martin.

155 *"It was all like a joke"*: AI with William Finley.

155 *"He protected her"*: AI with Nancy Allen.

155 *"I didn't see that then"*: AI with De Palma.

157 *"This is the most beautiful girl"*: Ibid.

157 *Leach, who would win:* For his years at Columbia and his time in New York in the 1960s, I relied mostly on interviews with De Palma, Martin, Finley, Tina Shepard, Paul Zimet, Ellen Rand, and Gerrit Graham.

157 *"about better yield potential"*: AI with Martin.

158 *"If the [producer]"*: AI with De Palma.

160 *"It was intense"*: Ibid.

161 *"He meant it"*: King, *Danse Macabre*, p. 96.

161 *"an uneasy masculine shrinking"*: Ibid.

163 *De Palma wrote a screenplay:* AI with De Palma.

163 *"Spielberg wanted to talk"*: AI with Lawrence D. Cohen.

163 *King had admitted:* Stephen King, *On Writing: A Memoir of the Craft* (New York: Scribner, 2010).

164 *"And you saw pretty much everything"*: AI with Allen.

164 *"He thought that was interesting"*: AI with Betty Buckley.

165 *Why not just:* AI with Allen, Buckley, De Palma.

165 *the "most experimental"*: Peter Lester, "Director Brian De Palma and Actress Nancy Allen Just Got Carrie-D Away," *People*, October 22, 1979.

165 *"Too show-offy."*: AI with Cohen.

167 *"Squirm like a bug on a pin"*: AI with Buckley.

168 *"[De Palma] killed me"*: AI with Amy Irving, Buckley, De Palma.

168 *"After Carrie"*: AI with Craven.

169 *Brian De Palma said:* AI with De Palma.

169 *"No one else"*: Pauline Kael, "The Current Cinema," *The New Yorker*, November 22, 1976.

169 *Others saw its:* Richard Eder, "After the Prom, the Horror," *The New York Times*, November 17, 1976.

170 *"You are a mind-fucker"*: AI with Allen, De Palma.

170 *an observation Allen :* AI with Allen.

171 *"He was pleased and delighted"*: AI with Allen, De Palma, Finley.

172 *"But what he perhaps"*: AI with Keith Gordon.

CHAPTER NINE

175 *As for* The Exorcist: AI with Brian De Palma, William Friedkin.

176 *but fifteen years after* Psycho: Roger Ebert, "Jaws," *Chicago Sun-Times*, January 1, 1975; Vincent Canby, "Entrapped by 'Jaws' of Fear," *The New York Times*, June 21, 1975; Terry McCarthy, "Summer of the Shark," *Time*, June 23,

1975; Pauline Kael, "The Current Cinema," *The New Yorker*, November 8, 1976.

176 *There were no takers:* AI with Wes Craven.

176 *The pressure increased:* AI with Craven, Peter Locke.

177 *They take a detour:* AI with De Palma.

178 *There he is!:* AI with Tobe Hooper, John Carpenter.

178 *Carpenter concurred:* AI with John Carpenter, Jamie Lee Curtis, Irwin Yablans.

182 *"It stuck in my mind":* AI with Carpenter.

182 *"I had never seen that":* Ibid.

182 *"Even the most":* Ibid.

182 *And when Laurie asks:* AI with Carpenter, Harris; "Riding High on Horror," *Cinefantastique*, Volume 10. February 1980; Giles Boulenger, *John Carpenter: The Prince of Darkness* (Los Angeles: Silman James Press, 2003).

185 *"The unknown killer":* AI with Carpenter.

185 *"One of my main objectives":* Anthony Timpone, "Screamography: Bob Clark," *Fangoria*, August 2007.

186 *Carpenter and Clark:* Ibid.

186 *"I was going to call it* **Halloween***":* Timpone, "Screamography: Bob Clark."

187 *"I know exactly what to do":* AI with Yablans.

187 *"I wanted to":* AI with Carpenter.

188 *He made over:* AI with Yablans.

188 *Roger Ebert singled: Sneak Previews*, PBS, October 23, 1980.

188 *Allen also was:* Tom Allen, "The Sleeper That's Here to Stay," *Village Voice*, November 6, 1978.

189 *"When the studios see":* AI with Yablans.

189 *"Why don't we rip it off?":* Peter M. Bracke, *Crystal Lake Memories: The Complete History of Friday the 13th* (London: Titan Books, 2006), p. 17.

CHAPTER TEN

191 *"I don't think so":* AI with Diane O'Bannon.

192 *"It was sheer cruelty":* AI with Dan O'Bannon.

192 *O'Bannon wrote:* AI with Ronald Shusett.

193 *"I steal from everybody":* AI with O'Bannon.

194 *"The monster":* AI with Shusett, O'Bannon.

194 *He called his:* Paul M. Sammon, "The Explosive Films of David Cronenberg," *Cinefantastique*, Spring 1981; Jonathan Dee, "David Cronenberg's Body Language," *The New York Times*, September 18, 2005;

David J. Skal, *The Monster Show: A Cultural History of Horror* (New York: W. W. Norton, 1993).

195 *"There's no comeback"*: Janet Guttsman, "Cronenberg Gets Down and Dirty with Russian Mob," Reuters, September 10, 2007.

195 *"Pure id"*: AI with Larry Cohen.

196 *Lynch apparently:* Skal, *The Monster Show*, pp. 298–300.

196 *He grabbed his stomach:* AI with Jean Smyth.

196 *"No, I want to see"*: AI with O'Bannon.

196 *After* **The Last House:** Carol J. Clover, *Men, Women and Chain Saws* (London: BFI Publishing, 1992). In this incisive book, Clover makes the case for *I Spit on Your Grave* as well as anyone could. She also describes the loathing of the dreary film. For another, more full-throated defense, see Joe Bob Briggs's smart and very funny commentary on the DVD.

197 *"In certain types . . . more intense"*: AI with O'Bannon.

198 *O'Bannon told Giger:* AI with H. R. Giger, O'Bannon; H. R. Giger, *Giger's Alien* (Las Vegas, NV: Morpheus International, 1994).

199 *But Shusett argued:* AI with Shusett.

200 *"By the end"*: AI with Walter Hill.

200 *"They want to go"*: Ibid.

201 *"We kept making"*: AI with Shusett.

201 *"My eyeballs nearly fell out"*: "Alien: Anatomy of the Chestburster Scene: An Oral History with Ridley Scott, Sigourney Weaver and John Hurt," *Empire*, November 2009.

202 *"So Ladd made the movie"*: AI with Shusett.

202 *This would be like:* AI with Cobb, Giger, O'Bannon; Giger, *Giger's Alien*.

203 *"I was convinced"*: AI with O'Bannon.

204 *"You know: science-fiction writers!"*: AI with Hill.

204 *His stomach ached:* AI with O'Bannon, Shusett, Hill, Alan Ladd, Jr.

205 *"This couldn't be"*: AI with O'Bannon.

207 *"Just because"*: Ibid.

207 **John Carpenter also:** "Riding High on Horror."

207 **"Halloween was"**: AI with O'Bannon.

207 *Comparing the two:* Cover story, "Hollywood's Scary Summer," *Newsweek*, June 18, 1979.

209 *Critics did not:* Ron Rosenbaum, "Gooseflesh: The Strange Turn Toward Horror," *Harper's*, September 1979.

210 *"a great big"*: Vincent LoBrutto, *Stanley Kubrick: A Biography* (New York: Westview, 1997), p. 453.

210 *"New horror cultivates"*: Rosenbaum, "Gooseflesh."

CHAPTER ELEVEN

212 *"like watching a skater"*: Pauline Kael, "The Current Cinema," *The New Yorker*, June 9, 1980; Kael, *For Keeps: 30 Years at the Movies* (New York: Penguin, 1994).

212 *"It is said . . . laid to rest"*: Kael, *For Keeps*, p. 514.

213 *"Trash," she announces:* Ibid., p. 227.

216 *"Stop!"*: AI with Carpenter.

220 *"All of us"*: AI with Craven.

220 *"I always thought"*: AI with Joe Dante.

221 *"I hate when"*: AI with Rob Zombie.

221 *"There are gore clubs"*: AI with Romero.

222 *"That was Quentin Tarantino"*: AI with Craven.

225 *He contacted me:* Jason Zinoman, "Robert McKee's Unconvincing Story," *Vanity Fair Online*, November 10, 2009.

EPILOGUE

229 *"Honestly, it was"*: AI with George Romero.

230 *"Once it's out there"*: AI with Tobe Hooper; Douglas Brode, *The Films of Steven Spielberg* (New York: Citadel Press, 2000).

231 *"[I had] a ringside seat"*: AI with Diane O'Bannon.

232 *"The only really scary movie"*: AI with Romero.

232 *"What happened is that"*: AI with Wes Craven.

233 *"The director has to"*: AI with Brian De Palma.

236 *"All I am doing"*: AI with Craven.

236 *"It's pro-abortion"*: AI with William Peter Blatty.

236 *"I put it back"*: AI with William Friedkin.

237 *"That's the question"*: Ibid.

237 *"The Germans followed Hitler"*: Ibid.

BIBLIOGRAPHY

ASMA, STEPHEN T. *On Monsters: An Unnatural History of Our Worst Fears.* New York: Oxford University Press, 2009.

BISKIND, PETER. *Easy Riders, Raging Bulls: How the Sex-Drugs-and-Rock 'N' Roll Generation Saved Hollywood.* New York: Simon & Schuster, 1999.

BLATTY, WILLIAM PETER. *The Exorcist.* New York: HarperTorch, 1994.

BLISS, MICHAEL. *Brian De Palma.* Metuchen, NJ: The Scarecrow Press, 1983.

BOGDANOVICH, PETER. *Pieces of Time: Peter Bogdanovich on the Movies.* New York: Arbor House, 1973.

BOULENGER, GILES. *John Carpenter: The Prince of Darkness.* Los Angeles: Silman James Press, 2003.

BOUZEREAU, LAURENT. *The De Palma Cut.* New York: Dembner Books, 1988.

BRACKE, PETER M. *Crystal Lake Memories: The Complete History of* Friday the 13th. London: Titan Books, 2006.

BRIGGS, JOE BOB. *Profoundly Disturbing: Shocking Movies That Changed History!* New York: Universe, 2003.

BUGLIOSI, VINCENT, AND CURT GENTRY. *Helter Skelter: The True Story of the Manson Murders.* New York: W. W. Norton, 1974.

BURROUGH, BRYAN. *Public Enemies: America's Greatest Crime Wave and the Birth of the FBI, 1933–34.* New York: Penguin Press, 2004.

CAMPBELL, JOHN W. *Who Goes There?* New York: RosettaBooks, 2002. Kindle.

CARNEY, RAY. *Cassavetes on Cassavetes.* London: Faber and Faber, 2001.

CARROLL, NOËL. *The Philosophy of Horror, or Paradoxes of the Heart.* London: Routledge, 1990.

CASTLE, WILLIAM. *Step Right Up! I'm Gonna Scare the Pants Off America: Memoirs of a B-Movie Mogul.* New York: Pharos Books, 1976.

CLARENS, CARLOS. *The Illustrated History of the Horror Film.* New York: Paragon Books, 1967.

CLOVER, CAROL J. *Men, Women and Chain Saws.* London: BFI Publishing, 1992.

COBB, BEN. *Anarchy and Alchemy: The Films of Alejandro Jodorowsky.* Clerkenwell, UK: Creation Books, 2006.

CORMAN, ROGER. *How I Made a Hundred Movies in Hollywood and Never Lost a Dime.* New York: Da Capo Press, 1990.

CRONIN, PAUL, ED. *Roman Polanski: Interviews.* Jackson: University Press of Mississippi, 2005.

DERRY, CHARLES. *Dark Dreams: A Psychological History of the Modern Horror Film.* London: Magdalen House, 1977.

———. *The Suspense Thriller: Films in the Shadow of Alfred Hitchcock.* Jefferson, NC: McFarland, 1988.

DUNNE, JOHN GREGORY. *The Studio.* New York: Vintage Books, 1998.

DWORKIN, SUSAN. *Double De Palma.* New York: Newmarket Press, 1984.

FARBER, STEPHEN. *The Movie Rating Game.* New York: Public Affairs, 1972.

FARROW, MIA. *What Falls Away.* New York: Bantam Books, 1998.

FREEMAN, DAVID. *The Last Days of Alfred Hitchcock.* New York: Overlook Press, 1999.

FREUD, SIGMUND. *The Uncanny.* New York: Penguin Classics, 2003.

FRUM, DAVID. *How We Got Here: The 70's: The Decade That Brought You Modern Life—For Better or Worse.* New York: Basic Books, 2000.

GAGNE, PAUL R. *The Zombies That Ate Pittsburgh: The Films of George A. Romero.* New York: Dodd, Mead, 1987.

GELMIS, JOSEPH. *The Film Director as Superstar.* New York: Doubleday, 1970.

GIBNEY, RYAN. *It Don't Worry Me: The Revolutionary American Films of the Seventies.* New York: Faber and Faber, 2003.

HAJDU, DAVID. *The Ten-Cent Plague: The Great Comic-Book Scare and How It Changed America.* New York: Farrar, Straus and Giroux, 2008.

HARRIS, MARK. *Pictures at a Revolution: Five Movies and the Birth of the New Hollywood.* New York: Penguin Press, 2008.

HEMINGWAY, ERNEST. *The Snows of Kilimanjaro and Other Stories.* New York: Scribner, 2003.

HOBERMAN, J., AND JONATHAN ROSENBAUM. *Midnight Movies.* New York: Da Capo Press, 1983.

JAWORZYN, STEFAN, ED. *The Texas Chain Saw Massacre Companion.* London: Titan Books, 2003.

KAEL, PAULINE. *For Keeps: 30 Years at the Movies.* New York: Penguin, 1994.

KANE, JOE. *Night of the Living Dead: Behind the Scenes of the Most Terrifying Zombie Movie Ever.* New York: Citadel Press Books, 2010.

KING, STEPHEN. *Carrie.* New York: Doubleday, 1990. Kindle.

———. *Danse Macabre.* New York: Berkley Books, 1981.

———. *On Writing: A Memoir of the Craft.* New York: Scribner, 2010. Kindle.

Knapp, Laurence F. *Brian De Palma Interviews*. Jackson: University of Mississippi Press, 2003.

Levin, Ira. *Rosemary's Baby*. New York: Signet, 1997.

Lim, Dennis, ed. *The Village Voice Film Guide: 50 Years of Movies from Classics to Cult Hits*. Hoboken, NJ: John Wiley & Sons, 2007.

Lindsey, Hal. *Satan Is Alive and Well on Planet Earth*. Grand Rapids, MI: Zondervan Publishing House, 1972.

Lovecraft, H. P. *The Dreams in the Witch House and Other Weird Stories*. New York: Penguin Classics, 2004.

———. *Supernatural Horror in Literature*. New York: Dover Publications, 1973.

Lowenstein, Adam. *Shocking Representation: Historical Trauma, National Cinema and the Modern Horror Film*. New York: Columbia University Press, 2005.

Marriot, James. *Horror Films*. London: Virgin Books, 1997.

McCarty, John. *The Fearmakers: The Screen's Directorial Masters of Suspense and Terror*. New York: St. Martin's Press, 1994.

McDonagh, Maitland. *Broken Mirrors/Broken Minds: The Dark Dreams of Dario Argento*. Minneapolis: University of Minnesota Press, 1991.

Muir, John Kenneth. *Horror Films of the 1970s, Volumes 1 and 2*. Jefferson, NC: McFarland, 2002.

Normanjon, Peter. *The Mammoth Book of Best Horror Comics*. Philadelphia: Running Press Book Publishers, 2008.

Oates, Joyce Carol, ed. *Tales of H. P. Lovecraft*. New York: Ecco, 1997.

Price, Victoria. *Vincent Price: A Daughter's Biography*. New York: St. Martin's Griffin, 1999.

Robinson, W. R., ed. *Man and the Movies*. Baltimore: Penguin Books, 1971.

Rockoff, Adam. *Going to Pieces: The Rise and Fall of the Slasher Film, 1978–1986*. Jefferson, NC: McFarland, 2002.

Salamon, Julie. *The Devil's Candy: The Anatomy of a Hollywood Fiasco*. New York: Da Capo Press, 1990.

Sanders, Ed. *The Family*. New York: Thunder's Mouth Press, 2002.

Sandford, Christopher. *Polanski: A Biography*. New York: Palgrave MacMillan, 2009.

Schmid, David. *Natural Born Celebrities: Serial Killers in American Culture*. Chicago: University of Chicago Press, 2005.

Segaloff, Nat. *Hurricane Billy: The Stormy Life and Films of William Friedkin*. New York: William Morrow, 1990.

Seligman, Craig. *Sontag & Kael*. New York: Counterpoint, 2004.

Shelley, Mary. *Frankenstein*. New York: Penguin Group, 1983.

Shriver, Gordon. *Boris Karloff: The Man Remembered*. Baltimore: Publish America, 2004.

SILVER, ALAIN, AND JAMES URSINI, EDS. *Horror Film Reader.* Pompton Plains, NJ: Limelight Editions, 2003.

SKAL, DAVID J. *The Monster Show: A Cultural History of Horror.* New York: W. W. Norton, 1993.

SONTAG, SUSAN. *Against Interpretation: And Other Essays.* New York: Anchor Books, 1990.

STOKER, BRAM. *Dracula.* Boston: Longman, 2011.

SULLIVAN, JACK. *Hitchcock's Music.* New Haven, CT: Yale University Press, 2006.

SZULKIN, DAVID A. *Wes Craven's Last House on the Left.* Godalming, UK: FAB Press, 1997.

THOMSON, DAVID. *The Moment of Psycho: How Alfred Hitchcock Taught America to Love Murder.* New York: Basic Books, 2009.

THROWER, STEPHEN. *Nightmare USA: The Untold Story of the Exploitation Independents.* Godalming, UK: FAB Press, 2007.

TRAVERS, PETER. *The Story Behind* The Exorcist. New York: Crown Publishers, 1974.

TRUFFAUT, FRANÇOIS, ED. *Hitchcock/Truffaut.* New York: Simon & Schuster, 1984.

VALENTI, JACK. *This Time, This Place: My Life in War, the White House, and Hollywood.* New York: Crown, 2007.

WALLER, GREGORY, A. *American Horrors: Essays on the Modern American Horror Film.* Urbana: University of Illinois Press, 1987.

WINTER, DOUGLAS E. *Faces of Fear: Encounters with the Creators of Modern Horror.* New York: Berkley Books, 1985.

INDEX